Über dieses Buch Der heute irritierend klingende Titel *Zwischen den Rassen* hat nichts mit Nazi-Ideologie zu tun. Der Roman erschien erstmals 1907. Hauptthema ist eine komplizierte Liebesgeschichte unter Künstlern, die überwiegend in Italien spielt. Ein Teil der Protagonisten stammt von nördlich der Alpen – es geht also um die vorgeblichen Unterschiede zwischen Nord und Süd, zwischen Geist und Sinnlichkeit. Tatsächlich verbirgt sich hinter den Szenen aus der großbürgerlichen Boheme ein Entwicklungs-, ein Emanzipationsroman im beginnenden zwanzigsten Jahrhundert. Die Heldin Lola Gabriel ist keineswegs mehr geneigt, wie etwa noch Emma Bovary oder Effi Briest, die bürgerlichen Ehegesetze als ehern hinzunehmen. Lola erkennt sie einfach nicht mehr an und verstößt vorsätzlich gegen sie. In Cesare Augusto Pardi zeichnet Heinrich Mann, wie er später selbst interpretierte, einen Vorläufer der Faschisten, knapp eine Generation vor Mussolinis Marsch auf Rom immerhin.

Thomas Mann schrieb seinem Bruder zu diesem Roman: »Du hast nie soviel Hingabe gezeigt, und bei aller Strenge seiner Schönheit hat dieses Buch dadurch etwas Weiches, Menschliches, Hingegebenes, das mich ganze Abschnitte lang in einer unwiderstehlichen Rührung festgehalten hat. Aber der eigentliche Grund seiner besonderen Wirkung liegt doch wohl tiefer. Sie beruht, meine ich, darin, daß dieses Buch das gerechteste, erfahrenste, mildeste, freieste Deiner Werke ist. Hier ist keine Tendenz, keine Beschränktheit, keine Verherrlichung und Verhöhnung, kein Trumpfen auf irgend etwas und keine Verachtung, keine Parteinahme in geistigen, moralischen, aesthetischen Dingen, – sondern Allseitigkeit, Erkenntnis und Kunst. Das liegt im Stoff; aber der Stoff warst Du. *Zwischen den Rassen,* das ist soviel wie ›Über den Rassen‹, und da die ›Rasse‹ schließlich nur ein Symbol und Darstellungsmittel ist, so läuft es hinaus auf ein ›Über der Welt‹. In diesem Sinne, scheint mir, ist dies Buch, – Dein menschlichstes, weichstes Buch –, zugleich Dein souveränstes und künstlerischstes, und dieses Zugleich ist gewiß der Ursprung meiner großen Ergriffenheit.« [In einem Brief vom 7. Juni 1907]

Ungekürzte Ausgabe
Veröffentlicht im Fischer Taschenbuch Verlag GmbH,
Frankfurt am Main, Juni 1987

Lizenzausgabe mit freundlicher Genehmigung
der Claassen Verlag GmbH, Düsseldorf
Die Erstausgabe erschien 1907 bei Albert Langen Verlag, München
Copyright © Aufbau-Verlag, Berlin und Weimar 1974
Alle Rechte für die Bundesrepublik Deutschland,
West-Berlin, Österreich und die Schweiz
beim Claassen Verlag GmbH, Düsseldorf
Für das Nachwort und den Materialienanhang:
© Fischer Taschenbuch Verlag GmbH, Frankfurt am Main 1987
Umschlaggestaltung: Max Bartholl
unter Verwendung des Gemäldes
›E. L. Kirchner, Straßenszene‹ (1913 / 1914)
Brücke-Museum, Berlin
Copyright by Dr. Wolfgang & Ingeborg Henze,
Campione d'Italia
Gesamtherstellung: Clausen & Bosse, Leck
Printed in Germany
1680-ISBN-3-596-25922-3

Heinrich Mann

Zwischen den Rassen

Roman

Mit einem Nachwort von
Elke Emrich
und einem Materialienanhang,
zusammengestellt von
Peter-Paul Schneider

Fischer Taschenbuch Verlag

Heinrich Mann
Studienausgabe in Einzelbänden

Herausgegeben von Peter-Paul Schneider

Textgrundlage:
Heinrich Mann: *Zwischen den Rassen*. Roman
Berlin und Weimar: Aufbau-Verlag, 1. Auflage 1974
(= Heinrich Mann: Gesammelte Werke
Herausgegeben von der Akademie der Künste der DDR
Redaktion: Sigrid Anger. Band 5)

Der Autor   Heinrich Mann, geboren 1871 in Lübeck, begann nach dem Abgang vom Gymnasium eine Buchhandelslehre, 1890 bis 1892 volontierte er im S. Fischer Verlag, Berlin, gleichzeitig Gasthörer an der Universität; freier Schriftsteller; 1893 Paris-Aufenthalt, bis 1914 längere Italien-Aufenthalte, später München, ab 1928 Berlin; 1931 wurde er zum Präsidenten der Sektion Dichtkunst der Preußischen Akademie der Künste zu Berlin gewählt. Die Verfilmung seines Romans *Professor Unrat* (unter dem Titel ›Der blaue Engel‹ mit Marlene Dietrich) machte ihn weltberühmt. Februar 1933 erzwungener Ausschluß aus der Akademie; Emigration über Frankreich (Paris, Nizza), Spanien und Portugal 1940 nach Kalifornien. 1949 nahm er die Berufung zum Präsidenten der neu zu gründenden Deutschen Akademie der Künste zu Berlin/DDR an. Heinrich Mann starb 1950 in Santa Monica/Kalifornien. Seine Urne ist auf dem Dorotheenstädtischen Friedhof in Berlin/DDR beigesetzt.

Die wissenschaftlichen Mitarbeiter dieses Bandes
Elke Emrich, Jahrgang 1941, promovierte mit einer Arbeit zum Werk Heinrich Manns und arbeitet als Dozentin für Deutsch als Fremdsprache an der Fachhochschule für Übersetzen in Maastricht/Niederlande. Mehrere Publikationen zur deutschen Literatur des 19. und 20. Jahrhunderts.
Peter-Paul Schneider, Jahrgang 1949, Dr. phil., Wiss. Mitarbeiter am Deutschen Literaturarchiv/Schiller-National-museum, Marbach am Neckar; zuvor Wiss. Assistent für Neuere deutsche Literaturwissenschaft an der Universität Bamberg (1977–1983). Veröffentlichungen zum 18. Jahrhundert (Mitherausgeber der *Friedrich Heinrich Jacobi-Briefgesamtausgabe*) und zu Heinrich Mann (Herausgeber der ›Mitteilungsblätter des Arbeitskreises Heinrich Mann‹, jetzt des ›Heinrich Mann-Jahrbuchs‹ (zusammen mit Helmut Koopmann).

Inhalt

Erster Teil

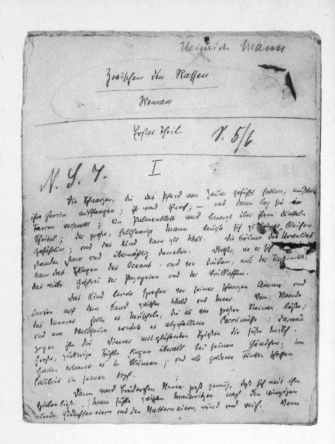

Die erste Manuskriptseite von *Zwischen den Rassen*
in der Handschrift Heinrich Manns

I

Die Schwarzen, die das Pferd am Zaum geführt hatten, mußten ihre Herrin auffangen: ihr ward schwach; – und dann lag sie in Farren versteckt; ein Palmenblatt ward bewegt über ihrem dunkeln Scheitel; der große, hellhaarige Mann beugte sich zu seiner bleichen Gefährtin; und das Kind kam zur Welt. Die Bäume des Urwaldes standen starr und übermächtig daneben. Dorther, wo er sich lichtete, kam das Schlagen des Ozeans und von drüben, aus der Finsternis, das wilde Geschrei der Papageien und der Brüllaffen.

Das Kind lernte sprechen von seiner schwarzen Amme und laufen auf dem Sand zwischen Wald und Meer. Vom Rande des Meeres holte es Muscheln, die es von großen Steinen löste; und am Waldsaum erntete es abgefallene Kokosnüsse: daraus zogen ihm die Diener mit glühenden Spießen die süße Milch. Große, zuckerige Früchte hingen überall bei seinen Händchen; im Garten ertrank es in Blumen; und als goldene Funken schossen Kolibris um seinen Kopf.

Dann ward Brüderchen Nene groß genug, daß sich mit ihm spielen ließ. Man suchte zwischen Mauerritzen nach den winzigen runden Eidechseneiern und den Natterneiern, rund und weich. Vom Schwanz des Gürteltieres brachten einem die Neger die kleinsten Ringe: damit schmückte Nene der Schwester und sich selbst alle Finger; und dann fuhr man in einem Zuber den Bach hinab, und die schwarzen Kurubus auf ihren Büschen sahen einem, über ihre feuerroten Krummschnäbel hinweg, hoheitsvoll nach.

Und man erlebte in der Hauptstadt den Tropenregen: in den Straßen fuhren Kanus, und unablässig mußten die Schwarzen mit Schaufeln das Wasser aus den Zimmern stoßen; – und den Karneval! An der Jalousietür saß man auf einem Stühlchen, über dem Gewimmel der Masken, und die schöne Mama warf Wachsbälle hinab: die platzten und tränkten die bunten Trachten mit flüssigem Duft. Aber aus einer Muschel, die ein ganz roter Mann an den Mund setzte, fuhr ein so schrecklicher Ton, daß man ihn nicht ertragen konnte, sondern sich mit seinem Stuhl zurückwarf und auch Nene mit umriß.

Und auf der Großen Insel – das Haus der Großeltern schwamm im Duft der Orangenblüten – sog man inmitten eines Heeres erntender Neger an einem Stückchen Zukkerrohr. Und zitternden, schreienden Laufes kam man von einer Begegnung mit der Boa heim! Und schaute, mit allen schwarzen, gelben und weißen Kindern der Pflanzung, erregten Auges und jubelnd zu, wie der Großvater viele Papierröllchen anzündete und sie in weiten, leuchtenden und zischenden Bögen über das Meer schoß. Das Meer schob einem lange, laue Schlangen über die bloßen Füßchen; im Hemdchen, das ein Gürtel enger schloß, fing sich ein Stoß warmen Nachtwindes; und hob man den Blick, schwindelte es einem, so voll war er auf einmal von Sternen!

Es war herrlich: man war wie alle andern Kinder – und doch nicht ganz so. Vornehmer war man. Man hatte blondes Haar; nicht einmal Nene hatte es; und die schwarze Anna war sehr stolz darauf und konnte nicht genug Lokken daraus wickeln. Man hatte auch einen blonden Papa: wer hatte den noch? Und kam er zu Besuch auf die Insel der Großeltern, und ging man an seiner Hand umher: viel größer war er als alle Menschen und immer ernst – und sah man alle ihn bewundern, dann durchrann einen selbst ein Schauer von stolzer und ehrfürchtiger Liebe.

Da aber – was bedeutete dies? – saß eines Nachmittags im Saal, wo Großmutter klöppelte, Mama, die schöne Mama, und weinte: ja, weinte laut. Kaum aber hatte sie ihr kleines Mädchen erblickt, stürzte sie darauf los, riß es an sich, fiel vor ihm auf die Knie, rief und rang das Schluchzen nieder:

»Lola! Meine Lola! Sag: bist du nicht mein?«

Mit einem Finger vor den Lippen, erschrocken fragend sah das Kind nach der Großmutter: die saß da, grade und streng wie immer, und klöppelte.

»Bist du nicht mein?« flehte die Mutter.

»Ja, Mai.«

»Man will dich mir wegnehmen. Sag, daß du nicht willst! Hörst du? Du willst doch nicht fort von mir, von uns allen?«

»Nein, Mai. O Gott! Wohin soll ich? Ich will dableiben: bei Pai, bei dir, bei Anna! Die Luiziana hat mir ein kleines Kanu versprochen; morgen bringt sie es!«

Aber schon am Abend wartete auf die kleine Lola ein großes Kanu. Die schöne Mai lag in einer Ohnmacht; Nene hing schreiend an Lolas Kleid; – aber ein Schwarzer machte sie los, trug sie, und die Ärmchen der Geängsteten würgten ihn, ans Wasser, setzte vorsichtig seinen nackten Fuß von einem der großen überfluteten Steine auf den nächsten... Das Meer brandete wütend; zerrissene Finsternis flatterte umher; und manchmal warf ein Stern ein böses Auge herein. Nun ward das Kind ins Boot gelegt; es hatte nicht geschrien, es weinte unhörbar im Finstern; die Schwarzen ruderten schweigend; und das Kielwasser leuchtete fahl, als sei es die Spur eines Verbrechens.

II

An Bord des großen Dampfschiffes, auf das Lola gebracht ward, standen Pai und die schwarze Anna. Welch Wiedersehen! Dann:

»Pai, ist es wahr, daß wir ganz wegfahren? Und Mai? Und Nene? Und wohin fahren wir denn?«

Herr Gustav Gabriel fuhr mit seiner kleinen Tochter nach Hause, weil sie eine Deutsche werden sollte.

Mit neunzehn Jahren war er herübergekommen und hatte sich begeistert eingelebt. Bis zu seinem dreißigsten Jahre berührte ihn niemals Sehnsucht nach seinem Vaterland. Er dachte seiner wie an etwas Kleinliches und Bedrücktes; machte ihm auf einer Europareise einen spöttischen Besuch; fühlte sich mit Stolz als Brasilianer... Eines Tages bekam er zu spüren, daß er's nicht sei. Er hatte geschäftliche Einbußen erlitten: was zu Demütigungen führte von seiten seiner Freunde und der Familie seiner Frau. Er sah sich plötzlich allein und ihm gegenüber eine ganze Rasse, deren für immer unzugängliche Fremdheit er auf einmal begriff. Nun fing er an, auf das Land seiner Herkunft als auf eine Macht zu pochen, sich selbst als Erzeugnis einer Kultur zu fühlen, von deren Höhe seine Umgebung nichts ahnte. Bei der Umschau nach Bundesgenossen begegnete er den Blicken seiner Kinder. Auch diese sollten in Sitten und Sprache eines niedrigeren Volkes erwachsen? Seine Feinde werden? Die Laute, die ihm in herzlichen Stunden kamen, die er von seiner Mutter erlernt hatte, sie sollten sie nie verstehen? Er hatte sie, wenn er ihnen deutsche Kosenamen gab, sich anblicken und lächeln gesehen... Das sollte anders werden! Ihr Vaterland war nicht dieses, und er wollte sie ihm zurückgeben! Mit dem Jungen würde es vielleicht schwer gehen: die Nachfolge im hiesigen Geschäft ward ihm bereitet; – aber seine Tochter! Er erblickte sich schon mit ihr in dem Garten, worin sein Elternhaus stand. Dort wollte er einst enden. Er sah sich den Weg zum Tor des Städtchens gehen, und an seiner Seite ein blondes junges Mädchen: seine Tochter. Sie war blond; sie war sein Kind und eine Deutsche. Er nahm sie für sich allein; mochte seine Frau – wie fremd sie ihm eigentlich geblieben war! – sich an dem Jungen schadlos halten: seine Tochter sollte ihn verstehen lernen, sollte in solcher Reinheit und Gediegenheit leben, wie man nur zu Hause lebte. Sie sollte nach Haus.

Nie war Pai so zärtlich gewesen mit Lola! Übrigens sollte sie bald zurück; und Mai und Nene würden sie besuchen, dort, wohin sie fuhren. Solche Fahrt war lustig: sie sollte sehen.

Vorläufig ward ihr sehr übel; es dauerte drei Tage; aber Pai selbst pflegte sie; er selbst tat alles, was Anna hätte tun müssen. Zwischen ihren Krisen lag Lola in aller Erschöpfung ganz glücklich da; und wenn sie ihre Hand in Pais schob, war ihr's, als sei sie selbst ganz in Pais Hand geschlüpft.

Dann konnte sie aufstehen und zusehen, wie die Matrosen Fische heraufzogen: einen Fisch sogar mit einem langen Säbel an der Nase!

Da aber nahte jemand mit einem Wasserschlauch und bespritzte alle Kinder. Man mochte sich hinter dem Schornstein verstecken oder in einer Taurolle: überall trieb der Strahl einen wieder hervor: es war ein angstvolles Vergnügen. Die durchnäßten kleinen Mädchen kreischten, und die Damen und Herren freuten sich laut, daß sie trocken waren. Überhaupt war es zum Erstaunen, wie lustig alle waren, wie freundlich miteinander und mit Lola.

Es schien, sie hatten nichts anderes zu denken, als wen sie jetzt erfreuen wollten. Nie hatte Lola so viele liebe Menschen gesehen. Einer war da, der allen Kindern Schokolade schenkte und ordentlich flehte, bis man sie nahm. Selbst Pai war selten mehr ernst. Und Meer und Himmel strahlten unauslöschlich.

Dennoch geriet man nochmals in graues Wasser mit Wolken darüber und ward arg geschaukelt. Doch Lola focht das nicht mehr an; und Pais Mantel, unter dem sie auf Deck lag, war, wenn sie mit ihren Knien ein Dach machte, so gut wie ein eigenes Haus: die Sturzwellen mochten darüber hingehen. Auch ward bald ausgestiegen; alle waren viel ernster geworden; – und Lola fand sich mit Pai und Anna in einer großen, nicht schönen Stadt, in deren Straßen man sich müde lief. Immerhin gab es Spielsachen, wie sie daheim nie welche gesehen hatte, und Pai kaufte ihr so viele, daß sie sich wunderte. Eines Morgens dann eine Fahrt mit der Bahn: und da waren sie in einem seltsamen Städtchen mit höckrigen Häusern und mit Gassen, die über Berge kletterten und rutschten – und gelangten in einem riesigen, schaukelnden Wagen vors Tor und an ein Haus, daraus sprang hurtig eine kleine alte Frau hervor, lief auf Pai zu und hüpfte ihm an den Hals. Lola war erschrocken: denn Pai weinte. Wie war das möglich? Da griff aber die alte Frau ihr selbst unters Kinn und zog Lolas Gesicht ganz dicht zu ihrem, bis in das Wimpernfächeln ihrer Augen – die sehr gütig blickten. Aber was wollte sie? Sie redete so viel Unverständliches. Lola sah fragend auf Pai; und indes sie ins Haus gingen, erklärte Pai ihr, dies sei seine Mama, und heute feiere sie ihren Geburtstag, und er bringe ihr Lola zum Geschenk.

Im Hause roch es nach Kuchen und Blumen; Pais Brüder waren da und umarmten ihn. Sie gaben Lola die Hand; einer ließ sich von Pai etwas ins Ohr sagen, und dann wünschte er Lola in ihrer Sprache Willkommen. Sie lachte über ihn; alles wäre gut gewesen: da aber kam die neue Großmama, aus lauter Herzlichkeit, auf den Gedanken, die Arme um Lolas Hüften zu legen und vor ihr auf die Knie zu fallen. Lola hatte plötzlich ein zum Weinen verzerrtes Gesicht. Alle stießen Fragen aus, und Pai übersetzte:

»Was ist dir?«

»Nichts, Pai.«

Lächelnd und stammelnd:

»Ich dachte an etwas.«

Grade so hatte, am letzten Tage, die schöne Mai vor Lola gelegen: aber in Tränen und Jammer. Lola dachte: ›Ist es wahr, daß ich bald zu ihr zurück darf?‹

Einer der Onkel heiterte sie auf: er klatschte in die Hände, und sie mußte vor ihm davonlaufen. Sie tat es aus Gefälligkeit und lächelte höflich, wie er sie fing. Nun spielten alle mit und wollten sich verstecken, und der lustige Onkel sollte sie suchen. Man zeigte Lola einen sehr guten Versteck: hinter einem kleinen Gartenhause und unter einem dunkeln Baum. Da stand sie lange, und niemand fand sie. Kein Geräusch im Garten. ›Sollten sie mich vergessen haben?‹ Eine hastige Angst überfiel sie: ›Pai ist fort, Anna ist fort: sie haben mich allein gelassen!‹ Sie senkte, betäubt, den Kopf und legte die Hände vors Gesicht. Ganz allein! Da kamen Schritte herbei; Lola nahm sich zusammen und gab einen kleinen hellen Vogellaut von sich. Es dauerte etwas; sie lauschte atemlos, zwitscherte nochmals, und dann fand man sie.

»Damit du mich nicht zu lange suchen solltest«, erklärte sie, obwohl der Onkel doch nichts verstand.

Beim Abendessen ward sie lebhaft und sang sogar ein Lied, näselnd wie die Schwarzen, von denen sie es gelernt hatte. Mitten in aller Vergnügen aber, und wie auch Pai grade lachte, nahm sie seine Hand und flüsterte ihm, als überrumpelte sie ihn, eilig zu:

»Nicht wahr, Pai, wir reisen bald nach Haus?«

Pai nickte; aber er war nun wieder ernst, und Lola hatte gesehen, daß er beinahe ärgerlich geworden wäre. Verstört schwieg sie: war's möglich, daß man sich auf Pai nicht mehr verlassen konnte?

»Weißt du nicht, wann wir nach Haus reisen?« fragte sie nachher im Schlafzimmer die schwarze Anna.

Nein, Anna wußte es nicht, und ihr glaubte Lola. Anna sah sich, mit kleinem tierischen Kopfrücken, im Zimmer um, wie in einem Käfig; Lolas Augen folgten ihr; – und dann betrachteten die beiden einander ratlos.

Aber die neue Großmutter war so heiter! Man konnte nicht an ihrer Hand durchs Haus laufen: in den Saal, wo die Äpfel lagen, auf den Boden, woher sie bunte Kleider und alte, seltsame Puppen holte – ohne daß irgend etwas Lustiges vorfiel. Der zweite Onkel brachte seinerseits viel Leben mit; – und dann war es ziemlich spaßhaft, mit Anna auszugehen, unter die hiesigen Kinder, die scheinbar noch nie eine Schwarze erblickt hatten. Da ward man angesehen! Manchmal zwar liefen einem zu viele nach und machten sich lästig: da half nur, daß man ihnen Bonbons hinwarf, um zu entkommen, während sie sich rauften... Ferner war unter den freundlichen Menschen, die Lola kennenlernte, ein schwarzgekleideter Herr mit weißem Bart, der eines Tages in Großmamas Zimmer saß und Lola etwas fragte. Pai bedeutete ihr, es handele sich darum, ob sie zum protestantischen Glauben übertreten wolle; er rate ihr dazu. Sie sagte ja, bekam von dem alten Herrn einige glatte bunte Bildchen und ward am Abend in den Zirkus geführt... So viel hatte man erlebt, daß gewiß schon ein Jahr herum war.

»Nicht wahr, ein Jahr sind wir bald hier?« fragte sie eines Abends. Pai erwiderte:

»Was denkst du. Sechs Wochen erst.«

»Erst? Aber es ist doch schon wieder Winter?«

»Nein, Kind, so ist hier der Sommer.«

Sie hätte sich gern einmal wieder nach der Heimreise erkundigt; aber Pai schien nicht aufgelegt; er hatte die schon lange nicht mehr gesehene Falte zwischen den Augen. Auch die andern sprachen heute viel weniger. Sogar Großmama lächelte nur halb. Lola ging bedrückt zu Bett.

In der Nacht träumte ihr etwas Trauriges: sie sah einen Neger – welchen, wußte sie nicht, aber es war einer, den sie gern hatte – von einem Aufseher grausam prügeln, hörte sein Winseln, brach selbst in Weinen aus und lief, es dem Großvater zu klagen: weinte und lief. Da erwachte sie, noch immer schluchzend – und auch das andere Schluchzen ging weiter. Die schwarze Anna kauerte, über das Bett gebeugt, und jammerte erstickt:

»Kleine Herrin, ich muß fort. Schon morgen reisen der Herr und Anna mit dem Dampfschiff fort, zurück in unser Land; die kleine Herrin aber bleibt hier.«

Und da Lola, auffahrend, in Geschrei ausbrach:

»Ganz leise! Anna darf nichts sagen: Der Herr hat es verboten. Anna sollte ohne Abschied weggehen: sie kann doch nicht!«

»Du sollst nicht weggehen! Hörst du, du tust es nicht! Ich befehle es dir!«

Des Kindes Stimme brach sich vor Zorn.

»Pai läßt mich nicht hier zurück; das sind alles Lügen.«

Die Amme wiederholte nur, eintönig klagend:

»Ganz leise! Anna muß fort.«

Und in ihrem Gemurmel ging der Zorn der Kleinen allmählich unter. Sie ließ sich auf Annas Schulter fallen, gebrochen, mit Schluchzen und Bitten.

»Geh nicht fort!«

»Anna muß gehen.«

»Wenn du fortgehst, dann –«

Der Schmerz schüttelte das Kind. Es preßte sein Gesicht auf die nackte schwarze Schulter; – und mit dem öligen Geruch dieser Haut, an der es einst die ersten Atemzüge getan hatte, erhob sich die dunkle Flut seiner frühesten Erinnerungen und überschwemmte es. Lola sah, in einem aufgeregten Gedränge von Bildern, zuerst einen Palmenwald, dann viele grimassierende Negergestalten, die ihr namenlos schön erschienen, um Fleischtöpfe hokken, in die sie oft ihre Händchen getaucht hatte; sah ein Stück schäumenden, heftig blauen Meeres und die buschigen Wedel des Zuckerrohrs davor; sah Nene, den Bach und die Kurubus...

»Wenn du fortgehst«, wimmerte sie, »dann –«

Es entstand ein Wogen großer Blumen hinter ihren an Annas Schulter gedrückten Lidern; und tief in den Blumen hing die Hängematte mit der schönen Mai, die ihr zunickte und langsam und wie von einer nicht mehr Anwesenden das Gesicht wegwandte.

»Wenn du fortgehst, dann ist... alles aus!«

Am Morgen trat Pai ins Zimmer und sagte:

»Meine kleine Lola, Pai muß nun auf kurze Zeit zurückreisen, und bis er wiederkommt, läßt er dich hier.«

Da das Kind nur den Kopf senkte:

»Es wäre für dich nicht gut, schon wieder so weit zu reisen.«

Lola schlug die Augen auf und sagte hell, wie eine verzweifelte Schelmerei:

»Pai, nimm mich mit?«

»Meine kleine Tochter ist vernünftig, nicht wahr«, erwiderte Pai, ohne Frage im Ton; und Lolas kleines gespieltes Lächeln brach ab. Pai nahm sie bei der Hand und führte sie zur Stadt, über einen Marktplatz und in ein altes Haus, an dessen gläserner Flurtür die Glocke lange klapperte.

»Hier wohnt«, sagte Pai, »eine gute Dame, die sich meiner Lola annehmen will, solange Pai nicht da ist.«

Der Flur war weit; auf seinen Steinfliesen gingen Arm in Arm, zu zweien oder in langen Reihen, viele Mädchen umher. Andere hüpften zwischen den Flügeln einer Tür, in der buntes Glas war, in den Garten hinab. Es waren große und kleine; aber die kleinste, sah Lola gleich, war sie selbst. Sie sah es aus dem Zimmer, worin Pai mit ihr wartete. Es hatte weiße Tapeten mit goldenen Blumen darauf, eine goldene Stutzuhr, sehr hohe Fenster mit den Bäumen des Gartens dahinter; und Lola wandte sich, beklommen seufzend, von einem Gegenstand zum andern. Gleich war's nun soweit: Pai war fort. Noch hielt er sie doch an der Hand: und war schon fast fort! Oh, oh, was für eine drängende Menge von Dingen hätte sie ihm zu sagen gehabt; er mußte doch einsehen. Mit zuckender Lippe brachte sie hervor:

»Pai, sieh, was für ein komischer Mann ist auf der Uhr.«

Und fieberhaft dachte sie: ›Das war's doch nicht, was ich wollte.‹

Hatte Pai wirklich gar kein Erbarmen? Sie lugte zu ihm auf, mit unverstelltem Jammer. Pai sah gradaus; er hatte den Mund fest geschlossen, die Falte zwischen den Augen; – und zum ersten Male fühlte Lola, daß er ein strenges Gesicht mache, weil er traurig sei; daß er sich streng stelle, weil er sie liebhabe. Es ward ihr ganz warm und glücklich; sie drückte Pais Hand; Pai sah hinab, ihr in die Augen: da aber ward es draußen bei den Mädchen viel stiller, und eine kleine Dame im schwarzen Kleid lief eilig an dem gelben Treppengeländer entlang. Schon war sie unten, und nun kam sie auf das offene Zimmer zu. Gab es denn keine Rettung? Pai tat nichts? Die kleine Dame trug die eine ihrer schmalen Schultern höher als die andere, sie hielt die Arme gekrümmt zu den Seiten ihres zerknitterten Trauerkleides, und ihr blasses, langes Gesicht bekam vom Lächeln eine krause Nase: Lola sah das alles mit schreckensvoller Genauigkeit. Ihr war wie in einem Traum, worin man davonlaufen möchte und kann sich nicht regen. Da fühlte sie schon die dünnen langen Finger der Dame kühl um ihre Hand. Was sagte nun die Dame? Ratlos wandte Lola sich nach Pai um.

»Fräulein Erneste begrüßt dich«, erklärte Pai, »und verspricht dir, sie wolle dich liebhaben und dich alles Gute lehren. Du mußt ihr danken.«

»Danke«, sagte Lola, mit Anstrengung.

Darauf begann das Fräulein unter Lauten freudiger Erregung überall in Lolas Gesicht Küsse zu werfen, die hart waren und schmerzten. Lola begriff nicht; sie erschrak; und inzwischen hatte das Fräulein schon wieder eine Menge geredet, und alles klang fragend. Allmählich hörte Lola, daß sie immer dasselbe sagte, und immer langsamer und deutlicher sprach sie es aus. Wieder suchte Lola Hilfe bei Pai, aber Pai hatte sich in einen Stuhl gesetzt und bekümmerte sich nicht um sie. Und das Fräulein drang immer strenger auf sie ein, mit steil aufgerichtetem Zeigefinger. Lola hielt sich nicht länger; sie brach, und sah dem Fräulein dabei immer starr in die Augen, in entsetztes Schluchzen aus. Da geschah etwas sehr Seltsames. Die eifrige, Gehorsam heischende Miene des Fräuleins fiel jäh in sich zusammen und ward ganz unsicher und hilflos. Das Fräulein war auch anfangs nicht groß gewesen; jetzt aber war es nicht mehr viel höher als Lola, und es tastete schüchtern, während es den Kopf zum Bitten schief legte, nach Lolas Hand. Darüber erschrak Lola nochmals: aber nicht für sich selbst. Was hatte das Fräulein? Ein verlegenes Mitleid berührte ihr Herz, und sie lächelte zart. Ein wenig höher noch hob sie des Fräuleins Hand, die um ihre lag: zögernd – und plötzlich legte sie die Lippen darauf. Sogleich aber trennten sie sich, und Lola lief auf Pai zu, fiel ihm um den Hals und rief, um Pai von dem Fräulein und seiner Verwirrung abzulenken: was für ein herrlicher Apfelbaum da zum Fenster hereingreife. Pai hob, da das

Fräulein ihm etwas zurief, Lola hoch empor, und sie konnte eine Frucht brechen.

Alle drei gingen nun in den Garten; Lola fühlte sich irgendwie beglückt; und ehe jemand es sich versah, saß sie droben im Apfelbaum. Pai schalt, aber sie hörte, daß es Spaß sei; das Fräulein lachte von Herzen, und aus allen Ecken des Gartens liefen Mädchen herbei, sich die kleine Wilde anzusehen. Sie tanzten um den Baum, schrien und streckten die Hände aus. Pai sagte hinauf, das Fräulein erlaube, daß Lola zur Feier ihrer Ankunft den Mädchen Äpfel pflücke. Lola warf sie ihnen zu; sie kletterte von Ast zu Ast, suchte sich mit ernster Miene eine aus und warf ihr die Frucht in die Schürze. Als sie herunterstieg, umringten die Größeren sie und liebkosten sie. Aber eine Glocke läutete, und alle eilten ins Haus. Pai und Lola folgten dem Fräulein zu einer Laube, wo ein Frühstück bereitstand.

Lola bekam zum Essen ein halbes Gläschen Wein; dann nahm Pai sie auf sein Knie, küßte sie und sagte: »Nun lauf umher.«

Trotzdem behielt er sie im Arm und sah sie an. Sie entschlüpfte.

»Einen Kuß noch, kleine Tochter«, rief Pai ihr nach.

»Gleich!«

Und sie sprang hinter einem Schmetterling her. Ihr war lustig zu Sinn, sie dachte: ›Solche großen Klatschrosen!... Ich muß sehen, was dort in der Mauer für ein dunkles, dunkles Loch ist... Pai ist gut, auch das Fräulein ist gut... Eine Eidechse, husch... Ob die Mädchen nicht wiederkommen?... Der schöne Tag!‹

»Pai!« jauchzte sie.

»Er kann mich nicht hören, so groß ist der Garten. Wo ist denn die Laube geblieben? Ah, um diese Hecken muß ich herum... Nun aber: Pai!« Und sie lief.

Plötzlich hielt sie an: vor der Laube stand das Fräulein allein.

»Pai?«

Lola kam langsam näher. Ihre Augen durchforschten die Laube, überflogen den Garten und hafteten, verzagend, am Blick des Fräuleins. Was sagte er? Doch nicht das? Er konnte nicht! Lola nahm sich zusammen und fragte:

»Wo ist Pai, Fräulein?«

Das Fräulein sagte etwas, wieder mehrmals dasselbe, aber gar nicht langsam und deutlich wie vorhin: und doch verstand Lola. Sie warf, haltlos jammernd, die Arme in die Höhe.

»Er wollte noch einen Kuß von mir! Wie kann er fort sein, wenn ich ihm doch noch den Kuß geben soll!«

Sie taumelte einmal um sich selbst und schlug, unsicheren Laufs, den Weg zum Hause ein. Mitten darauf blieb sie stehen, ließ die Arme fallen, senkte den Kopf; und die rinnenden Tränen wuschen ihr von den Lippen den Kuß, den sie nicht hatte geben dürfen.

III

Lola war allein.

Sie weinte auf einer Bank, zusammengekrümmt, lange und wild. Das Fräulein stand anfangs dabei und flüsterte hier und da ein Trostwort, das fragend klang, als wisse sie es selbst nicht genau. Dann machte sie einige Schritte, sah sich wartend um, verschwand im Hause. Bald kam sie wieder und rief sehr munter, ob Lola diesen schönen Pfirsich möge. Als aber das Kind zornig den Kopf schüttelte und wilder schluchzte, zog das Fräulein sich so rasch zurück, als flöhe sie.

Die Glocke läutete wieder, und Lola ließ sich fortführen, weil das Fräulein ihr sagte, nun würden die Mädchen kommen und sie weinen sehen. Das Fräulein öffnete die Tür zu ihrem eigenen Zimmer: da sprang kläffend ein kleiner weißer Spitz auf Lola zu, und Lola, die daheim vor Großpais riesigen Hunden keine Furcht gehabt hatte, wich mit einem Aufschrei zurück.

»Ami!« rief das Fräulein und redete, zu ihm niedergebeugt, ernsthaft auf den Spitz ein. Es half nicht; das Kind und das Tier hatten sich gegenseitig erschreckt; und der Hund mußte hinaus – wo er winselte.

Nun kramte das Fräulein in einem Schrank, zog ein großes buntes Buch hervor und hielt es Lola entgegen. Sie wollte Lola auf einen Schemel setzen; Lola glitt damit aus, griff um sich und warf ein Glas Wasser über die Handarbeit, neben der es gestanden hatte. Das Fräulein strich ihr die Wange und lächelte. Dann schlug sie das bunte Buch bei der ersten Seite auf – es war ein Affe darauf, ein Ast und noch mehrere Dinge – und wiederholte, auf den Affen zeigend, ein Wort: immer nur das eine. Zuerst beachtete Lola es nicht; dann merkte sie wohl, daß sie es nachsprechen solle: aber sie schwieg; und diese Rache für alles, was mit ihr geschah, tat ihr wohl. Trotzdem richtete das Fräulein seinen Finger jetzt auf den Ast und sagte dazu ein anderes Wort, viele Male. Sie führte Lola auch zu einem weißen Turm, der in einer Ecke des Zimmers ragte, und zu dem Schirm, der davorstand: darauf waren aus bunten Perlen eine Dame und ein Kind und zu beider Füßen ein Tier, das Lola nicht kannte. Es schien ihr sanft, zärtlich, zum Zerbrechen fein; und seine großen Augen glitzerten, als seien sie voll Tränen. Mitleid durchschauerte Lola, mit dem Tier, mit sich selbst – und da stammelte sie das Wort nach, das das Fräulein ihr schon längst vorsagte: »Reh«, und weinte, leise und ohne Trotz.

Wie die Tränen gestillt waren, nahm das Fräulein sie mit zum Essen, an eine lange Tafel, wo viele Mädchen schwatzten und klapperten. Lola aß nichts, aus Traurigkeit; sie saß betäubt da, erschrak, wenn ihr Name genannt ward, und dachte, weh und wund: ›Was wollt ihr alle? Was tue ich hier? Warum hat Pai mich nicht mitgenommen?‹ Nach Tisch ward sie in den Garten gebracht, aber sie schüttelte den Kopf und ging dem Fräulein nach, bis sie wieder im Zimmer und bei dem Reh war: denn das war hier ihr einziger Freund. »Reh, Reh«, flüsterte sie ihm zu. Das Fräulein küßte sie leise auf die Locken und ließ sie mit ihrem Kameraden allein. Als Lola später zu Bett gelegt werden sollte, hatte sie sich schon in Schlaf geweint.

Beim Erwachen in heller Sonne fiel ihr als erstes das Reh ein; dann der Spitz Ami. Sie bedachte vieles Erlebte und auch, ob sie dies Zimmer schon kenne. Neugierig sah sie sich darin um. Noch ein anderes Bett stand da, aber es war schon verlassen. Sie ließ sich aus dem ihren gleiten und trippelte umher: da trat das Fräulein herein, hob Lola auf ihren Arm, zeigte sich auf die Brust und sagte mehrmals: »Erneste.«

Lola hatte in ihrem rotgeschlafenen Gesichtchen große, aufmerksame braune Augen, die, auf den Mund des Fräuleins gerichtet, ganz leise seitwärts hin und her rückten; ihre blonden Locken hingen wirr geringelt, die leichten Linien ihrer Lippen fügten sich fein ineinander; und am Saume ihres Hemdchens streichelten sich ihre rosigen kleinen Füße. Sie äußerte nichts; aber als sie fand, das Fräulein habe genug »Erneste« gesagt, nickte sie bedächtig, zum Zeichen, daß sie verstanden habe.

Sie bekam ihren Kakao, grub im Garten, ward, wie die Glocke geläutet hatte, von den Mädchen in einem Ringelreihen geschwenkt und dann wieder von Fräulein Erneste in das Zimmer des Rehes geholt. Der Spitz Ami knurrte nur, und er wedelte dabei. Lola sollte auch heute »Affe« und »Ast« nachsprechen. Sie tat es zerstreut, sah dabei immer das Reh an; sie hatte keinen Sinn für die Dinge, auf die Erneste sie jetzt noch hinzulenken wünschte; und nur zufällig bemerkte sie, daß es sich um die zweite Seite des bunten Buches handele und daß dort jedes Bild mit einer Marzipanscheibe bedeckt war. Nahm man sie weg, kamen darunter zum Vorschein: ein Baum, ein Bäcker, ein Bottich. Sie erlernte diese Worte in großer Eile, um zu erfahren, was auf der dritten Seite wäre.

Von diesen Erlebnissen, die sie interessiert hatten, wollte sie bei Tisch – war nicht heute alles lustiger bei Tisch? – ihrer Nachbarin erzählen, einem Mädchen, das nur wenige Jahre älter sein konnte. Sie erzählte ausführlich, die andere aber lachte nur und stieß eine dritte an. Lola, in Eifer, kam von dem Reh auf die Tiere daheim; sprach von daheim und von Nene und Mai. Plötzlich ward sie inne, daß alle still waren, zu beiden Seiten des Tisches, und sie ansahen: die meisten mit Neugier, einige spöttisch;

– und keine, erinnerte sie sich nun, keine einzige hatte sie verstanden! Errötet, ratlos beschämt, sah sie die Reihen entlang, konnte, zitternden Gesichtes, die Tränen noch grade hinunterschlucken und beugte sich mit einem kleinen einsamen Lächeln über ihren Teller.

Nun kam eine Stunde, in der alles durchs Haus sprang und sang. Auch Lola sollte singen, sie tat nur so, als begriffe sie nicht. Da faßte aber Erneste ihre beiden Arme, und die Nase kraus vor Freundlichkeit und während alle umherstanden, sagte sie ihr mehrere Worte, deren jedes ungefähr klang wie »singen«: nur nicht ganz. Schließlich aber fand sie's wirklich: singen; und da sang Lola. Sie sang näselnd: »Ihr Negerknaben meines Vaters...«, schloß dabei halb die Lider und sah nun alles, was sie sang, sah die Heimat... Noch wie sie schwieg, war sie aus dem Schwarm der auf sie Einredenden weit fort.

Eine Weile darauf fiel ihr ein, daß sie dieses Lied einmal bei der deutschen Großmama gesungen hatte. Seltsam: an den Aufenthalt bei der Großmama hatte sie noch gar nicht wieder gedacht; ihr war, als sei sie von der Großen Insel gradeswegs hierher verschlagen, und alles dazwischen war verworren wie ein Schiffbruch. Nun kam ihr eine Fratze in den Sinn, die der lustige Onkel einmal geschnitten hatte: und von da aus fand sie sich in allem wieder zurecht. Ach! Das war doch Lolas Großmama, denn Pai war ihr Sohn, und sie hatte ihn lieb. Eine aufzuckende Hoffnung: Ob Pai nicht bei ihr war? Daß Lola daran nicht früher gedacht hatte! Pai war nicht abgereist, er war bei seiner Mama! Lola ging zu Fräulein Erneste und sagte »Großmama«: nur das eine, bittende Wort; und Erneste verstand es, sie ließ Lola hinführen.

Die Großmama breitete die Arme aus, Lola aber lief, ohne ihrer zu achten, um sie herum: »Pai! Pai!« – in sein Zimmer, in das Wohngemach, in den Garten: »Pai! Pai!« Sie kehrte von ihrer vergeblichen Runde wieder.

»Wo ist Pai?«

Die Großmama bedeutete ihr etwas, Lola wußte wohl, was, aber sie glaubte ihr nicht. Einer der Onkel kam, die Magd ward gerufen, und alle wiederholten dasselbe. Lola schüttelte nicht mehr den Kopf, aber ihre Meinung stand fest. Zuletzt erschien der lustige Onkel und wünschte ihr guten Tag in ihrer Sprache. Immer die zwei Worte, die er sich einst von Pai hatte ins Ohr sagen lassen. ›Dummer Papagei‹, dachte sie, und sie verlangte fort.

Sie spähte in jedes Haustor, zerrte ihre Begleiterin in die Läden, die sie mit Pai besucht hatte, und auf einem leeren Platz, wo es wehte, blieb sie stehen und rief flehentlich »Pai!« Keines der trägen Fenster öffnete sich; es fror Lola bitterlich; und die Magd zog sie fort.

Aber für das bunte Buch war sie nicht mehr zu haben, nicht mehr für den Garten und kaum noch für das Reh. Sie sah jeden mit Mißtrauen an, der ein Wort zu ihr sprach: eines dieser unverständlichen Worte, deren Geräusch um sie her war. Zu Fräulein Erneste sagte sie: »Das ist nicht wahr«, obwohl sie gar nicht wußte, was das Fräulein gemeint hatte; bei Berührungen brach sie in Geschrei aus; und ihr Drang war immer: auf die Straße, durch die Stadt, und in die Häuser spähen. Sie schrie, bis das Fräulein ängstlich ward und sie hinausließ. Das dauerte mehrere Tage.

Dann wich Lolas Glaube. Sie hatte gewiß in jedem Winkel nachgesehen und überall ihr »Pai!« gerufen. So wollte Pai sie wohl nicht hören, oder er war wirklich fort. Ja, er war fort: die Leute hatten recht. Aber dann hatte Pai selbst sie verraten und unter diesen Fremden zurückgelassen. Wem also war noch zu trauen? Scheu sah das Kind sich um. In diesen Tagen brach ein Gewitter aus; und Lola – wie hatte sie daheim zu urweltlichen Unwettern gejauchzt! – ward von jedem dieser Blitze in eine andere Zimmerecke gescheucht: bleich und mit geschlossenen Lippen; denn niemandes Hilfe wußte sie anzurufen.

Ward Lola jetzt um ihr Lied gebeten, schüttelte sie, mürrisch und verlegen, die Schultern. Auch sprach sie nicht mehr; und sie dachte ganz Ungewöhnliches. ›Ich werde vielleicht sehr krank werden und kann dann niemandem sagen, wo es weh tut, und muß immer so schreien, wie damals der Neger schrie, der ein Loch im Magen hatte.‹ Wenn sie allein im Zimmer war und mit sich selbst und ihren Puppen plauderte, mußte sie manchmal lauschen: so seltsam klein und allein klang ihr die eigene Stimme; – und sie fühlte es plötzlich, tief in ihrem erschauernden Herzen, es gäbe im Hause und in der ganzen Stadt und auf allen Straßen, die hinausführten, keinen Menschen, der, wie die daheim, zu ihr sagen könne: »Meine kleine Lola, meine liebe kleine Lola.« Sie flüsterte die ersehnten Worte vor sich hin und sah dabei ihre Puppen an. Da bemerkte sie, daß auch die Puppen sie ihr nie sagen und, was sie ihnen vorplauderte, nie verstehen würden: waren doch auch sie aus diesem fremden Lande. Sie schob sie weg. Und selbst das Reh! Daheim gab es kein solches Tier, und es wußte nichts von Lola. »Hörst du denn nicht?« bat sie, mit Tränen. »Reh! Reh!« Aber das Reh sah sie fremd an.

Lola war allein.

Am Sonntag ward sie wieder zur Großmama gebracht. Sie benahm sich scheu und verdrossen; man verlor endlich die Geduld und überließ sie nach dem Essen sich selbst. Unzufrieden, weil niemand mehr sich um sie bekümmerte, drückte sie sich im Garten umher. Wie es kalt war in diesem Lande! Ängstlich und feindselig sah sie zu den grauen Wolken hinauf, die herabdrohten. Der Pavillon, der sie am ersten Tage versteckt hatte, damals, als sie schon vorausgeahnt hatte, Pai werde sie allein lassen: heute stand er offen, und Lola betrat ihn. Es waren wunderliche alte Möbel darin; sie bemühte sich, einen Wandschrank zu öffnen:

– da geschah ein Poltern unter ihr. Sie fuhr zusammen. Es polterte stärker, es schlug sogar gegen den Boden, auf dem sie stand. Erstarrt, horchte sie. Ein fruchtbarer Krach: nun drang es gleich zu ihr ein; und Lola schrie los, mit allen Kräften höchster Not:

»Der Teufel! Der Teufel!«

Sofort hörte das Poltern auf, und im nächsten Augenblick stand in der Tür der lustige Onkel, ganz bleich, und blickte Lola zornig an. Sie schrie, zu ihrer Rechtfertigung und aus Eigensinn, noch einmal: »Der Teufel!« Da stürzte aber der Onkel auf sie zu und legte sie über sein Knie... Und nachdem Lola dies durchgemacht hatte, war es ihr viel leichter und sanfter. Der Onkel nahm sie bei der Hand und führte sie in das Kellergewölbe, unter dem Gartenhaus. Er zeigte ihr, wie er Holz gehackt habe und wie die geschwungene Axt manchmal gegen die niedrige Decke gestoßen sei. Was er dazu redete, hatte einen guten, tröstlichen Ton; – und Lola ward betroffen und sehr nachdenklich. Denn es war klar, daß dies gegen alle ihre bisherigen Erfahrungen ging. Wenn daheim aus dem Urwald heraus irgendeine ungewohnte Stimme erscholl, lief es bei den Schwarzen von Mund zu Mund: »Der Teufel«; und blinzelte irgendwo ein Licht, das niemand kannte, ward geraunt: »Der Teufel.« Als der Onkel Holz hackte, hätte die schwarze Anna nur bei Lola sein sollen; ganz sicher würde sie gewimmert haben: »Der Teufel.« Er war es also nicht? Wenigstens nicht immer? Das war tröstlich, und der Onkel war gut, daß er Lola dies gelehrt hatte. Sie lächelte ihm zu. Sie hatte auf einmal alle Menschen lieber, ging ins Zimmer, umarmte die Großmama und klatschte in die Hände bei dem Gedanken, daß sie auch dem Fräulein Erneste etwas recht Liebes antun wolle. Eifrig verglich sie im Innern die schwarze Anna mit Fräulein Erneste und wunderte sich, wieviel näher ihr Erneste sei. Die schwarze Anna war dumm, mit ihrem Teufel; Lola schämte sich ihrer ein we-

31

nig. Wie sie nach Haus kam, stellte sie sich vor Erneste hin, sammelte sich und sagte zutraulich:

»Ast, Boot, Reh, Erneste.«

Dabei lächelte sie entschuldigend, denn für ein achtjähriges Mädchen war dies natürlich kindisch; aber was sollte sie sagen? Erneste verstand Lola; vor Rührung bekam sie ein bekümmertes Gesicht und Tränen in die Augen.

Einige Wochen später schlug sie Lola vor, einen Brief an Pai zu schreiben.

»Schreibe in deiner Sprache.«

Lola tat es; aber sie fügte mit Genugtuung eine Anzahl ihrer deutschen Wörter hinein: alle waren in einem Brief schon nicht mehr unterzubringen. Die Antwort kam. Auch Herr Gabriel hatte auf portugiesisch geschrieben; nur am Schluß stand der Satz: »Ich habe dich lieb«; und diese Worte, die er noch nie in seiner eigenen Sprache hatte äußern dürfen, waren von ihm mit einer Süßigkeit erfüllt worden, die Lolas schwache Hände noch nicht herauspressen konnten. Erneste sah diese Zeilen lange an und sagte dann:

»Bewahre den Brief gut auf, Kind.«

Den nächsten schrieb Lola – sie war vier Monate bei Erneste – ganz deutsch, und ihr Vater antwortete ebenso. Inzwischen aber war ein Brief angekommen; Lola wußte nicht gleich, wer ihn abgeschickt habe. Sie war sehr gespannt.

»Ah!«

»Nun?« fragte Erneste.

»Von Mai!« – und sie betrachtete ihn angestrengt.

»Was schreibt dir deine Mama?«

»Ja, ja«, machte Lola, und: »Gleich komme ich wieder.«

Sie lief ins Schlafzimmer und buchstabierte. Mais Schrift sah Lola zum erstenmal; die schöne Mai lag immer nur in der Hängematte. Wie mußte sie Lola liebhaben, daß sie ihr schrieb! Lola küßte den Brief. Dann versuchte sie es nochmals: nein; wirklich, sie verstand nichts, oder nur hier und da ein paar Worte. »Mai, Mai«, stammelte sie, und plötzlich weinte sie. Kleinlaut berichtete sie später Erneste:

»Jetzt ist es sehr heiß in Rio, schreibt Mai, und hier ist es so kalt.«

Tags darauf wußte sie:

»Nene war krank und ist nun wieder gesund.«

Sie las immer in dem Brief; er hatte schon Risse, Fettflecke und Tränenspuren. Eines Morgens beim Erwachen fand Lola ihr Händchen hoch in der Luft. Im Traum hatte sie's nach einer Frucht ausgestreckt, die Mai ihr hinhielt – und zog es nun leer zurück. Noch sah sie Mais Gesicht: und da verstand sie plötzlich einige von Mais Worten in ihrem Brief. Schon war Lolas erste Sprache, Wort für Wort, zurückgedrängt von ihrer zweiten; neue Gesichter schoben sich ihr vor die alten; und eine neue Luft malte alle Dinge anders. Draußen schneite es; das erstemal hatte Lola den Schnee für Zucker gehalten; und Mai kannte ihn noch immer nicht. Mai lag in großer Wärme in ihrer Hängematte und kannte, obwohl sie Mai war, nichts von allem, was Lola sah. Wie rätselhaft das war! Lola dachte sich darin fest; sie saß am Boden, den Blick nach innen, die Lippen leise gelöst, und hielt mit allen Kräften den Geschmack solches Gedankens fest. Manchmal war es nur ein Wort, ein Name, den sie in solcher Weise ganz auszukosten suchte: Erneste, wie konnte jemand so heißen; Erne-ste, wie jede der Silben plötzlich verwunderlich und komisch war. Jeden Augenblick wurden sie fremder! Im Frühling, auf einem Ausflug, ward Lola vermißt und allein zwischen Waldhügeln bei einer Quelle gefunden. Das nasse Laub hing um sie her, es roch herb nach Kräutern, die Quelle rann, Lola saß ohne Regung. Worüber sie nachgedacht habe. »Über die Quelle.« Im Sommer lag sie oft am Rande eines Heliotropbeetes auf dem Bauch, schob den Kopf zwischen die Blumen und lauschte in die große Tiefe dieses Duftes.

Ein Gesicht, das sie lange schon kannte, ward ihr auf einmal wie durchleuchtet: nun fühlte sie's. Einmal, im Schulzimmer, sah sie, anstatt nachzuschreiben, unverwandt auf ihre Lieblingslehrerin, auf die raschen kleinen Mienen und die flinken, pickenden Bewegungen des Fräuleins.

»Lola, warum siehst du mich immerfort an?« fragte Fräulein Mina. Lola erklärte:

»Du aussiehst wie ein klein Vogel.«

Die französische Lehrerin ward gehaßt von Lola: besonders seit sie Lola gedroht hatte, wenn sie noch länger die Kirschkerne verschlucke, werde ihr ein Kirschbaum aus dem Halse wachsen. Lola wühlte sich mit dem Blick in dieses fette, graue, schnüffelnasige Geschöpf hinein, bis sie in dem Fräulein deutlich eine große, dicke Ratte sah und bei einer zufälligen Berührung besinnungslos aufschrie!

In eine Vorstellung, eine Begierde konnte sie sich rettungslos festrennen, bis zu kleinen Verbrechen. Einmal log sie, in dem unvermittelten Drange, eine Sache ganz für sich zu haben. Nun hatte sie's: ein Geheimnis; und kostete tagelang aus, daß niemand wisse, was sie wußte. Das war ein neues Leben, eine eigene Welt! Etwas später stiftete sie, um des Abenteuers willen, eine große Verschwörung an, verbunden mit Diebstahl. Zwar handelte es sich um die »Ratte«, die ohnehin jeden Streich verdiente. Mittlerweile nannten alle sie so; Lola hatte den Namen durchgesetzt und in vielen Widerwillen erregt gegen die Lehrerin. Es war nicht schwer, die Mädchen zu überzeugen, daß sie der Ratte eine große, scheußliche Puppe ins Bett legen müßten. Man brauchte eine Maske, eine Haube, eine Jacke, eine Brille. Das Geld? Man wußte doch, wo die

Ratte ihres aufbewahrte. Es war nur gerecht, daß sie selbst sich die Puppe kaufte. So geschah es. Die Ratte fiel zuerst in Ohnmacht, und wie der Verlust des Geldes herauskam, erlitt sie einen Weinkrampf. Lola sah ihn mit an: sie sah den Schmerz des häßlichen und geizigen Geschöpfes, ward hineingezogen und lebte ihn mit, außer sich vor Reue. Sie sah eine dicke Ratte sich ängstigen, die sie vergiftet hatte, und hätte gern, wenn es noch möglich gewesen wäre, das Gift selbst gegessen. Sie bat um Verzeihung, nahm sogar, mit leidenschaftlicher Selbstüberwindung, die Hand der Ratte. Denselben Ekel empfand sie auch jetzt noch; aber sie sah dieses Wesen leiden; sah unendlich mehr davon, als die andern sahen; und begriff nicht mehr, wie sie solch Leiden hatte zufügen mögen! Viel lieber statt anderer leiden! In mancher Nacht kam ihr die Frage: ›Wenn ich mich lebendig begraben lassen sollte, oder Erneste sollte sterben, oder Mai: was würde ich wählen?‹ Sie warf sich seufzend und heiß umher: nun hieß es sich entscheiden, das Furchtbarste auf sich nehmen. Und plötzlich war sie hindurch, sah Licht, war sanft und süß durchronnen und hatte sich dargebracht: ›Oh, lieber, viel lieber will ich lebendig begraben werden!‹

Sie war erschüttert; ein Drang nach Güte, eine schmerzliche Wallung von Liebenwollen hob ihr Herz auf; – und da kam rechtzeitig der neue Geschichtslehrer, Herr Dietrich. Er war schüchtern und ironisch, und er sprach immer wie zu erwachsenen Damen. Alle interessierten sich für ihn, einige erkundeten seine Lebensumstände. Er wohnte mit seiner Mutter und seinen jungen Geschwistern zusammen und unterhielt sie. Wie Lola von seinem Leben träumte! Liebreich mußte es dahinfließen, voll sanfter, gütiger edler Gedanken. Mit zwei andern, die für ihn schwärmten, wagte sie es unter einem Vorwand, ihn aufzusuchen. Kein Teppich lag auf den weißen Dielen seines Zimmers. Herr Dietrich stand von seinem Schreibtisch auf, der dabei ins Wanken kam, und deckte verlegen ein Kissen auf einen Riß im Ledersofa. Das ganze Haus roch nach saurer Milch. Tagelang erbitterte Lola sich gegen Erneste, die ihn nicht besser bezahlte. Alle hätten hingehen sollen und es ihr vorhalten. Lola sonderte sich ab, sooft sie konnte, lernte den Leitfaden der Geschichte auswendig, und wenn sie ihn sich wiederholte, war es ihr, als sagte sie ihm etwas Liebes. Als sie an einem Märztag, es lag noch Schnee, allein im Garten gewesen war, kam sie erregt zu Erneste gelaufen.

»Erneste, ich weiß jetzt, wie der Frühling aussieht!«

»Wieso?«

»Wie Herr Dietrich sieht er aus!«

Lola leuchtete. Die Offenbarung, die sie soeben empfangen hatte, war einfach und tiefwahr.

Erneste dachte: ›Mit zwölf Jahren schon?...‹ Sie faßte sich und äußerte:

»Aber Kind, für ein Mädchen, das bald dreizehn wird, ist das doch zu kindisch. Herr Dietrich ist natürlich ein Mensch wie wir alle.«

Lola stutzte; war er das? Warum mußte sie dann so viel an ihn denken? Immer hatte sie jenen leichten Geruch von saurer Milch in der Nase: so viel dachte sie an Herrn Dietrich. ›Ich will ihn mir ganz genau ansehen.‹ Grade heute war Herrn Dietrich sein gelber Strumpf über seinen schwarzen Schuh gerutscht. Lola starrte finster und nachdenklich darauf hin. Ähnliches konnte man auch bei andern Lehrern sehen: aber Herr Dietrich, der so edel war! an den Lola so viel denken mußte! Nun bemerkte sie auch, wie Herr Dietrich sich mit Jenny abgab; wie die dicke, freche Jenny, das Kinn auf der geziert ausgespreizten Hand, ihn anschmachtete; wie er errötend wegsah und, nachdem er ein wenig an seinem Kneifer gerückt hatte, ihr zulächelte. Da ward es Lola kalt und zornig zu Sinn; es trieb sie, Herrn Dietrich zu zeigen, daß er für sie durchaus kein Ideal sei. Er stand grade vor ihr; seine rötliche, knochige Hand lag auf ihrem Tisch; und in seiner Manschette konnte sie Haare sehen. Vorsichtig führte sie zwei Finger hinein, erfaßte ein Haar, machte »Kieks!« – und da hatte sie's. Herr Dietrich zuckte zusammen; dann rief er mit roter, entrüsteter Miene:

»So etwas tut man nicht!«

Lola, ziemlich erschrocken über ihre Tat, aber trotzig, betrachtete das Haar.

»Gib's her!« – und Herr Dietrich nahm es ihr weg.

Als er sie später etwas fragte, antwortete sie nicht, obwohl sie's wußte. Sie beschloß, ihm brieflich ihre Verachtung auszusprechen; den ganzen Nachmittag arbeitete sie daran. ›Wenn ich einen Menschen gern habe, verlange ich mehr von ihm als von andern, Sie haben mich sehr enttäuscht‹, wollte sie ihm sagen, und: ›Ich bin viel zu stolz, um jemand noch gern zu haben, der eine andere liebt.‹ Indes fiel ihr ein, daß Herr Dietrich von ihrer Neigung nichts gewußt habe und daß ihn darum auch ihre Enttäuschung nichts angehe. Wahrscheinlich würde er ihr mit seiner entrüsteten Miene den Brief zurückgeben und dazu schreien: »So etwas tut man nicht!«

Sie hielt sich nun für fertig mit der Liebe. Dennoch verlor sie den Winter darauf ihr Herz an einen italienischen Leierkastenmann. Sie lag im Fenster und lebte in seinen Augen. Bleich und traurig schmachtete er herauf. Lola sagte:

»Wie ist er schön! Ich habe noch nie einen schönen Mann gesehen.«

Die dicke Jenny störte sie diesmal nicht: im Gegenteil, sie fragte, ob Lola seine Bekanntschaft machen wolle, sie begleite sie gern. Lola schrak zurück, sie wußte noch nicht, wovor. Aber am Sonntag wartete sie mit ihrem ganzen Wochengeld. Der Italiener kam, nur war er betrunken und kotbespritzt, fing Streit an und ward verhaftet. Lola warf aufs Geratewohl ihre zehn Mark hinunter und rettete sich.

Die Trennung von dieser Liebe war hart. Wochenlang zuckte Lola schmerzlich zusammen, pfiff jemand auf der Straße eine von des Italieners Arien. Bei der Ankündigung der Oper, aus der sie stammten, geriet Lola in Erregung und verlangte hin. Sogar die Begleitung der Ratte nahm sie mit in den Kauf. Auf ihrem Balkonplatz bekam sie Herzklopfen; aber wie sie sich den Leierkastenmann vor Augen rufen wollte, bemerkte sie, daß sein Bild unauffindbar war und daß nur die Klänge und Gebärden von dort drüben sie erfüllten und bewegten. Ihr schien es der erste Theaterbesuch; und alles mutete sie wie eigene tiefe Erinnerungen an. Woran sie jemals ahnungsvoll gerührt hatte, das war hier aufgeschlossen und entzaubert. Der letzte Duft schöner Blumen, Namen, Gesichter schien hier herausgepreßt. Die Worte klangen alle voller und sinnreicher, die Dinge hatten höhere Farben, die Mienen erglänzten inniger. Hier wiederholte sich, hätte man meinen sollen, das Leben Lolas in stärkerem Licht: als habe sie dort auf der Bühne ihr eigenes Herz, höher schlagend, vor Augen. Alles, wofür man sonst keine Verwendung wußte, konnte hier spielen. Man konnte sich ganz geben, wie man war; denn die Menschen hielten endlich das, was man sich von ihnen versprach. Der Held dieser Oper war so edel, wie Herr Dietrich hätte bleiben sollen, und so schön wie der Italiener, ohne sich dabei zu betrinken.

Bei der Heimkehr war es Lola, als habe sie nun ein Zauberwort erfahren: Schauspielerin, und sei dadurch erlöst und mit sich selbst bekannt gemacht.

›Wie sonderbar!‹ dachte sie im Bett und starrte zur dunklen Decke hinauf; ›das also bin ich!‹ Erneste rührte sich, und Lola hätte sie fast, in rascher Regung, aufgeweckt und ihr Schicksal Erneste offenbart. Noch hielt sie zurück; sie hatte sich erst selbst an seine Erkenntnis zu gewöhnen. Beim Aufwachen aber erschütterte sie sogleich ein großer Jubel; sie machte sich schnell fertig und lief zu Erneste, gradeso herzhaft und ohne Arg wie damals, als sie mit der Nachricht kam, der Frühling sehe aus wie Herr Dietrich.

»Erneste!« rief Lola. »Weißt du, was ich werden will? Schauspielerin!«

»Auch gut«, erwiderte Erneste und befestigte gelassen den Papierdeckel auf einem Glas mit Eingemachtem. Lola erklärte freudig:

»Gestern im Theater habe ich es gemerkt, und jetzt weiß ich es ganz genau.«

»Dummes Kind; trinke lieber deinen Kakao.«

»Warum dumm? Ich glaube, daß ich Talent habe.«

»Das glaube ich auch: du rezitierst sehr niedlich; deswegen verfällt aber doch kein verständiges Mädchen auf solches dumme Zeug. Möchtest du wohl einen Löffel Gichtbeerenkompott?«

Verwirrt ließ Lola sich den Löffel in den Mund schieben.

»Nun geh, Kind«, sagte Erneste, und Lola ging, den Kopf gesenkt. Vor der Tür zum Frühstückszimmer richtete sie sich auf und kehrte nach der Speisekammer zurück.

»Erneste!«

Lola war blaß, ihre Stimme hatte gezittert; Erneste sah sie sprachlos an.

»Erneste, du hast so getan, als ob es Scherz wäre. Es ist mir aber ganz ernst.«

»Um so schlimmer«, sagte Erneste, polternd vor Schrecken. »Geh ins Klassenzimmer und erwarte, welche Strafarbeit ich dir aufgeben werde!«

»Ich will alle Strafarbeiten machen, die du mir aufgibst, Erneste. Aber ich bin fest entschlossen, Schauspielerin zu werden.«

Lola redete das wie ein Diktat; irgendeine Macht weihte sie zum Sprechen.

»Es ist das erste Mal, daß ich so zu dir spreche, Erneste: daraus kannst du ersehen, wie wichtig dies ist«, sagte sie sanft, mit feuchten Augen; denn Erneste tat ihr leid. Erneste war auf einen Holzschemel gefallen; ihre von Fruchtsaft blauen Finger lagen wie tote kleine Soldaten durcheinander im Schoß; ihr Gesicht war ganz lang und über alle Maßen verstört.

»Was kannst du denn auch dagegen haben«, meinte Lola, »wenn ich es nun einmal als meinen Beruf erkannt habe.«

Da aber kam alles wieder zu Leben an Erneste; sie sprang auf.

»Dein Beruf? Eine unanständige Person zu werden, das soll dein Beruf sein? Dazu habe ich dich durch sieben Jahre auf Gottes Wegen erhalten? Du weißt nicht, was du redest: das ist das einzige, was mir noch Hoffnung läßt. Jenny, mein Kind, sie weiß nicht, was sie redet; schweige um Gottes willen über das, was du gehört hast!«

Lola wandte sich um: in der Tür stand die dicke Jenny und sah sie mit heuchlerischem Entsetzen an.

»Du begreifst, Jenny, wenn sie dabei bliebe, das wäre noch schlimmer als das mit Susanne, und davon habe ich doch schon graue Haare. Versprich mir, mein Kind, daß niemand etwas erfahren soll!«

Jenny versprach es artig. Dann entließ Erneste sie; und da sie unbeachtet stand, ging auch Lola. Ernestes Aufregung begriff sie nicht. Lola wollte zur Bühne und möglichenfalls dieselben Stücke spielen, die in der Klasse gelesen wurden. Was hatte das mit Susanne zu tun, die weggeschickt war, weil sie irgend etwas, nicht recht Verständliches, mit dem Gärtner zu tun gehabt haben sollte? Lola saß in Rätseln; aber schon nach der ersten Unterrichtsstunde fing sie neugierige Blicke auf, die sogleich, mit künstlicher Fremdheit, weggelenkt wurden; und auch die Lehrerin, die jetzt darankam, starrte erst einmal Lola recht unverschämt forschend ins Gesicht, und dann richtete sie plötzlich das Wort an eine andere. In der Pause bemerkte Lola, daß manche ihr auswichen und daß einem harmlosen Mädchen, mit dem sie sprach, von Jenny und mehreren anderen so lange bedeutsam gewinkt ward, bis es sich verlegen von Lola losmachte. Lola ging gradeswegs auf Jenny zu: was das eigentlich heiße. Jenny wendete sich gepeinigt hin und her, murmelte, als sei sie um Lolas willen in Sorge, daß nur keine es höre: das wisse Lola wohl selbst am besten; und rasch tauchte sie in einen Kreis Schwatzender.

Ernestes Benehmen war noch viel auffallender. Lola erinnerte sich nicht, daß Erneste jemals länger als eine Nacht mit ihr böse gewesen war. Am Morgen hatte sie sich immer anmerken lassen, daß sie gern versöhnt werden wolle. Dabei ging sie beinahe bittend zu Werke; infolge jeder von Lolas Ungezogenheiten war Erneste es, die gewissermaßen Vergebung suchte und deren Miene um ein gutes Wort warb. Lola bat schwer um Verzeihung. Wenn sie sich dazu entschloß, tat sie's aus Mitleid mit Erneste. Das junge Mädchen dachte dann an des Kindes erste Begegnung mit Erneste: als Erneste zuerst streng auf sie eingedrungen und plötzlich, wie sie Lolas Tränen sah, ganz aus der Fassung geraten war. So ging es immer. Erneste schien sich manchmal viel zu dünken, und plötzlich fiel sie in Schüchternheit. Nachdem sie anfangs ihre gnädige Gesinnung als Belohnung hingestellt hatte, bemühte sie sich schließlich um Lolas Zuneigung. Was sie bekam, war eine etwas geringschätzige Freundlichkeit.

Jetzt aber gebärdete sich Erneste, Tag um Tag, traurig und behutsam gegen Lola: wie wenn Lola schwer krank sei und man könne mit ihr nur noch wenig und leise reden. Lola sah: auch die wohlwollenden Mitschülerinnen bekamen davon die Empfindung, Lola sei aufgegeben; – und sie selbst geriet über sich ins unklare. Hätte Erneste ihr Szenen gemacht! Lola würde sich versteift, sich behauptet haben. So erschien, was sie gewagt hatte, allmählich ihr selbst als etwas Ungeheuerliches. Keine andere also war dessen fähig! Lola fühlte sich abgesondert, ihre Schritte unheimlich gedämpft, ihr ganzes Dasein fragwürdig. ›Bin ich denn anders als alle?‹

Da erinnerte sie sich gewisser Träume, gewisser ahnender, grübelnder Gefühle, für die sie, kam sie damit heraus, nirgends Verständnis gefunden hatte. Befremdet und etwas peinlich berührt, hatte man sie stehengelassen. Die besten hatten gutmütig gelacht. Auch das mit Herrn Dietrich und dem Frühling fiel Lola wieder ein: und nun bedeckte sie, im verschlossenen Schlafzimmer, die Augen mit den Händen, glühend rot durch diese vor Jahren gesprochenen Worte. Plötzlich richtete sie sich auf.

»Und ich bin doch so!« sagte sie laut vor sich hin, und: »Auch ich habe mein Recht!«

Sie überlegte:

›Sollte alles daher kommen, daß ich aus einem andern Lande bin? Wenn im Sommer alle stöhnen, dann wird mir erst wohl. Natürlich: ich gehöre gar nicht hierher! Oh, zu Hause, wieviel schöner war es zu Hause!‹

Irgendein glänzendes Bild aus Kindertagen war ihr unvermutet durch den Sinn geschossen; sie hielt den Atem an: es war fort. Durch Nachdenken wollte sie ihre Gefühle von einst zurückbannen: es kam nichts; und als sie endlich eines zu halten meinte, war es nur die Erinnerung an eine Ansicht aus den Tropen, die sie kürzlich in einer Zeitschrift gesehen hatte. Klagend trat sie ans Fenster, die Schultern hochgezogen, als träfe sie der kalte Regen, der gegen die Scheibe schlug.

›Hier bin ich nicht heimisch geworden; und das, was meine Heimat war, habe ich vergessen. Wohin gehöre ich denn? Drüben hatte ich meine Familie und meine Freunde. Drüben verstanden alle mich. Drüben war ich glücklich.‹

Und bittere Gedanken richteten sich gegen den Vater, der sie losgerissen und verbannt hatte.

›Warum grade mich? Nene hat dort bleiben dürfen. Pai kann mich niemals liebgehabt haben!‹

Lola überdachte seine Briefe und fand sie kalt. Gleichwohl schrieb Herr Gabriel ihr jeden zweiten Monat; und nur sein besonnener kaufmännischer Stil war schuld, daß seine Sätze kühl klangen. Lola war nicht gestimmt, die Liebe zu fühlen, die hinter den Worten bebte.

›Niemals hat er mich besucht, in all den Jahren! Und wie grausam ist er gegen Mai gewesen! Mai, die weinte und mich festhalten wollte, als der große Schwarze mich forttrug!‹

Das ganze phantastische Grausen jener Sturmnacht entstand noch einmal in Lola; und mit der Kinderangst von einst wallte Sehnsucht auf:

»Mai!«

Die Arme ausgestreckt:

»Mai! Mai!«

Ein weißer, glänzender Nebel erschien vor Lolas Augen und, weich darumgelegt, ein Rahmen aus dunklem Haar. Lola wollte Züge hervorlocken: der Nebel blieb leer; er drohte wegzufließen. Sie flüsterte bange Koseworte, hielt in ekstatischer Beschwörung dem Phantom ihrer Mutter die Lippen hin: umsonst. Lolas Kraft war aus und das Bild zerronnen.

Sie ergab sich nicht; sie suchte, mit einem Blick der Not, nach Hilfe umher, nach einem Anhalt – und traf auf eine alte Schreibmappe. »Mais Brief!« Sie wühlte ihn heraus, legte aufschluchzend ihre Wange in das alte Papier. »Das kommt von Mai!« Jeder dieser kleinen flüchtigen Buchstaben war ein Geschenk von Mai an Lola. Sie las darüber

43

hin, lange Zeit. Dann enträtselte sie, mit Hilfe des Französischen, einige Worte. Dann sprach sie sie laut, fügte andere hinzu und horchte jedem nach, mit offenem Mund und seitwärts gewendeten Augen. Dazwischen erregtes Lachen: ja, so klang es. Ein Jubelruf: das war Mais Stimme! So sagte Mai dies! Oh, und dies war die schwarze Anna; und dies – Die Namen ehemaliger Freundinnen klangen mit; ein Gesicht sprang aus einer Silbe, eine Begebenheit. Lola wußte nicht mehr, wohin sie lauschen sollte. Ihr Geist stürzte hinter alledem her, nach allen Seiten, wie ein Kind hinter Schmetterlingen. Minutenlang war sie glücklich. Schließlich zerflatterte alles; – aber Lola war nun gewiß: ›Ich muß hinüber! Oh, gleich, gleich an Pai schreiben!‹ Sie setzte sich daran, wollte schmeicheln, Pai günstig stimmen, und fand vor fieberhaftem Drängen keine Worte. ›Kann ich nicht telegraphieren? Kann ich nicht fliehen? Sofort? Sofort?‹ Sie irrte, hochatmend, durchs Zimmer. Notdürftig gesammelt, schrieb sie:

»Lieber Pai, darf ich jetzt nicht bald zu Euch zurück? Du wolltest wohl, daß ich hier etwas lernen sollte. Ich kann Dir versichern, ich habe schon viel gelernt.«

Was sagte dies! Gegenüber erblickte sie ihr Spiegelbild in einem fremden Raum: in dem Raum, der sie seit sieben Jahren umfing und nun aussah wie ein Zufallsquartier zum Übernachten. Sie dachte ihr Gesicht neben denen draußen, ringsumher: lauter Gesichter mit anderen Wesenszügen, geformt von einem fremden Blut. Im Geist hörte sie die Stimmen: anders fallende Stimmen, Künderinnen fremder innerer Gewohnheiten. Sie schrieb:

»Ich hätte Dir noch viel zu sagen; aber ich kann mich nicht recht ausdrücken, da ich ja keine Sprache ganz beherrsche. Bitte, erlaube mir, daß ich kommen darf. Ich grüße Nene und Mai. Wäre es nicht möglich, daß ich ein Bild von Mai bekäme?«

Im Gefühl, sich gerächt zu haben, ging Lola zu den andern. Sie benahm sich so entschieden und selbstbewußt, daß Jenny mit ihr reden mußte und Erneste sie nicht länger durch leises Sprechen für krank ausgeben konnte. Am Abend fing sie sogar mit einer Streit an, und entgegen ihrer Alltagsnatur bereute sie nichts von dem, was sie im Zorn gesagt hatte.

Sie blieb hochgemut: wie konnte Pai ihre Bitte abschlagen! – und inzwischen sammelte sie Anhängerinnen, denen sie den Ton angab, denen sie half, am Sonntag, bei den lebenden Bildern, in Kostümen und Kunst der Stellung die andern zu besiegen. Die Pension spaltete sich; die eine der Parteien scharte sich um Jenny, die andere um Lola, und jede warb mit Leidenschaft um die draußen wohnenden Schülerinnen. Erbitterte und wortlose Kämpfe wurden bestanden. Einmal ward das Ziel des Ehrgeizes darin entdeckt, als erste beim Frühstück zu sein; aber mochten Jennys Freundinnen bei kaum grauendem Tag hinabschleichen: Lola mit den Ihren saß doch schon am Tisch. Am Abend hatte sie von sich zu den andern, unter den Stubentüren hindurch, einen Bindfaden geleitet. Jede war mit der Nächsten verbunden; regte sich eine, erwachten alle; und geschlafen hatte keine. Dafür genoß man nun Triumphgefühle, die einen sprengten.

Zu Lolas Hochgefühl wirkte Verachtung mit. Sie übte ihre Macht als Parteiführerin und dachte dabei: ›Was ihr alle mich angeht! Wie lange dauert dies überhaupt noch! In vierzehn Tagen ist Pais Brief da!‹ Manchmal sah sie Erneste an, die nichts ahnte, und konnte ihr Frohlocken kaum niederringen. Einmal verriet sie sich. Am Sonntag nachmittag hatte Jenny gesungen: etwas peinlich Sentimentales, wobei sie himmelte und die Fingerspitzen auf die Brust setzte. Lola rief aus tiefster Seele:

»Das ist aber über alle Maßen geschmacklos!«

Jennys Anhängerinnen gaben dies nicht zu; nicht einmal unter ihren eigenen waren viele der Meinung Lolas. Die Tochter eines Reichstagsabgeordneten sagte:

»Es war so deutsch.«

»Es war geschmacklos!« stieß Lola hervor. »Wenn es deutsch war, dann war es eben eine deutsche Geschmacklosigkeit!«

Darauf ward es still; und wie Lola sich bei den Ihren nach Beistand umsah, wichen die Blicke ihr aus, und die Schultern drehten sich hin und her, bis sie aus Lolas Nähe waren. Drüben versetzte eine spitz:

»Du bist eben eine Brasilianerin!«

»Wenn sie das noch wäre«, entgegnete die Tochter des Abgeordneten. Aber sie ist nichts: sie ist –«

Mit gekrümmten Lippen, die das Wort unter Selbstüberwindung hervorbrachten: »International!«

Der Ekel im Gesicht der Sprechenden steckte alle übrigen Mienen an; und als habe man neben sich eine Schande, wandte man sich schweigend zu etwas anderem. Ein Dienstmädchen trat ein:

»Fräulein Lola, ein Brief für Sie!«

Von Pai! Lola stürzte damit hinaus, schloß sich ein. Sie zitterte; und im jähen Gefühl, in einer äußersten Minute ihres Schicksals zu stehen, murmelte sie: »Mein Gott! Mein Gott!«

Dann erfuhr sie:

»Meine liebe Tochter! Deine Nachrichten habe ich erhalten und ihnen zu meinem Bedauern entnommen, daß die dortigen Verhältnisse Dir nicht mehr so zuzusagen scheinen, wie ich gewünscht und erwartet hätte. Es ist jederzeit für uns von Nutzen, unserer Umgebung Wohlwollen entgegenzubringen; um so mehr aber erscheint dies geboten, wenn wir, menschlicher Berechnung nach, einen großen Teil unseres Lebens am fraglichen Platze verbringen werden. Übrigens denke ich mich in einiger Zeit persönlich nach Dir umzusehen, und verspreche ich mir von diesem, nicht durch meine Schuld so lange verschobenen Wiedersehen eine bedeutende Genugtuung. Somit halte ich ein Herkommen Deinerseits zur Zeit nicht für angezeigt. Du darfst versichert sein, daß wir nicht mehr allzulange getrennt bleiben werden und daß, wenn ich einst in der Lage sein werde, meinen Wohnsitz ganz nach dort zu verlegen, auch Deine Mutter mit hinüberkommen wird. Deine Mutter grüßt Dich, kann Dir jedoch das gewünschte Bild nicht schicken, da sie sich neuerdings auf keiner Photographie mehr getroffen findet.

Über das, mein liebes Kind, was wir im Leben sein werden, entscheidet das Blut, welches wir bei unserer Geburt mitbekommen. Unter einem nicht blutsverwandten Volk werden wir uns niemals vollkommen wohl und heimisch fühlen. In Dir, meine Tochter, fließt, wie ich hoffe und glaube, ein vorwiegend deutsches Blut, und als deutsches Mädchen gedenke ich Dich dereinst wiederzufinden. Es wird Deine Aufgabe sein, Dich dort mehr und mehr heimisch zu machen.

Nimm diese Worte von Deinem Vater mit Liebe auf. Es ist und kann ja nur mein einziger Wunsch sein, Dich glücklich und zufrieden durchs Leben schreiten zu sehen.«

Lola war fertig und nahm doch das Blatt nicht von den Augen. Kein Bild von Mai: nicht einmal das! Nicht nach Hause, kein Bild, kein gutes Wort. Denn diese alle hörten sich hart und verständnislos an. Sich heimisch machen! Hier, wo sie noch soeben beschimpft und geächtet war! Pai wußte nichts; niemand wollte etwas wissen von Lola. Alles aus, alles aus.

»Was ist dir?« fragte, als es zum Essen geläutet hatte, teilnahmsvoll Erneste. »Du hast doch keine schlechten Nachrichten von den Deinen?«

»O nein, es geht ihnen gut; aber mir selbst ist nicht wohl.«

Sie bekam die Erlaubnis, sich sogleich niederzulegen, und war froh, als der Arzt ein wenig Fieber feststellte. Im Bett bleiben, niemand sehen, nur nicht den Blicken der Fremden ausgesetzt sein. Lola fühlte gar keinen Mut, sich zu behaupten. Wie sie, drei Tage später, sich wieder zeigte, genoß sie die Vorrechte der Genesenden, durfte schweigen und Launen nachgeben. Sie saß bleich und schwach da, und anstatt einer Lehrerin zu antworten, musterte sie sie, als erblickte sie sie zum erstenmal. Was für ein Gesicht war doch dies; wieviel Unschönes enthielt es! Diese immer geärgerten Augen, die gelben Schläfen, die kleinlichen Falten, die den Mund zerkniffen! Vor Lolas starrem Blick ward es älter, immer älter und endlich zur Mumie. Erschreckt riß sie sich los. Wenig später aber sah sie sich im Gesicht einer rezitierenden Mitschülerin fest, dessen Leere sich Lola plötzlich auftat wie ein Abgrund.

Das ward zur Sucht. Sie las aus einem der vielen Gesichter, die ihr jetzt abstoßend schienen, alle in der Familie möglichen Abweichungen des Typus heraus und ward bedrängt von Fratzen. Die Dummheit oder Gewöhnlichkeit gewisser Züge überwältigte sie täglich wieder, wuchs ihr entgegen, wie eine Sonne, in die man fällt. Lola atmete dann kürzer und meinte zu verblöden.

Sie bekam einen quälend feinen Sinn für das Alberne eines Tonfalls und das Untergeordnete einer Gebärde. Sie frohlockte und litt bei jeder Geschmacklosigkeit, die jemand beging. Sie legte eine Liste der Armseligkeiten an, die um sie her geschahen und geredet wurden, und las darin mit bitteren Rachegefühlen. So waren ihre Feindinnen! Denn Lola war überzeugt, daß alle sie haßten, und sie erwiderte es ihnen. Aus jeder Gruppe von Mädchen glaubte sie ihren Namen zu hören; sie trat herzu: »Sprecht weiter, bitte«; und ihre Stimme, die sie aus ihrer Einsamkeit unter die Feinde schickte, wollte höhnisch sein und war unsicher. Eines Abends beim Teemachen explodierte die Spiritusmaschine und überschüttete Lola mit blauen Flämmchen. Während sie noch mit einer Serviette ihr Kleid abtupfte, rief sie schon:

»Das warst du, Berta! Du wußtest wohl, daß ich heute an der Reihe war, Tee zu machen: eigens deswegen hast du vorher aufgegossen und hast den Docht falsch eingeschraubt!«

»Um des Himmels willen, Lola, ich habe dich doch nicht verbrennen wollen!«

»Wer hat mir neulich die glühend heiße Schüssel in die Hand gegeben?«

»Ich wußte es doch nicht! Auf der andern Seite war sie kalt!«

Das gutmütige Mädchen weinte fast. Erneste bemerkte kummervoll:

»Du bist mißtrauisch, Lola: das ist keine schöne Eigenschaft.«

Lola war mißtrauisch, weil sie sich verraten fühlte. Sie war empfindlich, weil sie allein und immer auf der Wacht war. Andere hatten Stützen: das Ansehen eines Vaters, einen Namen, jemand, der sie besuchte. Eine kleine plumpe Person mit Eulenaugen und Brillen davor ging, sooft sie sich irgendwie blamiert hatte, umher und wiederholte: »Ich habe das Wörtchen von. Du hast es nicht, ich aber habe es.« Lola suchte vergeblich nach einer Rache dafür. Da aber begegnete ihr in der Zeitung, daß der Reichstagsabgeordnete, der Vater ihrer ärgsten Feindin, Bankerott gemacht habe. Das Herz klopfte ihr bis an den Hals vor Freude. War's eine Schande, »international« zu sein, war's hoffentlich auch eine, Bankerott zu machen! Mit dem Zeitungsblatt lief Lola von einer zur andern, gefolgt von der Tochter des Abgeordneten, die jammerte: »Es ist nicht wahr«, und endlich zu Erneste floh: sie möge Lola Einhalt tun. Aber Lola war unerbittlich. Dafür konnte sie's, als unerwartet Jennys rote, spießige Mutter bei Tisch saß und das Wort führte, vor Erbitterung und Gram nicht bis zu Ende aushalten, mußte sich in ihr Zimmer retten und einen Weinkrampf durchmachen. ›Nie wird Mai kommen! Die häßlichen, gewöhnlichen Menschen sind wenigstens gut mit ihren Kindern!‹

Erneste sah den Krisen Lolas unschlüssig zu. Sie, die Lola liebte, beschämte es, daß sie sie nicht verstand. Manchmal ward sie ungeduldig und wollte mit Erzieherinnenderbheit dazwischenfahren. Aber ihre altjüngferliche Achtung vor den Dingen des Herzens hielt sie zurück. ›Es muß etwas sein… Sie wird damit fertig werden.‹ Eine Frage drückte Erneste; sie fürchtete sich, sie zu stellen. Jetzt sprach sie zu Lola vor anderen in freudig ermunterndem Ton; waren sie aber allein, ward Ernestes Stimme, was sie auch sagen mochte, mitfühlend und beruhigend. Lola entzog sich ihrer Teilnahme, stellte sich früh und abends schlafend und verließ, kaum daß Erneste sie vertraulich zu stimmen suchte, das Zimmer. Endlich wagte Erneste, ohne Vorbereitung, ihre Frage:

»Möchtest du noch zum Theater?«

»Zum Theater?« machte Lola, die Brauen gefaltet; und mit gehobenen Schultern:

»Daran habe ich gar nicht mehr gedacht.«

Auch dort waren die Menschen schwerlich anders, und Lola wußte sich sowenig zur Bühne gehörig wie sonst irgendwohin. Aber Erneste hatte den Atem angehalten; nun traten ihr Tränen der Erleichterung in die Augen.

»Gott sei Dank, Kind! Mein liebes Kind, Gott sei Dank!«

Sie reckte sich an Lola hinauf und küßte sie auf den Mund. Eine ihrer Hände ließ sie segnend über Lolas Kopf schweben.

»Das andere wird alles gut werden«, verhieß sie innig. Lola, in Wut, weil sie gleich weinen mußte, sah kalt zu ihr hinunter. Erneste trat von ihr weg.

»Du sollst auch eine Belohnung haben« – ganz lustig, nur nicht mehr sentimental. »Wohin möchtest du diesen Sommer lieber: ins Gebirge oder an die See?«

»Ich weiß wirklich nicht.«

»Du wirst dich schon besinnen.«

Aber Lola setzte ihren Ehrgeiz darauf, keine Vorliebe zu verraten; Erneste mußte schließlich selbst wählen; und zu Beginn der Ferien, als die andern alle daheim waren, fuhren Erneste und Lola ins Gebirge.

»Wir müssen viel zusammen spazierengehen«, hatte Erneste gesagt; aber dann zeigte sich's, daß sie vom Steigen ihre Herzbeschwerden bekam. Lola ließ sie auf einer Bank zurück und eilte weiter, den Passionsweg mit den Bildstöcken hinauf, an der geweihten Quelle und der Einsiedelei vorüber und in den Wald, wo er recht tief, recht wild und menschenfern war, wo im Tannendickicht die kaum ausgetretenen Graspfade und über Schluchten der morsche Steg zu einsamen, schmerzlich stillen Zielen führten. Denn Lola war so glücklos, daß der Anblick eines Menschen sie unsinnig erbitterte.

Sie fühlte sich häßlich: unablässig peinigte sie die Empfindung ihrer zu hohen Stirn, ihres bleichsüchtigen Mundes, ihrer langen Glieder, die in den Gelenken nicht recht heimisch schienen. Ungeschickt und in ihrer Haut unbehaglich, mußte sie sich immerfort betasten, immer wieder feststellen, daß an ihrem in falschen Verhältnissen aufgeschossenen Körper kein Rock und keine Bluse richtig sitze. Sie fühlte ihre Häßlichkeit noch gehoben durch die Begleitung Ernestes, in ihrem Kapotthut, ihren schwarzen Zwirnhandschuhen, ihrem alten Mantel, der schief von ihrer zu hohen Schulter hing. Waren sie beide nicht ein lächerliches Paar? Lola sträubte sich gegen die Verwechslung mit Erneste, und dabei mußte sie gestehen, man könne sie äußerlich ganz gut zur gleichen Klasse rechnen: sie, die nicht von Erneste nur, nein, von allen so weit Getrennte! Begegnete sie Leuten, sah sie entweder scheu weg, oder sie musterte sie frech, wie eine für immer Draußenstehende, die sich ihrer Ungezogenheit nie zu schämen haben wird. Dennoch hätte sie bei Tisch, wo Erneste sie mit ihren Nachbarn zu reden nötigte, in den ersten jungen Menschen sich fast verliebt. Ihr Stolz verhinderte es: weil sie sich häßlich wußte; und die Erinnerung, daß kein Geschöpf liebenswert sei, keines sie angehe und jede Gemeinschaft nur wieder Gram bringe. In der Einsamkeit ward ihr freier; sie konnte in ein Buch aufgehen, ihr qualvolles Ich darin aufgehen lassen. Um so schlimmer war's, wenn die Feinde sie auch hier erreichten. Einmal – sie glaubte an einer Stelle zu sein, wohin nie ein Mensch den Fuß gesetzt habe – erhob sich plötzlich der Lärm zahlreicher Stimmen, die auf sächsisch voneinander Abschied nahmen. Die Gesellschaft verteilte sich auf zwei Wege, die fünfzig Schritte weiter unten wieder zusammenstießen; bei den unverhofft nochmals Vereinigten ging eine freudige Begrüßung an; und Lola, der das vorkam wie eine ihr zum Hohn aufgeführte Komödie, rang die Hände im Schoß. Darauf blieb es still, bis ein Knacken im Gebüsch und ein kleiner wilder Schrei sie erschreckten. Sie warf einen Stein nach dem Tier. Gleich darauf stürzte sie ins Gras und schluchzte heftig und unstillbar auf ihre erschlafften Arme nieder. Ihre Tränen flossen dem, was sie getan hatte, und allem, was sein mußte: flossen ihr selbst.

Wenn es andern zu heiß war, oder beim Nahen eines Gewitters, stieg Lola in den Wald. Bei sich hatte sie Lamartines »Meditationen«. »Die Freundschaft verrät dich, das Mitleid läßt dich im Stich, und allein schreitest du den Pfad der Gräber abwärts«, las sie auf dem Weg mit den Bildstöcken; – und trat sie dann am Ende der fahl bläulichen Steige an den Rand der Bergwand und sah hinaus in ein grenzenloses Land, dessen Wellen schwarze Gehölze, grelle Wiesen, rostrote Kornfelder in tiefhangende Wetterwolken hineintrugen – im unheimlichen Flackerlicht solcher Stunde durfte Lola verzweifelt frohlocken: »Ich durcheile mit dem Blick alle Punkte der ungeheuren Weite und sage: Nirgends erwartet mich Glück.« Mochte doch in jenem getürmten Grau die Sonne für immer untergehen; Lola wußte im Ernst: »Ich wünsche mir nichts von allem, was sie bescheint; vom ungeheuren All verlange ich nichts!«

Aber die Verse selbst, in denen diese äußersten Schmerzen laut wurden, bargen in sich den Balsam dagegen; »Akzente, der Erde unbekannt«, regten sich in ihnen; und sie trugen einen, indes man sich hoffnungslos wähnte, unversehens in gütigere Welten. Nun saß Lola geborgen unter dem Dach des Holzfällerhüttchens aus Reisern und Moos, und beim Geprassel des Regens flog ihre Seele nach einem fernen, sanften und einsamen Gestade. Wie die Wogen sangen! Welche Harfenakkorde die klare, duftlose Luft durchperlten! Lola stieg in eine Barke, und mit ihr einer, der zu ihr sprach: »Sieh mitleidigen Auges auf die gemeine Jugend, die von Schönheit glänzt und sich mit Lust berauscht: Wenn sie ihren Zauberkelch geleert haben wird, was bleibt von ihr? Kaum eine Erinnerung: das Grab, das ihrer wartet, verschlingt sie ganz, ewiges Schweigen folgt auf ihr Lieben; über deinen Staub aber, Lola, werden Jahrhunderte dahin gegangen sein, und noch immer lebst du!«

Der Dichter war's, der dies gesprochen hatte. Lola erwachte; sie kauerte und bohrte die Handknöchel in ihre von Scham und Glück roten Wangen; und sie erbebte von der Ahnung jener liebreichen Ewigkeit, die ihr verheißen war. Lieben und geliebt werden bis zur Unsterblichkeit! War es zu ermessen? Dennoch fühlte sie, ihr sei's bestimmt; und aufgehoben und erstarkt, entwand endlich ihr sehnsüchtiges Herz sich dem Menschenhaß. Lolas Gefühle und die Verse, die sie trugen, hatten einen Gang, der nicht der Gang irdischer Menschen war. Menschen, die einer bestimmten Nation und eines Standes waren, die Dialekt sprachen, Vorurteile hatten, an Erde und Metall klebten: solche Menschen hatten wohl nie in solchen Versen gefühlt. Es mußten andere leben, luftigere, gütigere und reinere, die man lieben konnte. Sie waren auf anderen Sternen: gewiß, es gab überirdische Lebensstufen, und Gott – oh, er war also da! – erlaubte uns, von Stern zu Stern uns zu veredeln! Ihrer häßlichen Hülle ledig, schwebte Lola in Gemeinschaft einer seelenhaften Menschheit durch die Unendlichkeiten der Poesie; und kehrte sie nach dem Gewitter heim, war sie trunken von der wetterleuchtenden Weite, dem Jubel der befreiten Natur, von Menschengüte, Tugend und Alliebe.

Dann sagte Erneste:

»Nein aber, du triefst; du verdirbst noch alle deine Kleider!«

Und Lola mußte herabsteigen und sich mit den Wesen behelfen, zu denen eine mürrische Wirklichkeit sie gesellt hatte.

Erneste war vor dem Gewitter ins Zimmer geflüchtet und hatte an ihrem Buch keine Freude gefunden, weil sie immer denken mußte, daß sie nun doch allzuwenig Gutes habe von ihrem Liebling, von dieser Lola, die sie, ganz insgeheim, ihr Kind nannte. Dies Berghotel war ein teurer Aufenthalt, und wenn er für Lola ohne Schwierigkeit bezahlt ward, Erneste fiel's nicht leicht. Sie wohnte sonst den Sommer in einem Dorf nahe ihrer Stadt, mit andern Lehrerinnen und mit Lola. Um Lola zu erfreuen, hatte sie dies Jahr die Reise gemacht; und auch, weil das Kind groß ward und es nicht mehr lange dauern konnte, bis man es ihr wegnahm. Vorher noch eine Zeitlang es ganz für sich haben, noch einmal so vertraut mit ihm leben wie einst, als es klein war: danach hatte Erneste sich gesehnt. Nun aber saß sie meist allein, immer in der Stube, bei dem ewigen Regen hier im Gebirge, und Lola hatte noch nie daran gedacht, ihr Gesellschaft zu leisten. ›So junge Menschen sind zu sehr mit sich beschäftigt und sehen in andere nicht hinein. Daß sie wegläuft, ist kein Mangel an Zartgefühl, bewahre. Warum kann ich ihr nicht sagen, wie gern ich mit ihr beisammen wäre? Es ist meine Schuld.‹ Dabei errötete Erneste, sogar hier im verschwiegenen Zimmer.

Wieviel verschämtes Leid hatte ihr die Liebe zu diesem Kinde bereitet! Bis in das erste Jahr zurück wußte sie noch alle Strafen, die sie Lola hatte erteilen müssen: so schwer waren sie ihr geworden. Schmerzensworte, zornige Ausrufe der Kleinen, die Lola selbst längst vergessen hatte, fielen Erneste oft wieder ein, und noch immer erschrak sie darüber. War sie nicht zart genug gewesen mit dem einsamen Kinde? Wohl hatte sie es über die empfangenen Strafen zu trösten gesucht: indem sie ihm das Fleisch, das es nicht gern aß, wie einen Kuchen herrichtete; oder dadurch, daß der Spitz Ami, der Lola angeknurrt hatte, vor ihr schönmachen mußte. Ami war nun tot: Alles war verändert. Nie mehr saß Lola wie damals, als sie noch nicht Deutsch konnte, zu Ernestes Füßen und gab ihr die wenigen Worte, die sie kannte, als Schmeichelnamen. Nie mehr schlüpfte sie am Morgen zu Erneste ins Bett und weckte sie mit einem Gedicht, das die Anrede »Herzmama« enthielt! ›Wenn die Kinder klein sind, brauchen sie uns.‹ War das wirklich alles in der Liebe der Kinder? Nein, nein! Und doch war Erneste von einer verdrießlichen Ahnung erfaßt worden, als eines Tages Lola nicht mehr unter ihrem waagerecht ausgestreckten Arm stehen konnte.

Ganz leicht machte nun die Herangewachsene sich los: so leicht, als habe sie sich innerlich nie bei Erneste gefühlt! Zwar durfte man nicht ungerecht werden: sie hatte das Leben vor sich und wandte sich ihm zu; und dann war wirklich viel Fremdes in ihr, das man nicht begriff und das einem Sorge machen konnte. Schon immer war Erneste ängstlich berührt, beinahe eingeschüchtert worden durch die Anzeichen der fremden Herkunft bei Lola. Die auffallenden Äußerungen des Kindes zuerst, seine eigenartigen Vergehen und daß es eigentlich niemals Kameraden gehabt hatte. Dann seine etwas frühen kleinen Verliebtheiten; nun, sie waren schwärmerisch und rein und mochten hingehen. Endlich aber diese schlimme Lust nach dem Theater: oh, etwas ganz Schlimmes war da in Lola entstanden, aus Keimen, die Erneste trotz aller Pflege dieser Seele nicht hatte ersticken können. Wie unheimlich ihr's damals zumut gewesen war! – und wie kummerschwer sie nun die Entfremdung zwischen ihnen beiden wachsen und die Trennung sich nähern sah!

›Warum ist sie so? Was hat sie mir vorzuwerfen? Denkt sie doch noch ans Theater?‹ Auch andere Mädchen in Lolas Alter, und grade die Besseren, wußte Erneste, hatten ihre scheuen und eigenwilligen Zeiten, standen immer im Begriff, in Ohnmacht zu fallen – dies geschah Lola nie –, waren schwach, erregbar und tief. Lola aber war gar zu unergründlich, und in ihrer Verschlossenheit spürte man etwas Bitteres, Feindseliges. Hatte sie zu klagen: warum eröffnete sie sich nicht ihrer alten Freundin? ›Früh genug bleiben wir allein im Leben. Noch hat sie eine, der sie alles ist. Aber die Jugend trumpft auf ihre Selbständigkeit. Später wird sie an mich denken.‹ Gereizt vom einsamen Grübeln, war Erneste nahe daran, Lola ein recht schlimmes Später zu wünschen, damit sie an sie denke. Dann wurden Lolas Schritte vernehmlich, und noch bevor sie in der Tür stand, hatte Erneste ihr alles abgebeten.

»Bist du nun genug umhergelaufen?« fragte sie munter. »Setzt du dich nun gemütlich zur alten Erneste?«

Dabei stellte sie sich ganz mit ihrer Häkelei beschäftigt und sprach nur in Pausen.

»Weißt du wohl, woran ich eben erinnert wurde? An das seidene Kleidchen, in dem du damals aus Amerika kamst. Dies da hat eine ähnliche Farbe, und die Ärmel sind auch wieder so. Was alles zwischen den beiden Kleidern liegt, nicht?«

Lola sah mit einer Falte zwischen den Augen vom Buch auf, wartete, was sie solle, und las weiter.

»Du kamst zu einer Zeit, als ich sehr einsam und traurig war«, sagte Erneste nach einer Weile.

»Beliebt?« fragte Lola; und Erneste sprach, trotz ihrer Scham, den Satz noch einmal.

»So?« machte Lola, ungeduldig, weil sie einen Augenblick von sich selbst fort und über jemand anderen nachdenken mußte.

»Ach ja, du warst das erste Jahr immer in Trauer.«

Sie sah noch in die Luft: ob sie weiterfragen müsse. Wozu; und sie kehrte zum Buch zurück.

»Wenn man so allein geblieben ist wie ich damals, dann ist das Herz vorbereitet. Drum gewann ich dich, die du auch allein warst, gleich sehr lieb«, sagte Erneste einfach. Nach einer Pause, da Lola sich nicht regte:

»Nun, ganz vergessen wirst du die alte Erneste wohl niemals.«

Ein stockendes Selbstgespräch.

»Solltest du einst ein Kind zu erziehen haben: Ja, dann denkst du gewiß an mich... Du mußt es selbst erziehen... Bei Rousseau – hier den ›Emile‹ wollen wir zusammen lesen – steht folgendes: ›Wenn ein Vater Kinder zeugt und ernährt, leistet er damit erst ein Drittel seiner Aufgabe... Wer die Vaterpflichten nicht erfüllen kann, hat kein Recht, Vater zu werden. Weder Armut noch Arbeiten noch menschliche Rücksichten entheben ihn der Pflicht, seine Kinder selbst zu ernähren und zu erziehen. Leser, ihr könnt mir glauben, jedem, der ein Herz hat und so heilige Pflichten versäumt, sage ich voraus, daß er über seinen Fehler lange Zeit bittere Tränen vergießen und sich nie trösten wird.‹«

Erneste sah vom Buch auf: Lola saß blaß da und sah sie durchdringend an. Plötzlich, klar, rasch und eintönig:

»Meinst du etwa meinen Vater?«

Erneste öffnete erschreckt den Mund und konnte nicht sprechen. Sie wehrte mit der Hand ab.

»Meinst du etwa meinen Vater?« wiederholte Lola. Rosig bis über die Stirn brachte Erneste hervor:

»Um Gottes willen, Kind, was fällt dir ein! Ich habe von uns gesprochen, von dir und mir. Ich halte dich in meinen Gedanken ja immer für mein eigen!«

Lola prüfte sie noch immer: nein, Erneste hatte wohl nicht an Pai gedacht. Wie sie sich aufregte! Welch seltsamer Ton: ich halte dich für mein eigen. Lola stutzte; aber dann verglich sie unwillkürlich das an Ernestes verwachsenem Körper schlechtsitzende Kleid mit ihrem eigenen, das sie auch immer vergeblich zurechtzog; und sie sah weg.

Erneste beugte sich über ihre Häkelei und sann erschüttert: ›Sie kann glauben, daß ich ihr wehe tun will? Armes Kind! Armes Kind!‹

Etwas später stellte sie eine Frage, und als Lola nicht verstanden hatte, klopfte Erneste auf den Tisch und bemerkte streng:

»Wenn du beim Lesen die Finger in die Ohren steckst, kannst du mich allerdings nicht verstehen. Sprich übrigens französisch!«

Und sie führten zur Übung ein langes, gleichgültiges Gespräch.

Nein, wahrhaft liebenswerte Wesen gab es nur auf andern Sternen; in ihrer Nähe suchte Lola sie nicht. Eines Tages aber fand sie einen jungen Vogel, der vergeblich ins Gebüsch zu flattern versuchte, und nahm den aus dem Nest Gefallenen mit nach Hause.

»Was ist das überhaupt für ein Tier?« sagte Erneste.

»Das ist ganz gleich«, erklärte Lola. »Ich habe ihn gern.«

»In der Stadt wollen wir gleich im Buch nachsehen.«

»Nein, bitte nicht! Von welcher Gattung er ist und alles übrige kümmert mich nicht. Vielleicht ist er ein kleiner Fremder: ich habe ihn gern.«

»Kind, du bist sonderbar; aber wie du willst.«

Nun saß Lola halbe Tage mit dem Vogel in ihrem Zimmer, ließ ihn über ihre Finger steigen, auf ihre Schulter flattern und bot ihm, mit einem Körnchen zum Picken, ihre Lippen. Als er zu fliegen anfing, schloß sie das Fenster, setzte ihn vor sich hin auf den Tisch, betrachtete ihn, den Kopf in der Hand, wie er pickte, eckig den Kopf rückte, sie ansah und einen kleinen hellen, einsamen Laut ausstieß; und stellte sich vor, dies sei ein Käfig und sie beide seien darin eingesperrt.

Zurück in der Pension, sehnte sie sich keinen Augenblick nach ihrem Walde, nach den Gewittern und der Holzfällerhütte; sie hatte ihren kleinen Genossen, der zwischen den Stäben seines Bauers in ihrem Zimmer auf sie wartete. Sie dachte immer an ihn, ließ es sich aber nie anmerken und bekam ein hartes, abweisendes Gesicht, wenn jemand von ihm sprach.

Niemand übte Kritik an ihren Seltsamkeiten; man konnte Lola nur anstaunen: denn in diesem Winter verwandelte sie sich und ward schön. Die große Natur, der sie im Sommer sich hingegeben hatte, schien in ihr fortzublühen und Ebenmaß und Vollendung zu wirken. Lola tastete nach ihren Schultern, deren Spitzen nicht mehr zu spüren waren, nach ihren Gliedern, die sich formten und ihr nicht mehr den Eindruck machten, als seien sie zu lang und schlenkerten locker umher; und sie fragte sich mit gerunzelten Brauen, was werden solle. Ihr Schicksal war doch schon fertig gewesen? Auf einmal befiel sie eine betäubende Freude, eine neue entzückende Selbsterkenntnis. »Das also bin ich!« Sooft sie konnte, zog sie sich in ihr Schlafzimmer zurück: »um nach meinem Vogel zu sehen«; aber sie sah nicht mehr nach ihm, sie sah nur nach sich selbst; und des Abends ging sie früher hinauf als die übrigen, um allein mit ihrem Spiegel zu sein. Er zeigte ihr eine goldblonde, große Haarwelle von nie geahnter Weichheit über einer Stirn, deren Höhe nicht mehr auffiel; zeigte ihr so genau und zart hingezeichnete Brauen über so warm glänzenden Augen, so fein gefügte Lippen, schmal und feuchtrot; die Wangen, die sie noch ein wenig voller wünschte, füllten sich genau in der Linie, die sie wünschte; färbten sich, wie sie's verlangt hatte; und war diese weich gebogene Nase jemals häßlich und zu groß gewesen? Lola erfuhr, sie könne ein sehr damenhaftes Gesicht annehmen, das sie fast selbst verlegen machte, und, wenn sie das Haar auflöste, ein ganz kindliches. Beim Öffnen der Bluse freute sie sich auf die schlanke, weiße Biegung ihres Halses, beim Ablegen des Mieders auf ihre Brust. Sie hätte sich gern ganz gesehen; aber Erneste konnte eintreten; und als Lola es dennoch gewagt und den Spiegel auf den Fußboden gestellt hatte, lag sie gleich darauf im rasch verdunkelten Zimmer mit Herzklopfen unter der Decke, und ihr war zumut, als kehre sie zurück von einem heimlichen Ausgange, sie wußte nicht, wohin.

Wer war so schön und vermochte so viel? Natürlich: jetzt drängten alle heran, ihre Freundinnen zu werden! Lola legte ihnen Prüfungen auf, ließ sich einen Gegenstand schenken, an dem der andern viel lag: nur um ihre Macht zu fühlen. Dann gab sie das Geschenk zurück und sagte, sie könne niemandes Freundin sein; die Freundin mehrerer am wenigsten. Freundschaft: ihr sagte das Wort zu viel. Nachdem die Ihren sie verlassen hatten, konnte ihr Freund, wenn sie einen hatte, nur auf einem andern Sterne leben! und vieler Schmerzen, eines Lebens voller Schmerzen bedurfte es sicherlich, bis sie zusammentrafen. Die Gefühle dieser Menschen hier waren zu billig. Lola horchte nicht mehr argwöhnisch, ob von ihr gesprochen wurde. Häßlich und fremd, hatte sie die Menschen gehaßt. Fremd und schön, sah sie von ihnen weg. Freundinnen? Diese Berta, diese Grete, die sich noch gestern abend um einen Pfannkuchen gestritten hatten, bis beide weinten?

Wenn Lola jetzt an einen Aufsatz gehen wollte, fand sie den fertigen Entwurf, von einer Hand, die sie nicht kannte, schon in ihrem Heft liegen. Von derselben Hand bekam sie Briefe voll schmachtender Freundschaft. Anfangs warf sie sie weg; dann spürte sie Lust, eine Probe zu machen. Sie tat kund, sie habe etwas Merkwürdiges, und versammelte alle Pensionärinnen um sich. Unvermutet zog sie einen der Briefe hervor, hielt ihn empor: »Wer hat das geschrieben?« und sah dabei fest in die Gesichter. Alle reckten sich neugierig: nur das der langen Asta sah nicht den Brief an, sondern Lola, und blinzelte befangen. Lola steckte den Brief wieder ein. »Danke«, sagte sie und drehte sich um.

Am Nachmittag lag zwischen ihren Schulbüchern ein neuer Brief: diesmal in Astas Schrift. Asta bat sie, um sechs in die Gartenlaube zu kommen, sie werde alles erfahren. Lola war entschlossen, nicht hinzugehen. Als es dämmerte, saß sie am Fenster ihres Zimmers. Drunten stapfte Asta, lang und gebückt, in Gummischuhen durch den Schnee. Lola sah nachdenklich zu. Plötzlich nahm sie ihren Mantel und stieg hinab.

»Nun?« fragte sie und trat unversehens hinter den Lebensbäumen hervor. Asta schnellte von der Bank auf.

»Verzeih«, stammelte sie. »Verzeih! Ich wollte dich nicht belügen, aber im Beisein der andern konnte ich dir's nicht sagen.«

»Es tut nichts«, entgegnete Lola. Dieser kleine magere Kopf mit dem dünnen Haar und der Nase wie bei einem Totenschädel erbarmte sie. Sie stellte sich vor, sie hätte ihn küssen sollen, und ihr schauderte. Noch mehr aber fürchtete sie sich davor, diesem Wesen weh zu tun.

»Wer hat denn für dich geschrieben?« fragte sie sanft. Asta schlug die Augen nieder.

»Ich habe meine Briefe einem der Dienstmädchen mitgegeben, und sie hat sie in der Stadt abschreiben lassen.«

Sie atmete beklommen.

»Wie du gütig bist, Lola, daß du kommst. Ich verdiene das nicht.«

»Warum nicht?« fragte Lola, und fand ihre Frage nicht ganz ehrlich.

»Weil du so schön bist und so reizend. Alle möchten dich zur Freundin: wie komme grade ich dazu, mich dir aufzudrängen. Aber sieh, ich kann nicht anders. Ich weiß bestimmt, daß kein anderer Mensch mir je so nahestehen wird wie du. Ich habe darüber nachgedacht, ob ich meine Mutter und meinen kleinen Bruder noch liebhabe. Aber wenn ich an dich denke – und wann dächte ich nicht an dich? –, dann habe ich Mutter und Bruder nicht mehr lieb. Hörst du? nicht mehr lieb.«

»Was willst du denn von mir?«

»Oh! Lola!«

Und Lola, die nicht abzuwehren wagte, fühlte sich umschlungen. Sie bog den Kopf zurück, um aus Astas Atem zu entkommen; aber ein paar Hände schlichen fieberhaft um ihren Leib, unter ihrer Brust hin.

»Fühlst du gar nicht, was ich meine? Gar nicht?« Vorwurfsvoll und flehend.

»Gar nicht!« sagte Lola mit Nachdruck; denn Angst stieg in ihr auf. Im Begriff, sich loszumachen, meinte sie ein Kichern zu hören. Der Gedanke an Lauscher empörte sie. ›Ich bin nicht gekommen‹, dachte sie, ›diese hier zu verhöhnen. Ich habe nichts mit ihr gemein; aber auf seiten der andern stehe ich erst recht nicht.‹ Sie sagte laut, wie für Zuhörer:

»Aber dies kann ich trotzdem tun.«

Und rasch küßte sie Asta auf die Wange. Wie sie ging,

schluchzte es hinter ihr auf. Oft noch hörte sie, wenn sie allein war, dies Schluchzen und spürte wieder die Angst, die die fieberhaften Hände jenes Mädchens ihr beigebracht hatten: sie begriff nicht, warum.

Jenny klärte sie auf. Ostern war nahe, und Jenny, die konfirmiert werden sollte, ging im voraus mit einem feierlichen Gesicht umher. Es war schon so rot und nur noch wenig kleiner als das ihrer Mutter. Wie sie Lola einst im Garten traf, faßte sie sie unter den Arm und sagte:

»Lola, du bist manchmal recht unvorsichtig: ich als die ältere möchte dich warnen. Ja, sieh mich nur an! Du kannst von Glück sagen, daß ich neulich hinter den Lebensbäumen stand. Wenn Asta mich nicht hätte husten hören, wer weiß, was sie mit dir angestellt hätte.«

»Du hast nicht gehustet, du hast gekichert; und Asta hat es gar nicht gehört.«

»Du glaubst nicht, wie schlecht manche Mädchen sind. Und die Herren...«

Ein Instinkt benachrichtigte Lola, es komme etwas Peinliches, und sie wollte einfallen. Aber Jenny war nicht aufzuhalten. Sie hatte keine Zeit zu verlieren: bald verließ sie die Pension. Sie bot Lola nicht mehr an, sie mit einem Leierkastenmann bekannt zu machen: solche Scherze lagen hinter ihr. Aber Lolas Naivität war doch nicht mit anzusehen.

»Ich glaube dir einen wirklichen Dienst geleistet zu haben«; so schloß sie ihre deutlichen Ausführungen.

»Nun ja«, machte Lola und hob die Schultern. Ihr war beklommen; um so hochmütiger sagte sie sich: ›Ich habe mir die Menschen ganz richtig vorgestellt: Dies setzt allem die Krone auf.‹ Sie äußerte:

»Du entschuldigst wohl, ich muß meinem Vogel Futter geben.«

Aber den Vogel, der sie langweilte, vergaß sie gleich wieder und dachte einige Tage an nichts so inständig wie an Jennys Aufschlüsse. Sie riefen phantastische Bilder hervor; und sooft Lola sich über diesen Vorstellungen ertappte, ekelten sie sie. Allmählich zogen sie sich zurück und warfen nur manchmal noch melancholische Schatten herauf. ›Ach, daß es keine reine Liebe gibt.‹

Ein Brief von Pai brachte sie davon ab. Pai schrieb aus Argentinien, wohin seine Geschäfte ihn genötigt hatten.

»Es geht alles nach Wunsch, und ich darf hoffen, mich bald an dem Ziel zu sehen, das ich mir vorsteckt habe: die Meinen sicherzustellen und sie in meinem Lande zu vereinigen. Vorerst denke ich Dich, mein Kind, in nächster Zukunft dort aufzusuchen. Nur eine kurze Rückkehr nach Rio ist geboten.«

›Und dort hält dann wieder irgend etwas ihn fest‹, dachte Lola. ›Das kennen wir doch.‹

Sie glaubte Pai nicht mehr. Vielleicht hatte er die besten Absichten; aber so vieles war ihm wichtiger als Lola und lenkte ihn von ihr ab. Nach all den Jahren konnte er sich höchstens sagen: ›Ich habe eine Tochter‹, und den Gedanken an seine Tochter gern haben. Lola gern haben konnte er schwerlich: kannte er sie doch gar nicht.

›Nicht von Belang‹; damit legte sie den Brief zu den übrigen. Aber bei der Arbeit ertappte sie sich plötzlich auf einer freudigen Unruhe und darauf, daß sie schon während der ganzen letzten Seite nur an Pais Kommen gedacht und alles falsch gemacht hatte. Vergebens ermahnte sie sich: ›Als ich klein war, hat Pai sehr schlecht an mir gehandelt; nie kann ich das vergessen‹: – sooft sie an Pais Besuch dachte, bekam sie Herzklopfen. Und allmählich dachte sie nur daran. Unter allen anderen lächelte dieser eine Gedanke, und Lola selbst hatte beständig ein Lächeln zu unterdrücken. In ihr begann ein Steigen und Fallen von Plänen, wie ein Springbrunnen, den man aufschließt: immer höher, immer zuversichtlicher schnellt er empor. Anfangs wagte sie zu hoffen: ›Wenn Pai kommt, vielleicht kann ich mit ihm zusammen wohnen? Einmal doch von den Fremden weg und bei meinem Vater wohnen!‹ Dann fiel ihr ein: ›Aber warum denn hier bleiben? Warum nicht eine Reise machen?‹ Viele Orte, die sie gern gesehen hätte, sprangen ihr durch den Sinn. Auf einmal stand alles andere still, und eine kleine schüchterne Stimme fragte: ›Und Rio?‹ Zuerst war Lola fassungslos. Plötzlich entschloß sie sich: ›Ja, Rio! Was ist dabei? Wenn ich Pai bitte, wird er mir doch erlauben, Mai wiederzusehen. Die Reise ist jetzt so kurz. Und für ihn ist es das bequemste: er bleibt dann gleich dort, wenn ich zurückfahre.‹ Endlich, auf dem Gipfel des Springstrahls: ›Nein! Ich fahre nicht wieder zurück. Bin ich dort, will ich's schon durchsetzen. Was kann denn Pai dabei tun, wenn ich ihm um den Hals falle und nicht loslasse? Mündlich ist das alles ganz anders als in diesen dummen Briefen. Und schlimmstenfalles stecke ich mich hinter Mai oder hinter die Großeltern auf der Großen Insel – ach nein, sie sind tot! –, oder ich laufe davon: lieber, als daß ich zurückkehre! Oh, jetzt hab ich's!‹

Sie klatschte in die Hände: zum erstenmal seit den Kinderzeiten. Dann lief sie zu Erneste, ihrem Glücke Luft zu machen. Im Schwatzen bat sie plötzlich, ausgehen zu dürfen. Zuviel blühte in ihr auf, das Haus ward ihr zu eng. Nun schwatzte und lachte sie mit allen, wahllos und gedankenlos. Keinen Augenblick konnte sie stillhalten. Immer: »Wie seid ihr langweilig!« Und: »Geht heute niemand aus?« Im Gehen, im Durch-die-Straßen-Irren schien ihr's, als komme sie ihren Wünschen näher. Zu Hause versank man in der Zeit, wie in Lehm. ›Vorwärts, o Gott, nur vorwärts!‹

Eines Tages, wie sie heimkam, trat Berta ihr verstörten Gesichts entgegen.

»Dein Vogel ist tot«, sagte sie vorwurfsvoll; und Lola, kopflos:

»Wieso?«

»Ich sollte für Erneste etwas aus eurem Zimmer holen, und da hab ich gesehen, daß er tot ist.«

Lola schüttelte den Kopf. Sie ging hinein: wirklich, da lag er auf der Seite. Sie streckte mit Widerwillen einen Finger durch die Stäbe und zog ihn rasch wieder zurück. ›Im Näpfchen sind noch viele Körner, er hat schon lange nichts mehr gefressen. Und gestern abend sang er noch; ich mußte ihn zudecken. Nun, diese Art lebt vielleicht nicht länger: tröste dich.‹ Sie hatte das Bedürfnis, rasch weiterzukommen. Ihr nach Glück jagender Sinn wußte mit dem Tod, der ihr in den Weg trat, nichts anzufangen und erkannte ihn kaum. Wie sie die Tür öffnete, stand jemand davor mit einem schwarzgeränderten Brief. Erstaunt nahm sie ihn und trat zurück ins Zimmer. Die Schrift kannte sie nicht; die ersten Worte hießen:

»Liebe Lola! Ein großes Unglück ist geschehen, unser Vater ist gestorben.«

›Wessen Vater?‹ Sie sah nach der Unterschrift: »Dein Bruder Paolo.« (›Paolo? Welch Unsinn, mein Bruder hieß Nene.‹) Sie las weiter.

»Unser Vater reiste, wie Dir vielleicht bekannt ist, die letzte Zeit in Argentinien, und kaum zurückgekehrt, nahm er das gelbe Fieber: so wahr ist es, daß kein nicht in Rio Geborener sich entfernen darf ohne Gefahr, bei seiner Heimkunft ein Opfer der schrecklichen Krankheit zu werden.«

›Es scheint doch Pai zu sein.‹ Sie las noch:

»Unsere liebe Mama weint mit mir. Weine mit uns, Schwester!«

›Pai ist tot?‹ dachte Lola. ›Er wollte doch herkommen!‹ Ihr planloser Blick durchsuchte das Vogelbauer; da bemerkte sie:

›Das sind nur leere Hülsen! Wahrhaftig, kein einziges Korn. Dann ist er verhungert! Ich habe ihn verhungern lassen! Mein Gott! Und ich hatte ihn doch lieb!‹

Sie gedachte, und rang dabei die Hände, der Zeit, da sie den kleinen Vogel fand und zu sich nahm, und der Zärtlichkeit, die sie auf dies rührende, jetzt so kalte Gefieder gehäuft hatte: all das Gefühl, dessen sie nur die luftigeren, gütigeren, reineren Geschöpfe höherer Sterne wertgehalten hatte. Wie hatte es geschehen können, daß ihr diese große Liebe nach und nach ganz aus dem Sinn gekommen war: so sehr, daß dies arme Tier sie langweilte und sie's verhungern ließ? Wir waren also unseres Herzens nicht sicher? Wie schrecklich! ›Nur aus Eigennutz liebte ich ihn. Ich hätte ihn in seinem Walde lassen sollen. Aber auch er hatte mich lieb: lieber als ich ihn. Er pfiff, wenn ich ins Zimmer trat, und sobald ich die Lippen hinhielt, legte er den Schnabel dazwischen. Gestern abend hat er noch gesungen: vielleicht um mir zu sagen, er sei mir nicht böse.‹

Und unter dem Bewußtsein versäumter Liebe brach sie in die Knie und schluchzte: »Pai ist tot!« Alles, was sie bis dahin gedacht hatte, war nur wie das Keuchen, bevor die schweren Tränen kommen. Jetzt erst wußte Lola: ›Pai ist tot‹; und von allen Seiten fiel's über sie her: ›Du hast ihn nicht liebgehabt. Du bist ihm böse gewesen, hast ihn nicht verstanden. Er wollte dein Bestes und hat nur dafür gearbeitet. Lies seine Briefe!‹

Sie las den letzten und erkannte plötzlich, welche wichtige Sache es für ihn gewesen war, sie wiederzusehen. Die Zeilen zitterten auf einmal von Sehnsucht und Ungeduld: ›Daß ich das nicht gemerkt habe! Ich nannte ihn kalt. Die Kalte war ich: ich wollte nach Hause zurück, vielleicht mehr aus Eigenwillen, aus Hochmut. Das Zusammensein mit ihm genügte mir nicht; er aber sehnte sich nur danach. Wie er deswegen gelitten haben muß, ehe er starb!‹

Ihr Schmerz entriß ihr selbst alles Herz und gab es dem Toten. So zärtlich war er gewesen! »Es kann ja nur mein einziger Wunsch sein, dich glücklich und zufrieden durchs Leben schreiten zu sehen.« Dies stand in dem Brief, worin

er ihr die erbetene Heimreise abgeschlagen hatte; den sie
für den liebeleersten gehalten, wegen dessen sie ihn fast
gehaßt hatte! Jetzt lernte sie, in die Worte hineinzuhorchen. »Ich habe dich lieb«, sagten alle, wie einst Pais erste
deutsche Worte in seinem ersten Brief es Lola gesagt hatten.

Pais schweren, ruhigen Schritt vernahm sie aus seinen
Worten, fühlte seine starke, gute Hand, sah die verhaltene
Empfindung in seinem ernsten Gesicht. ›Auf der Großen
Insel! Pai besuchte mich; ich war ganz klein, er so groß
und blond, viel größer als alle Menschen. Alle bewunderten ihn und beneideten mich, wenn ich an seiner Hand
ging. Wie stolz war ich auf ihn!‹ Bei dieser Erinnerung
warf Lola sich, aufschreiend, zu Boden.

Erneste kam und wagte lange nichts zu sagen. Lola lag
da, reichte Erneste, ohne das mit den Armen verhüllte Gesicht zu erheben, den Brief hin, schüttelte sich aber, sobald
Erneste, über ihren Nacken gebeugt, nur flüsterte. Plötzlich fuhr sie empor.

»Ich bin eine schlechte Tochter gewesen!«

»Wie magst du das sagen!« stammelte Erneste. »Seit
früher Kindheit hast du deinen guten Vater nicht mehr gesehen.«

Lola stampfte auf.

»Ich habe ihn gehaßt! Eine schlechte Tochter!«

»Der Schmerz verwirrt dich, Kind«; und Erneste, die
schluchzte, umarmte Lolas Kopf und drückte ihn an sich.
Lola wollte sich losreißen; aber Erneste nahm alle Kraft
zusammen; und allmählich ließ Lola sich schlaff werden,
sinken und weinen.

»Du mußt an Mutter und Bruder schreiben«, sagte
schließlich Erneste im Ton der höchsten Eile, froh, eine
Tätigkeit für Lola gefunden zu haben, die aus ihrem
Schmerz selbst hervorging und in die er sich ergießen
konnte. Wie Lola dann ihre blutenden Gedanken sam-

melte, kamen auch unerwartete. ›Was soll ich ihnen schreiben? Daß ich kommen möchte! Jetzt kann ich kommen, denn Pai ist tot.‹ Mit Entsetzen: ›Das ist ja, als ob ich mich freute! Nein! nein! Ich werde nicht nach Hause reisen: er hat es nicht gewollt, und ich verdiene es nicht.‹

Sie schrieb, sie müsse hier noch ihre Ausbildung beenden, und fühlte sich, als sie aufstand, gewachsen.

Nachts weinte sie; über den dahingegangenen Vater, über das Verbot, an das er sie noch als Toter band, über die verlorene Heimat: über alles weinte sie dieselben Tränen. Erneste hörte sie die ganze Nacht und lag ganz still. Am Tage aber tat die Buße, die sie sich auferlegt hatte, Lola wohl. Die Schmerzen und der Verzicht, um Pais willen erduldet, waren etwas wie eine Familie, waren ein Stück Heimat.

Auf einmal stand sie wieder ganz am Anfang: als sie mit Erstaunen den Trauerbrief erbrach. ›Es ist nicht möglich, daß er tot ist! Vor ein paar Tagen lebte er doch. Auch noch, als der Brief schon unterwegs war, lebte er doch! Hätte ich diesen schwarzgeränderten Brief nicht gelesen, er lebte noch immer. Es wäre alles wie sonst. Ich habe ihn nicht leben gesehen und sah ihn auch nicht sterben. Was weiß ich? Pai! Pai!‹

Und da sah sie sich als Kind, wie sie auf ihren Irrwegen durch die Stadt, inmitten eines leeren Platzes, wo es wehte, stehenblieb und flehentlich ihr »Pai!« rief. Auch damals hatte er sie allein gelassen, und sie hatte es nicht glauben wollen! Jetzt war er noch viel weiter fortgegangen, und der Glaube war noch schwerer. ›Er wollte doch herkommen!‹ Ja: auch damals hatte er gerufen »noch einen Kuß, kleine Tochter«; und indes sie einem Schmetterling nachlief, war er verschwunden.

›Warum kommt auch kein Brief mehr! Ich habe sie noch so viel zu fragen!‹

Sie schrieb Briefe über Briefe, und in jeden wollte sich

die Bitte hineindrängen: ›Darf ich zu euch?‹ – ›Nein, nein! Ich darf nicht. Am Ende würde auch Mai sterben. Pai ist gestorben, weil er zu mir wollte. Auf mir ist ein Verhängnis: ich soll allein bleiben.‹ Und aus solchem feierlichen Schicksal machte sie sich einen Halt für das Leben, das sie zu bestehen hatte. Gleich zu Anfang des Herbstes vertrat sie den Wunsch, Konfirmationsstunden zu nehmen.

»Schon?« fragte Erneste bestürzt. »Ich wußte wohl, Kind, daß ich dich würde hergeben müssen; aber so früh!«

»Was willst du, ich bin sechzehn«, versetzte Lola, ohne Ernestes Aufregung zu beachten: kaltblütig, wie jemand, der sich mit allem Kommenden abgefunden hat.

»Und was wirst du dann tun, Kind? Nach Hause reisen?«

»Keinesfalls. Alles muß sich finden.«

Wieder begann Lola, Pläne zu machen; und diesmal hielt sie sie für unangreifbar: denn sie rechnete auf sich selbst allein. ›Ich werde von niemand abhängen. Niemand kann mich verlassen, keinem werde ich mehr nachzutrauern haben. Allein werde ich meines Weges ziehen.‹

An einem Nachmittag des nächsten Frühlings saß Lola mit einigen Altersgenossinnen beim Tee. Erneste gab den Herangewachsenen die Erlaubnis, sich Kameradinnen aus der Stadt einzuladen, und sie ließ die Mädchen unter sich. Schwarz und sehr elegant – denn die Schneiderin der Pension bestellte ihr gegen Vergütung und ohne Ernestes Wissen manche Sachen aus Paris – lag Lola im Schaukelstuhl und blies ihren Zigarettenrauch, damit man ihn nachher nicht rieche, aus dem Fenster. Ein blühender Apfelbaum griff mit seinen Ästen herein; es war dasselbe Zimmer, worin einst die kleine Lola mit ihrem Vater von Erneste begrüßt worden war.

»Ja, ja, wer weiß, was jeder bevorsteht. Die meisten

von euch werden zweifellos im Geleise bleiben und heiraten.«

»Rede nur nicht, Lola. Als ob es bei dir nicht aufs selbe hinauskäme.«

»Schwerlich. Ich kann mir nicht gut einen Mann denken, zu dem ich gehören würde. Ich habe ein eigentümliches Schicksal, meine Lieben. Vor mehreren Jahren – Gott, wir waren noch halbe Kinder – nanntet ihr mich mal aus Bosheit international. In eurer Bosheit hattet ihr aber ganz recht. Ich gehöre nicht hierher, und anderswohin vermutlich auch nicht.«

»Na, du bildest dir aber was ein!«

»Ich denke mir die Sache anzusehen. Wenn ich hier glücklich heraus bin, gehe ich, vermutlich mit einer Gesellschafterin, auf Reisen. Spanien und Portugal nehme ich mir besonders vor.«

»Wie willst du als junges Mädchen denn durchkommen? Schon die Sprache!«

»Meine Muttersprache ist Portugiesisch.«

»Du hast längst alles vergessen.«

»Ich kann schon noch etwas.«

»Sprich mal!«

Lola blies Rauch aus dem Fenster. Die Tür ward geöffnet, und Ernestes Stimme sagte französisch:

»Ein Besuch, meine Damen.«

Süßes Parfüm drang herein, und eine schöne Dame, schwarz und sehr elegant, noch jung, mit glänzend weißem Gesicht und glänzend schwarzen Haarbandeaus, trat rasch in den Kreis der jungen Mädchen, die aufstanden. Sie erhob das Lorgnon und sah umher.

»Da ist sie«, sagte Erneste und zeigte auf Lola. Die Dame ließ das Lorgnon los; vom Anblick Lolas schien sie betroffen.

»Die Kinder werden groß«, bemerkte Erneste. Die Dame lächelte. Lola, die erblaßt war, murmelte zitternd:

71

»Mai?«

Die Dame sprach, ganz schnell, etwas Unverständliches; Lola konnte, mit stockender Stimme, nichts erwidern als »Mai, Mai«; und beide standen, die Arme unschlüssig ein Stück erhoben, einander gegenüber. Erneste sagte in ihrem korrekten Französisch:

»Ist das seltsam, gnädige Frau! Als Ihre Tochter ehemals in dieses Haus eintrat, konnte sie nicht mit mir sprechen – und jetzt nicht mit Ihnen.«

Zweiter Teil

I

Mit glänzend glatten Bandeaus und einem rohseidenen Schlafrock, creme und pfauenblau, kam Frau Gabriel ins Zimmer und fragte:

»Sind die Sachen da?«

Lola las, hing dabei aus dem Fenster und hörte nicht. Ermattet seufzend, lehnte Frau Gabriel sich in einen Sessel.

Lolas schlanker, kräftiger Nacken dahinten lag pflaumig blond im Licht. Um ihr Haar her war ein goldiges Geflimmer. Die ungeheure blaue und durchgoldete Weite trug Lolas Schattenriß in sich, bereit, ihn dahinzuraffen, aufzuzehren. Drei Palmenblätter nickten mit ihren Spitzen über den Fensterrahmen hinweg. Die Hotelglocke ging. Nun schnaubte ein Dampfer. Von Gesprächen, Musik und Gelächter flatterten Bruchstücke durch Wind und Sonne herbei.

Frau Gabriel saß und polierte mit dem Taschentuch ihre Nägel. Lola sah sich plötzlich um und fuhr zusammen.

»Sind die Sachen da?« fragte Mai geduldig.

»Da stehen sie doch!«

Nicht einmal den Kopf konnte Mai wenden: lieber saß sie eine halbe Stunde und wartete. Wenn jemand aber auch gar keine Nerven hatte! Lola stellte die geöffneten Schachteln dicht neben Mai hin.

»Grade habe ich sie noch bezahlen können. Aber es war fast das letzte.«

»Schreibe doch an Nene.«

»Das sagst du immer. Oh! Wäre ich erst ausgebildet und

75

selbständig!…Weißt du, wieviel wir schon voraus haben? Die Zinsen eines halben Jahres.«

»Nene verdient aber auch; er wird mit uns teilen.«

»Er hat schon mit uns geteilt. Mir ist's sonderbar genug, daß dort drüben ein junger Mann für mich arbeitet, den ich kaum kenne.«

»Versündige dich nicht, er ist dein Bruder.«

»Erinnerst du dich, wie ich anfangs, nachdem du herübergekommen warst, nicht wußte, wer Paolo war? Als Kind hatte ich nie gehört, daß er Paolo hieß und daß Nene nur Baby bedeutet.«

»Der gute Nene.«

»Wir lassen ihn also für uns verdienen; nur dürfen wir ihn nicht zugrunde richten. Hörst du?«

»Ihr werdet das schon zusammen ausmachen: ihr seid klüger als ich. Ach, unsere jetzigen Verlegenheiten hat Paolo mir vorausgesagt. Er wollte mich durchaus nicht reisen lassen.«

»Zum Glück scheint er energisch; sonst könnte es schlimm enden. Ich selbst vergesse mich manchmal. Zum Beispiel war's sehr unnötig, daß wir hierher kamen. Wir sind genug hinter der Branzilla her gereist. Da sie nun in der Nervenheilanstalt sitzt und für meine Stimmbildung nichts mehr tun kann, hätten wir in Paris bleiben sollen.«

»Paris war schön!«

»Unser Leben in Paris kostete schließlich weniger: wir saßen doch manchen Abend zu Hause. Hier läßt man uns nicht.«

»Du hast recht, es ist schrecklich; nun, Gott wird helfen. Kann ich jetzt die Sachen sehen?«

»Aber – sie liegen dir doch vor der Nase!«

»Muß ich sie selbst herausnehmen?«

Frau Gabriel lächelte zaghaft; die Lippe mit dem Leberfleck im Winkel kräuselte sich und zerstörte die reine Linie der graden Nase; die Augen baten; in das gelassene

Madonnengesicht kamen Furcht und Unbeholfenheit eines Schulmädchens. Um ihren guten Willen zu beweisen, tauchte sie eine ihrer kleinen weichen, ungeübten Hände in die Schachtel. Gerührt hob Lola die Kostüme heraus; sah ein wenig von oben herab zu, wie Mai sie bewunderte; faßte selbst Teilnahme; – und bald waren sie im Verein ganz hingegeben an diese Stoffe, an die neuen Erfindungen dieser Töne, dieser Schnitte, die ihnen versprachen, ihre Schönheit umzutauschen und ihnen eine noch nicht gekostete Form von Leben und von Glück zu vermitteln. Zum Schluß verriet Frau Gabriel, welche Züge ihr Glück heute trug; denn sie fragte:

»Meinst du, daß der Herzog von Fingado mich liebt?«

Ihre Stimme und ihr Blick waren voll kindlicher Erwartung. Lola sagte tröstend: »Gewiß, Mai.«

»Tatsache ist, daß er neulich auf der Garden-Party sich fast nur um mich kümmerte. Die Bricheau versicherte mir, seine Verlobung sei ins Wanken gekommen. Das wäre mir wahrhaft unangenehm.«

Aber es klang stolz. Dann, behutsam:

»Sage mir eins, mein liebes Kind: gibt dir der Herzog kein Gefühl ein? … Du brauchst es nur zu sagen.«

»Nicht das geringste… obwohl ich ihn sympathisch finde«, setzte Lola höflich hinzu. Und Mai, zitternd:

»Ich würde seine Liebe nicht wollen, wenn du sie wolltest. Gott ist mein Zeuge, daß dein Glück mir höher steht als meins.«

»Gute Mai, mache dir keine Sorgen!«

Lola wollte sich entfernen; Mai hielt sie, tränenden Auges, am Rock fest.

»Ich würde mich dir opfern, weißt du… Also du liebst ihn nicht? Schwöre es mir!«

»Ich schwöre es«; und Lola lächelte nachsichtig. Man mußte ein Kind sein wie Mai, um sich in den Titel dieses kümmerlichen Jünglings zu verlieben.

»Aber auf dem Heimwege«, bemerkte Mai, »ist er mit dir gegangen. Ihr habt euch sogar abgesondert.«

»Er wollte mir aus der Ferne seine Yacht zeigen – auf der er nicht fahren kann, weil er seekrank wird.«

»Wovon spracht ihr noch?«

»Von Karl dem Zweiten.«

»Wer ist das?«

»Ein König von Spanien – es ist lange her, es würde dich nicht interessieren. Mich interessiert's auch nur manchmal. Aber mit Fingado weiß ich nichts anderes zu reden.«

»Wirklich nicht?«

»Tatsächlich.«

Mai nickte beruhigt. Mit einem unaufhaltsamen Lächeln des Triumphes: »Mit mir redet er anderes!«

»Würdest du ihn heiraten, Mai?« fragte Lola, kniete neben ihrer Mutter hin und strich ihr schmeichelnd über Hals und Arm.

»Ich sehe meine Mai schon als Herzogin, in ihrem Schloß in der Sierra; sie geht auf die Jagd nach Wölfen, Adlern und ähnlichen Wappentieren.«

Mai hatte ernsthaft nachgedacht.

»Alles wohl überlegt«, sagte sie, »hat auch Herr Aguirre seine Vorzüge. Er ist Abgeordneter, sehr einflußreich, und Spanien wird vielleicht Republik werden.«

»Wie weit du denkst, Mai! Aguirre, dies ungesund rosige Baby, denkt nur an das Nächste: er will unser Geld, das Geld, das er uns zutraut. Zu viel Ehre!«

»Du siehst zu trübe, Lola. Und ferner ist er in gesetztem Alter, und ich bin, ach, nicht mehr ganz jung.«

»Im Gegenteil«; dabei herzte Lola ihre Mutter eifriger; »du bist so jung, daß ich mich neben dir meines Alters schäme. Schon als du mich aus der Pension abholtest, war ich, glaub ich, weiter im Leben als du. Die zwei Jahre aber, die wir in der Welt umhergereist sind, haben meinem Alter zehn hinzugefügt. Ich fange sogar an, häßlich zu werden.«

»Das ist nicht wahr! Du bist die Frische selbst. Dein
Alter bildest du dir ein, weil du zuviel denkst. Das könnte
deine Stirn falten; gib acht! Du bist zerstreut bei der Toilette, und grade sie verlangt unsere ganze Geisteskraft.
Dann hättest du dir nicht die Stirnhaare abgebrannt und
wärest jetzt nicht so schwer zu frisieren.«

Lola griff seufzend nach den krausen Härchen.

»Ich habe schließlich doch meinen Beruf verfehlt. Oft
komme ich mir vor wie ein verkleideter Mann.«

»Das wird vergehen, wenn du heiratest. Findest du es
noch nicht an der Zeit? Welche schönen Gelegenheiten
hast du vorübergehen lassen! Ich weiß nicht: du bist doch
so klug; aber eine Schwarze hat mehr Geschick, sich einen
Mann einzufangen. Halt, gefällt dir etwa Herr Aguirre?
Er scheint mich zu lieben. Meinst du nicht?«

»Gewiß, Mai.«

»Tatsache ist, daß er während der Regatta nicht von
meiner Seite wich. Wenn du ihm aber irgendein Gefühl
entgegenbringst…«

Mais Stimme bebte schon wieder; Mai war schon wieder zu einem Opfer bereit und ängstigte sich davor. Lola
wehrte ab; sie lachte befangen, tat ein paar Schritte; dann,
ernsthaft, mit verhaltenem Zorn:

»Du sprachst von meiner Verheiratung, und doch ver-
lierst du sie zu oft aus dem Auge. Die Tochter einer Mutter, die sich zu gut unterhält, wird nicht leicht einen Mann
finden.«

Mai sah tief erschrocken aus; Lola schloß verzeihend:

»Ich weiß, du verdienst keinen ernsten Tadel. Erinnere
dich nur, bitte, wie leicht man sich unschuldig kompromittiert, und verspäte dich abends mit keinem der Herren
mehr!«

»Du bist streng wie dein Vater«, sagte Mai und erschauerte. »Weißt du wohl, daß ich ihn wieder gesehen habe? Ja,
grade in der Nacht, von der du sprichst, erschien er mir.«

Demütig bittend:

»Willst du nicht sein Bild in dein Zimmer nehmen?«

»Das geht nicht, Mai: es würde ihn noch mehr erzürnen.«

Lola ging ans Fenster und sah hinaus. Frau Gabriel murmelte vor sich hin und seufzte. Eine junge Männerstimme kam von unten:

»Fräulein Lola, ich habe alles, was Sie wünschen.«

»Gut«, antwortete Lola.

»Sie bestehen im Ernst darauf?«

»Ohne Zweifel. Wann kommen Sie?«

»Sehr bald. In einer Stunde werden die beiden Kavaliere Ihrer Mama dasein. Empfehlen Sie mich ihr!«

»Auf Wiedersehen!«

»In einer Stunde: und ich bin nicht angezogen!« rief Frau Gabriel und sprang auf. »Lola, beeile dich! Welch Glück, daß wir frisiert sind.«

Bei der Tür kehrte sie um.

»Was denkst du über unsern Landsmann?«

»Da Silva Dolenha?« – und Lola fühlte sich unfrei.

»Ja. Hältst du es für unmöglich, daß er eine von uns liebt? Er kommt täglich.«

Da Lola schwieg:

»Anzeichen gäbe es wohl, daß ich es bin, die er liebt.«

Lola kam plötzlich in Bewegung.

»Nein, Mai, diesmal irrst du. Sei versichert, der denkt nicht an dich!«

»Ach«; Mai war gekränkt; »wie kannst du das beurteilen. Du bist in solchen Dingen ein Kind.«

»Mag sein. In diesem Fall aber weiß ich, wen Da Silva liebt. Wir sind Freunde, und er hat es mir gesagt.«

»Wen denn? Mein Gott!«

Mai stammelte, heftig enttäuscht. Lola, überlegen:

»Das verrät man nicht unter Freunden.«

»Freunde: was ist denn das?«

»Du wirst es sehen. Geh, Mai, zieh dich an! Du wirst es sehen.«

Dann rief sie nochmals:

»Mai!... Glaubst du wohl, daß ich leidenschaftlich bin?«

»Du? Warum, Kind?«

»Ich meine, weil wir von solchen Dingen sprechen... Nein, ich weiß gewiß, ich bin es nicht.«

»Wie sonderbar du bist!«

Lolas bewegte Miene blieb noch auf die Tür gerichtet, die sich geschlossen hatte. Allmählich ward ihr Blick sinnend, und sie setzte sich auf einen Koffer. Mais Mädchen trat ein und holte die Sachen ihrer Herrin. Lolas eigene lagen auf Bett und Stühlen verstreut, mit Büchern und Notenblättern dazwischen.

Ein Glas mit Rosen war umgefallen; Lola erhob sich unbewußt und richtete es auf. Dann sah sie sich nach einem freien Sitz um, fand keinen und kehrte auf den Koffer zurück.

›Mai hat's gut‹, sann Lola. ›Täglich andere Kleider: und merkt nicht, daß es eigentlich alles eins ist. So hat sie auch alle Tage eine neue Liebe; und wem immer sie gelten mag: daß es Liebe, richtige Liebe ist, daran zweifelt sie nie. Wenn ich wüßte, ob ich Da Silva liebe! Manchmal ist's nur zu klar. Kurz darauf komme ich nach Haus und denke an etwas anderes. Aber das Manchmal ist schlimm genug: es ist beschämend. Ich werde dann melancholisch, wie in der Pensionszeit, als die dicke Jenny mir gewisse Aufschlüsse gegeben hatte... Ich glaube, nur äußerlich halte ich mich fester; innerlich bin ich viel lockerer als Mai. Ich glaube jetzt, sie ist die bei weitem Unschuldigere. Anfangs habe ich sie ungerecht beurteilt: es war verzeihlich. Aus der anständigen Welt Ernestes plötzlich heraus – an diese südlichen Allerweltsplätze, in ein erhitzendes Durcheinander flüchtiger Begierden: jeden Tag, den ich mich nicht amüsierte, sah ich als verloren an; nur der Ehrgeiz, durch meine so plötzlich entdeckte Stimme groß zu werden, erhob mich (und auch er schwindet schon, und ich will mit dem Singen heute fast nichts mehr erreichen als meine Unabhängigkeit…) Und nun die Frau neben mir, die ebensolch taumelndes Instinktwesen war wie die andern, ohne die Würde eines Geistes, das war meine Beschützerin, meine Freundin, meine ganze Familie, das war Mai, die schöne Mai, die ich in allen meinen Kindheitserinnerungen so poetisch in ihrer Hängematte liegen sah! Der einzige Mensch, an den ich geglaubt hatte! Ich weiß noch, wie empört ich war. Davon also hatte sie geträumt in ihrer Hängematte! Kaum ist Pai tot, stürzt sie sich, ihrer Freiheit froh, in die dümmste Unenthaltsamkeit! Um Pais willen war ich empört und bereit, sie zu hassen. Wie argwöhnisch solch ganz junges, unerfahrenes Mädchen das Leben einer Frau durchspürt: das Leben der Mutter! Als ich damals in Trouville meiner Sache endlich ganz sicher zu sein glaubte: welche Katastrophe! Mai hat einen Geliebten! In dem Gedanken saß ich wie in einem betäubenden Getöse, wie in einem Weltuntergang. Das Furchtbare, sagte ich mir, ist, daß auch ich das in mir habe und so werden muß! Was wußte ich damals? Heute habe ich fast einen Geliebten, könnte ihn jeden Augenblick haben, und wundere mich alle Morgen beim Erwachen, daß es noch nicht eingetreten ist.

Seitdem muß ich Mai wohl milder beurteilen. Sie ist ein Kind und wird über die gefährlichen Stellen immer nur spielend hinhuschen. Geht sie einen Schritt zu weit, erscheint ihr alsbald der tote Pai; und ich bestärke sie in ihren Gesichten. Warum eigentlich? Doch nicht mehr um Pais willen. Auch nicht, weil Mais Aufführung mich hindern könnte, einen Mann zu finden. Das ist mir gleich. Aber ich weiß wohl, warum: ich selbst bin in Gefahr und brauche Reinheit um mich her… Bin ich in Gefahr? Sobald ich's ausdenke, glaube ich's nicht mehr. Ich! Ich bin doch eine ganz andere! Auf Wesen wie die arme Mai blicke ich doch, deucht mir, ein gutes Stück hinab!

Jedenfalls hab ich sie gern. Wir sind gerade im richtigen Verhältnis: dem von einem Paar Schwestern, die einander eifersüchtig schmeicheln. Ob wir uns schwer entbehren würden, ist nicht sicher. Wie schwärmte Mai die erste Zeit von Nene! Jetzt erwähnt sie ihn gemächlich und fast nur, wenn von Geld die Rede ist. Jetzt bin ich daran, die Mutterliebe zu genießen. Es tut doch wohl, wenn spätabends, nachdem man sich gekämmt hat und die Decke über sich gezogen hat, eine Mutter hereinkommt und einen küßt. Sie herzt mich lange; mir wird ganz kindlich und weich zu Sinn; dann spricht sie mir mit kleiner süßer, entzückter Stimme von ihren Erfolgen, fragt mich nach meinen: und wir sind wie zwei Kleine unterm Weihnachtsbaum.

Nein: für Pai nehme ich nicht mehr Partei. Ich stehe, wenn ich's bedenke, sogar entschlossen auf Mais Seite. Erstens wohl, weil ich fühle, daß auch mit mir, wie ich geworden bin, Pai nicht sehr einverstanden wäre. Hauptsächlich aber, weil er ein Mann war und Mai unterdrückt hat. Und schließlich, mein Gott, haben die Lebenden recht. Wenn einer stirbt, versäumt er das Weitere und darf nicht mehr dreinreden. Käme Pai wieder, er fände gar keine Anknüpfung mehr mit uns, glaube ich. Mai ließe sich nicht mehr so leicht in die Hängematte legen; und ich – ach, ich bin wohl auch nicht sein rechtes Kind: wie hätten wir sonst, kaum daß er tot war, den ganzen bürgerlichen Boden unter den Füßen verlieren können? Denn das taten wir doch…

Lola sah sich im Zimmer um.

›So sieht's überall aus, wo wir kampieren. Und ich sitze auf einem Koffer. Nie kommen die Koffer aus den Zimmern, und sind immer nur halb ausgepackt. Die Jahreszeit wird staubig, der Liebhaber fade: fort von hier! Wohin am Ende? Dort stehen die Ansichten von zu Hause, die Mai mitgebracht hat. Zu Hause! Wenn wir Lust bekämen, einen Ausflug dorthin zu machen, würde ich vor dem Blick auf Rio denken, daß er tatsächlich unvergleichlich schöner ist als der auf Neapel; würde von einem Hotel, wo alles wäre wie in diesem hier, auf Sehenswürdigkeiten ausgehen, die Hitze unerträglich finden und gelassenen Abschied nehmen. Etwas anderes wäre es vielleicht mit der Großen Insel; aber die Pflanzung ist verkauft...Wohin also am Ende? Danach frage ich, scheint mir, zum erstenmal. Fange ich etwa an zu ermüden? Mais Kindernerven hab ich nicht grade. Aber das Ende bekommt wohl nur Interesse für mich, weil ich wissen möchte, wo das enden soll, was ich jetzt erlebe.

Sehen wir doch nach: geht mich der Mensch wirklich so viel an? Wäre er in Venedig noch so unentbehrlich, wie er's hier in Barcelona ist? Die Grimani hat uns für Juli eingeladen. Oder was meine ich zu Paris? Das ist noch immer das amüsanteste... Ich glaube, es ginge.‹

Eine junge Männerstimme ward hörbar. Lola erhob sich hastig.

›Nein, es geht nicht.‹

Leicht vorgeneigt, mit fiebrigem Spiel der Finger an der langen Halskette, blickte sie auf die Tür. Es klopfte.

»Gehen Sie in den Salon, bitte. Ich komme gleich.«

Sie machte einige zornige Schritte.

›Warum muß ich auch grübeln! Jedesmal, wenn ich gegrübelt habe, bin ich schwach und gebe ihm dann Anlaß, sich einzubilden, was doch nicht wahr ist... Oh, heute abend soll er keinen Vorteil davontragen!‹

Sie hatte sich beruhigt und ging hinüber. Mit offenem Lächeln begrüßte sie den Besucher.

»Gnädiges Fräulein – da ist alles«, und er zeigte nach

dem Paket auf dem Klavier. »Der Bote ist gleich mit mir gekommen.«

»Ist alles darin... und wird es mir passen?«

Anstatt nach dem Paket zu sehen, betrachtete sie, und ihr Lächeln ward wider ihren Willen noch glücklicher, sein schönes, groß gemeißeltes, fast bartloses Gesicht, in dem die Brauen sich berührten. Auch er gebrauchte seine Worte nur als einen Vorwand, sie anzusehen.

»Ich bin überzeugt... Es sind genau die Maße, die Sie mir genannt haben.«

Sie bewegte leise, wie verwundert, ihren lächelnden Kopf. Endlich, sich losreißend:

»Es ist gut.«

Rasch ergriff sie das Paket. Er stürzte sich darauf.

»Ich trage es Ihnen hinüber.«

»Doch nicht«; ihr Lächeln ward schlau. »Sie bleiben hier... und...«

Sie legte, unter der Tür, die Finger auf die Lippen.

In ihrem Zimmer zog sie die Männerkleider an, die Da Silva mitgebracht hatte. Sie verbarg die Brust in den Falten des weichen Piquéhemdes, das Haar unter der halblangen Jünglingsperücke, setzte den runden Hut auf, hängte das Stöckchen über den Arm und trat vom Spiegel zurück, um sich zu mustern. Da stand im gutsitzenden Abendanzug etwas wie ein eleganter Student, mit duftigen Gesichtsfarben und glänzenden braunen Augen, ein sanft verwegenes Lächeln auf den roten Lippen und die jugendlich raschen Wendungen einer schicken Müdigkeit zuliebe ein wenig verhalten: ein Wesen von beunruhigendem Reiz.

»Aber wie bin ich schön!« sagte Lola einmal übers andere. »Ich bin keine Frau mehr! Jetzt erst sehe ich, wozu meine große Nase gut ist. Die hohe Stirn kommt mir jetzt auch zustatten. Ach! ich kann mir Pais Falte zwischen den Brauen machen. Ob Pai jemals so ausgesehen hat? Nicht ganz so, glaube ich. Der dort im Spiegel erinnert mich an eine Frau; aber nicht sehr lebhaft. Man wird denken: ›Er muß eine hübsche Schwester haben.‹ Für ein verkleidetes Mädchen hält so leicht keiner ihn.«

Sie räusperte sich, führte zwei Finger an den Hutrand und sprach mit tiefer Stimme:

»Sie gehen in den Klub? Ich habe seit gestern nacht keinen Heller mehr. Nachdem ich alles verspielt hatte, bin ich noch in die Schuld der Gelida gekommen…«

Dies gefiel ihr. Sie lief hinüber, und in der Tür des Salons begann sie sofort dasselbe:

»Sie gehen in den Klub? Ich habe seit gestern nacht…«

Da Silva hörte sie, ans Klavier gelehnt und die Stirn in Falten, bis zu Ende an. Er ließ sie näher kommen und sich wenden.

»Es ist ziemlich in Ordnung.«

Er warf noch die von Verachtung schweren Worte hin:

»Bis auf die Krawatte natürlich.«

»Also binden Sie sie mir!«

Er machte sich daran.

»Halten Sie's so für besser gelungen?«

»Nein, von vorn kann ich's nicht. Ich kann's nur, wenn ich die Krawatte grade so halte wie bei mir selbst. So also, wenn Sie gestatten.«

Er trat hinter sie und schob die Arme über ihre Schultern. Seine Arme berührten sie kaum, und doch war sie darin eingeschlossen und spürte einen angstvollen Kitzel. Sie mußte auf seine weißen, starken Hände hinabsehen, die gleich unter ihrem Kinn sich bewegten. Wie er den Knoten anzog, streifte seine Wange ihre Schläfe.

»Rascher!« verlangte sie, zwischen den Zähnen.

Er ließ los, ging um sie herum und sah ihr in die Augen. Die seinen hatten wieder das Düstere, Besinnungslose, das sie kannte und das ihr so gefährlich war. Seine Zähne waren in die Unterlippe gedrückt. Da begann er unvermutet weich:

»Ihr Anblick tut mir weh! Nicht zwanzig Stunden sind's, daß wir in diesem selben Raum beieinander waren, allein wie jetzt, und der Mond schien herein. Wir hatten musiziert, Ihre märchenhaften Alttöne waren verhallt, ich hatte mich in großer Bewegung vom Klavier erhoben, und den Kopf in der Hand betrachtete ich Sie, die Sie, ein Knie auf den Stuhlrand gestützt, das Gesicht nach dem offenen Fenster gewendet hielten. Ich war im Schatten, Ihre Gestalt entlang floß Mondlicht; es rann Ihnen über die Lippen, die sich, Ihnen unbewußt, voneinander lösten; es füllte Ihre Augen; – und mit der beglänzten Hand, die Sie mir überließen, zog ich zu mir hin, in mein Dunkel und an mein Herz, die ganze tiefe nächtliche Süßigkeit, die durch Sie atmete, o Lola!«

Der junge Brasilianer hatte beim Sprechen den Hals hin und her gerückt, wie ein vom eigenen Gesang berauschter Vogel. Nun stand er noch und hörte die Tenorarie seiner Sinnlichkeit ausklingen. Lola machte sich von seinem Gesicht los. Sie sah an ihrem Dreß hinab – und erleichtert auflachend, warf sie sich ins Sofa.

»Nicht übel, mein Lieber. Etwas kitschig zwar, und auf ein modernes Mädchen werden Sie, fürchte ich, damit nicht wirken... Sehen Sie, die Krawatte muß ich mir nun doch selbst binden!«

In der Tür zeigten sich der Herzog von Fingado und Herr Aguirre. Beim Anblick des Eindringlings blieben sie mit zurückhaltenden Mienen stehen. Lola versuchte ihre feindselig abwartende Haltung nachzuahmen: da platzte sie aus. Die beiden starrten sie an; dann wandte ihr der massige Vierziger mit angewiderter Miene den Rücken. Der unjunge Zwanziger überwand seinen Schrecken und machte, den spitzen, gelblich gefiederten Schädel herausfordernd im Nacken, zwei Schritte gegen den Feind. Lola lachte heftiger, und Da Silva klärte die Herren auf, die in Ratlosigkeit umschlugen und dann in Bewunderung. Aber hinter ihnen rauschte es, und Frau Gabriel brach, kaum daß sie ein wenig gestutzt hatte, in Jammern aus.

»Wie siehst du aus! Wer hat mir mein Kind so verunstaltet? Sie, Herr Da Silva? Ihnen habe ich auch sonst Vorwürfe zu machen! Dazu hat man nun eine hübsche Tochter!«

Die Herren erklärten sich im Gegenteil ganz einverstanden mit Lolas Verwandlung. Fingado hatte einen Gedanken.

»Wenn der künftige Gatte des gnädigen Fräuleins sie so sähe...«

»Was dann?« forschte Da Silva drohend.

Hinter den leeren blauen Augen des Herzogs geschah eine müde, vergebliche Arbeit.

»Ich weiß wirklich nicht«, schloß er, mit einem Lächeln des Verzichts.

Indes Frau Gabriel ihren jungen Landsmann mit den Vorwürfen bekannt machte, die er verdiente, widmete der Abgeordnete sich Lola. Er türmte seine fein bekleidete Fettmasse vor sie hin und plauderte, wie er allein es konnte: nur ohne seine gewohnte Unerschütterlichkeit. Seine rosigen Wangen zuckten; die Wulstfinger betasteten unruhig die Hüften; die launigen Augen vergaßen sich bis zu einem verdächtigen Gefunkel – das Aguirre fühlte und durch Unterwürfigkeit gutzumachen suchte. ›Ganz wie ein ungesundes Baby!‹ dachte Lola. Sie hörte Mai sagen:

»Ich beklage mich über Ihren Mangel an Offenheit gegen mich...«

»Das ist wahr, Herr Da Silva: warum sagen Sie Mai nicht, wen Sie lieben?« rief sie hinüber, gekitzelt durch ihre Wirkung, durch das neue Wesen, das sie vorstellte, und die Erwartungen, die man ihm sichtlich entgegenbrachte.

»Sie gehen in den Klub?« begann sie gegen Aguirre. »Ich habe seit gestern nacht keinen Heller mehr ...«

Sie brach ab, drehte sich einmal um sich selbst und sagte in einem Atemzug:

»Pumpen Sie mir was! Wer so viel gestohlen hat wie Sie!«

Der Politiker kroch noch tiefer. Lola lächelte plötzlich zaghaft.

»Gehen wir? Bitte, gehen wir!« verlangte sie hastig. Und man ging.

»Zu Fuß, Mai! Mir zu Gefallen! Wohin? Ganz gleich: eine Irrfahrt.«

Sie atmete tief die matte Luft der Dämmerungsstunde. Zu Da Silva, der mit ihr hinter den anderen zurückblieb, sagte sie:

»Es gibt Gelegenheiten, bei denen ich mich nach – fast hätte ich gesagt: nach Hause sehne, ich meine nach dem reichlich kalten Ort, wo ich erzogen wurde, und dem feuchten Nordostwind, der den Geruch eines nordischen Meeres mitbrachte.«

Und unvermittelt:

»Wie ich die Männer verachte!«

»Sie haben doch noch soeben einen großen Erfolg bei ihnen gehabt«, bemerkte Da Silva, mit beißender Stimme; »und ich beglückwünsche Sie. Den Aguirre überläßt man Ihnen; dem Herzog allerdings hat Mistreß Job bereits einen Teil seiner Schulden bezahlt, und Sie würden sich mit der Dame auseinanderzusetzen haben.«

»Ich verbiete Ihnen, verstehen Sie, über Frauen schlecht zu reden! Solche Geschichten erfinden die Männer, um für sich Reklame zu machen.«

»Wie Sie gleich aufgebracht sind! Ich spreche doch zu einer Frau, die weniger abhängig von ihrem Geschlecht ist als die anderen – und es heute abend zeigt.«

»Merken Sie sich: wer, um mir zu schmeicheln, eine andere Frau herabsetzt, mit dem bin ich schon fertig. Nichts kann kränkender für mich selbst sein.«

»Böse im Ernst?«

»Nein; denn ich will mir den Spaß nicht verderben... Mai! Nicht wahr, wir treffen uns zum Essen bei Durieu? Ich gehe mit Herrn Da Silva einen anderen Weg.«

»Allein mit Herrn –?«

Lola erklärte, in Gesellschaft Mais erkenne man sie. Auch habe sie als Amerikanerin das anerkannte Recht, zu gehen mit wem und wohin sie wolle.

»Und dann siehst du doch, daß ich ein Freund des Herrn Da Silva bin. Ja, Mai. Herr Da Silva und ich, wir sind richtige Freunde.«

»Sind wir Freunde«, sagte Da Silva im Weitergehen, »so müssen Sie mir eine Warnung erlauben. Gestern sind Sie wieder allein ausgegangen. Ich achte Sie zu hoch, um –«

»Ja: früher haben Sie mir wegen solcher Dinge Szenen gemacht. Sie bessern sich.« Und sie wußte: ›Er achtet mich höher, seit er mich für seine Braut hält. Ist das echt männlich!‹

Er schwieg unzufrieden. Sie richteten sich nach der Musik, die herscholl. Wie sie auf den Platz einbogen, über dessen Palmenhain der Kirchengiebel mächtig ausgriff und der Bronzereiter dahinsprengte, war das Stück zu Ende. Viele fächelnde, die Hüften wiegende junge Frauen mit ihren Mägden und Anbetern, viele prall gekleidete, rauchende junge Männer begannen langsam zu kreisen.

»Sie kennen wohl die Frau gar nicht, die eine Dueña und eine Magd bei sich hat und die Ihnen zulächelt? Das ist die, in deren Schuld Sie vorgeblich seit gestern nacht sind.«

»La Gelida? Aber die habe ich schon oft gesehen und wußte nicht... Wie gut ihr die Dämmerung steht! Ihr grau und unsicher gebogenes Profil scheint vor dem Auge, das ein großes schwarzes Loch ist, ganz aufgezehrt zu werden. Ihr Lächeln – sehen Sie, ich möchte es erwidern, aber es schüchtert mich ein.«

»So?« machte Da Silva zornig. »Ich aber rate Ihnen zu der Gelida nicht, denn ich war zugegen, als sie operiert ward. Das nimmt einem manche Lust.«

»Wirklich?«

Aus tiefem Herzen:

»Dann möchte ich Ihren Beruf haben!«

Der junge Mann hieb seinen Stock durch die Luft. Gereizt:

»Oh, andere entbrennen nur noch heftiger. Einer von uns sezierte seine eigene Geliebte, und als er in ihrem Magen eine unverdaute Speise fand, aß er sie.«

Lola schwieg. Entsetzen, Scham und Vergnügen stritten sich um ihr Herz, und es klopfte. Mit Frohlocken in der Stimme sagte sie dann:

»Würden Sie mir das auch erzählt haben, wenn ich Röcke anhätte?«

»Wenn wir erst verheiratet sind«, verhieß er, herablassend aus Ärger, »erfahren Sie mehr.«

Sie lachte auf.

»Habe ich Ihnen nicht gesagt, daß ich für die freie Liebe eingenommen bin?«

Er schob gequält die Schultern hin und her.

»Ich verstehe Sie nicht. Sind Sie raffiniert, oder was sind Sie?«

»Ach was: ich bin ein junger Mann, wie Sie sehen können, dem alle Frauen zulächeln. Sehen Sie, welch Erfolg? Warum stehe ich, die doch alle hübsch nennen, sonst immer hinter Mai zurück, heute aber errege ich Aufsehen? Ich bin eigentlich ein verkleideter Mann, und jetzt habe ich mich demaskiert. Man hat kaum Zeit, jeder dieser Schönen mit den Wimpern zu winken.«

Da Silva sah rundum.

»Wer ist schön? Wenn ich Schönheit noch sehen könnte!« – und seine Stimme fuhr auf. Nun, mit schmerzlich erbittertem Tonfall:

»Aber Sie halten mich so besessen mit Ihrem Gesicht, mit Ihrer Gestalt, daß ich für die anderen Maß und Sinn verloren habe. Sind sie schön, sind sie häßlich? Ich verstehe nichts, ich sehe nur dies eine kleine unerbittliche Geschöpf, und es erstickt in mir alles, was nicht sein eigen ist.«

Lola bückte sich ein wenig, mit einem Schauer im Nakken, als werde gleich eine Hand hineingreifen. ›Immer das Gesicht, immer die Gestalt: immer der Körper‹, dachte sie, auf einmal matt von Widerwillen und Traurigkeit. Er sagte stürmisch:

»Sie sind über alle Vergleiche schön!«

»Ach, wie reizend wär's«, meinte sie und ermunterte sich, »wenn alle so dächten! Tatsache ist, daß jeder sich zuerst um mich bemüht; dann erst besinnt er sich und geht zu Mai.«

»Gut für ihn.«

»Danke. Warum blicken Sie mit solcher Wut auf dies arme hübsche Mädchen?«

»Kommen Sie auf die andere Seite: Sie werden sehen.«

Das Mädchen, das ohne Begleitung war, trat in das weit offene, erhellte Gewölbe eines Tabakladens. Alle Männer wandten den Kopf nach ihr; die Stutzer, die am Ladentisch lehnten, wichen keinen Schritt breit. Das Mädchen verlangte etwas; aber sooft sie den Mund öffnete, ward gepfiffen.

»Sie will Räucherkerzen, man sieht es«, sagte Lola. »Was hat sie denn begangen, mein Gott?«

Das Mädchen errötete plötzlich tief; die Männer lachten schadenfroh; der, der den Witz gemacht hatte, blähte sich. Das Mädchen stürzte, die Augen verwirrt und naß, ins

Freie. Wie sie nahe kam, stieß Da Silva einen Pfiff aus. Sie floh weiter. Lola rief: »Das ist abscheulich! Ich will Sie nicht mehr kennen! Wenn die Ärmste niemand hat, schließe ich mich ihr an: ich!«

»Vergessen Sie, daß Sie ein Mann sind? Reden Sie sie an, ist's grade solche Beleidigung, wie wenn Sie pfeifen.«

Lola blieb ratlos stehen. Zwei blonde Damen mit Spazierstöcken stelzten über das Pflaster und betraten gelassen denselben Laden – wo alles ihnen Platz machte. Lola sagte sich, daß jeder sie auf die Stufe dieser beiden stellen, ihr die gleichen Rechte einräumen werde; und doch war sie der Mißhandlung jener anderen mit einer Angst gefolgt, als sei's eine Drohung, die auch ihr gelte.

»Es ist furchtbar«, sagte sie, »unter euch eine Frau zu sein. Bei uns ist der Mann unser Kamerad.«

»Bei euch? Sie sind keine Nordländerin. Sie haben etwas von jenem uns so erbitternden Reiz, gewiß. Wir Männer des Südens folgen allzu gern der zweideutigen Herausforderung, die von der befreiten Frau ausgeht. Wozu kommt ihr her? Ihr verderbt unsere Frauen, daß sie sich ohne unseren Schutz auf die Straße wagen und, wenn wir sie ließen, sich im Café mitten unter uns setzen würden. Ihr verderbt auch uns, daß wir den schlaffen Kitzel der Kameradschaft mit euch fühlen möchten, wie eure heruntergekommenen Männer. Ich will's nicht. Ich will Ihr Herr werden.«

»Manchmal reden Sie wie das Alter, das Sie wirklich haben«; und Lola lachte gezwungen.

»Nicht nur meine Worte, auch meine Muskeln sind die eines Fünfundzwanzigjährigen. Sie werden es fühlen.«

Lola hob schweigend die Schultern. Nach einer Weile:

»Jetzt gehen wir drüben in das Café: ich will mich mitten unter euch setzen.«

»Ich bin Ihr Begleiter, aber ich verlasse mich darauf, daß Sie selbst wissen, wie weit Sie gehen dürfen.«

»Sie werden mich als einen jungen Polen vorstellen, der in Paris studiert.«

»Ich werde mich Ihnen empfehlen und es Ihnen überlassen, sich zu kompromittieren.«

Aber er trat mit ein.

»Welch Glück: da sitzt die Gelida. Machen Sie mich sofort mit ihr bekannt!«

»Und der Kreis um sie her? Dabei sind Leute, die Sie kennen.«

»Sie werden keinen Skandal erleben. Mut, armer Freund!«

Sie wurden aufgenommen und setzten sich. Die Unterhaltung ward zu Ehren der schönen Kurtisane geführt, die, hinter sich ihre Dueña und ihre Magd, denen, die gut sprachen, ein wenig von ihrem Lächeln zuteilte. Lola begann darum zu werben. Man wendete die Stühle, um diesen jungen Menschen sprechen zu sehen. Wenn sie seine kleine kokette Hand weich durch die Luft streichen und bei einer seiner leichten, raschen Bewegungen seine Taille sich biegen sahen, schien den Männern ringsum sein Geist frischer, belebender. Er gab stürmische, junge Meinungen zum besten: »Die Liebe ist etwas sehr Einseitiges und eigentlich ein Mangel an Selbstzucht«; – wobei alle, die zuhörten, sich, sie wußten nicht, warum, beglückt fühlten. Lola sah die Mienen, die sie bewegte, das schöne Gesicht der Gelida, aus dem ihr freundliche, wohlklingende Zustimmungen kamen; und sie hatte eine Empfindung von Leichtigkeit und Freiheit wie nie im Leben. Nie hatte sie Da Silva so ruhig ansehen können. Was kümmerten sie nun seine gefalteten Brauen. Bei allem, was sie sagte, fühlte sie ihn neben sich als Besiegten; der Genuß, den sie von ihren Worten hatte, kam daher, daß sie gut waren und daß er es hätte leugnen wollen; und diese Schauer des Sicherhebens, des Fliegens und Besonntseins daher, daß er so tief unten blieb.

Das Diner war hergerichtet. Da Silva behauptete, er und sein Freund hätten eine dringende Verabredung. Warum er heute so mürrisch sei, ward er gefragt. Lola forderte ihn auf, zu gehen und sie zu entschuldigen. Sie saß bei Tisch neben der Gelida. Ein Dichter rezitierte. Da Silva versuchte ungeschickt, ihn zu kritisieren. Lola lächelte und sprach der Gelida von dem Jüngling, dem in seinen arbeitsamen Nächten manchmal die Phantome von Frauen über die aufgeschlagenen Seiten tänzelten und der solchen beklommenen Stolz genieße, wenn er die Augen wegwende. Sie sah Da Silva seine Lippe kauen und in sich versinken. Wie alle durcheinander redeten, der Nachtwind an der Tür lauter mit dem Perlenvorhang klimperte und eine Glocke elfmal dröhnte, sprang Lola auf, ließ die Freiheit leben; und mit dem letzten Ruf war sie entschlüpft.

Sie befand sich in einem Gäßchen und sah am Ende der schmalen Häuserflucht, wie durch ein Rohr, die große Gestalt des Kolumbus von Sternen umwogt. In trunkener Wallung erhob sie beide Arme. Wie aber hinter ihr der Schritt, den sie kannte, vernehmlich ward, verwirrte es sie panisch, als breche auf einmal ein künstlicher Turmbau in ihr zusammen. Ernüchtert, kalt vor Furcht, versteckte sie sich in einem Portal; aber Da Silva fand sie. Wie unvorsichtig sie sei. Ob sie glaube, daß es den Helden der Nacht auf einen Mord ankomme. Lola, die an Da Silvas Seite weiterging, wünschte sich inständig, daß aus dem nächsten Schatten ein Befreier springe und sie töte.

Denn sie hatte erkannt: Alles war umsonst. Begeistert meinte sie zu sein, und war nur berauscht gewesen. Den Geist, der sie von ihm erlösen sollte: eben der Drang nach ihm hatte ihn ihr eingegeben; und nie hatte er fester seine Hand auf ihr gehalten, als da sie ihn tief unter sich glaubte.

Dabei durchmaßen sie den Quai.

›Wohin geht's?‹ dachte Lola verstört; und: ›Wenn ich

den nächsten Straßenrand mit dem rechten Fuß erreiche, entkomme ich ihm heute noch. Sonst nicht. Sonst nicht.‹

Aber noch vor dem Ziel, das sie meinte, rückten ihre beiden Schatten nach vorn, und beim Heraufkommen seiner breiten Schultern schloß Lola die Augen. Das Schweigen folterte sie. Wie entsetzlich nervenstark und seiner sicher er war! ›Ich zähle bis zwanzig, und hat er dann noch nichts gesagt, rufe ich um Hilfe.‹

Gleichwohl rauschte der Brunnen auf der Plaza del Palacio inmitten seines und ihres Schweigens. Hier, unter der grellsten Helle, folgten sie beide auf einmal dem Zwang, einander anzusehen. Lola sah etwas düster Schmachtendes, tierisch Leidendes, das sie schrecklicher erschütterte als die Siegerhärte, die sie sich vorgestellt hatte. Langsam von ihm wegsehend: ›Ja, das ist er. Er ist ein beschränkter Gewaltmensch, und ich liebe ihn mit Widerwillen: aber er ist der Typus, dem ich unterliegen soll. Die vorigen, in Paris und in Rom, waren vom selben. Dieselben zusammentreffenden Brauen, die harte Marmorfarbe wie hier, woraus jede Wimper, jeder Blutstropfen der Lippen drohend hervorstarrt. Wozu sich quälen? Er liebt mich, so gut er's versteht. Mit dem, was zu ihm gehört, liebe auch ich ihn. Ich habe noch mehr – wovon er nicht weiß: aber wer wird je davon wissen. Wozu auf dem Unmöglichen bestehen, wozu so viel kämpfen; warum nicht ein einziges Mal ganz unvernünftig glücklich sein.‹

Sie nahm tiefere Züge Meerwindes; und inzwischen stiegen sie kaum beleuchtete Gassen hinan, erreichten einen Gartenplatz und tasteten sich durch das Dunkel eines bitter duftenden Gebüsches. ›Wo ist denn der Weg?‹ Und statt des Weges suchten sie einer des andern Hand. Lola zuckte zusammen, als sie die ihre gefangen fühlte; aber sie fühlte auch, daß er in diesem Augenblick mit Zartheit an sie denke; und während des Lächelns, das langsam über ihr Gesicht hinging, war ihr's, als lächele das ganze

Dunkel. Sie dachte unbestimmt an weit Vergangenes: an ihre Kindheit. Wie sie eine Balustrade trafen, stützten sich beide darauf; ihre Unterarme lagen, ohne sich zu berühren, einander so nahe, daß jeder des andern Wärme spürte; und drunten über dem nächtlichen Gitter aus Masten und Schloten suchten sie das Meer: lange und beklommen von Sehnsucht. ›Der Mond muß bald aufgehen.‹

Lola sagte:

»Daheim auf der Großen Insel war's das schönste, wenn das Meer leuchtete. Ach nun weiß ich wieder: mein Großvater zündete viele Papierröllchen an und schoß sie in weiten, leuchtenden und zischenden Bogen über das Meer.«

Der junge Mann lachte kindlich und sprach von seiner Meerfahrt, derselben, die einst auch Lola gemacht hatte. Ob sie sich nicht jenes Inselkönigs erinnere, den man für zwei Franken sehen konnte. Abwechselnd riefen sie zurück, was ihnen beiden begegnet war; und bei jedem Zusammentreffen ihrer Erlebnisse durchrann Lola der Schauer des Vorherbestimmten.

»Gleich wird der Mond aufgehen«, murmelte sie, mit süßer Angst. Jenes Kinderglück auf der Großen Insel bewegte sich leise unter allen ihren Einfällen; und die heimliche Gewißheit, nie werde es wieder so gut werden, ließ sie, sie wußte nicht, warum, von erlittenen Schmerzen sprechen, von ihrer Einsamkeit, von der Müdigkeit, die in ihr zunehme. Schweres Drängen nach Gemeinschaft, nach Menschennähe zitterte in ihrer Stimme und machte ihre Arme flugbereit: bereit, um einen Nacken zu fliegen.

Er sah sie mehrmals unruhig von der Seite an.

Plötzlich: »Woran denken wir?« – mit einer Bewegung, die er sofort zurücknahm. Aber sie war nun wieder erinnert, daß er sie haben wolle und nichts weiter; daß sie nicht seine Gefährtin sei, nur eine Geliebte; daß irgendeine der flüchtigen Begierden, in deren Wirbeln sie dahinlebte, sie an diese Stelle geweht habe und die nächste sie weitertreiben werde; und daß alles dies nicht mehr sei als ein heißer Windstoß über die nackte Haut. Das Entsetzen des Verirrtseins packte sie, und sie wagte sich nicht zu rühren.

Er sagte:

»Ich habe über Sie nachgedacht: ich durchschaue Sie vollkommen. Nehmen Sie gegen Ihre Zustände dies: nie mehr als einen Tropfen und nur wenn Sie in Gesellschaft gehen wollen.«

Seine Stimme war ihr nun verdächtig. Unter einem eisigen Mißtrauen zog sie sich innerlich zusammen. Was hatte dieser Mensch mit ihr vor? ›Noch niemand hat Gutes mit mir vorgehabt!‹ Er war ein Feind. ›Mein Gott, in wessen Gewalt bin ich geraten!‹ Sie stieß zurück, was er ihr hinhielt. Er bemerkte plötzlich ihre Veränderung, bereute ungestüm, an Schwärmerei und Regungen der Güte eine gelegene Zeit vergeudet zu haben, und tat einen harten Griff nach ihr. Sie wich aus, bückte sich und entkam in die Finsternis der Steige. Der Mond war nicht aufgegangen.

Sie stieß auf die Treppe, stürzte vorwärts, durch das Netz der leeren Gassen, immer darauf gefaßt, die Schultern unter seiner zufassenden Hand zu ducken. Drunten auf dem weiten, grellen Platz schien ihr der Anblick einiger Bummler unbegreiflich, ein rettendes Wunder. Alles hatte sich doch schon aufgelöst, alles war doch schon verloren gewesen. Sie sprang, noch fliegenden Atems, in einen vorüberfahrenden Wagen. Während der Fahrt erlebte sie immer aufs neue den Augenblick, als er nach ihr griff. Sie wand sich vor Angst und Haß.

Wie sie in ihrem Zimmer das Licht aufdrehte, stand vor ihr im Spiegel der elegante, selbstsichere junge Mann, den sie, schien es, hier zurückgelassen hatte. ›Was ist seither aus mir geworden! Mein Gott!‹ Sie ließ sich in den Sessel fallen und weinte.

Sie wachte auf und saß noch immer in ihren Männer-
kleidern da. Im offenen Fenster lag grauer Halbtag; drunten knirschten die ersten Karren. Lola fror es; sie fühlte
sich müde und verlassen. ›Wenn ich's nun getan hätte?‹
dachte sie, starren Blicks. ›Ich hätte jetzt einen Herrn.
Vielleicht wäre ich glücklich.‹ Dann: ›Wenn er jetzt käme?
Wenn er jetzt drunten stände?‹ Sie sah hinab: nein; und sie
seufzte.

Beim Auskleiden fand sie in der Westentasche das
Fläschchen, das sie zurückgestoßen hatte. Also war's ihm
gelungen, es ihr aufzudrängen! Sie stellte es weit weg,
wanderte ein paarmal ratlos in die Runde, zog schließlich
ein Morgenkleid an und ging hinüber in den Salon. Vor der
Tür zu Mais Schlafzimmer kehrte sie um, machte den Weg
noch einmal und holte das Fläschchen. Es ließ sich in der
hohlen Hand verstecken, ohne daß sie die Finger schloß.
Dann trat sie bei Mai ein.

Mai schlief; Lola sah ihr zu, wie sie kindlich atmete, wie
ihr schönes, faltenloses Gesicht sich glücklich ausruhte.
Einmal lächelte sie, wie bei einem Siege. Was träumte ihr?
Gewiß, daß man sie anbete. Lola stand und sann sich fest
in Mai. ›Wie seltsam, daß ich zu ihr gehöre! Ich habe doch
Welten für mich, von denen die arme Mai nichts ahnt; aber
dann falle ich, ob ich will oder nicht, wieder auf die ihre
zurück und spüre in meinem Blut diesen schönen, dummen Männertypus, den ich verachte. Ist es nicht, als ob ich
manchmal das Bewußtsein verlöre, in Mai zurückkehrte,
aus der ich einst hervorgegangen bin, und sie für mich fühlen und handeln ließe? Da geht man dahin und ist nicht
man selbst. Was kann alles auch in dem Namen stecken,
den einem andere gegeben haben. Lola: ...Lo-la... Ich
höre etwas unheimlich Schmelzendes, Willenloses darin.
Lola: nein, es kann auch sehr frisch und mutig klingen...‹

Da erwachte Mai, und beide erschraken.

»Du bist also doch gekommen?« stammelte Mai. »Ich

habe dich nicht gehört. Du hast mir schreckliche Sorge gemacht. Ich konnte doch niemand nach dir fragen: was hätte man gedacht!«

Lola erkannte, nun Mai zu Sorgen erwacht war, plötzlich Spuren des Alterns an ihr. Sie erinnerte sich: auch dies Kinderwesen mußte kämpfen und leiden.

Zärtliche Reue hob Lolas Herz auf; sie warf sich vor dem Bett auf die Knie, schob die Arme unter Mais Nakken.

»Ich habe dich lieb, Mai. Wir wollen fort von hier!«

»Fort? Warum?« fragte Mai erschrocken.

»Weil... Siehst du: man hat mich erkannt. Was ich getan habe, war dumm. Nun ist's besser, wir gehen. Ja, so: der Herzog und Aguirre. Denen tragen wir auf, zu erzählen, wir seien schon gestern abgereist. Sie werden diskret sein, niemand wird beweisen können, daß er mich heute nacht gesehen hat.«

»Und Da Silva?«

Lola fuhr zurück, mit plötzlich verschlossener Miene.

»Wie ist's mit Da Silva?« wiederholte Mai unsicher. Lola näherte sich ihr wieder.

»Er ist ein guter Freund«, sagte sie sanft. »Gegen meine Schmerzen und Müdigkeit hat er mir dies gegeben. Meinst du, daß ich's versuchen soll?«

Sie nahm Mais goldenen Arzneilöffel und ließ einen Tropfen hineinfallen.

»Soll ich?«

Zögernd:

»Soll ich?«

Und dann:

»So; nun werden wir sehen.«

Wenn es nun ein Gift war, das sie wahnsinnig machte und ihm in die Arme trieb: sie hatte es genommen, es war geschehen. Ihre Züge waren besänftigt; sie neigte sich tief auf Mai, deren Gesicht dem Weinen nahe war.

»Arme Mai, ich bin schlecht: ich bedachte nicht, daß du dich schwer trennst. Immer lege ich dir Opfer auf. Aber dort, wohin wir gehen, sollst du dich anbeten lassen...«

Sie streichelte und tröstete. Mai schluchzte und schlief ein. Lola schloß sich in ihr Zimmer, setzte sich vor ein Buch und verstopfte, wie als Kind, mit den Fingern die Ohren. Sie genoß, was sie las, mit immer hellerem Geist. Eine Stunde später bemerkte sie, daß Teppich und Tisch voll Sonne waren. Sie lehnte sich zurück, atmete tief auf und fühlte, wie weit nun die Nacht zurückliege. ›Von hier‹ – sie sah das Buch an – ›bis zu ihm ist's endlos weit. Was geht er mich an? Ganz leicht werde ich ihn entbehren.‹

Als sie fertig angezogen den Salon betrat, kniete Mais Mädchen vor einem Koffer.

»Hast du auch schon angefangen?« fragte Mai.

»Ach, packen...« Und ein Angstschauer überraschte sie.

»Willst du denn nicht mehr reisen?«

»Ich... will... reisen«; dabei ließ sie den Kopf sinken. Dann:

»Das heißt...«

›Ja‹, dachte sie, ›ich will's darauf ankommen lassen.‹

»Das heißt, selbst zu packen habe ich heute keine Lust. Wenn Germaine Zeit hat...«

Ja: Mai gab Germaine frei; Lola war gerettet.

II

Haie begleiteten das Schiff. Lola sah zu, wie Matrosen sie an Angeln heraufzogen und ihnen, kaum daß der Kopf den Schiffsrand erreicht hatte, Stöcke in den Rachen und durch den ganzen Leib trieben. Als die wehrlosen Ungeheuer das Deck mit den Schwänzen peitschten und die Matrosen sich vor Freude auf die Knie klatschten, fühlte sie lähmende Traurigkeit. Die Passagiere versammelten sich; dies war ein Fest; – und da sah Lola im Geist ein Kind zwischen die Leute drängen und mit ihnen in Freude ausbrechen: erkannte sich selbst, wie sie einst auf ihrer ersten Meerfahrt gewesen war, und belauschte sich, dies unwissende, heitere und grausame Kind, mit Verachtung, Sehnsucht und einer Spur von Grauen. Nicht wahr, jetzt wird das Messer genommen und das Tier zerstückt? Richtig: sie hatte dies also auch damals erlebt. Damals gehörte es nicht zum Außerordentlichen; die Neger daheim hatten ganz ebenso grausam gehandelt an den Tieren, die sie fingen; und Lola selbst, hatte sie nicht einst eine Schlange, von der sie erschreckt worden war, ganz langsam zerschnitten, in lauter Ringe, und die Schlange lebte immer noch? Sie besah die Hand, die es getan hatte: diese selbe Hand. ›Und ich denke, wenn ich der Großen Insel gedenke, nur an feurige Papierröllchen, die übers Wasser schnellten, und an den Duft der Orangenblüten! Das ist ein Irrtum. Als ich nach Europa reiste, schienen es an Bord lauter liebe Menschen, die nur darauf sannen, einander Freude zu machen. Die Wahrheit ist anders; oh, was alles lese ich jetzt in den Gesichtern, die die Haie sterben sehen!‹

Sie zog die Kapuze ihres Regenmantels in die Schläfen und hatte nun, über das Geländer gebeugt, nur noch ein kurzes Stück braunen Wassers vor Augen, beprickelt von Regen. ›Der gute alte Herr, der auf jener Reise allen Kindern Schokolade schenkte und fast weinte, wenn man sie nicht nahm: was für ein Schuft er vielleicht war!‹ Darauf bemerkte sie: ›Schrecklich mißtrauisch und menschenfeindlich bin ich geworden! Wie lange lebt man auch schon!‹ Ihr Mantel ward steif von Wasser; die braune, stockende Luft ließ sich schwer atmen. ›So, deucht mich, ist's jetzt immer. Als ich von Rio kam, strahlten Meer und Himmel unauslöschlich.‹

Mai hatte es leichter. Mit allen war sie befreundet, erfreute sich des besten Appetits und vieler Anbeter. »Warum hältst du dich immer zurück?« fragte sie oft. »Wie sympathisch ist Herr Soundso!« Und Lola gab dies zu, weil die Worte, die ihre Verachtung des Herrn Soundso enthielten, ihr selbst den Hals zuschnürten. Aber war es möglich, etwas anderes zu fühlen für jemand, der unter allen Damen nur einer die Hand küßte, und zwar der, die den höchsten Titel führte? Oder für einen andern Herrn Soundso, der auch sympathisch sein sollte und der dem Kellner nur zwei Glas Kognak eingestand, wenn er drei getrunken hatte? So war die Menschheit; um so schlimmer für den, der nicht die Gabe hatte, davon abzusehen.

»Du hast dich schwer getrennt«, meinte Mai herzlich. »Warum warst du nicht aufrichtig mit mir? Sage doch, bitte, bitte, an wen du denkst!«

»An niemand besonders, ich versichere dich.«

Und sie versank in immer trüberen Zorn. Wär's noch ein einzelner gewesen, an dem sie litt! Aber der, den sie zurückgelassen hatte, war nichts. Nicht seinetwegen erduldete sie nun dieselbe schwere Einsamkeit, die ihre frühen Mädchenjahre verbittert hatte. Nur erinnert hatte er sie daran, wie vor ihm andere seiner Rasse und Art, daß allein ihre Sinne einen Gefährten finden konnten; daß in keinem Lande Menschen erwüchsen, die ganz ihresgleichen waren; daß sie in der Seele allein war... Sie sah ins Wasser und sehnte sich: ›Wer einer Heimat entgegenführe!‹

Sie hatte eine gehabt: eine Wahlheimat, die Schritt für Schritt zu erobern gewesen war: ihre Kunst. Und auch aus der war sie verstoßen; denn die Branzilla saß in der Nervenheilanstalt.

Die Branzilla war eine der allerletzten Lehrerinnen des Belkanto. Ein berühmter Geiger hatte zufällig Lolas Altstimme entdeckt, den Umfang und die Stärke der Stimme bestaunt; hatte Lola eine unermeßliche Zukunft verheißen und nicht geruht, bis sie zur Branzilla reiste. Wie Lola ins Zimmer trat, machte die Alte grade ihrem Mann eine Szene: dem angebeteten Tenor von einst, der nun fett, leer und ängstlich umherschlich. Sie warf ihm seine alten Geliebten vor, das Unrecht, das er ihr bei dem und dem vor dreißig Jahren gesungenen Duo getan habe, und daß er ihr zur Last liege. Sooft Lola das Paar beisammen traf, war's das gleiche; der Alte flüchtete, die Augen gen Himmel gerollt; – und als Lola einmal nach Beendigung der Stunde das Vorzimmer öffnete, da hing er an der Decke... Und nun ihre Bosheit sich auf den Mann nicht mehr ausleeren konnte, bespie die Alte damit alle Welt, vertrieb die letzten Schülerinnen, brachte Lola bis zu Tränenkrisen. Aber mochte Mai sich empören, Lola blieb ihrer Tyrannin treu, folgte ihr blindlings in alle Hauptstädte, wo die Branzilla ehemals gefeiert worden war und wo sie nun das unbekannte Dahinleben nicht ertrug; schlichtete die Streitigkeiten, die die Alte in den Hotels, den Geschäften und überall anzettelte; sorgte für sie; ließ sie ihre kopflosen Ungerechtigkeiten herunterkeifen und schloß den Auftritt mit einem festen und doch geduldigen »Adieu,

Madame« – worauf sie zur genauen Stunde wiederkehrte. Statt einem Gesetz, einem Befehl, die ihr Leben nicht kannte, unterwarf sie sich den Launen einer Hexe; und ihre Zickzackfahrten durch Europa waren nicht planlos, da sie hinter der herführten, in der, wie in einer Ruine, der Geist einer großen, fast schon entschwundenen Kunst hauste.

Denn das arme, täglich verwirrtere Gehirn der Branzilla schien wunderbar genesen, wenn sie den Stoff unter den Händen hatte, aus dem sie schuf. Der Stoff war die Stimme der Schülerin. Lola war sich bewußt, sie selbst sei nichts, sei nicht mehr als ein dumpfes Werkzeug, und was aus ihr werden solle, sei im Geist der Lehrerin schon aufgebaut, wie ein Tempel aus Luft, unfaßbar für jeden, vertraut nur ihr, die ihn durch eine Gebärde, ein Wort, durch einen der kindlich mystischen Ausdrücke, die die Seher finden, für eine Sekunde vor die Schülerin hinzaubern konnte, so daß Lola sah: dorthinan! Wer vermochte das noch: durch ein Wort, ein eigenes, dem nichts Wirkliches entsprach, das richtige Spiel eines Kehlkopfes bewirken! Niemand wußte mehr von dieser Kunst. Bei den Heutigen waren Lehrerinnen unbeliebt, die zwei Jahre brauchten; und die Ausbildung währte ehemals acht. Lola hätte es, einmal in der Schule der Branzilla, nicht mehr ausgehalten, sich mit einem Ungefähr zu begnügen. Sie war fremd überall, und nur mit einer alten, halb Irren hielt sie Gemeinschaft; – aber eines Tages wollte sie im Besitz einer unerhörten Kunst vor die Welt hintreten!

Und in jedes Gasthaus brachte sie eine eigene Luft mit, machte jedes flüchtige Quartier heimisch, in das sie ihre Gesänge, die seit Jahren geübten, schickte. Aus der Unordnung der hastig umhergeworfenen Gegenstände, der zerstreuten Stunden, der regellosen Vergnügungen und der zufälligen Menschen rettete sie sich in den Winkel, wo das Klavier stand, wie auf ihr eigenes Stück Erde. Von hier würde sie alles Land erobern! Würde unabhängig, würde Fürstin sein, der die Herzen schlagen. Wie hochgemut und stark sie, indes die anderen, alle zum Untergang bestimmt, leere Worte redeten, Ränke, Liebeleien vergeudeten, mit sich selbst umgingen wie mit Wertlosigkeiten: wie hochgemut, stark und voll Verachtung sie an sich arbeitete! Ihre Heimat erweiterte!... Aber man lockte sie daraus fort; die Überflüssigen umschwärmten sie. Umsonst übte sie tagelang mit ihrem Taktzähler: der Schwarm der Festlichen übertäubte das Ticken der kleinen strengen Maschine. Eine Wallung von Leichtsinn, und Lola war mitten darin, ging unter in der Jagd der nach Freude Fiebernden. Dann trat der Mann auf: einer derer, die sie im Blut hatte, die sie nicht vermeiden konnte; – und die Kunst lag unbegreiflich dahinten... Eines Tages stand sie dann wieder am Klavier neben der Alten, deren Stimme hart und böse war; und der Tag hatte bleiches, schmerzendes Licht, wie einer nach durchtobter Nacht, der reuebeladen ist und den man lieber verschliefe. Und oft, wenn so ihre Tage in einer luxuriösen Landstreicherei zerflossen, dachte sie mit Neid aller Angebundenen, Behüteten, in einen engen Kreis von Pflicht und Gemeinschaft Geschlossenen. An ihrer Stimme, die so kostbar war, trug Lola, wie jemand an einem Klumpen Gold in einer Wüste. Andere saßen in heimlicher Werkstatt und bearbeiteten ihn...

Und dann war die Branzilla verschwunden. Es war geschehen, wie Lola das letztemal sie wochenlang allein gelassen hatte. Lola hatte es mit Zorn erfahren. War denn der Rest Kraft, den die Alte ihr noch zu geben hatte, schon verbraucht? Die Branzilla mochte verrückt sein, wie sie wollte: sie blieb die einzige, die Lolas Stimme beherrschte, die ihre Stimme sah. Dazu taugte sie noch, dazu sammelte sich noch ihre Vernunft. Lola sagte dies den Leuten, die sie ihr weggenommen hatten. »Laßt sie doch verrückt sein: es ist meine Sache! Ich bin sie gewöhnt, wie sie ist, und werde sie behüten. Gebt sie mir zurück!« Umsonst: die Lehrerin blieb verloren; – und Lola wußte sogleich, nun sei's zu Ende. Die Methode der Branzilla ließ einen unselbständig bis zuletzt. Lola war ohnmächtig ohne ihre Führerin. Der Weg zur Kunst, in diese neue Heimat, war verloren.

So, aus Ratlosigkeit, Haltlosigkeit, geriet sie nach Barcelona, wieder in einen Schwarm, wieder an einen Mann; – und fuhr nun, enttäuscht und zum erstenmal ganz hilflos, planlose Fahrten.

›Wer einer Heimat entgegenführe!‹

Vom Denken, vom Begreifen und vom Sehnen war sie heiß und erregt. Aufseufzend blickte sie um sich, ohne etwas zu erkennen. Der Schiffsarzt strich in gleichen Pausen an ihr vorbei. Endlich, wie sie sich umwandte, blieb er stehen, und sie mußte in seine schwermütigen Augen sehen. Ob auch sie die Gesellschaft fliehe, fragte er. Er war häßlich, und wieder nicht häßlich genug, um zu reizen. Das war, schloß Lola, sein ganzes Unglück und verschaffte seinen Augen den Anschein von Seele. Sie verlangte das Hospital zu sehen. Es sei zu traurig dort, erwiderte er, für eine junge Dame, die selbst nicht heiteren Gemütes scheine. Ob er sie unterhalten dürfe. Er begann von sich selbst zu erzählen, einfache und wahre Dinge, denen sie mit Achtung zuhören konnte. Noch mehrmals im Lauf des Abends näherte er sich, tat ihr wohl durch gütige und gelassene Rede; und sooft Lola ihn bat, ihr seine Kranken zu zeigen, weigerte er sich.

Aber das Wetter ward heller; nun stürmte es. Mai lachte mit den Fröhlichen; dann schlich sie zu Lola und flüsterte:

»Glaubst du, daß es gefährlich ist?«

Und Lola ging mit ihr, damit Mai sähe, man habe das Recht, lustig zu sein.

Die Nacht ward ausgelassen. Die Nähe Italiens, die Befriedigung, wieder in den heimischen Gewässern zu fahren, die leichte Furcht bei dem bedrohlichen Schwanken und inmitten der gemeinsamen Gefahr die Aussicht, schon morgen auseinanderzustieben, sich nie wiederzusehen: das bewirkte in allen Wohlwollen und Leichtsinn. In der Kajüte fielen die Stühle um; man taumelte einander in die Arme, um sich im Kreise zu drehen zu dem Gekratz der wackelnden Musikanten. Lola erhob ihren Kelch und trank einem zu, einem mit einer großen Habichtsnase und lustig blinzelnden Augen – einem all derer, die Mai sympathisch fand und gegen die jetzt auch Lola nichts mehr einwandte: da sah sie einen Schatten auf der Treppe. Sie ließ den Arm sinken. Das freudlose Gesicht des Doktors kam auf sie zu; mit einem Vorwurf in der Stimme und einem um Entschuldigung bittenden Lächeln fragte er:

»Wollen Sie jetzt das Hospital sehen?«

Lola fuhr zusammen, wie ertappt, wie auf einem Verrat betroffen. ›Er erinnert mich daran‹, bemerkte sie, ›daß wir zusammen traurig waren.‹ Sie senkte den Kopf und folgte ihm. Dann, empört: ›Wie darf er verlangen, daß ich es bleibe! Damit er mich trösten, mir wohltun kann. Oh! Alles auf dieser Welt ist Eigennutz und Grausamkeit.‹

Draußen peitschte sie der Wind; das endlose Dunkel heulte um sie her; es griff nach ihr, mit den gespenstisch heraufschießenden Armen seiner Gischtwellen. Ihr Führer nahm sie bei der Hand und ließ sie über Staffeln hinabsteigen, tief in das Schiff hinein. »Da sind wir«; und in der Tür, die er aufstieß, mischte sich Karboldunst mit dem Schiffsgeruch. »Kommen Sie nicht?« Aber Lola spähte von der Schwelle mit Furcht durch die Kabine, die einem Schacht glich, zu den Menschen hin, die in ihren Betten, eng wie Särge, umhergeschüttelt stöhnten, und zu denen, die, in Lumpen am Boden hockend, erloschene Blicke zu ihr aufhoben. Jener eine Blick aber glänzte so, daß von ihm der Raum voll eines flackernden Lichtes schien. Diese beiden Augen brannten auf unbegreifliche Weise in einem Gesicht, so alt und müde, daß vielleicht nur das rote Tuch, womit es umwickelt war, seinen auseinanderstrebenden Staub zusammenhielt.

»Wer ist das? Mein Gott?«

Der Arzt hörte sie nicht; er neigte sich über den Alten, lauschte in sein Gewimmer hinein; dann beschrieb er, langsam aufgerichtet, eine feierliche Gebärde.

»Sie werden Ihre Heimat wiedersehen. Ich werde machen, daß Sie es erleben.«

Rasch wandte er sich ab.

»Gehen wir.«

Draußen:

»Dieser Alte ist jung nach Amerika gegangen. Die Arbeit seines Lebens hat ihm so viel eingetragen, daß er vor seinem Tode nochmals die Überfahrt bezahlen konnte. Er will auf seiner Heimaterde sterben. Das ist sein Ziel. Dafür meint er nun gelebt zu haben.«

»Wird er's erreichen, wird er?«

»Nein«, entschied der Doktor, mit leiserer Stimme und Schultern, die sich beugten. »Wir werden morgen in Genua landen, im majestätischen Genua; aber er wird es nicht sehen. Ich kann es nicht machen. In diesem Augenblick lebt er nur noch durch den einen Gedanken in seinem Kopf: in seiner Heimat zu sterben.«

Vor der Treppe zu den Gesellschaftsräumen nahm er plötzlich Abschied und tauchte ins Dunkel. Lola sah mit Verwunderung, daß dort innen noch der gleiche kopflose Jubel tobe, und ging in ihre Kabine. Sie lag im Dunkeln; – und das Wimmern dahinten, sie wußte nicht, war es das der Geigen oder das jenes Sterbenden. Seine Augen verließen sie nicht, ihre Stirn war erfüllt von diesem übermenschlichen Feuer, das mit Überwindung eines absterbenden Leibes ganz frei dahinbrannte, das nur ein Gedanke, ein Wille, eine Sehnsucht war: die Sehnsucht nach der Heimat.

Und sie sah ihn, wie er jung aufs Schiff stieg. Die Jacke über der Schulter, den Hut im Nacken, übermütig trotz der Rührung, küßte er ein letztes Mal Eltern, Geschwister und das Mädchen, das ihm treu bleiben wollte. Hatte Lola ihn nicht drüben aussteigen gesehen, oder einen, der ihm glich? Italiener in roten Hemden, die Jacke über der Schulter, waren so viele dort umhergegangen. Sie hörte ihn seine Früchte ausschreien, sah ihn an einem Kanu zimmern und stand am Wege, wie er sein Maultier mit Waren vorbeitrieb. Denn er handelte mit allem, hielt keine Arbeit für zu schlecht, lebte nüchtern und schrieb Briefe, worin ein wenig Geld lag: »Mut! Bald kann ich Euch nachkommen lassen. Carlotta, ich seh uns schon in der Kirche.« Darüber sterben die Eltern; aber er hat noch die Geschwister, und Carlotta wartet auf ihn. Er spricht nicht mehr vom Nachkommen; es geht nicht alles, wie er dachte; nur zurücklegen möchte er eine Kleinigkeit und dann heimkommen... Wie? Wäre es möglich? Carlotta nimmt nun doch den andern? Sie ist imstande, ihn zu verraten? Wozu kann dann alles noch dienen!... Ach, ein Kind hat sein Bruder? Wie hübsch! Er wird ihm etwas mitbringen, wird es einst ausstatten. Die Geschäfte gehen besser, sie sollen sich wundern... Und von Jahr zu Jahr: Der Bortolo schon tot? Und Don Felice? Und auch der, und auch der? Warum schreibst nun du selbst nicht mehr?... Schweigen. Und der alte Einsame vergißt die Todesfälle, von denen ihm einst berichtet ward; wenn er von der Rückkehr träumt, stehen alle unverwandelt am Ufer, und Carlotta trägt noch die rote Schürze, die er ihr gab. Sein Geist geht zwischen Gebäuden um, die abgetragen sind; und bei Menschen, die unter Kreuzen liegen. Zuletzt tritt er dennoch die Reise an, für die er fünfzig Jahre arbeitete und lebte. Nun fährt er dahin – werden die Atemzüge ausreichen? –, fährt, seherisch vor Angst und Drang, dem unmöglichen Ziel seines Lebens zu, dem, was es für ihn nicht gibt, dem Phantom einer Heimat!

Lola schluchzte noch immer. Sie beweinte in fremden Schicksalen das Sinnbild der eigenen; und eine besänftigende Brüderlichkeit floß ihr aus jenen zu. Sie schämte sich ihrer Menschenfeindschaft; verachtete die Gabe, die sie bis dort hinabblicken lehrte, wo niemand mehr dem Erkanntwerden gewachsen ist; entsetzte sich: ›Hab ich denn nicht immer lieben, nur lieben wollen? Einst war ich doch entschlossen, mich eher lebendig begraben zu lassen, als daß Erneste oder Mai stürben! Wie ist es möglich, daß Menschen dies je aus dem Sinn verlieren: einander helfen, einander lieben!‹

III

In Verona, nach dem Übernachten und wie der Omnibus schon vor dem Gasthof stand, sagte Lola plötzlich:

»Jetzt wieder nach Venedig? Geht es wirklich nicht anders?«

»Uns zwingt doch niemand?« fragte Mai verdutzt.

»Das ist es. Uns zwingt nie jemand. Hierhin, dorthin: für uns ist alles gleich.«

Und Lola ließ sich müde auf einem Stuhl nieder.

»Daß du auch grade in diesem Augenblick deine Nerven kriegst!«

Mai sah erschreckt hin und her zwischen Lola und dem Kellner, der zur Abfahrt mahnte.

»Es scheint, wir reisen nicht.«

»Wozu?« seufzte Lola. »Um wieder einen Fingado zu treffen und einen Aguirre und einen –?«

Sie besann sich.

»– und alle die andern?... Weißt du noch nicht im voraus, wie deine Verehrer aussehen werden, was sie dir sagen werden? Man kennt sie auswendig, und es bleiben doch Fremde. Wir sollten lieber zu Pais bayerischen Verwandten fahren. Nach deiner Ankunft in Europa sahen wir sie nur so flüchtig; aber es schienen – was weiß ich –, es schienen herzliche Menschen.«

»Aber die Grimani erwartet uns.«

»Wir telegraphieren ihr ab.«

Sie telegraphierten auch nach München. Gugigls waren auf dem Lande; und zwei Tage später, auf der kleinen Station zwischen Kufstein und Rosenheim, jauchzte den An-

kommenden ein ganzer Trupp festlich erregter Sommer-
frischler entgegen. Frau Gugigl und die Baroneß Utting
schrien in einer Tonlage mit der Lokomotive. Die eine
schüttelte dabei ihre offenen Haare, die andere ihre
Zöpfe. Die Baroneß trat sofort an die Damen heran,
zeigte auf ihr Bauernkostüm und sagte stolz:

»I bin d' Oberdirn.«

Gugigl schwenkte noch, als Frau Gabriel schon vor
ihm stand, auf die Zehen gehißt, sein grünes Hütchen. Er
war rotfleckig, hatte geblähte Nüstern, und seine Kinn-
haare wehten wirr. Die kleine Schwester seiner Frau ließ,
als sie Lola und Mai erblickte, seinen Arm los; ihr Geschrei brach ab; und mit großen Augen, ganz entgeistert,
sah sie den beiden eleganten Damen entgegen. Gwinner
küßte ihnen die Hand und führte von unten sein freundlich freches Lächeln im Kreise umher, als hätte er einen
Witz gemacht.

Frau Gugigl rühmte zuerst ihren Lodenkragen.

»Da schaut, wie er naß ist. Regenschirme gibt's bei uns
nicht, meine Lieben, und wenn man so daherkommt wie
ihr...«

»Aber was ist denn hier los?« fragte Lola, da sie gleich
hinter dem Bahnhof in ein bäurisches Gedränge und Geschrei, in Jahrmarktsgerüche und Blechmusik gerieten.

»Das ist das Gaufest.«

Und zu der gespannt horchenden Frau Gabriel:

»Ja, auf französisch, Tante, kann ich das Wort nicht sagen. Die Bauern zeigen ihr Vieh und sich selbst her, in
den alten Trachten.«

»Das Vieh in den Trachten«, ergänzte Gwinner und
gab Lola durch unterwürfiges Grinsen zu verstehen, daß
er bei Gott nicht über sie sich lustig mache; nur könne er
nicht gegen seine Natur. Er umtastete die Spinnenfinger
der einen Hand leise mit denen der andern. Den runden,
schwarz und gelben Kopf trug er eigen vorsichtig zwi-

schen den hohen Schultern, als sei sein Nacken leicht zer-
brechlich. Lola wandte sich weg.

Gugigl krähte in das Gebrüll der beim Wirtshaus
Tafelnden hinein:

»A Bier! Cehn-zi! A Bier kriag i!«

»Grüß Gott, Spezi!« rief die Baroneß.

»Dees is nämlich mein Oberknecht«, erklärte sie, lief
hin und schwang sich, rotbackig, mit dicken, fliegenden
Zöpfen in die Bank zu den Bauern, die sie feierten. ›Ihre
Zöpfe sind fast von der Farbe meines Haars‹, dachte Lola;
und: ›Wenn ich mich zu den Bauern setzen sollte! Wie
wäre einem zumut, wenn man hier heimisch wäre?‹

Da begegnete sie dem bewundernden Blick der kleinen
Tini.

»Wir haben uns noch gar nicht recht begrüßt. Sie sind
groß geworden.«

»Wie geht es Ihnen?« stammelte das junge Mädchen.

»So nennts euch doch du!« schrie Gugigl und drängte
der Kellnerin nach.

»Gut. Und – also, und dir?« fragte Lola, lächelnd. Tini
errötete; dann entschloß sie sich:

»Du hast Ähnlichkeit mit deinem Papa.«

»Ach! Hast du ihn gekannt?«

»Sehr gut; und nie hab ich ihn vergessen. Er hat mir
meine Lieblingspuppe mitgebracht. Nach ihm hieß sie
Gustl, weil er Gustav hieß, nicht? Jetzt ist sie zwar ka-
putt…«

Lola dachte: ›Und Pai tot.‹

»Spielst du noch mit Puppen?« fragte sie mühsam.

»O nein…«

Und, als sei endlich das Eigentliche herbeigeführt:

»Lola, du bist wunderschön!«

»Du sagst das? Du wirst viel schöner werden als ich;
man sieht es schon jetzt.«

Sie liebkoste das schwarz eingerahmte, sentimentale

Gesichtchen. ›Noch etwas zu lang und zu blaß ist es‹, dachte sie zärtlich. Da drehte sie rasch den Kopf.

»Mai! Mai! Die Tini hat Pai gekannt!«

Mais Miene, die ganz Befremdung und Verlassenheit war, ward auf einmal kindlich beglückt; und Lola nickte ihr strahlend zu: »Wie schön, nicht wahr, daß wir hergekommen sind!«

Da waren nun Wesen, die Pai gekannt hatten, die mit Lola verbunden waren, vielleicht denselben Menschen liebgehabt hatten wie sie!

»Hast du meinen Papa gern gehabt?« fragte sie.

»Sehr«, sagte Tini; und sie setzte nochmals an: »Und auch –«; aber dann schwieg sie, ganz rosig.

»Sage, wie du ihn gefunden hast? Als er mich nach Europa brachte, trug er meist einen grauen Anzug…«

›Ach, was für Dummheiten!‹ merkte sie selbst. Mai, die dazwischenschwatzte, konnte sich nicht naiver gebärden. Wie das belebte! Wie einem warm ward! Sie sah sich um, sie hatte Lust, diese Menschen zusammenzurufen, die Pai gekannt hatten, die ihr du sagten, die ein wenig Blut mit ihr gemeinsam hatten. Gugigl trank ihr zu. Er stand dahinten, auf gespreizte Beine gestemmt, hob das endlich eroberte Glas Bier nervig an sein Gesicht, das es mit geblähten Nüstern erwartete, und führte Lola, den Blick fest und ernst in ihrem, seine Schluckkunst vor. Seine Frau hatte ihren Lodenkragen abgeworfen, hatte flatternden Haares die tannenbekränzte Estrade der Schuhplattler erstürmt, die Dirn weggestoßen und sich statt ihrer gegen den beleibten Balzer geschmiegt. Aber von ihrem Tanzdämon überzeugt, kam sie seinen Bewegungen zuvor, brachte die Äußerungen seiner gravitätischen Brunst in Verwirrung, zappelte in der Luft, wie er sie emporstemmte: – und ohne vorherige Ankündigung, im Zorn noch mit gelassener Kraft, setzte er die enttäuschte Mänade über das bekränzte Geländer. Frau Gugigl mußte einige Pfiffe hören, trotzte aber der Menge und holte sich ihren Mann, um ihn herumzuschwenken.

Mehrere Paare drehten sich, zwischen den Püffen der Vorbeidrängenden. Die meisten saßen indessen unter den tropfenden Kastanien, Rücken an Rücken, die Arme auf die Tischkanten gewälzt; und sooft die Musik sich von ihrem Knarren und Meckern ausruhte, sangen sie sich gegenseitig in die Münder. In ziehenden Tönen, deren Enden sie vor Gefühl nicht fanden, stimmten die Burschen unwahrscheinlich schmutzige Verse an; und die Madln unter ihren Zopfkränzen fielen herzhaft ein, wie in der Kirche. Aus dem Winkel beim Hause wurden sie beobachtet von der eleganten Gesellschaft, deren ragender offener Reisewagen aus dem Verschlage hervorstand. Die Dame hob das Lorgnon vor ihre aufgerissenen Morphinistinnenaugen und führte ihre unbewegte, schlaffe, perlfeine Miene langsam umher. Ein dürftig gewachsener Mensch, der ihr den Rücken im Sonntagsrock halb zudrehte, fesselte sie länger als die übrigen. Niemand fand an ihm vorbei, ohne die Faust, als solle sie das biedere »Grüeß Gott, Schuasta« verstärken, auf seinen eingedrückten Nasenrücken fallen zu lassen. Der Schuster lachte verlegen, und von Zeit zu Zeit wischte er mit dem Handrücken das Blut weg, das ihm sonst ins Bier tropfte. Sichtlich war er's gewohnt, war dies ein durch lange Jahre geweihter Brauch, dem sich zu entziehen er selbst am unpassendsten gefunden hätte.

Das Lorgnon der Dame zielte unbewegt in dieselbe Richtung. Nun aber folgte Mai ihm; und Mai begann, die Hand an der Wange, kleine, entsetzte Schreie auszustoßen. Gugigl, seine Frau und die Baroneß Utting liefen herbei:

»Ja, was gibt's? Der Schuster? Aber ihr seht doch, daß es ihm selber Spaß macht. Seid ihr zart besaitet!«

»Mir san derbes Volk«, erklärte die Baroneß.

Mai schrie auf: wieder war dem Schuster eine Faust auf die blutige Nase gefallen; und Mai beruhigte sich nicht mehr, hörte auf kein Zureden, verfiel, außer sich, in ihre heimische Sprache und wiederholte ihre Meinung den um sie her feixenden Bauern auf französisch. Dies alles sei abscheulich roh; sie sollten nicht trinken: nur die Neger tränken; sie sollten einander wie Menschen behandeln.

»Sei still, Mai«, bat Lola, leise vor Scham. Ihr war, als trage sie ein Stück Verantwortlichkeit für dies Volk, das Pais Sprache hatte und zu dem sie Mai hergeführt hatte wie zu den Ihren.

Aber Mai drang, erbittert durch die Grimassen, denen sie begegnete, auf Gugigl ein. Ob er meine, sie kenne so etwas nicht. Auch zu Hause die Neger begängen ihre Feste, tanzten – nicht häßlicher als diese hier –, betränken sich, schlügen einander blutig. Aber man gittere sie ein, stelle Wachen herum, und kein anständiger Mensch sehe den schmutzigen Dingen zu. Lola war sehr froh, daß Frau Gugigl und die Baroneß schon wieder in den Armen zweier Knechte dahintollten. Gugigl verstand nichts; er äffte Mais erregte Gebärden nach, klappte mit den Kiefern und parodierte, ihr vor den Füßen hüpfend, irgendeinen Laut, den sie grade gesprochen hatte: ganz stolz, daß er, als studierter Beamter, nicht zwei französische Worte wußte. Mai brach ab; die Augen naß vor Zorn in ihrem beleidigten Kindergesicht, drehte sie ihm den Rücken. Gwinner kam – und er trug den Kopf noch vorsichtiger – mit dem gewaltigen Schuhplattler herbei. Vor der Ankunft machte er noch einen Bogen, führte, demütig und frech grinsend, den ernsten Koloß den Damen von allen Seiten vor, wie einen Preisochsen.

»Diese Damen«, äußerte er, »sind aus Amerika gekommen, um Sie zu sehen.«

»Viel Ehr, viel Ehr«, sagte der Mann, mit einer Stimme, der er eine erbärmlich wirkende Zurückhaltung auferlegte. Gwinner hielt lächelnd die Hand neben seinem Arm, wie um eine unsichtbare Kette. Er wies hinüber, von wo die eingepferchten Tiere brüllten.

»Warum lehren Sie nicht auch die andern Ochsen das Schuhplatteln?«

Sein begütigendes Nicken hieß: ›Es ging doch nicht anders.‹ Die kleinen tückischen Augen des Riesen wanderten auf dem bleichen Gesicht umher, das nach Frechheit rang; und unentschieden zwischen Drohung und Respekt, fragte er:

»Ja, wie moanens denn jetzt dös?«

Die kleine Tini trat energisch vor.

»Er meint, wer nicht tanzen kann, ist ein dummer Mensch; und jetzt müssen wir nach Haus, es ist höchste Zeit. Benno! Thekla! Marie!«

Sie beruhigte sich nicht eher, als bis alle aus dem Biergarten heraus waren. Auf der Straße zwischen den großen Fußspuren voll braunen Regenwassers hieß es einen Eiertanz aufführen. Vor den vier Jahrmarktsbuden lungerten einige Buben, ein paar Weiber mit den Schürzen über dem Kopf. Mit starrem Gesicht führte ein verwittertes Mädchen eine Moritat vor.

»Haben *Sie* das verbrochen?« sagte Gwinner zu Gugigl und zeigte auf das Bild. Frau Gugigl sprang vor Freude in eine Pfütze.

»Aber Benno! Das ist ja eine Idee! Ich mal eine Moritat! Künstlerische Moritaten gibt's noch nicht.«

»Mehr als genug«, meinte Gwinner; aber Frau Gugigl verlangte:

»Ohne Witz! Dem muß man künstlerisch nähertreten.«

Sie besprach dies im Weitergehen mit ihrem Mann und der Baroneß Thekla. Gwinner bemühte sich, für Frau Gabriel französische Wortspiele zu erfinden. Tini nahm plötzlich ihren Lodenkragen ab und legte ihn Lola um.

»Es regnet nicht mehr, dein Schirm nützt nichts: aber die Luft ist so feucht.«

Lola sträubte sich vergebens.

»Bitte, bitte! Du bist das nicht gewohnt. Dort, woher du kommst, ist immer blauer Himmel, nicht?«

»Was meinst du? Ich war ja die längste Zeit meines Lebens in Deutschland.«

»Ach! Du siehst ganz aus wie eine Fremde; und so elegant. Du mußt diesen Kragen entschuldigen. Bei dir ist gewiß alles aus Paris?«

»Oh, gar nicht; und ich finde deine Bluse sehr gut gemacht. Meine Mama und ich haben zuletzt in Genua bestellt. Wenn es kommt, sollst du's sehen. Die Schneiderin arbeitet für die halbe italienische Aristokratie; sie kennt uns schon...«

Und Lola dachte hinzu: ›So wird sie uns hoffentlich für die Bezahlung Zeit lassen.‹

»Ein Gesellschaftskleid ist dabei, Empire, was wieder das Allerneueste ist. Schwarze Gaze mit Chantillyspitze besetzt; und im Ausschnitt ist dicke Silberspitze, unterlegt mit... Aber willst du mich nicht einhaken?«

»Unterlegt mit?« – in seliger Erwartung.

»Mit türkisblauem, metallischem Stoff.«

»Wie wundervoll!«

»Auch unter der Chantillyspitze liegt er.«

»Ja. Aber –«

Tini hielt sich grader und sammelte sich; denn jetzt kam das, was sie Lolas Toiletten entgegenzusetzen hatte.

»Hast du schon von der Umwertung aller Werte gehört?«

»Ich muß gestehen: nein. Und wer hat dir davon erzählt? Herr Gwinner?«

»Woher –«

»Erschrick nicht! Woher ich das weiß? Du sahst grade nach ihm hin.«

Tinis Blick hatte mit solcher schwermütigen Schwärmerei an seinen hohen Schultern gehangen. ›Darum‹, erkannte Lola, ›ihre Angst, vorhin bei dem Riesen, als sie ihn in Gefahr sah.‹

»Das muß interessant sein«, sagte sie. Da trennte die Baroneß Thekla sich von ihren Freunden, lief – und ihr kurzer roter Rock flatterte – Lola entgegen und schwang den Arm über ein entferntes Kornfeld hin.

»Morgen in der Früh geht's da droben wieder an die Arbeit!«

»Was für eine Arbeit?«

»Ans Kornschneiden. Ich bin allweil draußen mit die Knecht und Mägd. Mich nennens die Oberdirn… Ja, das wundert Sie. Aber meine Großmutter war ja eine Bäuerin und hat drunt im Mühltal ihren Hof gehabt. Ich bin ein richtiges Bauernblut, und in der Stadt freut's mich nicht.«

»Renommiert die Baroneß schon wieder?« fragte Gwinner, der sich umdrehte.

»Mir ist's ernst«, erklärte sie; und er, nachgiebig:

»Ich weiß, bei Ihnen kommt's von Herzen.«

Tini lachte Beifall.

»Schon wieder!« flüsterte sie, vor Stolz errötet, Lola zu. »Ist er geistreich! Sie hat ja eine unglückliche Liebe; darum kommt bei ihr das Bauerngetue ›von Herzen‹!«

Gwinner merkte erst jetzt, daß er einen Witz gemacht hatte, und dankte mit den Augen.

Die schmale Straße aus nassem, durchfurchtem Lehm krümmte sich zwischen den flach ansteigenden Äckern hin. Die gelben und die grünen erglänzten gewitterhaft in dem späten Licht, das unter dem schwarzen Himmel hervor schräge über sie hinschlich; und jäh an den letzten, der heller vor ihr flackerte, schien die blauschwarze Bergwand zu stoßen. Frau Gugigl jagte herbei.

»Kinder, kriegt ihr nicht auch Magenkrämpfe? Mir kommt's bald vor, als wären das –«

Sie wies über das gelbgrüne Land hin.

»– Pfannkuchen mit Spinat, und ich möchte mich draufsetzen wie eine Fliege.«

Die Baroneß fuhr auf.

»Ich hoff nur, du hast für eine Haxn und Knödln gesorgt; sonst müßte ich dir die Wirtschaft wieder abnehmen!«

Gugigl hatte sie erwartet.

»Die Marie ist ja ein Kulturmensch«, versicherte er. »Sie schaut nach der Küche, nicht weil sie muß, sondern weil sie weiß, daß die Frau, je höher sie steht –«

Gwinner legte ihm zärtlich die Hand ans Haupt.

»Schlaukopf«, sagte er.

»Gleich kommt's!« rief Tini und ließ Lola nach der Stelle sehen, wo hinter der Senkung ihr Haus auftauchen sollte. Inzwischen polterte mit Harmonikagedudel und betrunkenem Gesang ein Stellwagen herbei; alle mußten auf den Grabenrand treten; und die Baroneß tauschte mit den Vorbeirasenden Scherze aus. Nachher entzückte sie sich.

»So lebfrische Buam!«

Mai, von ihren Rädern arg bespritzt, sah ihnen wütend nach.

Einige Schritte vorm Ziel bog aus einem Seitenweg ein junger Mann, der den Lodenkragen über der Brust zusammenhielt und den Kopf gesenkt trug. Gugigl machte Zeichen, man solle sich ruhig verhalten; und wie jener dicht herangekommen war, brach er mit seiner Frau, der Baroneß Thekla und Tini in gelles Geschrei aus. Der andere fuhr herum und hielt der Schadenfreude ein etwas schüchternes, etwas trübes Lächeln entgegen. Noch während sie ihn auslachten, fragte er, ob sie sich gut unterhalten hätten.

»Und Sie, sanfter Träumer?« erwiderte Gwinner, und sein Grinsen war geduckt und geärgert.

»Das Wetter drückt mich; ich hätte nicht auch noch den Lärm der Bauern ertragen.«

Dies berührte Lola verwandt; sie gönnte auch Mai eine Genugtuung und übersetzte seine Antwort. Mai belebte sich. Wie man die Veranda betrat, sagte sie: »Nicht wahr? Das Fest wäre ganz hübsch: aber diese Menschen...«

»Ein Fest ohne Menschen, gnädige Frau?« fragte Gwinner. »Musik, die freiwillig aus den Instrumenten kommt, und Bier, das sich selbst trinkt? Nein –«

Und er wandte sich nicht mehr gegen Mai und ihren unbesonnenen Ausspruch.

»Menschen bleiben die Hauptsache: Das verkennt Herr Arnold Acton. Was haben wir von Einsamkeit? Ich weiß nur, was sie uns *nicht* gibt: Menschenkenntnis, Geistesgegenwart, Sinn für das Mögliche und das Wirksame.«

»Bravo!« machte Gugigl. »Und jetzt gehns mit, Bier abziehen!«

Sie gingen. Frau Gugigl hatte gerufen:

»Ich richt nur rasch eure Zimmer!« – und war mit ihrer Schwester und der Baroneß von dannen.

Lola und Mai betraten die große, ganz hölzerne, stark dämmerige Stube. Arnold Acton war hinter ihnen; Lola wartete noch immer, was er zu sagen habe: mit einer seltsamen Angst davor, er möchte nichts wissen. Er sagte mit verschleierter Stimme und in Pausen zum Prüfen der Worte:

»Menschenkenntnis... Geistesgegenwart... Sinn für das Mögliche und das Wirksame... Sehr scharf. Sehr richtig. Wenn nur nicht alles das hoffnungslos zweiten Ranges wäre! Die Einsamkeit, es ist klar, unterrichtet uns nicht über die Welt, lehrt uns nicht, ihr antworten, ihren Spott bestehen... Oder doch? Käme uns ein von ihr abgewandtes, ihr nicht mehr untertanes Wissen, wenn wir allein sind: Wissen über sie und uns, in einem?... Ich weiß nicht, ob Sie, gnädiges Fräulein, das kennen: ein kleines

Zimmer, allmählich in allen Winkeln voll von Erschautem und Erlittenem, glücklichen und schlimmen Spielen; nächtliche Gänge, einen Buchenhügel oder Terrassen mit Oliven hinan, wenn in den Laubschleiern ein vom Tal heraufgeschwebter, merkwürdig stiller Glockenschlag zittert: wie hell und gespannt einen das macht! Ganz zusammengezogen auf sich; frei von den weltlichen Hemmungen. Man wird sich selbst zur Leidenschaft; genehmigen Sie ein noch stärkeres Wort: ein Flügelrauschen rührt sich in einem, wie vom eigenen Schicksal...«

»Ich glaube Sie zu verstehen...«

Lola fühlte, daß er unter einem Druck rede, vielleicht nur aus Unruhe, um nicht zu schweigen; und daß er darauf gefaßt sei, wenn das Dunkel gelichtet werde, ein befremdetes Gesicht vor sich zu haben. Ehrgeizig sagte sie:

»Ich selbst habe einsame Zeiten gehabt.«

Da er die Augenblicke vergehen ließ, sprach auch sie aus Befangenheit weiter.

»Damals haßte ich die Menschen und ersann mir zum Trost eine eigene Welt...«

»Ich möchte nicht sagen, daß es Haß ist. Sie abzuschütteln, fernzuhalten ist das Bedürfnis; auch sie zu reinigen und zu übertreiben und so über sie zu herrschen. Von ihnen stammt nichts als das Alphabet, aus uns aber, als die Verlängerung unserer Schicksalslinie, die prachtvolle Tirade, die bis zu den Sternen schießt.«

»Auch für mich gab es Freude und Glück nur auf anderen Sternen.«

Jeder von ihnen tastete im Dunkel der fremden Erlebnisse nach den Umrissen der eigenen.

»Die Welt: sie wird uns, sind wir sehr allein, zum Spiel nach eigenen Rhythmen, dient uns als Vorwand, uns selbst zu genießen. Wir sind so gut über sie im reinen, daß wir sie unter uns gebracht haben und, ihrer sicher und getrost, nun anfangen können, sie zu lieben...«

»Wohl erinnere ich mich, daß ich nach solchem Gewittertag im Walde mit dem Glauben heimkehrte, das ganze All liebe mich, und ich solle jedes seiner Geschöpfe lieben...«

Da ward die Tür aufgerissen, und Frau Gugigl rief:

»Was munkelt denn ihr da?«

Lola sah sich, in der plötzlichen Helle, neben einem Unbekannten an der Wand eines fremden Zimmers sitzen; ihr war, als sei sie aus weiter Ferne herversetzt; und sie sagte erstaunt:

»Wir sprachen von einsamen Spaziergängen.«

»Sicher hat er wieder von sich selbst gesprochen: das ist seine Spezialität, und anfangs verblüfft er einen damit. Nachher kennt man's schon. Gehen Sie mehr unter Menschen, Arnold! Schauen Sie Gwinner an: der redet stundenlang, ohne sich selbst zu erwähnen.«

»Was gäbe es über ihn auch zu sagen!«

»Bravo, Sie werden boshaft! Endlich!... Weißt du wohl, Lola, daß er abreisen wollte, als er hörte, ihr kämet? Solch Waldmensch ist er.«

Lola sah ihn an, ließ aber seinen unfreien Träumerblick, aus unwillkürlichem Respekt, gleich wieder los. Ihr schien, vorhin im Dunkeln habe er zusammengesunken dagesessen und erst jetzt sich hager aufgereckt, als gälte es, etwas zu bestehen. Sie fragte, ohne mit Frau Gugigl mitzulachen:

»Wirklich? Sie wollten abreisen?«

Er stammelte:

»Im Gegenteil... Ich hatte den Wunsch, nach München zu gehen; ich brauchte wieder einmal die Stadt.«

»Und wozu?« fragte prompt Frau Gugigl. »Wen kennen Sie dort? Wen suchen Sie auf? Sie sind ein merkwürdiger Mensch.«

Frau Gugigl drehte sich, vor Gereiztheit rot, halb weg und machte zwei Schritte. Lola war im Begriff, zu sagen:

›Es ist immer schade, wenn jemand kein merkwürdiger Mensch ist.‹

Aber es kam ihr vor, als hätte es ein wenig Geringschätzung bedeutet, wenn sie ihn in Schutz genommen hätte.

»Also ich zeig euch eure Zimmer«, schloß Frau Gugigl. »Wo steckt denn deine Mama?«

»Mai!«

Mai kam aus der Ecke beim Ofen. Im Dunkeln war sie sofort kindlich eingeschlafen.

»Ich habe nasse Füße«, sagte sie gekränkt.

Über eine leiterartige Stiege gelangten sie auf einen Flur aus Brettern, die sich bogen. Das Zimmer war voll vom feuchten Duft des weiten, schwarzen Landes. Wie Lola sich aus dem Fenster lehnte, geschah in ihrer Nähe ein Poltern wie von Pferdehufen auf Holz; und da tauchte der Kopf des Tieres in den Schein ihrer Kerze. Ein alter Herr ritt eine flache hölzerne Brücke hinauf, bis vor eine Tür im ersten Stock. Er stieg ab; und das Pferd ward vom Knecht gewendet und hinabgeführt.

Mai rief, durch die Spalten der Holzwand hindurch, nach Lola. Mai wußte nicht, wo sie ihre Toilettengegenstände ausbreiten sollte. Wenn die Koffer kämen, wohin dann mit den Kleidern. Dieser Schrank sei lächerlich.

»Er ist schön geschnitzt und bemalt. Er ist alt, weißt du.«

»Diese Fremden sind genügsam, daß sie sich mit alten Sachen begnügen.«

Mai gebrauchte noch immer ihren heimischen, verachtungsschweren Ausdruck für die »Fremden« und meinte damit alle Europäer.

»Wenn man sich anzieht wie sie, die Dienstmädchen gleichen, genügt wohl solch ein Schrank.«

Und Mai schüttelte das wacklige Möbel.

Zweimal klopfte die Magd an; endlich holte Frau Gugigl selbst sie hinunter. Und um den quadratischen Ecktisch und unter der Hängelampe saßen auf den Wandbänken, auf lehnenlosen Schemeln und auf Stühlchen mit einem Herzen im Rücken schon alle beim Abendessen. Gugigl rief ihnen entgegen:

»A Gullasch ham mer.«

»Leitmotiv des Ästheten«, erläuterte Gwinner.

Frau Gugigl erlaubte Mai und Lola noch nicht, sich zu setzen; vorher mußten sie sich, aus dem Schatten heraus, darüber klarwerden, welche Farbenwerte der erhellte Kreis vertrete.

»Ist es nicht künstlerisch? die Thekla in ihrem Rot und Weiß, die Tini in ihrem Weiß und Blau, Gwinner in Creme, der Baron mit seinem angerauchten Meerschaumbart: Kinder, wie auf den Bart das Licht draufgesetzt ist! Mein Mann hat doch einen großartigen Kopf. Arnold dient als Dämpfer. Und in dem Blumenstrauß in der Mitte wiederholt sich alles. Aber wartet, ich muß noch mit hinein!«

Sie lief auf ihren Platz; ihr Reformkleid mit Schulterhenkeln war kraft goldener Borten, die Brokat vorstellten, auf Renaissancepracht aus; und sie sah sich strahlend um.

»Wie findet ihr das? Künstlerisch, nicht?«

Mai fühlte, was man von ihr wolle, und heuchelte Entzücken. Aber sie sah nur abgetragene Kleider, die mit der Mode nichts zu tun hatten. Heimlich prüfte sie die Hände, ob sie gewaschen seien.

Die Gulaschschüssel dampfte auf dem Bauernleinen, neben der Vase aus Bauernsilber. Gugigl ruhte nicht, bis Mai aus dem Kruge getrunken hatte, der vor ihr stand. Darauf, etwas fremd, zu Arnold Acton:

»Sehen Sie? So wie Sie gibt's keinen mehr.«

»Also bitte, einen Krug.«

»Gott sei Dank!«

Gugigl lief selbst. Er beaufsichtigte, indes auch er schluckte, den anderen bei der Handlung des Trinkens. Dann, aufseufzend, unvermittelt herzlich:

»Also Freunderl, gut is! Aber 's ist schon so: mir wird bei einem Menschen erst wohl, wenn ich ein Bier mit ihm getrunken hab!«

Darauf fragte er den Baron Utting nach seinen Hunden. Der Baron hielt eine Meute. Er wohnte zur Miete in einem Bauernhaus; aber in allen Waldungen ringsum hatte er die Jagd gepachtet. Den Tag hatte er mit seinen Hunden verbracht, sie erst gefüttert, dann gemalt, und am Abend war er aufs Pferd gestiegen, um in sein Schlafzimmer zu reiten. Er war zufrieden mit seiner Leistung. Seine Tochter und Gugigl waren, in ihrer Ecke, ganz bei der Sache. Arnold Acton mischte sich von drüben ein: hastig, um den Augenblick nicht zu verpassen, wo sich etwas für diese Menschen Geeignetes sagen ließ. Er sagte, straff aufgerichtet, Jagdhunde seien ihm sympathisch, weil ihre Triebe in Freiheit spielten; aber er hasse die hündischen Gendarmen, die in Bauernhöfen und hinter den Staketen der Vorstände umherstrichen, um, komme ein Fremder, ein Armer nahe, mit blutunterlaufenen Augen und wüster Stimme über die Bretter zu schnappen. Diese der Gesellschaft, dem Bestehenden dienstbar gemachten Raubtiere seien, in ihrem viehischen Fanatismus für die Rechte ihres Herrn, etwas wie das verkörperte Prinzip des Eigentums, etwas wie die Verdichtung alles Harten, Stupiden und Unmenschlichen im besitzenden Menschen. Nichts sei kläglicher und widerwärtiger als der Argwohn des Hundes gegen jeden, der seinem Herrn etwas abzunehmen komme.

»Zum Beispiel gegen den Steuereinnehmer«, sagte Gwinner, gelassen und scharf.

Eine Sekunde des Stutzens – und alle lachten. Die Baroneß Thekla wühlte das Gesicht in die aufgestützte Hand; Tini sah, unter kurzen Gänseschreien, triumphierend von Gwinner zu Arnold: »Da haben Sie's!« Und Frau Gugigl drüben ließ sich, den Kopf schüttelnd, mit geöffneten Armen vornüber fallen, zum Zeichen von Arnolds Ohnmacht vor ihrem witzigen Freunde. Gwinner lächelte demütig frech und Arnold ratlos. Lola, neben ihm, begann plötzlich leise, als soufflierte sie ihm:

»Sie stellten den Hund als Gendarm, als Vertreter der gesetzlichen Ordnung hin. Der Steuereinnehmer ist dasselbe, warum sollte er ihn anbellen. Herrn Gwinners Witz war also keiner.«

Er hob die Schultern und bewegte schüchtern die Hand: sie möge es gut sein lassen. Übrigens hatte Frau Gugigl zu fühlen angefangen, daß das Gespräch eine Abwechslung brauche. Sie griff hinter sich nach einem Buch: diese Stelle müsse unbedingt ihr Mann hören. Er kaute; und er sah aus, als kauten auch seine abstehenden Ohren an dem, was ihnen zugeführt ward. Plötzlich erklärte er, nur einen Augenblick habe er an sein Gulasch gedacht, und da habe er den Faden verloren. Frau Gugigl fand dies unkünstlerisch. Sie fand es auch unkünstlerisch, daß Arnold durch einen Bauernkopf an ein Bild erinnert ward; sie verlangte Unmittelbarkeit. Riesig künstlerisch (sie konnte nur noch »künstlerisch« sagen) war es, daß die Baroneß in ihrer Bauerntracht mit aufgestütztem Arm aß. Hoffentlich werde es hier noch recht kalt werden: dann wollten sie mit hölzernen Löffeln Fett essen, alle aus einer Schüssel. Gwinner übersetzte dies für Mai, deren Augen erschraken. Vom Gulasch aber nahm sie nochmals und reichte Gugigl, nachdem er ein wenig gebeten hatte, nochmals ihren Krug. Ihr Nachbar Gwinner gefiel ihr, es ließ sich mit ihm lachen; und immer, wenn sie etwas miteinander hatten, was Tini nicht verstand, bekam sie, zu seiner Rechten, ein angstvolles Gesicht. Sie wollte mit ihm von der Umwertung aller Werte beginnen, aber er antwortete nur scherzhaft. Arnold vermutete, in Fräulein Tini wiege der Intellekt vor, und Frau Gugigl rief ihm zu:

»Sind Sie ein schlechter Psychologe!«

Er hatte auch das Unglück, Gugigl eine Ansicht zum Malen zu empfehlen, die seine Frau unkünstlerisch fand.

»Sehen Sie! Sie haben keine Ahnung, was ein Bild ist!«

Lola stellte sich, um nicht sprechen zu müssen, als lausche sie auf des Barons Jagdgeschichte. Sie nahm es Arnold übel, daß nicht auch er schwieg. Er fragte Mai nach Leuten in Rio: er habe eine Kusine dort. »Oh, eine entfernte.«

Pünktlich fiel Gwinner ein:

»Natürlich entfernt: wenn sie in Rio ist.«

Wieder Gelächter; wieder Arnolds aus Ratlosigkeit beifällige Miene.

Nach einer Weile wagte er zu fragen:

»Macht Ihnen die hiesige Landschaft nicht Lust zum Spazierengehen?« Lola antwortete:

»Ja. Sie erinnert mich an eine, in der ich als ganz junges Mädchen viel und ganz einsam umherging.«

Und Gwinner, unentwegt:

»Ganz einsam. Also Abfuhr, mein Lieber: Ihre Begleitung ist nicht genehmigt.«

Lola sah Arnold zornig an. Warum ließ er sich einschüchtern von einem gemeinen Witzler, der in ihr Gespräch hineintappte, ohne seine Beziehungen zu verstehen?... Er fand nichts; und sie stand auf.

Auch Frau Gugigl hatte ihren Platz verlassen, die Mandoline von der Wand gehoben und sang, ein Bein übergeschlagen, mit hoher Blechstimme »Santa Lucia«. Dann begleitete sie die Baroneß Thekla, die das Schmachten der vom Biergenuß erweichten Bauern nachahmte.

> Aaf da Wies schreit a Heischreck,
> Aaf oamal is a stad,
> Weil eam da dumm Bauer Michl
> Hat an Kohpf abigmaht.

Da Gwinner sich, unter Benutzung seiner dialektischen Gewandtheit und Schärfe, mit Gugigl über die Zugverbindungen nach München stritt, legte Tini den schweren Band, den sie feierlich herbeigetragen hatte, beiseite und lief hinaus. Sie weigerte sich, zu sagen, was sie im Regen getan habe, und setzte sich vor ein Blatt Papier. Sie wollte Namen sammeln, die auf l endeten, und vorher müsse g oder p kommen oder so; und sie schrieb »Gugigl« hin. Der Baron Utting sollte ihr helfen, mehr zu finden, aber auch ihm fielen keine ein. Statt dessen hängte er in seine buschigen Brauen Brotkrumen, die trotz Kopfschütteln nicht herausfielen: was Tini sehr erheiterte, und auch Mai.

Lola führte mit der Baroneß Thekla ein Gespräch über Rom, woran Arnold teilnahm. Die Baroneß hatte zuerst ein ahnungsloses Madl vorstellen wollen, das einmal »zu die Welschen« verschlagen worden war, Fabeln daher mitgebracht hatte, alles verwechselte und die Namen falsch aussprach. Allmählich kam sie von ihrer Rolle ab und gab sich gescheit und dem Schönen offen, wie sie war. Ihr Vater, erzählte sie, hatte sie damals in seine Leidenschaft für Italien hineingezogen, wo sie Verwandte hatten; dann war ihm eine andere gekommen, die für die Kunst seines französischen Koches. Und seit diese zweite Passion ihn fast das Leben gekostet hätte, ergab er sich der jetzigen, einer höchst merkwürdigen... Getrappel entstand, in der Tür erschien ein Pferdekopf; und Baron Utting verabschiedete sich höflich von jedem, ehe er aufsaß und zum Hause hinausritt. Gleich darauf polterte es nochmals: er ritt über die Brücke zu seinem Schlafzimmer.

Tini kauerte wieder fruchtlos vor ihrem Papier. Gwinner forderte sie auf, irgend etwas daraufzuschreiben, und legte ihren Charakter in ihrer Schrift bloß. Sie sei eine zärtliche suchende Natur; sie habe eine Liebe, die Vorsicht heische: – eine glückliche, eine unglückliche, es sei noch nicht deutlich zu ersehen. Frau Gugigl musterte sie unruhig. Da Lola ablehnte, kam sie selbst daran. Sie war eine sehr grade, wahre und freie Seele. Daß der erste Bogen beim M viel höher war als die beiden anderen, bekundete berechtigtes Selbstbewußtsein. Eine geheime Leidenschaft war zu erkennen... Frau Gugigl saß, indes Gwinner über sie gebeugt an ihr herumrätselte, ganz zusammengerollt, hatte weichere Bewegungen und schien zu schnurren. Ihr Mann klagte, daß ihm nach der Mehlspeise das Bier nicht mehr schmecke; er müsse einen Käs haben. Die moderne Frau sei frei, aber sie bekümmere sich um solche Dinge aus künstlerischem Gewissen. Ob in der Handschrift seiner Frau das künstlerische Gewissen nicht besonders zur Geltung komme. Gwinner bestätigte es zwinkernd; und Frau Gugigl holte den Käse.

Inzwischen verlangte Mai, daß Gwinner ihr wahrsage, und hielt ihm ihre kleine unschuldige und schicksallose Hand hin. Er ergoß ironische Schmeicheleien über sie, und sie kicherte vor Freude. Als es ihm einfiel, ihr sehr viel Geld zu verheißen, schrie sie auf. Dann lief sie zu Lola.

»Laß dir auch wahrsagen!... Warum denn nicht?«

Mai war mit ihrer neuen Umgebung versöhnt. Alles regte sie an: die sonderbaren Gesänge; der komische alte Herr mit den Krumen in den Brauen, der aus dem Zimmer ritt; die vielen Scherze, das viele Hinundher; das unglaubliche Essen und dieses Bier, das schließlich nicht so übel war; die phantastischen, gutgelaunten Menschen, die wohl zu ihren Ehren etwas aufführten, im Lichtkreis dieses bizarren Raumes, in dessen Schatten Heiligenbilder mit unbegreiflichen, noch nassen Klecksereien wechselten, unter dessen Decke Tabaksqualm hinzog und zu dessen engen Fenstern der Garten feucht und kühl hereinduftete. Mai lugte aus der Tür. Tini schoß an ihr vorbei, in den Regen, zum Briefkasten. Mit leeren Händen, aber nicht trauriger als vorher, kehrte sie zurück. Da wagte sich auch Mai auf die Veranda, hörte erstaunt das weite, regnerische Dunkel rauschen und hinter sich das bunte Gejauchze – und lief, mit plötzlicher Lust, in die Hände zu klatschen, entzückt von Abenteuerstimmung, wieder hinein.

»Sieh nur!« flüsterte sie Lola zu. »Sind sie schlecht angezogen, und dabei so unterhaltend!«

Lola unterhielt sich wenig. Alles erschien ihr anspruchsvoll, gemacht und ärmlich. Sie wünschte sich aus dieser geschminkten Bauernstube nach dem Café in Barcelona, zu der Gelida, Da Silva und dem natürlichen Pathos des Dichters, der Verse sprach. Gwinners Witze klangen daneben hektisch. Frau Gugigl machte ihr Scham: sie hatte die Vordringlichkeit einer kürzlich Freigelassenen, und die Männer sahen ihr zu wie einem Spielzeug, das allein durchs Zimmer laufen durfte.

Gwinner hatte auch in Tinis Hand die Zeichen gedeutet und ersuchte Arnold um die seine. Sie lag auf dem Tischrand; Arnold selbst betrachtete sie unschlüssig, und auch Lola sah sie an. Sie strafte die mühsam angespannte Haltung seines Körpers Lügen. Sie war weich, leidend; die geschwollenen Adern machten sie molluskenhaft und charakterlos... Arnold gab sie hin. Gwinner suchte mit einem vieldeutigen Lächeln in ihren Linien umher, wendete sie, blinzelte über sie weg, Frau Gugigl zu.

»Bei Ihnen steht noch gar nichts fest. Alles unentwickelt. Sie sind noch sehr jung. So jung!« Gerührt und höhnisch. »Wie alt sind Sie denn?«

Lola horchte auf. Wahrhaftig, er antwortete.

»Zweiunddreißig.«

»In Wirklichkeit sind Sie viel jünger«; und mit ruhiger Geringschätzung ließ Gwinner die Hand fahren. Arnold lachte mit, mußte Tinis verachtenden Augen ausweichen, sagte ein paar matte Worte und setzte sich in den Schatten.

Gugigl entdeckte in der Zeitung, daß ein alter, berühmter Maler seine Frau verloren habe. Die Baroneß

Thekla wußte, daß die Gatten schlecht miteinander gestanden hatten; und sogleich warf Gwinner sich auf das Parodieren der Traueranzeige.

»Mit dem Tode meiner Frau trifft mich kein Schlag: nur sie hat er getroffen... Oder: Der Tod meiner lieben Frau ist ein Schmerz für mich, aber ein unverhoffter... Oder: Gott dem Allmächtigen hat es gefallen, durch den Tod meiner lieben Frau mich von langem Leiden zu erlösen...«

Dies ging mühelos so weiter. Gwinner wanderte, die Hände in den Taschen, durchs Zimmer, und aus seinem runden Kopf, den er mit Vorsicht zwischen den hohen Schultern trug, kamen die Witze fast gleichzeitig, wie Küken aus den Eiern. Der ganze Hühnerhof begackerte sie. Die Baroneß Thekla hielt sich die Seiten, Frau Gugigl schluchzte auf dem Tisch, Tini klatschte in die Hände vor Glück und Stolz, und Mai, die kein Wort verstand, jubelte noch lauter.

Lola und Arnold lachten beklommen mit. Da trafen sich ihre Blicke; sie bekamen auf einmal ernste, erschöpfte Gesichter und rückten, beide im selben Augenblick, einander näher. Er wies unbestimmt in den hellen Kreis, den Gwinner, herumwandernd, mit Witzen anfüllte.

»Wie finden Sie das?« fragte er befangen.

Sie erwiderte, halb lächelnd: »Künstlerisch.«

»Ich verliere manchmal ganz den Mut, noch in Gesellschaft zu gehen.«

Sie fand, er sage ihr schon wieder mehr, als ihr zukomme, und begriff, jene erste Beichte, im Dunkeln, sei schuld daran. Ihr war befangen, weil sie sich diesem Fremden verbunden fühlte; und ohne Willen kam ihr der Ton kameradschaftlichen Ärgers.

»Warum sind Sie da? Soviel ich sehe, passen Sie gar nicht hierher.«

»Ich weiß; und ich hänge so sehr davon ab, wie man mir

gesinnt ist: es ist krankhaft, es ist kindisch... Aber im äußeren Leben kommt so vieles zufällig. Ich behandele es nachlässig.«

Sie nickte, als erinnerte sie sich. Dann:

»Mehrmals habe ich mich doch für Sie geärgert.«

»Zum Beispiel hätte ich die Hand nicht geben sollen...«

Lola mußte sie ansehen: sie sah nicht mehr weichlich aus; ihre Adern hatten sich entleert, und sie schien fester und nerviger.

»Aber ich schäme mich in solchen Augenblicken ein wenig – und das verhindert die Geistesgegenwart –, schäme mich für mich, und auch für den, der seine dumme Herrschsucht an mir auslassen mag... Dabei glaubt dieser Herr sehr geistreich zu sein.«

»O sehr«; und sie horchte flüchtig auf das Gelächter, das Gwinner unterhielt.

»Fällt Ihnen aber gar nicht ein, daß Sie die Hand aufheben könnten?« sagte sie, mit einer Wallung von Zorn. Er antwortete:

»Nachher manchmal, ja. Doch möchte ich's im Grunde nicht getan haben. Die Gebärde dessen, der schlägt, kann ich nicht umhin, ein wenig grotesk zu finden. Zu viel Selbstbehauptung. Wer die Dinge überblickt, regt sich nicht so stark und legt sich selbst nicht so viel Recht bei.«

»Ach!...«

Sie setzte mehrmals an; hiermit mußte sie erst fertig werden; und inzwischen sah sie ihn dasitzen, schon wieder so zusammengesunken, wie er wohl auch im Dunkeln neben ihr gesessen hatte, die breiten, flachen Schläfen vorgeneigt und das schwache Untergesicht von ihnen beschattet – und in dieser spannungslosen Haltung viel sicherer, viel edler, sichtlich viel mehr er selbst, als wenn er sich krampfhaft zu kriegerischen Mienen nötigte, die jeder durchschaute, deren jeder spottete... Seine Haltung war's, die ihr Verständnis für seine Worte gab, Mitempfinden seiner Worte.

»Das ist enthaltsam – rein, wenn Sie wollen. Aber ist es nicht widermenschlich?«

»Wider den herkömmlichen Menschen, wohl.«

»Und Sie waren immer so? Sie haben wirklich als Knabe keinen Frosch gequält?«

»Natürlich habe ich. Aber die Nerven werden schwächer, und man kommt zur Güte.«

»Oh! Der Gütige wäre immer ein Schwacher?«

»Da nur Schwäche Geist hervorbringt und Güte von Erkenntnis abhängt...«

Lola erinnerte sich ihrer selbst.

»Ich weiß, daß, wer ohnmächtig und unglücklich ist, auch mißtrauisch wird, und boshaft.«

»Viel schlimmer noch als unsere Ohnmacht ist's, wenn wir zufällig zur Macht gelangen. Der Schwache kommt dann in Gefahr, die Herrschaft über seine Nerven zu verlieren; die abscheulichsten Triebe des primitiven Menschen werden wieder in ihm herauf dürfen. Denken Sie an die neurasthenischen Könige von jetzt, an ihre Rückfälle in blöde Tyrannei, an ihre Sucht, wehrloses Wild niederzuknallen, an ihre Gier nach dem kriegerischen Gepräge der Starken... Kein Mensch kann verächtlicher sein als solch ein Schwacher, der den Geist und die Menschlichkeit, für die er ausgestattet und denen er verpflichtet wäre, verleugnet und sich zu den Starken und Rohen schlägt.«

»Sie sind Fanatiker«; – und Lola war froh, daß sie lächeln durfte.

»Meinen Sie, daß Frau Gugigl glücklich ist?« fragt sie. Er sah erstaunt auf.

»Wie wäre sie's nicht? Vor allem denkt sie niemals.«

»Das wohl.«

»Und dann tut sie mit ihrem Mann, was sie will.«

Lola lächelte nochmals.

»Mir scheint, vielmehr erreicht er mit ihr, was er will. Und das sehen auch andere.«

»Bin ich ein so schlechter Beobachter?«

Sie schwieg ein wenig. Dann:

»Von allen Frauen, die ich kenne, haben es die deutschen am schwersten. Frau Gugigls Übermut und Selbsttäuschung ändert nichts. Sie sind noch immer rechtlos und müssen dabei arbeiten. Verdient nicht meine Kusine für den Haushalt – den sie besorgt? Immer noch lieber in Brasilien verheiratet zu sein. Auch dort ist man Untertanin; aber man liegt in der Hängematte, wird vom Mann und Herrn bedient, und nach dem Gesetz gehört die Hälfte von allem, was er einnimmt, seiner Frau.«

»Wo ist das?« fragte Frau Gugigl und setzte sich zu ihnen. Als sie's erfahren hatte, fand sie die Brasilianerin riesig künstlerisch. Arnold, Hals über Kopf, als gälte es, nur etwas zu sagen:

»Vielleicht hört die Frau auf, Künstlerin zu sein, sobald sie eine Kunst ausübt.«

»Ich singe«, sagte Lola lächelnd. Frau Gugigl lachte wild.

»Er ist schon eine herrliche Einrichtung!«

»Verzeihung«, und seine nervige Haltung täuschte niemand über seine Befangenheit, »ich wollte sagen: die Frau verzichtet schwer auf das Leben; und das muß der Künstler.«

»Daher die Künstlerredouten«, schob Gwinner ein. Frau Gugigl stieß den Arm vor.

»Sehen Sie?«

Arnold schien mit der Schulter eine Fliege zu vertreiben.

»Muß in Abgeschiedenheit mit sich selbst zu Ende kommen, seine Gefühle auf Gipfel treiben und überblicken, seine Instinkte ausnützen: den Mut zu ihnen haben, grade zu den schlechtesten.«

»War net übel«, erklärte Gugigl. »Wir sind anständige Leut, möcht ich fein bitten.«

»Sie sind doch überhaupt nicht Künstler«, bemerkte seine Frau.

»Ziehen Sie sich keine Beleidigung von seiten der Künstlergenossenschaft zu«, warnte Gwinner. »Sie ist eine Macht.«

»Hier kennen wir nur eine Macht: Ihren Witz«, sagte Lola und stand auf. »Besonders um halb zwölf, wenn wir müde sind.«

Gwinner spreizte, wie um Gnade, die Hände aus, indes sein Gesicht von demütiger Eitelkeit glänzte. Man trennte sich. Lola sagte zu Arnold: »Wir sind abgelenkt, aber morgen möchte ich Sie noch etwas fragen.«

Als Mai endlich auf einem Bügeltisch ihre Nickelflaschen und das übrige für die Toilette hatte ausbreiten können, war es nach neun, und Lola ließ sie allein. Aus der Küche kam ungewohnt scharf Frau Gugigls Stimme. Dann zeigte sie selbst sich, ohne zu laufen, wie gestern, wo sie keinen langsamen Schritt getan hatte: ganz ohne Ausgelassenheit und Leichtfertigkeit, mit lockeren, etwas staubigen Haaren, in die Länge gezogenem Gesicht, spitzerer Nase und in einer alten Matrosenbluse, an der auch sie selbst kaum etwas Künstlerisches entdeckt hätte. Sie rief ein recht lautes »Grüß Gott«, versuchte, indes sie Lola das Frühstück vorsetzte, hochgemut draufloszuschwatzen, von den andern, die alle schon draußen seien, bis auf Arnold natürlich – und zog sich, im Augenblick, wo sie den sorglosen Ton schlechterdings nicht mehr halten konnte, mit einem Gelächter über sich und ihre Pflichten, in die Küche zurück.

Kurz darauf trat Arnold durch die innere Tür. Lola konnte noch bemerken, daß er die trübe, aber gefestete Miene getragen hatte, unter der er wohl mit sich allein war. Sobald er jemand gewahrte, ward sie erschüttert. Man sah, er sei nicht mehr frei. Er streckte die Hand aus und zog sie fluchtartig wieder zurück; sprach vom Wetter, von den schlechten Bauernbetten; unterstützte, als Lola sie erwähnte, Mais Beschwerde über den Mangel an Bequemlichkeit; tat es mit unvermittelter Heftigkeit und vertrat Forderungen an das Landleben, die er sichtlich nur als Gesprächsstoff zusammensuchte. Wie Lola ihm nicht half, ging er peinvoll umher, blieb vor Bildern stehen, überflog verstohlen den Tisch.

»Ich werde meiner Kusine sagen, daß Sie frühstücken möchten.«

»Bitte, lassen Sie's. Ich verspäte mich zu häufig. Nein bitte, das Brot und der Honig genügen mir. Ich bitte im Ernst; es würde mich in Verlegenheit setzen...«

Es schien ihr, er habe vor allem die größte Abneigung gegen ein Zusammentreffen mit Frau Gugigl.

»Nicht wahr?« sagte sie lachend, »am Morgen nimmt man es einander manchmal gradezu übel, wenn man sich begegnet.«

»Gott sei Dank: Sie kennen es! Ich habe Sie also nur noch allein zu lassen.«

»Aber nicht um meinetwillen.«

»Auch meinetwegen nicht« – dankbar und fast stürmisch.

»Nun, dann bleiben wir beide da... Wenn Sie rauchen wollen –«

»Nein. Übrigens – nicht nur des Morgens fühle ich mich hier ungemütlich.«

»Dann rauche ich allein. Aber Sie sind schon eine Zeitlang hier?« – und sie belächelte seinen Ausbruch von Vertrauen.

»Ich will Ihnen sagen: es ist wohl gleich, wo man sich aufhält, wenn man doch immer dieselbe Rolle spielt...«

Er lachte ihr kurz zu, als seien sie schon im Einverständnis.

»Sie haben's ja gestern gesehen... Wollte man sich zurückziehen, würde man die andern im Bewußtsein ihrer Gutmütigkeit und Herzlichkeit empören und hätte dann auch ihnen die Gemütlichkeit verdorben, die man selbst nicht kennt. Das verdienen sie nicht.«

»Die Sonne kommt heraus; wollen wir in den Garten gehen?«

»Gut... Gehen wir den Weg rechts?«

»Er ist im Schatten.«

»Aber links: sehen Sie, in der Eiche, auf dem Boden, den er hineingelegt hat, sitzt der alte Baron.«

»Ach! Ich sehe nur Rauch aus dem Laub steigen. Also, wenn Sie wollen, weichen wir aus – in den Schatten... Was heißt das: Sie kennen keine Gemütlichkeit. Seit wann?«

»Seit zwanzig Jahren; seit ich mich beobachte. Verstehen Sie nicht? Man sieht sich ganz klar; wie einen das Leben auch anfasse, man kennt vorher den Platz, wo es schmerzen wird; wie andere Geister, andere Herzen uns prüfen mögen, man ist unterrichtet, das eine geht, das andere nicht. Die Figuren, die uns begegnen, erinnern uns an früher gekannte vom selben Typus, und man weiß, was sie in uns anregen werden. Man weiß, was man selbst vorbringen, womit man zurückhalten, welche Mienen man ringsum bewirken wird. Man empfindet sich nur noch als abgenutzte Gliederpuppe. Man erscheint sich als ein gealterter Weinreisender, der noch immer an allen Gasthoftischen dieselbe Anekdote zum besten gibt. Er kann's, trotz schlechtem Gewissen, nicht lassen.«

»Das ist schrecklich – wenn man es bedenkt.«

»Was zum Glück fast niemand tut. Sie kennen sich nicht, vergessen, was ihnen gestern geschah, und sind sich täglich neu. Sie kommen, sooft ihr Stichwort fällt, vergnügt mit all dem bißchen heraus, was sie sind. Sie werden nicht von der unablässigen Empfehlung aufgerieben, daß jedes Wort, das sie sagen können, ihnen vorgeschrieben ist. Sie halten sich für frei und veränderlich, kennen weder den Zwang noch die Verantwortlichkeit des Eigenen und nehmen es darum nicht genau, mit sich nicht und mit den andern nicht. Das viele Unbewußte in ihnen, das viele Dumpfe hüllt sie alle in den Dunst des Gemüts und der Gemütlichkeit, in dem wir Klareren es nicht aushalten. Wir stehen allein und mit grellen Umrissen.«

Lola antwortete nicht. Sie streiften an die Wände eines nassen Laubganges; der Weg roch nach faulendem Laub; – und Lola bedachte, solch einen Weg, dessen Herbstgeruch nie aufgetrocknet werde, gehe ihr Leben. Jeder Sommer enthalte den Sterbeduft des letzten; bei jeder neuen Liebe werde sie des Verlaufs der vorigen gedenken. Sie wisse die nächste voraus, kenne die Brauen, den Mund, das Blut, vor dem sie schwach sei, die Rache, die sie üben, und die Leichen, aus denen sie sich retten werde. Nun gehe sie hier umher und warte...

›Aber könnte es nicht anders kommen? Wieviel hat eigentlich gefehlt, damit es das letztemal anders kam?‹

»Halten Sie mich für leidenschaftlich?« frage sie plötzlich.

Er sah sie an. Sie hatten die Laube hinter sich und standen, drei Erdstufen höher, auf einer bäurischen Altane, beide aus fliehenden Wolken von zuckendem Licht ergriffen. Eben noch hatte es sie berührt, und schon hob es in ungewisser Ferne eine Schar von Schnittern aus dem Grau des Bodens. Da und dort entsprangen bunte Hügel dem Land und versanken, glänzte eine Sense auf und erlosch, rauschte über einen Wald das Licht hin und ließ ihn in stummem Schatten. Aber wie aus Sonne, Wind und Weite entrückt, sahen sie einander an. Lola empfand in Hast, daß sie noch auf keines Mannes Worte so gespannt gewesen sei. Er aber, viel zu erfüllt von sich selbst, um zu begreifen, daß eine Frau ihn frage:

»Leidenschaft? Sie ist der Wille zu uns selbst. Sie treibt uns, ein Etwas, das unsere Sache ist, aus unserem Blute kommt, gegen die Welt zu behaupten: eine Idee, ein Schicksal oder eine Kunst...«

»Ach ja« – mit einem spöttischen Seufzer; »ich singe. Ganz im Ernst. Oder habe doch gesungen. Jahrelang bin ich einer alten Italienerin nachgereist, die einzig noch die gute Schule hatte. Jetzt habe ich sie verloren und bin ratlos.«

»So fühlen Sie italienisch?«

»Nein. Warum? Es handelte sich um die Stimmbildung. Aber ich sang auch deutsch... Ich kann nämlich, da ich beide Rassen in mir habe, die germanische und die lateinische, mit beiden fühlen – wenigstens ungefähr... Nun ja, das Ungefähr muß genügen. Zwar – Sie sagten vorhin, Sie kennten keine rechte Gemütlichkeit? Das geht wohl auch mir so. Wo ich mich hin-«

Sie verschluckte das »hingeben«.

»Wo ich mich gehen lassen möchte, muß ich Kritik üben. Das Temperament meiner mütterlichen Rasse schätze ich, wenn ich in Deutschland bin. Bei jenen aber sehne ich mich oft nach der deutschen Tiefe.«

»Das heißt, daß Sie ein wenig allein sind?«

Er nickte, schmerzlich und befriedigt: wie jemand nickt, wenn sein Kerker sich öffnet und ein Leidensgefährte eintritt.

»Oh! Wenn ich erst singe, wird man mich verstehen, im Norden und im Süden.«

»Ich kann Ihnen mitteilen, daß Kunst sehr einsam macht.«

»Das hoffe ich nicht. Ich möchte eine Menge Anhänger und Verehrer haben.«

»Die nicht ahnen werden, wem sie anhängen und was sie verehren... Waren Sie einmal dabei, wie auf einer Varietébühne eine Frau in der Tracht ihres weitentfernten

Landes ihre heimischen Tänze tanzte und mit fremd-
artigen Ausrufen sich selbst anfeuerte? Man klatscht, weil
sie schön ist und ihre Röcke aufflattern läßt: weiter versteht man nichts von ihr. Ihr Auftreten und ihre Bewegungen geschehen nach Antrieben und Regeln, die siebenhun-
dert Meilen weit wegliegen; geschehen unerbittlich und in
völliger Einsamkeit... Ganz oben, werden Sie vielleicht
erfahren, ergeht es dem Künstler wieder so wie dort ganz
unten. Ja, seine Heimat liegt noch viel weiter fort von den
Hörern: in seinen Geschichten, seinen Klängen, in Ländern, denen nur innere Sonnen scheinen...«

»Sehen Sie doch! Was macht denn der alte Baron? Jetzt
legt er eine Leiter von seinem Baum auf den nächsten und
rutscht hinüber... Er steigt höher; sind denn überall
Treppen zwischen den Ästen? und schiebt die Leiter einen
weiter. Himmel! Fast wär er gefallen: er hängt am Ast wie
ein Affe... Die Tini lacht ihn aus. Was will sie denn, ganz
heißgelaufen? Ah, an den Briefkasten. Nichts drin: auch
gut. Schon ist sie fort, und Baron Utting steckt wieder tief
im Laub...«

»Ich weiß nicht, ob ich bitten darf... Man darf darum
nicht leichthin bitten... Möchten Sie nicht singen?«

»Mit Freuden! Hätten Sie mich nicht aufgefordert,
würde ich's von selbst getan haben. Gehen wir? Wie jetzt
der Garten voll Sonne ist!«

Sie streckte sich und tat ein paar tiefe Atemzüge aus der
wilden, klingenden Luft, die über all dies Land und bis in
ihre Brust stürmte, wie die Freiheit selbst. Sie würde der
Freiheit froh werden, kraft ihres Gesanges; würde über
allen Ärmlichkeiten schweben und singend selbst den
Menschen die Lust der klingenden Weiten eingießen, wie
ihr der Wind. Was vermochte alles andere? Was meinte
dieser Traurige? Seine Enttäuschung war ihr ein Stachel
mehr – wie bei denen, die sich einer Menge vorführen, der
Erfolg des einen erhöht wird durch des andern Unglück.

Die Frau, von der er gesprochen hatte, die in klirrender Tracht über eine Bühne tollte! Jawohl, solch einen Rhythmus fühlte jetzt Lola in sich. Kunst und Leben, beides im Triumph! Kunst und Feste!

Sie kam ins Laufen, rief laufend ins Haus:

»Mai!«

Mai wagte sich nicht in den Wind hinaus; sie hatte das Wettermännchen von der Wand gehoben und es kaputtgemacht, hatte immer noch einmal vom Honig geschleckt, am Fenster ein wenig geseufzt und von neuem mit der Schleppe ihres Morgenkleides den Staub aus den Ecken gefegt.

»Ja, ich werde dich begleiten; und Sie mein Herr, werden sehen, was für eine Künstlerin sie ist!«

Sie kletterten über die Stiege; in dem niedrigen Saal fanden sie, von Büchergestellen umgeben, den alten braunen Stutzflügel; Lola lachte nur über sein Geklapper, das Mai entsetzte; und sie sang. Sie sang, als flöge sie einen Berg hinauf, so daß die Lungen frisch, die Füße munter und unbestaubt bleiben. Beim letzten Aufschrei ging sie ganz in einem Schauer unter und stand noch, von Glück verwirrt, da, indes Mai entzückt darauflosschwatzte. Alle diese Dissonanzen und dies plötzliche Fallen: oh, das sei äußerst modern und komme aus Paris. Was der Herr nun sage! Was er nun sage! Mai begriff nicht, warum er nicht jubele… Er war verlegen aus Furcht vor nichtssagenden Übertreibungen.

»Sehr gut – soviel ich verstehe. Und Ihr Alt: ich darf sagen, ich hörte nie dergleichen.«

Lola wandte sich erregt um.

»Ich wußte, daß ich heute etwas können würde! Wenn ich gut singen werde, weiß ich's schon früh beim Erwachen, ehe ich einen Ton von mir gegeben habe.«

Und mit Ungeduld:

»Jetzt, Mai, das von Gluck!«

Arnold wechselte den Platz, um diese tiefen, starken und weichen Klänge ihren Lippen entrollen zu sehen: er hätte es sonst nicht geglaubt. Das Rot dieser Lippen verschärfte sich in dem erblaßten Gesicht und beim fiebrigen Licht der Augen. Das Gesicht schien ein Lächeln von Pein zu tragen unter der Gewalt der heraufquellenden, mühsam gedämmten, mit Kunst entsandten Töne. Eine Hand fingerte angstvoll auf der Brust. Diese weiße kleine Gestalt, die im Rahmen des Fensters verschwamm, sich unter dem Geflimmer einer blonden Haarwolke in das Mittagslicht auflöste, sie dünkte ihm zu schwach für die Gewalten, denen sie sich zum Gefäß gab.

Da brach Lola ab.

»Nicht den Lauf! Mein Gott, was willst du immer mit dem Lauf? Fühlst du denn gar nicht, daß solche Kleinigkeiten in dieser Musik nicht Platz haben?«

»Ich will es nicht wieder tun«, bat Mai. »Sei gut, fang von vorn an. Es war so schön. Nicht wahr, mein Herr, es war schön?«

Arnold wagte nicht zu sprechen. Er sah die Sängerin in Verzweiflung einige Schritte tun, sich mühsam fassen... Sie trat nochmals neben das Instrument, begann nochmals; wandte sich aber, wie Hilfe suchend, hin und her; – und plötzlich warf sie die Noten durcheinander.

»Aus! Die Stimme zittert wieder. Da haben wir's.«

»Aber Kind! Nicht die Spur!«

»Du hörst es ganz gut! Von Anfang an hat sie gezittert: ich wollte es bloß nicht merken.«

»Es ging so gut!« jammerte Mai; und zu Arnold, zornig, weil er ihr nicht half: »Ging es etwa nicht gut?«

»Soviel ich hören konnte –«

»Es war schon fast Tremolieren! Die Branzilla hatte mich doch genug gehunzt, bis die Stimme wieder fest war. Und vorn im Munde muß sie liegen. Jetzt ist sie wieder in den Hals gerutscht, wie bei allen anderen.«

»Sie ist nervös, mein Herr!«, und Mai rang die Hände. »Das kommt immer ganz plötzlich; aber darum hat ihr doch der berühmte Lamare die größte Zukunft prophezeit.«

Sie schloß Lola in die Arme und flüsterte:

»Dieser steife Mensch geht dir auf die Nerven. Es ist unerträglich, einen Stock zum Zuhörer zu haben.«

Lola machte sich heftig los; sie ging zum Fenster. Arnold trat hinter sie; er schluckte hinunter und sagte:

»Ihre Stimme war so weich, daß ich's kaum begriff.«

»Warum sagen Sie nicht, daß sie hart war?« – und sie schüttelte die Schultern. »Nun sind es zwei Monate, daß ich keine Stunden mehr nehme: und schon ist alles dahin.«

Er erwiderte nichts. Sie starrte hinaus; sie sah den alten Baron aus dem letzten Baum der Allee eine Leiter hinabsteigen, sich von einer der Sprossen auf sein Pferd schwingen und auf das Haus zureiten.

»Was macht er nur?« fragte sie gereizt. Arnold murmelte:

»Er hat die Sucht, niemals den Erdboden zu berühren.«

Die hölzerne Brücke zu des Alten Schlafzimmer erdröhnte unter den Hufen. Lola fühlte sich unheimlich, wie ausgestoßen in eine harte Ausnahmewelt. Sie meinte, der Tag habe sich verdüstert. Tini stürzte schon wieder, rot, mit lockeren Gliedmaßen, zur Pforte herein und an den Briefkasten. Noch immer nichts: aber das tat nichts; schon war sie von dannen. ›Oh, all die unüberlegten Hoffnungen!‹ dachte Lola. ›Man kennt sie selbst nicht. Leuchtet man ihnen aber ins Gesicht, sind sie tot.‹ Hatte sie mit ihrem Gesang nicht Herzen werben wollen: ohne zu verstehen, was sie wollte? In Herzen Liebe entdecken und in einem Stück Erde eine Heimat: mit ihrer Stimme, wie mit einer Wünschelrute? ...nun war die Rute zerbrochen. Und wäre sie's nicht gewesen, sie hätte doch niemals Zauber gewirkt.

»Man ist grauenhaft allein«, sagte sie vor sich hin.

Nach einer Weile setzte er hinzu:

»Und möchte doch mit keinem derer tauschen, die beisammen sind.«

Lola stutzte; – und erstaunt bemerkte sie, daß sie nicht Tini hätte sein wollen. Sie suchte unter bekannten Menschen und fand, wie einen feierlichen Trost, daß sie um keines anderen Schicksal willen das ihre hätte abdanken wollen. Eine Erkenntnis kam ihr.

»Sie hatten recht, daß Leidenschaft und Schicksal zusammenhängen – oder was Sie da sagten; es war richtig.«

Er verließ sie; sie sah ihn ins Feld hinausgehen. Sie blätterte in Büchern. Mai überlegte laut und sank dabei von einem Sessel in den andern, wieviel amüsanter es jetzt bei der Grimani gewesen wäre.

Vor dem Mittagessen fand Lola in ihrem Zimmer einen Strauß Feldblumen. Sie vermutete, sie seien von Arnold; aber er ließ sich nichts merken. ›Das sieht ihm ähnlich‹, dachte sie. Dann zog er sich zurück, um zu lesen. Alle andern blieben bei Tisch, bis es Zeit war, einen Freund Gugigls von der Bahn zu holen, einen Fabrikanten, breit und gewöhnlich und für niemand von Wichtigkeit.

Tini hielt sich zu Lola. Sie zeigte ihr, den Arm um Lolas Schultern, ihre Ansichtskarten, stellte Fragen und begeisterte sich. Jedes dieser kleinen viereckigen Papierstücke trachtete Tini mit Hilfe derer, die alles schon kannte, zu einem Stück Welt umzuwandeln, die dargestellte Straße zu verlängern, die Menschen vor den Häusern in Bewegung zu setzen.

»Du mußt doch welche kennen von denen, die mit drauf sind!«

»Weißt du, daß man auf Reisen eigentlich wenige gut kennenlernt und die meisten wieder vergißt? Du hast sicher mehr Freunde als ich.«

»Nein, bloß eine Freundin.«

»Aber du siehst oft nach, ob Briefe da sind.«

»Ich?« – und Tini ward rot. »Nun ja, du darfst es gern wissen. Ich hoffe immer – Es gibt doch Millionen Menschen. Wer weiß, wie mancher einen mal gesehen hat und denkt noch an einen. Es kann ja irgend etwas geschehen; so viele Dinge kommen vor; und zum letzten Neujahr habe ich eine Schachtel Konfekt bekommen und habe nie herausgekriegt, von wem. Ist dir das auch einmal passiert?«

»Nein.«

»Glaubst du nicht, daß man ein Glück haben kann, an das man gar nicht gedacht hat?«

Da Lola zögerte, antwortete Gwinner:

»Wer ein Los hat, sieht gewöhnlich in jeder Ziehungsliste nach.«

Überrascht sah Lola auf; aber sie stellte fest, es sei wieder nur ein Witz gewesen. Tini lachte dankbar; dann, ernst, mit Hingebung:

»Aber von dir, Lola, glaube ich sicher, daß du noch mal ein großes Glück haben wirst, und du weißt es gar nicht.«

Alle begleiteten den Baron Utting, als er am Abend aus dem Zimmer ritt. Arnold und Lola sahen erstaunt den Laubgang hinunter, an dessen Ende sie heute morgen im Winde gestanden hatten, auf weichem Boden, der faul duftete. Jetzt zogen sich über düstere Erzwände Rinnsale von Mondlicht und flossen auf dem Grunde zu weißen Lachen zusammen.

»Das ist ja riesig künstlerisch!« rief Frau Gugigl. »Wißt ihr was? Wir machen einen Mondscheinspaziergang. Holt eure Mäntel, gelt? ...Benno!«

Sie flüsterte ihrem Manne etwas zu, stürzte, die Augen aufgerissen von ihrem Geheimnis, hin und her:

»Kinder, es gibt eine Überraschung!«

Wie die Pforte aufs Feld hinaus aufging, standen alle still: so fremd und einschüchternd fanden sie das Land, das auf makellose Welten erhoben, in geschmolzenen Sternen gebadet schien. Von den Schattenhängen, glaubte man, waren die Geisterströme herabgerollt, um gegenüber den Hügel hell emporzuschlagen, himmelan zu sprühen, sich auf entferntere Erdfalten niederzulassen, die letzten Berge in sich aufzulösen und unter bläulichen Schleiern voll namenloser Lockungen die Nacht der Unendlichkeit entgegenzuführen.

Gwinner äußerte:

»Jetzt noch ein paar betrunkene Bauern.«

Man lachte erlöst und schritt aus: durch das schlafende Dorf, hinunter in die Talmulde. Der Weiher glänzte auf; Tini lief jubelnd hin, und angelangt, blieb sie stumm über ihn geneigt, bis die andern nachgekommen waren. Die Baroneß Thekla rundete die Hände vor dem Mund und stieß Juchzer hindurch. Lola wünschte sich einen Nachen, und Frau Gugigl verhieß, es komme noch viel schöner. Da bewegte drüben aus dem Busch hervor sich etwas Weißes: eine Gestalt in flimmerndem Mantel, den spitzen Bart kühn in der Luft und die Arme gekreuzt:

»Prost, Gugigl!« rief Gwinner. Aber seine Frau nahm es ernst.

»Er macht sich doch hoch künstlerisch! …geh mehr ans andere Ufer, daß du in den Schatten der Spiegelung kommst! …kann man jetzt nicht Furcht kriegen?«

Gugigl warf das Tuch ans Land. Mai schrie leise auf, aber dann kicherte sie, denn Gugigls Schenkel waren nach außen gekrümmt. Seine Frau bemerkte, was die Wirkung hintanhielt; sie kommandierte ihn ins tiefere Wasser. Er prustete ihr zu laut, er arbeitete sich zu sehr ab.

»Denk doch an deine Linie!« rief sie.

»Wird er jetzt nicht sagen: die Linie ist krumm?« flüsterte Lola; und Gwinner sagte es. Er forderte auch den beleibten Fabrikanten auf, seinem Freunde beizuspringen: ins Wasser zu gehen, damit es steige.

»Das wird es pflichtschuldigst tun! Wie die Papiere, wenn ich mich hineinlege!« – und der Fabrikant lachte dröhnend.

Die Baroneß Thekla saß und sah nach der Kirchturmspitze überm Hügel.

»Jetzt wenn die Bauern uns sehen täten, na wärs gfehlt«, sagte sie zu Lola.

»Warum?«

»Weils uns derschlagn möchtn! Ausgschamt muß ma sein, daß ma am Mannsbild im Bad zuschaut.«

»Ohnedies gilt Baden hier als Schande«, setzte Arnold hinzu; und Gwinner wußte von einem alten Bauern, der dem Arzt entrüstet geantwortet habe: nie sei auf seine Haut ein Tropfen Wasser gekommen.

Die Baroneß Thekla verteidigte ihre Landsleute.

»Ihr wißt wohl gar nicht, daß der Sepp beim Wurzererbauern eine ganze Masse französische Romane gelesen hat? Er kennt alles, mir wär er zum Mann zu gebüldet.«

Tini, Gwinner und Frau Gugigl beschlossen, sich gleich morgen den Sepp anzusehen. Als Mai verständigt war, bekundete sie Neugier.

»Kommst du nicht auch, Lola?«

Lola öffnete den Mund, um zuzusagen; aber Arnold erklärte, er würde sich schämen, vor einen Menschen, der vielleicht kämpfe, vielleicht ein schweres Ausnahmeleben führe, hinzutreten wie vor eine Sehenswürdigkeit; – und Lola sagte, verwirrt:

»Gehe, bitte, ohne mich, Mai!«

Gugigl kam heraus. Seine Frau prüfte ihn hinter ihrem erhobenen Daumen.

»Er hat doch einen großartigen Akt! Riesig künstlerisch!«

Gugigl schlug Falten mit seinem Badetuch, wie eine

Schleiertänzerin, und reckte die Arme aus, wie ein Mondanbeter.

Als er fertig war, ging's weiter: an Gehöften vorbei, deren Dächer schimmerten, und Wäldern entgegen, die mitten im grellen Feld schwarz dalagen wie ein zusammengerolltes Tier, das atmete. Immer aufs neue versuchten einen blaue Pfade und machte die Leichtigkeit des Schattens, daß man durch ihn hin wie durch einen Traum ging. Tini lief zurück, wo Lola und Arnold noch verweilten, hängte sich an Lolas Arm und flüsterte ihr etwas Schwärmerisches zu. Dann sah sie, die Lippen ein wenig offen, in den großen Mond und ließ die Schritte schleppen.

Arnold sprach weiter: Wie der sich fühlen möge, für den in diesen Mondschleiern ein Geist zwischen Himmel und Erde hin und her gehe, der dies Licht als göttliche Liebe hingebreitet sehe: kurz, dem diese Nacht voller Täuschungen in Wahrheit beseelt sei. Warum, fragte Lola, solle sie täuschen.

»Können wir uns von ihr nicht überreden lassen, an die Seele zu glauben? Sogleich wäre alles besser.«

Besser? Was? Wenn man endlich tot sei, nicht gründlich tot zu sein? Neue, fragwürdige Abenteuer gewärtigen zu müssen? »Der wäre mit seinem Ich verdammt zufrieden, der ihm Unsterblichkeit wünschte« ...im Sprechen aber bemerkte er, daß er aus der Erinnerung spreche und, was er vorbringe, zu dieser Stunde nicht mehr ganz begreife. Er hörte auf, bevor er zu Ende war.

Lola dachte ihres einstigen Glaubens an die unendliche Höherentwicklung des Einzelwesens, sein Besserwerden von Stern zu Stern – und zum erstenmal seit jenem erschütterten Lebensalter gab das Andenken an diesen Gedanken ihr mehr als mitleidige Sehnsucht: fragte sie wieder nach seiner Möglichkeit. »Wenn wenigstens ein beseeltes All mich aufnähme! Nicht ich würde noch von mir wissen; aber vielleicht das All?«

Er hatte eine Entgegnung bereit; aber wie er den Mund öffnete, merkte er, daß sie ihn ekele: so verbraucht war sie in hundert Gesprächen, so plump blieb sie zurück hinter dem, was hier erlebt ward, von ihm und der Frau neben ihm. Er fürchtete sich, an ihren Geist zu rühren; er murmelte:

»Wir sind beschränkt; wir sehen nicht voraus, was uns bei der nächsten Wegbiegung erwartet; und doch...«

Sie schwiegen. Dann sagten sie sich, es sei seltsam, diese Nacht klinge, während man plaudere, von Harmonien; und nun, da man anhalte und lausche, sammele sich alles zu dem einzigen Ton einer sehr sanften Flöte.

Aber auch die Gespräche hörten sie, die vor ihnen anschwollen. Der Fabrikant wendete sein weißes, dickes, plattnasiges Gesicht dem Monde zu; es war harmlos, und sein Schnurrbart bemühte sich zu drohen; und der Fabrikant verlangte den Krieg mit England. Gugigl hatte nichts dagegen, bezweifelte aber die Kriegslust der Massen. Darauf forderte der Fabrikant die Unterdrückung der Sozialdemokratie, also vor allem die Abschaffung des allgemeinen Wahlrechtes und die Einführung des Klassenwahlsystems. Auch sei aus den Schulen das Lateinische und das Griechische zu entfernen, denn mit dem Humanismus werde man die falsche Humanität los sein und endlich zur zweifachen Justiz den Mut haben: einer für Weiße, einer für Schwarze, einer für die Herren, einer für die Umstürzler.

»Das ist aber abscheulich«, sagte Lola.

»Warum!« meinte Tini, aufgeweckt. »Ich finde es fein. Hast du nicht gehört, daß wir jenseits von gut und böse sind? Ich schwärme für Herrenmoral!«

Und sie eilte, voll Bildungstrieb, nach vorn.

»Was Liebe kann«, bemerkte Arnold und sah Gwinners Rücken an.

»Sagen Sie: was Eitelkeit kann. Sie liebt ihn kaum, sie

wartet noch auf alles mögliche; aber er schmeichelt ihrem Kopf; und es scheint, hier lassen sich alle am liebsten auf diese Weise schmeicheln… Übrigens hatte der Fabrikant einen Ton, als ob auch er sich auf seine Unmenschlichkeiten etwas Besonderes einbildete.«

»Er hält sie für klug. Er kennt nicht Rousseaus Rat: ›Menschen, seid menschlich! Welche Weisheit gibt's für euch außerhalb der Menschlichkeit.‹ Ein törichter Stolz auf eine von Träumereien unberührte Härte verführt die meisten von uns; eine dem wahren Zustande unserer Körper und unserer Geister ganz unangemessene Vorliebe für die nackte Macht. Die Frage ist, ob wir nicht in unserm richtigen Element wären, wenn wir ein wenig Güte übten und erwarteten: ob wir uns nicht wohler dabei fühlen und mehr damit erreichen würden.«

»Das Trumpfen auf Illusionslosigkeit ist natürlich geschmacklos; aber Güte erwarten? Mir scheint –«

Sie dachte an ihre Erfahrungen mit Menschen, mit Männern, an die Lehren ihrer zwei letzten Jahre, und sie lächelte bitter. Arnold entgegnete:

»Heute gilt eine hoffnungslose Auffassung der menschlichen Zukunft. Dennoch ist es klar, daß mit der Abnahme der rohen Kraft auch die Grausamkeit an Gebiet verloren hat. Was hindert mich zu glauben, daß der Geist, der die Folterkammern sprengte: daß der Geist auch die Waffenmagazine sprengen wird.«

»Es wäre wohl noch wenig getan…«

»Ich weiß, ich weiß. Aber vermögen Sie einzusehen, warum man auf der Gewalt besteht und die Macht um keinen Preis abdanken möchte, nicht einmal um den Frieden der Seele? Auch ich gehöre zu den Besitzenden; aber wenn ich in eine wahre menschliche Gemeinschaft den Weg finden könnte vermöge einiger Stunden körperlicher Arbeit, die überdies ein mir nützliches Gegengewicht zu denen am Schreibtisch wären –«

Er belebte sich; seine Stimme ward erst jetzt freier und stärker.

»Ich wäre mit Freuden ein Bürger des neuen Staates! Welcher Genuß des Gewissens: nicht länger den Anteil derer mitzuessen, die vergeblich arbeiten! Und welcher Zuwachs an Würde im Menschengeschlecht, wenn es sich vor keinen schwindelhaften Größen mehr bücken wird, vor dem Zufall des Eigentums sowenig wie vor dem der Geburt! Viel verspreche ich mir von dem Sturz der Könige. Wären sie auch schon machtlos: ihr Dasein bleibt das am höchsten ragende Denkmal menschlicher Würdelosigkeit. Wie können Kulturmenschen, wie kann der Geist eine Macht ertragen, die nicht vom Geiste ist! ...da die gleiche Verteilung der Leiden und Freuden des Körpers und des Geistes, da die Nivellierung der Menschheit unser aller heimliche Forderung ist, die wir nur mit Trug zum Schweigen bringen, von der wir nur mit Scham absehen: warum schrecken wir vor dem Weg zurück, der hinführt? Es wird keinen einsam leidenden Genius mehr geben, und keine darbende Masse. Der Paria der Höhe wird verschwunden sein mit denen der Tiefe. Welche Erleichterung, welche neue Unschuld!

Lola hörte mit Spannung und dunkler Sehnsucht seine erregten Worte zu Entzücken ansteigen und sah Schmerz herausblicken. Sie empfand, daß auf fester Erde sein Traum keine Stätte habe. ›Ist er denn so selten enttäuscht worden?‹ dachte sie, und sie fühlte sich alt.

»Sie sind vertrauensvoller als ich«, sagte sie und betrachtete ihn von der Seite. Er sah ihr in die Augen.

»Vorhin waren Sie die Gläubigere... Erinnern Sie sich, daß es schon einmal genügt hat, an die irdische Vervollkommnung des Menschengeschlechtes zu glauben: und er machte einen stürmischen Schritt auf sie zu. Die glücklichen Menschen des achtzehnten Jahrhunderts glaubten. Das Jahr 1789 war ihr Lohn. Dies Jahr war da. Dies arkadische Verbrüderungsfest ist gefeiert worden. Sein Gedächtnis ist unser Trost. Seit diesem Ausbruch des Besseren im Menschen ist alles möglich…«

Er schien stolz, daß nun auch er einen Glauben bekennen durfte. Ihr war's, als lauschte sie einer Werbung, der sie sich immer schwächer entgegenstemmte. Und ohne der Verwirklichung seines Glaubens nachzudenken, empfand sie bei seinen von innerer Kraft federnden Worten, daß es sich leichter und höher durch das Mondgespinst dieser Nacht gehe.

Da bemerkten sie, daß das Haus vor ihnen lag und daß sie allein waren.

»Die andern müssen nach dem Dorfe abgebogen sein, vielleicht um den Fabrikanten zur Bahn zu bringen.«

»Und was tun wir? Folgen wir ihnen?«

Aber sie blieben am Wege stehen, schauten in alle Richtungen, nannten einander die Ortschaften auf fernen Hügeln, horchten auf den Pfiff einer Lokomotive.

»Gehen wir ins Haus?«

Aber Lola bückte sich nach einer Blume; und nun pflückte er vom Feldrain eine Handvoll der Blumen, deren Rot und deren Blau blaß vom Mond war. Sie meinte, er werde sie ihr bringen; aber er ließ sie, als dächte er schon nicht mehr an sie, herabhängen. Stimmen kamen weither – und plötzlich setzten sie sich in Bewegung. Hinter dem schwarzen Laubgang, wie am Ende eines Schachtes, schien das still beglänzte Haus sein eigenes, verlassenes Leben zu führen. Die Tür zur Stube stand offen, auf der Diele drinnen lagen weiße Vierecke. An den hölzernen Pfeilern der Veranda unterschied man jede der kleinen Weinbeeren.

»Wie schön!« sagte Lola, indes sie in die Helle traten. »Man möchte in diesem Licht einen neuen Tag anfangen.«

»Werden wir im Laufe des morgigen wieder einer solchen Stunde begegnen?«

Überrascht sah sie sich nach dem Gesicht um, aus dem diese fassungslos klingende Frage kam, und fand Tränen darin. Ihr Blick verwirrte sich von Mitleid, und sie sagte rasch:

»Gegen Abend mache ich meinen Spaziergang.«

»Ich bin menschlicher Gemeinschaft etwas entwöhnt...«

Wie er noch stammelte, schloß sie:

»Gehen wir also hinein?«

Bevor sie in ihr Zimmer trat, reichte sie ihm die Hand. Dann ging sie gradeswegs auf das Fenster zu, schaute nach der Landschaft dahinten aus, durch die sie erst eben mit Arnold geschritten war, und schüttelte den Kopf, als sei sie erstaunt, sie unverändert zu finden, in der gleichen bläulichen Verzauberung. Da fiel ihr die Nacht ein, in der sie über dem Hafen von Barcelona auf einer einsamen und dunkeln Terrasse gelehnt hatte, neben Da Silva. Der Mond, den sie mit einer seltsamen Inbrunst erwartet hatten, war nicht aufgegangen. Hier lag er; jeder von ihren und Arnolds Schritten hatte durch seinen Schein geführt. Sie fühlte sich umgeben und erfüllt von Bedeutungen: unruhvoll schlang sie die Finger ineinander, wendete sich ab und seufzte auf. Da war nun das kleine Zimmer, in das sie eingezogen war, wie in ein gleichgültiges und unzulängliches Quartier. Jetzt hatte jedes Möbel Wichtigkeit: sie sah den Stuhl an, den Schrank... Dann glitten ihre Blicke an den unsicheren Umrissen der Berge hin, an denen der Kirche dort hinten... Nun hatte sie alles in ihrem Kopf, durfte ihn ans Fensterkreuz lehnen und die Augen schließen. Aber unter den Lidern drängten Tränen hervor; – und wie Lola, trunken von einer unbekannten, lieben Müdigkeit, auf den Wangen ihr Rinnen spürte, meinte sie eine Weile, es seien dieselben, die sie vorhin in Arnolds Gesicht erblickt hatte.

Als sie vom Frühstück in ihr Zimmer zurückkehrte, standen Kornblumen und Mohn auf dem Tisch.

»Es sind dieselben, die er mir gestern nicht geben mochte.«

Sie ging rasch darauf zu – und sah sie dann mit unschlüssig ablehnendem Lächeln an... Sie waren nicht mehr vom Monde blaß und absonderlich; sie hatten gewöhnliche, gesunde Tagesfarben. Lola blickte hinaus. Garten und Land trugen in der mäßigen Alltagssonne hoffnungslos nüchterne Mienen. Lola hob die Schultern.

Tini kam und warf auf die Blumen einen Blick, der Lola verwirrte. Tini erinnerte sie daran, daß sie ihr Zimmer hatte besichtigen wollen. An den Wänden war manches zu sehen. »Ich und mein Haus wollen dem Herrn dienen« stak, auf Stramin gestickt, in einem Rahmen, und daneben hing, als wenig bekleidete Salome, eine Schauspielerin, für die Tini schwärmte. Sie zeigte Lola ein Album mit Lesefrüchten und bemerkte bei jeder:

»Darüber möchte ich gerade deine Meinung hören.«

»Ich fand das vorige richtiger«, sagte Lola; und Tini, sofort:

»Dann mag ich es auch lieber.«

Nachdem sie hinausgehorcht hatte:

»Rauchst du vielleicht eine Zigarette? Aber du mußt es nicht meiner Schwester sagen.«

»Die Marie raucht doch selbst.«

»Aber von mir findet sie's unpassend. Weißt du, im Grunde, im Grunde findet sie eigentlich alles unpassend.«

Beide lachten.

»Blase den Rauch aus dem Fenster, bitte.«

»Ja, so machten wir's auch.«

»Im Ernst ist doch nichts dabei. Herr Gwinner sagt sogar, daß es mir steht.«

»Herr Gwinner ist wohl immer auf deiner Seite?«

»Nein, gar nicht immer. Aber das macht mir nichts...«

Ein paar Sekunden hatte Tini die haltlos kreuzenden Augen eines wilden jungen Vogels. Dann, bevor Lola sich hatte wundern können:

»Ach, Lola, ich wollte, ich hätte eine Freundin. Die, die ich habe, hat keinen Zweck mehr. Ich kann dir sagen –«

Tini mußte hinunterschlucken.

»Du bist einfach mein Ideal.«

»Ja warum denn, Tini?«

»Erstens bist du modern und doch schick: das hab ich noch nie zusammen gesehen. Dann bist du so gescheit, daß du über alles deine Meinung hast. Du brauchst nicht zu denken, daß ich es nicht sehe, wenn du dich mit dem Arnold über uns alle lustig machst.«

»Aber Tini! Du bist ja schrecklich.«

»Das nicht; aber ich bin nicht von gestern... Den Arnold, sage ich dir offen, kann ich nicht ausstehen. Er ist mir gradezu widerwärtig – und auch unheimlich. Aber du wirst die Menschen wohl besser kennen. Du hast's gut: kannst hingehen, wohin du magst, kannst alles vergleichen und dir die Menschen aussuchen... Ich möchte dich wohl etwas fragen, aber du darfst es nicht übelnehmen.«

»Sag's nur!«

Tini paffte und sah an Lola vorbei.

»An was erkennt man's eigentlich, wenn man sich verliebt hat?«

»Das ist aber wirklich eine Frage!«

»Siehst du, nun nimmst du's übel!«

»Durchaus nicht. Aber darüber... denkt man wohl überhaupt nicht nach... Ich sollte meinen: wenn man das Gefühl hat, daß man jemand nicht mehr entbehren kann.«

»Aber in Wirklichkeit kann man doch jeden entbehren!«

»Mag sein. Oder vielleicht doch nicht?«

»Ich habe keinen nötig, keiner braucht sich was einzubilden... Warum sollte man überhaupt jemanden nicht entbehren können?«

»Was weiß ich. Wenn man einen höher achtet als die andern... Wenn er einem Dinge sagt, die man selbst schon gefühlt hat... Wenn uns in seiner Nähe ruhiger wird...«

»Pah!« machte Tini.

»Marie? Was ist?« rief sie aus dem Fenster. Und zu Lola:

»Wir sollen vor dem Essen noch ausgehen. Ach tu mir den Gefallen, geh schon hinunter. Ich bürst mir nach dem Rauchen doch lieber erst die Zähne.«

Drunten fand Lola Frau Gugigl nicht mehr. Aber im Vorübergehen bemerkte sie durch einen Spalt in der Tür zur großen Stube, wie Arnold seinen Hut an den Nagel hängte und sich unschlüssig umsah. Ehe sie's wollte, war sie zurückgekehrt und stehengeblieben. ›Was er wohl für ein Gesicht macht‹, dachte sie, ›wenn er sich allein glaubt... Jetzt wird er etwas tun, wobei er nicht an mich denkt, etwas, das nicht für mich bestimmt ist.‹

Er saß auf der Bank, den Arm am Fenster, und sah hinaus. Allmächlich wendete sein Kopf sich, die breiten Schläfen vorgeneigt, ins Zimmer, sank tiefer in die Hand, die ihn hielt. Die andere hing von der Bank. Der Körper erschlaffte zusehends. Der Blick schwamm am Boden.

›So ist er‹, dachte Lola, ›wenn er alle vergessen hat. Wenn er mich vergessen hat. Ganz zeigt er sich uns andern nie.‹ Denn dies schien, mit Ergebung in sich selbst, nur noch eine Seele. Sie war stark hinter ihren Siegeln. Lola konnte nicht an sie heran; – und sie fühlte sich, hier draußen, in beklemmender Einsamkeit. Ehrgeiz und Eifersucht zitterten herauf. ›Was will ich?‹ Und, ganz unvorhergesehen: ›Will ich ihn heiraten?‹

Da polterte Tini über die Treppe; Frau Gugigl rief aus dem Garten; und Lola ging, sehr erstaunt.

Bei Tisch mußte sie ihn sich ansehen und denken: ›Da ißt er nun harmlos seine Suppe. Wenn er wüßte, was ich vorhin für einen Einfall gehabt habe! Er würde sich bedanken, Mann einer Virtuosin zu werden, mit ihr herumzufahren und Impresario zu spielen. Lassen wir ihn nur in Frieden, diesen Menschen der Einsamkeit!‹ Und sie lächelte spöttisch vor sich hin. Frau Gugigl hatte etwas bemerkt und raunte:

»Hat er sich wieder eine Verrücktheit geleistet?«

»Wer denn? Aber nein!«

Und Lola bereute. ›Ich habe ihn ausspioniert!‹

Sie versprach ihm innerlich große Aufrichtigkeit und Güte. Als er eine Stunde später bei ihr anklopfte, war sie zum Ausgehen fertig.

»Sie sind sehr zuverlässig«, sagte sie.

Er war befangen. Wie sie das Haus hinter sich hatten, fing er an:

»Sie haben mir mein gestriges Benehmen hoffentlich verziehen. Ich darf versichern, daß ich es bedauere und nicht mehr ganz begreife. Die Stimmung der Nacht war schuld, meine Nerven, und das so ungewöhnliche Zusammensein, das sie als Vorwand für eine Entladung nahmen.«

»Ich bitte Sie: wem wäre es anders ergangen. Man müßte schon Nerven haben wie der Fabrikant. Sie mögen mir's glauben oder nicht, aber ich selbst habe noch eine Stunde lang am Fenster gestanden und den Mond angeschwärmt... Übrigens, darf ich Ihnen einen Rat geben? Sie sollten nie um Entschuldigung bitten. Sie sind zu bescheiden. Sie müssen die Leute fühlen lassen, daß Sie Ihren Wert kennen und daß, wer ihn bezweifelt, sich eine Blöße gibt. Je mehr man aus sich macht, desto mehr ist man.«

»Zweifellos... Wenn nun aber das Urteil derer, denen ich erst imponieren müßte, mich gleichgültig läßt.«

»Dann – allerdings.«

Und sie wußte nicht, ob sie bewundern oder zweifeln sollte. Er hatte wohl mehr Mut, indem er die Meinungen verachtete, als wenn er sie zu erobern getrachtet hätte. Vielleicht aber machte er aus der Not eine Tugend? Bei ihm wußte man nie, was Stärke, was Schwäche war; und wenn er schwach schien, hatte sie schon erfahren, war er manchmal grade stark...

»Sie sagten gestern, ich glaube, Sie seien menschlicher Gemeinschaft entwöhnt; und das können Sie nicht leugnen, daß Sie schüchtern sind.«

»Ich bin schüchtern, war es immer. Heute aber bin ich auf eine merkwürdige Weise schüchtern. Nehmen Sie an, eine der ersten Persönlichkeiten eines Landes reise in der Fremde, während bei ihr zu Hause alles drunter und drüber geht. Nun ist plötzlich sein Geld wertlos, der Titel, den er sich gibt, lächerlich; mit Sprache und Geistesart dieser Menschen weiß er nichts anzufangen; in sein Gebiet ist der Weg abgeschnitten; und er ist hier nichts und dort nichts. In dieser Lage, beiläufig, sehen Sie mich.«

»Der Heimweg abgeschnitten«, hörte Lola und fühlte sich mitgetroffen. Ihr war's, als ahnte sie alles voraus, was er sagen konnte; als hebe der Geist des Ortes, den sie betraten, eine Schwermut aus ihren Seelen, die bei ihr und bei ihm mit den gleichen Erinnerungen genährt sei.

Sie waren, lässig von der Wärme, den verwischten Wiesenweg zu Ende gegangen; und nun verfing sich und erstickte der Tag in diesem violetten Moor. Wald umkränzte es, lichtete sich, zog, Stamm für Stamm, von dannen... In dem Gewebe von Zweigen, abgehalten, besänftigt, schimmerte silberiger Himmel, und fern, ganz draußen, blauten Berge. Man stand, senkte die Hände und ließ sich betäuben vom Zirpen. Lola sah sich um, wo es gut zu ruhen sei.

»Erzählen Sie weiter?«

»Sobald ich frei war, schon mit zwanzig Jahren, zog ich mich in die Einsamkeit des Reiselebens zurück. Ich hatte genug von meiner Jugend, von ihrem Elend, ihrer Scham; hatte mich genug verstecken müssen, der falschen Gemeinschaft übergenug ertragen. War ich nicht über Versen gelegen, deren Entdeckung mich zum Selbstmord gezwungen hätte? Hatte ich nicht, auf Gängen über den Stadtwall, Visionen meiner künftigen Größe erlitten, die mir solche Wahnsinnsschwindel durch den Kopf jagten, daß meine Knie schwankten? Hatte ich nicht, um mehrerer Frauen willen, starr, wie mit heißem Sand gefüllt, die Nächte und die Tage vorübergeschickt, tränenlos vor Ohnmacht, und mein Leben nur zurückgerungen, um es aufs neue der Fieberluft der Liebe aussetzen zu dürfen? …das Beste, wenn ich meiner Kindheit und ihrer alten Stadt gedenke, war zwischen grauen leeren Häusern ein Garten: Neben meinem Buch standen Maiglöckchen, über ihm schaukelten Fliederdolden; und wenn ich die Stirn zurücklegte und die Lider schloß, brannte auf ihnen die Sonne. O wie tief, tief ging's da in Sonne und Duft! Und das Gemurmel der Quelle vorm Tor: ich blieb bei ihr zurück, wenn man über Land zog, und nasses Laub hing mir in die Schläfen: wie wunderbar öffnete sich mir das Gemurmel! Wie eine Muschel, in deren perlhelle Windungen ich hineinfand!«

»Ganz dasselbe!« sagte Lola, und ein Schauer überlief sie. In der Verbannung erwachsen und inmitten vieles Elends manchmal eine Stunde der einsamen, geheimnisvollen Süßigkeit: Das war sie selbst, und ihr graute vor solcher Beschwörung ihres Eigensten. Dort auf dem Moor, in dem dünnen Sonnenhusch tänzelten dort nicht einige kleine Mädchen – sie und wieder sie –? und verneigten sich vor ihr, gelenkt von den Fäden in der Hand des Fremden neben ihr, den sie nicht ansah? …sie hörte:

»Ich fand nach Italien; – und da war mir's, als hätte ich nach Haus gefunden. Welch ein Jubel! Ich erkannte mich selbst in den Bildern, die alle auf Größe und Lust aus sind, in den Landschaften der Helden, worin keine Träne lange hängenbleibt, in dem ewig jünglinghaften Volk. Hier war eine heftigere Welt wie aus meinem Herzen ans Licht getreten. Die ersten vier Wochen in Rom ging ich umher im ununterbrochenen Zustand dessen, den der erste Liebesblick trifft: in seinem ungläubigen Entzücken. Ich ging planlos; die Erwartung einer Straßenbiegung machte mir Herzklopfen; ein Monument war ein Abenteuer. Durch die Campagna, unabsehbar, trugen mich grade Straßen und durchsonnter Wind; und mir war zumut wie in einer Verzauberung, worin ich ungemessene Kräfte hatte. Ich ward freigebig mit mir, froh der schwersten Hitze, trank ohne Vorsicht und liebte mit Leidenschaft. Dies alles in Untergangsmut und, wie vom Frühdämmern, manchmal von dem fahlen Erstaunen betroffen, daß es dauere.

Es dauerte bis zu einem nervösen Zusammenbruch; – und in dem Dunkel, in das ich mich nun zurückziehen mußte, sah ich plötzlich aus meinem Kopf ein grelles Licht fallen und darin umhertaumeln, was mir je begegnet, je mit mir geschehen war: aber in viel größeren Gesten, schneidenderen, weit bedeutsameren, von unverschämterem Schmutz, wilderer Groteske oder schmelzender Zärtlichkeit. Nicht rasch genug konnte ich alles in Sätze bringen. Ich war plötzlich vom Talent ergriffen. Es war ein Rausch, allein vergleichbar dem, als ich Rom entdeckte.

Ein Visionär, dem seine Höhle in Flammen steht, dem jedes Schneckenhaus zum Feenpalast aufschießt, hinter jedem Felsblock Satan hervorschnellt und lechzende schwarze Blicke aus allen Morgennebeln brechen: Das war ich sieben Jahre lang. Ich haftete nirgends, fing nur im unbemerkten Vorbeikommen Leben auf; und jedes der Zufallsquartiere, wo ich mich vor einen Haufen Papier setzte, war umtobt von einer Welt, die ich zu bändigen hatte. Ich lebte, erhielt mich nur, um zu schreiben; alle Sinne darbten; und über jedes Bild, das halbfertig auf einer

Seite stand, erwartete ich, daß sich der schwarze Vorhang senke.«

Lola horchte, was ihr eigenes Leben zu ihr spreche: ihr Wanderleben mit seinen Lockungen, seinem Taumel und, mitten darin, dem entrückten, gefeiten Flecken, den das vertrackte Genie der Branzilla mit Zauber geschlagen hatte. Aber Lola war fortgerissen worden; etwas wie ein schwarzer Vorhang hatte sich gesenkt; und man wußte nicht mehr, was kam.

»Ich verstehe«, sagte sie – indes er schloß:

»Und eines Tages war's aus. Mein Trieb, zu gestalten, ward lahm; das Chaos, dem ich hätte Formen entreißen sollen, hob sich dampfend, und tote Wände umstanden mich. Ich ging hinaus… Wohin? Wo ist ein Elixier, stark genug zur Belebung eines so sehr Ernüchterten? Nicht mehr in dem Italien, das ich einst feierte. Ich gehe noch hin, weil ich Erinnerungen und Gewohnheiten habe; aber mir ist, als hätte ich im geheimen immer ein wenig Verachtung bewahrt für die schwungvolle Sinnlichkeit dort unten. Sehe ich jetzt Bilder der Venezianer wieder, befremden sie mich: in einigen Monaten haben sie mehr gealtert, als während der vierhundert Jahre seit ihrer Erschaffung. In ihnen ist niemand mit sich allein; kein Leiden geschieht darin ohne Zuschauer: was gehen sie einen an, der bei Festtafeln und geschmückten Freunden kein Genügen fände? Das kunstlose Träumen meiner Kindheit verlockt mich wieder. Die Sehnsucht nach innerer Gemeinschaft entfaltet sich wieder in mir. Ich suche Menschen auf, ohne Arg, nicht um sie zu belauschen, sondern weil ich mit ihnen leben möchte. Aber ich errege Verdacht. Man fühlt: hier ist ein abnormes Leben verbracht worden. Ich gebe der Neugier nach, berichte das einzige Interessante, das ich erlebt habe: mich selbst; – und nun ist der Waldmensch ausgefragt und ohne Reiz. Beginnt er noch von seiner Marotte, fährt man ihm über den Mund. Er ist durch langes

Alleinsein allzu gutmütig gemacht, hat auf nichts eine rasche Antwort; und wenn alles vorüber ist, erbittert ihn seine Vernachlässigung und das Andenken seiner starken Vergangenheit. Er ist wahrhaftig die große Persönlichkeit, bei der zu Hause alles drunter und drüber ging und die, übel behandelt und voll ungültiger Ansprüche, in der Fremde fortlebt.«

Lola lächelte, weil er es tat; aber sie fühlte sich lahm und schmerzhaft, als habe er sie stundenlang schlimme, zerrissene Wege geführt. Das Gewebe der Zweige überzog jetzt einen schwach rosigen Himmel, und hier drinnen um das Moor dunkelte es dumpf. Lola erschauerte und stand auf.

Draußen war's weit, bewegt und goldig; und Lola sah ihren Begleiter aufatmend an, als seien sie zusammen entronnen. Ein wenig Stolz, ein leises Glück sogar spürte sie, weil sie ihn herausgeholt hatte und ihm all dies helle Land anbot.

»Ist das nicht eine Farbe, die man trinken möchte?« fragte er und zeigte nach dem Rotgelb von Ähren, worin durchsonnte Mohnfähnchen flatterten.

»Obenauf wenigstens«, sagte Lola, »ist die Welt schön.«

»Aber die blühende Scholle ist das Erzeugnis der lichtlosen Tiefe. Wo Schönheit ist, ist Tiefe.«

Sie begriff es. Sie legte den Kopf in den Nacken, sah Schwalben die von Gold flimmernde Luft durchstreichen und empfand, es sei eine Lust zu denken an solchem Tage. Er wies in die Weite, auf Schnitter, die hintereinander, Sensen und Rechen über den Schultern, in langsamen Bogen zwischen den Äckern hinzogen.

»Sie scheinen sich kaum zu bewegen, so groß ist die Erde um sie her: und doch, wo immer ein Mensch sichtbar wird, können wir schwer noch von ihm absehen. Er stört uns aus unserer Naturversunkenheit; wir merken: ihm entkommen wir nicht, und ihn vor allem brauchen wir.«

»Besonders Sie, der große Hoffnungen auf die Menschheit setzt! Und dabei haben Sie den wichtigen Teil Ihres Lebens dazu benutzt, sich in Ihrer Verschlossenheit von den Phantomen der Menschheit etwas vorspielen zu lassen: etwas Bösartiges, soviel ich verstehe... Sie sind eigentlich sehr naiv.«

»Das sagt auch die hiesige Gesellschaft. Sie aber sagen es anders... Sagen Sie übrigens ruhig kindisch. Ich muß Ihnen erzählen, wie sehr. Auf einem Wege, den ich täglich ging, ward ich eines Nachts angefallen und entkam durch einen Zufall. Die Aussicht auf eine zweite Begegnung mit meinen Mördern zwang mich, die Anschaffung einer Waffe zu erwägen. Es ist schwer zu sagen, mit welchem Widerwillen ich an dieses Handwerkszeug heranging. Ich hatte es so ganz andern Lebenskreisen zu entnehmen! Endlich trat ich dem Waffenschmied unter die Augen. Die Augen des Mannes waren finster, und ich höre noch sein ›Ach so‹, als ich nach umständlicher Prüfung des Revolvers die Frage gewagt hatte, wie man abschieße. Nun trug ich ihn über die Straße und kann versichern, daß ich hinkte: so sehr war ich darauf gefaßt, das Unding werde in meiner Tasche losgehen. Die Schießübungen zu Hause waren aufreibend. Nie hatte ich rasch genug die Sicherung heruntergedrückt und den Hahn gespannt. Die beiden Abenteurer zückten schon unter meiner Nase ihre Messer, wenn ich noch den Kolben aus den Taschenfalten zerrte. Ehe ich dann wirklich den Gang über die verhängnisvolle Wiese antrat, saß ich im Dunkeln und nahm mit einer Phantasie, die mich zehn Tode erleiden ließ, alle Einzelheiten der Begegnung vorweg. Sehr merkwürdig war's, welche Erleichterung ich spürte, als die Stunde zu handeln da war. Ich riß den Revolver aus der Schieblade und lief.«

Er lachte hell auf; dann:

»Jetzt lachen wir; aber Sie wissen noch nicht, welche beschämenden Neuigkeiten mich mein Revolver über unsere Seele lehrte. Ich erfuhr, daß ich ungerecht und hart sein könne; daß Mut und ritterliches Ehrgefühl vorwiegend in einem Stahlklotz stecken; und daß unschwer Gewaltmensch wird, wer das Mittel zur Gewalt in der Tasche fühlt. Nur mit Ekel an mir ging ich noch umher. Es war wirklich die einzige Zeit, wo ich mich lieber nicht mehr hätte leben gesehen. Wie ich eines Nachts mich dem einen meiner zerlumpten Angreifer gegenüberfand, hielt ich ihn an, schenkte ihm den Revolver und wartete. Er dankte aber und ging weiter... Nun, ich war befreit... Laufen wir diesen Hügel hinauf?«

Sie liefen; – und von oben ließen sie sich, stärker atmend, von ihren Blicken über viele Wiesen und Felder tragen, durch tiefes Waldgrün zu blauem Wald, und jenseits des Luftblaus der ersten Alpen bis in Alpen, die am Abendrot zerflossen.

»Das Verwunderlichste war, daß ich in all meinem Überdruß kindisch blieb: mir in einem Theatersaal die Wirkung vorstellte, wenn plötzlich in meiner Tasche ein Knall geschähe, und am Teetisch die Damen darauf ansah, was sie für Gesichter machen würden, wenn ich ihnen die Tasse vom Munde wegschösse. Begreifen Sie das?«

»Sehr gut«, sagte Lola und lachte mit. »Wozu sind wir den Hügel heraufgelaufen, den wir gleich wieder hinunter müssen? Sehen Sie? Weil Sie eigentlich ein Junge sind.«

»Nehmen Sie einmal an, daß Herr Gwinner für jeden Witz, den er macht, eine Schrotladung bekäme!«

»Oder Frau Gugigl für jedes ›Künstlerisch‹!«

»Wenn man sich nicht mehr anders zu helfen weiß –«

Da waren sie drunten vor einer kleinen Eiche; der frische Wind, den ihr Lauf erregte, brach plötzlich ab. Hinter der Eiche lag über den von letzter Sonne buntem Rasen ein Weg geschlängelt, blaugrün – und auf einmal verschlang ihn Walddunkel.

»Nur noch dies eine Gehölz, dann können wir das Haus

sehen«; – und zu ihren langsamen Schritten durch die Dämmerung mußte Lola denken: ›Eben noch haben wir gelaufen und gelacht. Wie kam das? Wie kommt es, daß er mir seine Geheimnisse sagt und daß ich sie hinnehme, als müßt es sein? Eigentlich haben wir doch nichts miteinander zu tun. Oder wie stehen wir?‹

Als das Gehölz zu Ende war, wollte sie etwas sagen, ließ es aber. ›Was habe ich denn? Warum nicht gleich den nächsten Spaziergang verabreden? Er ist so zerstreut und hat immer mit sich selbst zu tun. Ein rechter Egoist eigentlich. An die wirklichen Dinge muß ich selbst denken.‹ Aber kurz vor der Ankunft hörte sie ihn in Eile und Verwirrung mit der Bitte herauskommen, an deren Gewährung ihr gelegen war – und sie biß sich auf die Lippen. ›Bin ich vorschnell! Ich weiß doch, daß er bloß schüchtern ist!‹

Es war nie ganz sicher. Am Abend inmitten aller sah's aus, als drängte er neben sie: Frau Gugigl und Tini bestätigten es ihr durch Blicke. Dafür zog er sich manche Stunde, die er mit ihr hätte allein sein können, zurück, um zu lesen. Er kam ihr oft genug in den Weg, klopfte jeden Tag mehrmals an ihre Tür. Sie hatte auf dies Klopfen gewartet und war, zeigte sich nun sein Gesicht, beschämt, weil es nicht glücklicher war. Einmal rief sie ihm im Garten nach, und wie er sich umwandte, war kein Zweifel, daß er sich bezwang, um erfreut zu scheinen. Aber als sie ihn einen Nachmittag unbeachtet gelassen hatte, da war er arg verstört, kleinlaut wie ein schlecht behandelter Junge, und kam nicht darüber zur Ruhe, da sie etwas gegen ihn haben müsse.

Wie sie das alles schon kannte! Wie sie seine Nervosität mitfühlte, die matte Geste zwischen seinen zusammengezogenen Brauen und dann, draußen in der Luft, sein allmähliches Durchdringen, bis er frei war und die Oberhand hatte! Voll Staunen bemerkte sie, daß sie ihn sich gar nicht wegdenken könne; auch aus ihrem früheren Leben nicht. Wie ein älterer Bruder war er, den die Schwester schon heulend und geprügelt gesehen hat: und doch bleibt er, mag sie's kaum wissen, der erste, und seine Liebesgeschichten machen ihr Eifersucht. Lola fragte sich oft: ›Hat er wirklich nie etwas gehabt? Alles hat er mir gesagt, nur davon kein Wort.‹ Aber sie fand und sagte ihm:

»Ich wüßte eigentlich keine Frau, mit der ich mir Sie denken könnte.«

Er überlegte.

»Und ich keinen Mann für Sie«, entschied er. Nach einer Weile begann er wieder:

»Was würden Sie denn besonders beanspruchen?«

»Von einem Mann? Zuverlässigkeit.«

Und sofort erschrak sie, weil ihr einfiel, daß sie ihm schon mehrmals bestätigt habe, er sei zuverlässig.

»Ich bin nämlich sehr mißtrauisch«, erklärte sie und fragte eilig:

»Und Sie? Was brauchen Sie?«

›Meinetwegen‹, dachte sie, ein wenig gekitzelt; ›spielen wir mit dem Feuer!‹

»Ich? Etwas Achtung natürlich vor dem, was ich bin. Aber noch so vieles andere. Das ist weitläufig und aussichtslos.«

Und während Lola schwankte, ob weiter zu fragen sei:

»In Deutschland traf ich am häufigsten die eben erst Emanzipierte. Ihr frisches Wissen und Können scheint mir noch gewaltsam; seine Äußerungen führt kein sicherer Geschmack. Fehlen ihr zu diesem nicht überhaupt und von Rasse wegen Mittel? Die Deutschen bleiben, trotz allen heutigen Bemühungen um die Form, zur Überfütterung des Innenlebens verurteilt und auf Geringschätzung der Augenkultur angewiesen, die doch vornehm macht... Italienerinnen haben mich versucht. Alles Glück, das einem die Städte, die Landschaften, die Bilder versprechen, sieht man erfüllt in diesen weißen, schwarzhaarigen Geschöpfen mit den knabenhaft schlanken Bewegungen. Wie schön sie sind, solange sie stumm bleiben! Den, der gleich im ersten halben Jahr eine von ihnen heiratet, begreife ich. Nachher hat man in ihren weiten, undurchsichtigen Augen wohl doch die Leere ermessen und sich besonnen. Eine auf immer unmündige Existenz neben der meinen? Eine, die mein deutsches Erbe, alle jene moralischen Verfeinerungen, die ihre Rasse niemals erreichen kann, mit animalischer Sicherheit verachten würde?«

»Sie verlangen eine Schöne, die auch noch Geist hat. Sie sind entsetzlich schwierig.«

»Sie haben recht, ich stelle die unverschämtesten Forderungen. Warum übrigens sollte ich sie zügeln, da ich von vornherein mit ihrer Unerfüllbarkeit rechne? Mehrmals näherte ich mich Frauen gemischten Blutes: sie waren mit einem verflachten Innenleben begabt und mit irgendwie verunglückten Körpern; oder sie hatten sich ganz zu der einen ihrer beiden Rassen geschlagen und verleugneten die andere. Wie nun, wenn das Gute von beiden in einem Wesen zusammenkäme? Ich setze den günstigsten Fall; und bei der Frau, die ich mir vorstelle, hat erstaunlicherweise der Körper eine ebenso alte, starke Kultur wie der Geist; sie ist der Bildung offen und elegant, hat Geschmack und Tiefe. Das scheint gegen die Natur; scheint über sie hinaus: und doch stelle ich mir's vor...«

Nach einem Schweigen, währenddessen Lola aufhorchte, schloß er gepreßt:

»Nicht seit langem.«

Und Lola dachte:

›Ist es zu glauben? Alles kommt sehr um die Ecke. Aber meinen tut er doch wohl mich?‹

Sie hatte Lust, aufzulachen. So viele Gedanken, die sie zur Achtung nötigten: und das Ziel wirklich nur sie selbst? Sie empfand ein wenig Mitleid mit dem Armen, der sich nun bloßgestellt hatte. Sie sah auf ihn herab, wie er errötet, mit regungslosem Kopf vor sich hinging und vor ihr Furcht hatte... Aber da errötete sie selbst; das überschwengliche Bild, das er von ihr im Kopf hatte, beschämte sie und machte ihr bange, wie ein Betrug. Sie dachte: ›Ich bin gar nicht schön und gar nicht gebildet. Ich habe auch gar nicht das Äußere von der einen Rasse und das Seelische von der andern. Meine Haare setzen durchaus nicht so untadelig an wie bei den romanischen Frauen; er sieht bloß nicht, wie ich meine kahlen Schläfen verstecke.‹

Er sagte in merkwürdig ungefälligem Ton, der zitterte:

»Ich denke sie mir in keinem der europäischen Vaterländer daheim; auch ich gehöre in keins. Sie kommt von weit her, aus einem Lande, das sie vergessen hat und in das sie nicht wieder zurückkehren wird.«

›Auch das noch‹, dachte Lola.

»So ist sie mir ähnlicher. Denn auch mich haben, nicht meine Geburt, aber meine Schicksale zwischen die Rassen gestellt, und ich habe dort so viel erlitten, daß meine Gefährtin mir von keiner Not berichten könnte, um derenwillen sie nicht meine Gefährtin wäre. Ich habe sie mir verdient.«

Plötzlich war Lola erschüttert und stammelte mit feuchten Augen und ohne mehr daran zu denken, daß dies alles ihr selbst gelte:

»Ich hoffe, Sie werden noch einmal glücklich.«

Da erschrak sie und ging rascher dem Hause zu. Wie sie aber Tini herbeilaufen sah, lachte sie auf. Als ob er mit der Sprache herausgekommen wäre! Aber das nützte ihm jetzt nichts mehr. Sie wußte jetzt Bescheid, war ihre Unruhe los und hatte die Sache in der Hand. Er hatte geworben.

Und nun ordnete sie sich im Gespräch ihm nicht mehr regelmäßig unter.

Sie widersprach ihm sogar vor den andern, stimmte Gwinner bei. Später unter vier Augen zeigte sie sich weich und nachgiebig, und der gütige Spott ihres Blickes und ihrer Stimme gab ihm zu verstehen, er wisse wohl selbst, daß alles sich verändert habe; aber was sie tue, bedeute Gunst.

Das Bedürfnis war ihr gekommen, ihn anzuzweifeln und anzugreifen. Sie führte ihre Spazierwege möglichst dicht an Bauernhöfen vorbei.

»Da sind nun die hündischen Gendarmen, die Sie so hassen. Ja, der hat noch ein robustes Gewissen.«

Er mußte sie und sich, fortwährend mit Steinen werfend, aus der Nähe des schnappenden Bellers retten.

»Jetzt könnten wir Ihren Revolver brauchen, wenn Sie nicht selbst vor ihm Furcht gehabt hätten.«

Und auf sein niedergeschlagenes Lachen, plötzlich ganz ergriffen: »Bitte, verzeihen Sie mir!«

Einmal ging er unentschlossen an einer alten Frau vorbei, die gebettelt hatte.

»Sind Sie geizig?«

Er antwortete:

»Ich schäme mich der Überlegenheit in der Gebärde des Almosengebens; schäme mich des kleinen Schauers von Selbstzufriedenheit und trügerischem Gütegefühl, der den Geber überrinnt.«

»Immer finden Sie schöne Worte. Vielleicht sind Sie doch geizig?«

»Wenn Sie mich nicht verstehen können –«

Ein unfreundliches Schweigen brach herein. Erst bei der Ankunft flüsterte Lola hastig:

»Ich habe Sie sehr gut verstanden und glaube Ihnen auch. Aber ich bin manchmal nervös.«

Er fiel ihr ins Wort, stürmisch vor Reue:

»Ich hätte geben sollen! Naiv oder mit Scham: ich hätte geben sollen!«

»Aber ich habe Sie verstanden«, wiederholte Lola.

Denn was er äußerte, fand sie, wenn ihr's auch bestimmt noch keiner gesagt hatte, alles ganz vertraut. Es waren Selbstverständlichkeiten, an die sie bisher nicht gedacht hatte. Er selbst – immer näher fühlte sie's, daß sie ihn schon gekannt habe: seine gewohnte Geste nach den Brauen hin, seinen Träumergang, den Fall seiner Stimme. Ein Weg, den sie durchschritten, konnte sie stutzig machen: ›Wann war ich hier?‹ Und einmal, wie die Sonne auf eine lange Hecke fiel, erinnerte sie sich plötzlich auf das dringlichste einer Landschaft, die sie irgendwann einmal im Traum gesehen haben mußte: darin war alles dämmerig und nur eine Reihe von Büschen grell beschienen gewesen, und es war genau diese gewesen.

Was zwischen ihnen vorgehe, quälte sie nicht mehr. Sie lächelte, als er sagte:

»Wenn irgend Aussicht gewesen wäre: in Sie hätte ich mich sehr verlieben können.«

Sie wußte, er verstecke sich. Aber das alles hatte Zeit... Und inzwischen genossen sie ein pflichtenloses Gefühl der Zusammengehörigkeit inmitten Fremder. Ihre Geister rührten beieinander an alles; sie suchten in jeder Erde nach Edelsteinen und waren froh, wenn sie auf einen Kiesel stießen, an dessengleichen sie sich beide schon einmal verwundet hatten.

IV

Da, eines Abends, hatte Lola gleich beim Betreten des Eß-
zimmers die Empfindung, am Tisch sitze einer mehr;
– und noch bevor sie ihn herausgefunden hatte, schnellte
jemand empor und machte eine ausdrucksvollere Verbeugung, als sie seit Wochen zu sehen bekommen hatte. Sie
erschrak.

»Conte Cesare Augusto Pardi aus Florenz, mein Vetter«, sagte die Baroneß Thekla. »Er hat uns überrascht.«

Lola faßte sich und lächelte ein wenig spöttisch. Sie
dachte: ›Die Art ist also inzwischen noch nicht ausgestor-
ben?‹ Dann wandte sie sich an Arnold. Aber es störte sie,
daß niemand sprach als der Italiener und Mai. Glücklich
zwitschernd flog Mais Stimme um den Tisch; endlich
hatte sie wieder jemand, mit dem sie sich geläufig verständigen konnte. Alle sahen ihnen suchend auf die Münder;
es ging viel zu rasch; und Lola mußte mitten aus ihren
Worten an Arnold, die stockten, hinüberhorchen. Diese
anbetende Stimme, die einen einwickelte! ›Merkwürdig,
daß ich das vergessen hatte!‹ Ohne hinzusehen, wußte sie
sein schmelzendes Lächeln. Brauen in einer graden Linie,
Wimpern, die schwarz herausstachen aus dem lebenglü-
henden Marmorgesicht, und rot und dick darin aufbre-
chend die Lippen: Alles hatte sie vor sich, nun sie die
Stimme hörte. War's etwa nicht so? ...und kaum daß ihr
Kopf eine Viertelwendung machte, griff der Italiener zu.

»Gnädiges Fräulein, Ihre Mama und ich entdecken eine
Menge gemeinsamer Bekannten...«

Lola erinnerte sich einiger, aber ohne Begeisterung; und

mit Geringschätzung sah sie sich dazu das süße Spiel seiner Augen an. ›Mach nur deine Mätzchen!‹ Gugigl warf ironische Blicke dazwischen; plötzlich schnitt er ein Gesicht und fragte, ob die Rede von Zuckerwerk sei. Die Damen kicherten. Pardi hatte nicht verstanden. Er blieb süß; und doch ging in seinem Lächeln jäh ein Hinterhalt auf, eine Drohung. Gugigl bekam eine treuherzige Miene. Darauf verbeugte Pardi sich ein wenig, als habe er Genugtuung erhalten – und wendete sich wieder Lola zu.

Sie sprachen weiter, indes alles schwieg, Tini den Mund offen behielt und Gwinner demütig herübergrinste. Pardi zog seine Kusine, Frau Gugigl und den Baron Utting herbei, aber alle blieben unterwegs liegen; und sein Gespräch mit Mai und Lola lief von selbst weiter. Es ärgerte Lola; ohne Umstände kehrte sie zu Arnold zurück. Er schrak von seinem Teller auf, und sie sah ihn in großer Unsicherheit. Er stotterte; sie zwang sich zur Geduld und gab ihren Worten einen Ton, als rede sie einem Kinde Mut ein. Dabei fing sie einen Blick auf, den er mit dem Italiener wechselte. Von drüben, aus Pardis gewölbten Augen, die alles sahen, kam ein abschätzender, schon spöttischer, und hüben wich er wehrlos aus. Lola sprach lauter: als wollte sie die Blicke überschreien. Plötzlich dachte sie: ›Es ist auch wirklich kein Staat mit ihm zu machen‹; und brach ab. Sofort setzte Pardi wieder ein.

Am Morgen darauf saßen um neun Uhr die Damen noch beim Frühstück. Pardi unterhielt sie von Afrika. Denn er hatte Adua mitgemacht, sich wie ein Löwe geschlagen, sagte er; war später, als Gefangener des Negus, der einzige gewesen, sagte er, der sich nie gebeugt, der Gewalt hartnäckig widerstanden hatte und ihr immer nur auf Zureden der mitgefangenen Offiziere gewichen war... Die Baroneß Thekla, Frau Gugigl, Tini und Mai warfen einander Blicke zu, die erstaunt glänzten: wie die von Kindern, die nach der Bescherung erwacht sind. Jedes hält die eigenen Geschenke für die schönsten, und alle sind glücklich. Pardi hatte schon jede von ihnen zu überzeugen gewußt, daß besonders ihr sein Feuer gelte. Sie waren in Verzückung vor dem Schmelz seines Wesens und dachten nicht daran, es ihm anzurechnen, daß ihm alle hiesigen Begriffe fehlten. Er bewunderte seine Kusine in ihrer Bäuerinnentracht, wie einen verkleideten Backfisch. Tini brachte er, nur mit Augen und Händen, dahin, daß sie über ihren Satz, der Mann habe nichts voraus, selbst von Herzen lachte. Er nannte Frau Gugigls Malerei eine reizende Unterhaltung, und anstatt wild aufzulachen, schnurrte sie. Dann führte er Mai die Leute vor, die sie beide kannten: ein paar Gesten, ein Fingerstrich über sein Gesicht, das sich darunter verwandelte – und nicht Mai nur, auch die andern sahen die Figur. Lola beobachtete ihn mißtrauisch. Plötzlich mußte sie mitlachen, und da gab er ihr durch ganz leichtes Neigen der Stirn und kaum merkliches Achselzucken zu verstehen, daß er ihre Überlegenheit kenne und sie um Nachsicht bitte. Sofort hörte sie auf zu lachen. ›Buffone!‹ dachte sie; aber sie konnte nicht verhindern, daß es ihr schmeichelte.

Im selben Augenblick erschien Arnold in der Tür. Lola zuckte innerlich zurück. Aber sie bemerkte, daß er, in Verwirrung, noch keinen Überblick erlangt habe. ›Immer die Menschen, nicht?‹ – und sie sah weg. Wie er dann keinen Anschluß an die Unterhaltung fand, stand sie auf, setzte sich neben ihn, redete zu ihm ganz beiseite, als sollten alle wissen, wie vertraut sie standen. Sie bat, er möge sie gleich nachher hinausbegleiten. Dann ging sie auf ihr Zimmer und dachte: ›Nein! Ich kann ihn höchstens wie einen Bruder gern haben.‹

Unterwegs begann er von dem Italiener.

»Wie sich manchmal auf den ersten Blick eine Gegnerschaft erklärt! Da haben Sie meinen geborenen Widersacher, den reinen Tatmenschen. Er hat noch keinen Satz gedacht, dem nicht ein Schlag gefolgt wäre.«

»Woher wissen Sie das?« fragte Lola, die Brauen gefaltet; und doch war sie überzeugt, es sei so. Die Einschüchterung, erwiderte er, die solche Naturen bei ihm bewirkten, sei ihm der sicherste Beweis. Und er belächelte sich selbst. Lola ward gereizt durch seine Offenheit, die sie billig und würdelos fand. Sie erklärte, daß sie sich's schon denken könne. Er mußte genau gehört haben, wie höflich und ablehnend es klang; nur aus Mangel an Geistesgegenwart blieb er bei dem Gegenstand, sprach er noch weiter so, als wisse er sie auf seiner Seite. Da sei nun der Mann mit den sicheren fraglosen Instinkten, der Mann alten Stils... und der äußerste Vertreter der Rasse.

»Keine Beziehungen sind möglich zwischen seinesgleichen und unsereinem: das fühlt man gleich, nicht wahr?«

Lola war voll Ungeduld, ihn aufzuhalten. Er kam wieder auf die Rassenliebe, an die Frage, welche Frau er zu lieben habe, was ihr selbst für ein Mann bestimmt sei. ›Was geht ihn das an!‹ Sie mußte zugestehen, daß manches frühere Gespräch ihm Rechte gebe. ›Eigentlich ist nichts geschehen seitdem? ... ach, er ist taktlos!‹ So redlich sie dagegen ankämpfte, die schwerste Übellaunigkeit senkte sich auf sie. Lola ging vor sich hin, den Blick am Boden, und wünschte sich mit krankhafter Dringlichkeit, dies nicht mehr zu hören, diesen los zu sein. Wenn sie sprechen wollte, schienen die Kiefer aus Blei. Endlich brachte sie hervor:

»Sie reden über alles sehr klug.«

Da stotterte er und brach ab. Sie gelangten nach Haus, zum erstenmal ohne den nächsten Spaziergang verabredet zu haben. Ein Stück hinter ihnen kehrten Mai und Pardi zurück. Lola blieb stehen; Arnold zögerte, dann verabschiedete er sich.

Mai strahlte und plapperte.

»Wir waren beim Wirtshaus und auf dem Friedhof. Zuerst haben die Bauern einen begraben. Wir waren dabei, es war sehr hübsch. Dann haben sie sich zum Trinken gesetzt und werden bis in die Nacht sitzen bleiben. Ich möchte wissen, wann diese Fremden arbeiten. Der Conte Pardi hat mit einem gewettet. Der Bauer will bis heute abend vierundzwanzig Liter trinken…«

Pardi ließ Mai in die Veranda treten, zu der Gesellschaft.

»Ihre Mama liebt das Gehen nicht; Sie aber haben, sehe ich, bestaubte Schuhe.«

»Ich gehe gern nach dem Walde hinüber.«

»Der Wald! Seine Kühle! Das ist ein Ideal. Wissen Sie, daß Sie selbst Gedanken in mir erregen, die mit Waldesfrische verwandt sind?«

»Wie Sie mich kennen!«

Einen Augenblick stutzte er und verfinsterte sich; aber der Argwohn, man könnte ihn auslachen, ward gleich wieder von selbstgewisser Süßigkeit aus seiner Miene gelöscht.

»Oh! Sie müssen mir erlauben, Sie zu begleiten. Ich möchte dabeisein, wie Sie die Rehe streicheln. Ich kann mir nicht denken, daß Ihre kleinen Füße die Blumen niedertreten.«

Gegen Abend gingen sie und plauderten unausgesetzt, nur nicht von den Dingen, die Pardi in Aussicht gestellt hatte: Wald, Blumen und Rehen. Er trug eine Menge Klatsch vor, aus Viareggio, dem Bade, woher er kam und in das er zurückkehren wollte. Dann kamen verachtungsvolle Klagen über Frauen; zornige Ausfälle und unbedenkliche Entkleidungen; und dazwischen immer:

»Sie sind anders. Oh, Sie können diese Abscheulichkeiten nicht einmal verstehen!«

Dagegen verstand Lola, daß er, der durch die Verleumdung aller übrigen ihre Gesinnung zu gewinnen hoffte, auch sie jeder anderen geopfert hätte.

Sie hörte zu und sprach unter fortwährendem Vorbehalt, mit innerem Hohn, als zu einem unzuverlässigen Partner, einem Feind; – aber sie kam in Fluß, lachte erregt, bemerkte plötzlich selbst, daß ihr Plappern gradeso gedankenlos lebendig klang wie heute mittag das von Mai. Es befremdete sie kurz, dann fand sie sich ab. ›Immer alles abwägen, für alles ganz eintreten, wie mit Arnold, das ist auch nicht das Wahre, so bin ich auch nicht.‹ Sie war nun so, daß Pardis Wesen sie hinriß. Seine Art, das feste Handgelenk zu schütteln, daß die Goldkette daran klirrte, im Gehen mit geschmeidigem Raubtiergriff einen Zweig herunterzureißen, vermöge des gerundeten Armes, des zur Seite geneigten Kopfes ein Gefühl sichtbar zu machen gleich einer Gestalt; seine Art, angesichts der Menschen, bei denen sein Geist grade weilte, von ausgesuchter Höflichkeit jäh in ungehemmte Feindseligkeit umzuschlagen, die äußerste Spannkraft seiner Gefühle und seiner Mienen, die weiche Wildheit in ihm, das Süßliche und das Gefährliche: seine Art nahm Lola dahin, als triebe sie in blumenüberhäuftem Kahn auf einem Goldstrom, einem gedämpft reißenden, neben dem Paläste aufflammen und über dem ein starker Himmel flimmert. Keine Minute faßte sie, inmitten Gelächter und Lautenklang, Vertrauen. Der Kahn war wohl leck, die Paläste aus Pappe, und was den Fluß bunt sprenkelte, nur Schlamm: – aber inzwischen floß sie dahin.

Zu Hause fand sie Mai in übelster Laune.

»Man muß sagen, du nimmst wenig Rücksicht auf deine Mutter! Drei Wochen schon langweile ich mich, dir zu Gefallen, bei diesen schlecht Angezogenen. Endlich zeigt sich ein Herr aus unserer Welt, und da führst du ihn den ganzen Tag draußen im Schmutz herum. Aber du bist ein Charakter, der anderen wenig gönnt!«

»Eine Szene, Mai? Wenn ich gewußt hätte, daß du mitgehen wolltest –«

»Verstelle dich nur! Habe ich dir nicht stets die größten Opfer gebracht? Noch in Barcelona hättest du heiraten können, wen immer du wolltest. Ich, deine Mutter, wäre zurückgetreten...«

Mai schluchzte.

Beim Abendessen stellte sich heraus, daß nicht sie allein eifersüchtig war. Die Baroneß Thekla schlug einen derb strafenden Ton gegen ihren Vetter an. Frau Gugigl erinnerte ihn mit saurer Munterkeit daran, daß sie alle gemeinsam hätten nach der Römermauer gehen sollen. Lola beteuerte, daß sie die Verabredung überhört habe.

»Ja, ja, ich kann mir's denken!« – und Frau Gugigl versuchte, gutmütig zu lachen.

Gwinner und Gugigl riefen einander, ohne jemand anzusehen, aber mit Ironie, »Prost« zu.

Pardi führte einen geschmeidigen Kampf gegen die bittere Stimmung ringsum. Seine Liebenswürdigkeit breitete sich aus, wie ein parfümierter Fächer. Nur der alte Baron Utting und Arnold kamen seinen Werbungen entgegen: Arnold, fand Lola, als ob er ihm dankbar dafür wäre. Mai blieb beleidigt. Und Tini, deren Augen noch nie so groß und schwarz, deren Gesicht noch nie so bleich und gestreckt gewesen war, vereinigte Lola und den Italiener in einem langen Blick, voll eines leidenschaftlichen Zweifels.

Gwinner antwortete sie gar nicht. Wie der alte Utting aus dem Zimmer ritt, verließ auch Tini es, kam aber nach kurzem zurück und begann Pardi wegen dessen anzugreifen, was er am Morgen zur Frauenfrage geäußert hatte. Und diesmal war sie nicht zu beschwichtigen, ließ sich durch keinen Scherz ablenken und stritt erbittert. Gugigl unterstützte sie. Dann fragte er seine Frau, ob sie sich gewogen habe. Endlich scheine die Milchkur anzuschlagen. Die Baroneß Thekla lachte; Gugigl habe sich verraten. Seine Frau verteidigte ihn.

Ein leidlicher Friede kam zustande. Der Ausflug nach

der Römermauer ward für morgen neu angesetzt. Nur Mai blieb widerspenstig. Umsonst hielten alle ihr die Seltsamkeit der Ausgrabungen vor. Sie zog, das Gesicht ganz dick vom Schmollen, ihr letztes Wort noch hin, im Innern glücklich, weil sie so viele um sich bemüht sah. Sie wisse schon, was dort ausgegraben werde.

»Auch in Brasilien haben wir viele Römersachen.«

Pardi mußte erst seine ganze Erobererkunst auf sie zusammenziehen; – und plötzlich platzte sie aus, wie ein Kind, das lange Zeit alle zum besten gehalten hat.

Wie Lola in ihrem Zimmer war, zog sie die Tür hinter sich zu, lehnte sich dagegen und sah darein, wie zum Geflacker der Kerze die Schatten tanzten. Leer und ängstlich war ihr's; ihr Hals fühlte sich zugeschnürt an. Welch ein nichtiger, verstimmter Tag, mit zufälligen und unerquicklichen Menschen!

›Was sollen mir dieser Italiener und dieser Deutsche?‹

Sie machten sich gegenseitig erstaunlich unwichtig, hoben einander auf. Man ward müde und verstand sich selbst nicht mehr. Warum mußten grade diese beiden kommen? Draußen in der Welt waren noch so viele, so überwältigend viele Gleichgültige... Sie ging ans Fenster und sah trostlos ins Dunkle, Weite.

›Nur damit es kleinliche Aufregungen und Krisen gibt.‹

Dann wandte man einander den Rücken, reiste weiter, alles entschwand, und mit Überdruß sah man sich in neue, nichtsnutzige Dinge geraten.

Da gedachte sie jener Mondnacht, in der sie hier gestanden hatte. Sie war mit Arnold durch das Land dort unten gewandert, das damals voll entzückenden Truges gewesen war. Umgeben und erfüllt von Bedeutungen hatte sie sich gefühlt... Sie spähte hinaus, blickte ins Zimmer zurück: wie alles unwichtig war! Frierend vor Einsamkeit, fiel sie mit geschlossenen, trockenen Augen gegen das Fensterkreuz.

Gleich beim Erwachen hatte sie das Gefühl des Erwartens. Sie erwartete, einer von ihnen werde sie holen, dem andern zuvorkommen, sie ihm entreißen. Vor sich selbst verborgen, wünschte sie, daß es Arnold sei. Sie war gespannt von Ehrgeiz für ihn. Er sollte nun zeigen, wie er sich behauptete, sollte ihr beweisen, daß sie den rechten Freund gewählt habe. Er sollte sich messen mit jenem.

Niemand kam. Gegen Mittag begegnete sie Pardi und wich ihm aus, obwohl er sie schon angerufen hatte. Dann war sie, bei Tisch, in Empörung gegen beide: gegen Arnold, der vor Pardi errötete, und gegen den Italiener in seiner banalen Sicherheit. Unversehens ging ihr auf, daß seine Geste aus lockerem Gelenk der des Spielers ähnelte, der mit Karten hantiert. Gleichzeitig sah sie Arnold seinen sorgenvollen, schwachen Griff zwischen die Brauen tun; und sie hatte die Empfindung, als führten zwei Masken, zwei Maschinen ihr ein vorausgesehenes, ärmliches Scheinleben vor.

Es blieb bei der Fahrt nach der Römermauer. Lola hielt es noch immer für unmöglich, daß Arnold sie gehen lasse. Jeden Augenblick mußte er den Mund öffnen und sie daran erinnern, daß es schade sei, ihren gewohnten Waldgang zu versäumen. Als man aufstand, ohne daß er gesprochen hatte, war ihr übel, wie bei einem Verrat. Sie erklärte, nicht mitgehen zu können.

»Du siehst wirklich nicht gut aus«, sagte Frau Gugigl. »Tini, bevor wir aufbrechen, bringst du Lola einen Tee.«

In ihrem Zimmer standen wieder seine Blumen! Welch Geständnis kraftlosen Verzichtes!

Tini trat zu ihr ein; sie hob die Augen fremd, feierlich und scheu vom Teebrett.

»Ich danke dir, Tini.«

Keine Antwort. Das Silberzeug klirrte in der Stille; Tini wandte sich... Da war sie mit einem schlanken Wurf auf den Knien vor Lolas Füßen. Die Arme um Lolas Hüften, flüsterte sie mit geschlossenen Augen, wie aus einem leidenschaftlichen Traum:

»Weißt du noch, wie wir davon sprachen, daß es so viele Millionen Menschen gibt und daß doch einmal etwas geschehen kann und daß ich sicher glaubte, du würdest noch mal ein großes Glück haben? Siehst du, jetzt hast du's! Oh, ich sehe wohl, daß du es hast!«

Und fort war sie. Lola spürte noch ihre wilde Umarmung, wie es auf der Treppe schon wieder still war.

Als sie eine Stunde später hinab in die Stube ging, wartete auf der Schwelle Pardi. Er küßte ihr die Hand und sagte:

»Sie glaubten doch nicht, ich werde ohne Sie diesen Ausflug machen? Natürlich habe ich Briefe vorgeschützt, um Ihnen Gesellschaft leisten zu dürfen.«

Und da er ihre abweisende Miene bemerkte:

»Wie geht es Ihnen? Kann ich Ihnen in irgend etwas nützlich sein?«

»Sind alle fort? Auch meine Mutter?«

»Ihre Mama und – alle.«

»Ich möchte mich in den Garten setzen.«

»Ihre Blässe ist deliziös. Ich schwärme für die kleinen Krankheiten der Frau...«

»Ich sehe scheußlich aus.«

»Lachen Sie nur! Ich schwöre Ihnen, daß ich weiß, was ich sage; daß ich auch weiß, was ich will.«

Das traf sie. Allerdings: dieser wußte, was er wollte. Und sie widersprach seinen Schmeicheleien nicht mehr. Was für eine Stimme er hatte: biegsam, zart, und doch aus gefährlichem Stoff – wie ein Galanteriedegen. Zu dieser Stunde, war sie versichert, sehnte Arnold, indes er Wohlgefallen an der Römermauer heuchelte, sich mutlos nach ihr, die seiner mit ganz ruhiger Geringschätzung gedachte.

Als er ihr wieder vor Augen kam, konnte sie nur erstaunen über das Maß von Geniertheit und Mangel an

Geistesgegenwart in all seinem Gehabe. Sie sah Pardi an, ob nicht auch er erstaune. Den ganzen Nachmittag hatte sie Pardis Fechterkörper sich um sie her biegen gesehen, so leicht und selbstverständlich in seiner Schlagfertigkeit, daß nun Arnolds Ungeschicklichkeiten ihr wie Kunststücke vorkamen. Sie erinnerte sich, eine besondere Schönheit erfaßt zu haben in dem, der weltfremd und unterdrückt war und erst frei ward, wenn er träumte. Die Schönheit war fort; und Lola spürte Scham bei seiner Unschönheit, als sei sie daran mitschuldig.

Die folgenden Tage beobachtete sie Arnold neu, legte alles neu aus. Hatte er nicht, sooft er auf jemand losgehen, sich Blicken, Urteilen preisgeben mußte, Bewegungen, als hielte er sich mühsam vom Davonlaufen zurück? Er war feige. Er war unmännlich in seinem Zurücktreten vor Pardi, in seinem Erröten, seinem Eifer, wenn der Italiener sich einmal mit ihm abgab. Er war ein ängstlicher Egoist, immer in Sorge, sich mit jemand messen, seinen traurigen Frieden aufgeben zu müssen. Das machte ihn kleinlich und ungenerös: jenen Vorfall mit der Bettlerin, der er nichts gab, hätte Lola nur von seinen schönen Worten unbestochen beurteilen sollen. Jetzt bemerkte sie, wie er sich kleine Geldbeträge erstatten ließ, die er für die Gugigls ausgelegt hatte. Sie bekam einen Schreck, sooft sie derartiges wahrnahm. Alle, meinte sie, müßten darauf aufmerksam werden und sie höhnisch ansehen: sie, die so lange mit ihm verbündet gewesen war. Fortan vermied sie es, sich neben ihm zu zeigen; sein Anblick erbitterte sie, weil er sie getäuscht hatte; und mehrmals war sie drauf und dran, sich seine Blumen zu verbitten.

Beständig war ihr's, als habe sie das alles schon einmal erlebt, und zwar einfacher und deutlicher; als gliche dieser Arnold einem anderen und werde durch jenen erst ganz aufgeklärt werden. Wie sie ihn eines Tages mit einem faltigen Socken dasitzen sah, fiel's ihr ein: Herr Dietrich, ihr

Geschichtslehrer! Herr Dietrich, der schüchtern und ironisch gewesen war und mit ihnen wie mit erwachsenen Damen gesprochen hatte. Der Mutter und Geschwister unterhielt und dessen Leben liebreich dahinfließen mußte, voll sanfter, gütiger, edler Gedanken. Dann aber war ihm ein gelber Strumpf über den schwarzen Schuh gerutscht; er hatte mit der dicken Jenny kokettiert und hatte Lola das Haar wieder weggenommen, das sie ihm aus dem Ärmel gezupft hatte. »So etwas tut man nicht!« und »Gib's her!« hatte er gesagt… Die Lust überkam sie, Arnold in das entlarvte Gesicht zu lachen. Ob er nicht der dicken Köchin im geheimen begehrliche Blicke nachwarf? Der Strumpf rutschte ihm nun auch. Und er vertrat keinen guten Geschmack, dieser Strumpf. Arnolds Anzug war manchmal schlechthin der des Herrn Dietrich. Andere Male war er zu sehr das Gegenteil. Er übertrieb und verweichlichte dann die Mode, in der Art italienischer Stutzer. Pardi war maßvoll dagegen; auch brachte er es nicht fertig, einen Lodenkragen dazu anzuziehen. Arnold kleidete sich ungleich, wie jemand, der nicht weiß, was er aus sich machen soll, in welcher Gestalt er sich zeigen und für wen er selbst sich halten soll. Lola erinnerte sich all der Widersprüche in seinen Gesprächen; – und sie bemerkte, daß sie, mochte er ihr auch alles in sich enthüllt haben, doch kein fertiges Bild von ihm habe. Wenn er ihr das nächste eröffnet hatte, war ihr das vorige schon nicht mehr gegenwärtig, nicht mehr recht begreiflich: – wie es mit unseren eigenen Erlebnissen geht. Sie dachte: ›In ihm fließt alles durcheinander, wie sonst nur in mir selbst. Von den anderen Menschen hat man doch immer einen kurzen, klaren Abriß.‹

Sie versuchte ihn abzutun: ›Er ist widerlich kompliziert. Er kennt keine unmittelbare Regung. Niemals könnte er lieben.‹

Bei Pardi wußte man wenigstens, was vorging: die einfachsten Triebe wirkten, das Leben war frischer, ursprünglicher. Man gab sich nicht von seinen Stimmungen Rechenschaft und nicht von denen der Landschaft, durch die man ging: man bewunderte darauflos, man hörte mit grundlosem Lachen Komplimente an, die aufs Geratewohl gemacht wurden. Man trat in die Bauernhäuser, war mitteilsam, furchtlos und menschenfreundlich. Man grübelte nicht über Almosen. ›Wie sehr sehnte ich mich in meiner schlimmsten Verlassenheit, unlängst auf dem Meer, nach dem Gefühl menschlicher Gemeinschaft, nach einfacher Liebe zu Menschen!‹ Hier war das Wohlwollen, das aus Stärke hervorging; waren entschlossene männliche Meinungen, die aus der Frau keine große Frage und nicht viel Federlesen mit ihr machten. Manchmal ließ man sich das gern gefallen, auch wenn man widersprach. Man brauchte sich selbst nicht gar wichtig zu nehmen und hatte es leichter. Warum nicht in diesem warmen Lebensstrom dahintreiben?

Und doch störte es sie in Pardis Gesellschaft, daß sie einen Selteneren, Wertvolleren in der Nähe wußte. Sie wehrte sich. ›Ich bin doch jung.‹ Und sie empörte sich gegen Arnold, als hätte er sie an ihrer Jugend, an den Rechten ihrer zwanzig Jahre kürzen wollen.

Wenn sie jetzt sang, ward unterm Fenster schallend mitgepfiffen; dann erschien im hellen Rahmen Pardis Kopf; Pardi arbeitete sich herauf, schwang sich lautlos ins Zimmer, störte mit keiner Regung mehr die Sängerin, die, in Tönen befangen, das alles nur wie fernes Schattenspiel geahnt hatte; – und nun sie endete, brach er in stürmisch überzeugten Beifall aus. Seine Begeisterung hatte Herzensklang; naiv gab er sich der Lust hin, die ihr Gesang ihm erregte; und keinen Augenblick war er im Zweifel, daß aller Welt gefallen werde, was ihm gefiel.

»Sie werden Glück haben, ich fühle das!«

Aus der Fülle seines Glaubens an sich selbst gab er Lola ab. Ihre Zukunft zeigte sich auf einmal besonnt. ›Was will ich denn? Alles geht doch herrlich! Wie konnte ich mir neulich einbilden lassen, die Stimme sei in den Hals gerutscht und tremoliere?‹ Denn sie hatte das Gefühl, daß diese Ängste ihr nur von Arnold eingegeben seien. Auch Mai hatte es.

»Siehst du jetzt, daß du eine große Sängerin bist? Als jener Deutsche wie ein Stock dabeistand, mußte er dich natürlich entmutigen!«

Pardi schlug die Noten um; er flüsterte ihr, über sie gebeugt, in den Nacken; und Mai bekam, in seinen Atem gehüllt, starr lächelnde Augen. Auch in ihrem Zimmer sah Lola sie abwesend lächeln. Mai hatte etwas Erweichtes und Verwirrtes, seufzte oft und warf die Augen, wie zum Sprechen, auf Lola. Doch schwieg sie, unter Nöten.

»Ist das Fältchen am Auge jetzt wirklich fort?« fragte sie nach stundenlangen Bemühungen vor dem Spiegel. »Kann niemand sehen, daß es einmal da war?«

»Überhaupt bist du wieder in einer Zeit, Mai, wo du alle Tage jünger wirst.«

Ein neuer Anbeter: und Mai verjüngte sich. Wieder kam sie im Hemd, zum Gutenachtkuß, an Lolas Bett, Vertraulichkeiten auszutauschen, als ältere Schwester.

»Ich glaube, Pardi liebt mich. Hast du nicht auch den Eindruck? Gestern den ganzen Abend hat er sich mit mir unterhalten: die anderen barsten; und heute, wie er mich in der Hängematte schaukelte, hat er mir Dinge gesagt ...«

»Er sagt allen Dinge, Mai.«

»Mich aber liebt er: das ist ein Unterschied.«

»Wie so einer liebt! Du bist kindlich, Mai! Kannst du dir nicht denken, daß er im Dorf schon ein Verhältnis hat?«

»Wer sagt das?«

»Nein, erschrick nicht; ich weiß nichts. Das aber mußt wohl auch du sehen, daß er den anderen drei Frauen hier nicht weniger den Hof macht als dir.«

Mai stutzte und lächelte frohlockend:

»Ach so! Du bist eifersüchtig auf mich?«

Aber da sie Lola erröten sah, warf sie ihr die Arme um den Leib, und ihre Stimme feuchtete sich.

»Du liebst ihn! Ich will nicht deinem Glück im Wege sein! Ich opfere mich!«

Lola machte sich zornig los.

»Darum handelt sich's nicht, Mai. Hast du nicht bemerkt, daß er den ganzen Nachmittag mit seiner Kusine fort war? Sie sind bei der Heuernte gewesen; sie haben im Heu gesessen und, was weiß ich: Bier getrunken.«

»Das ist schrecklich!« – und Mai stampfte auf. »Er wird erfahren, daß man mich nicht zum besten hält!«

»Sei kein Kind, Mai! Die Baroneß Thekla ist vernünftig genug, und sie weiß, daß er der Marie halbnackt Modell steht und mit der kleinen Tini –«

»Halbnackt!«

Mais Aufschrei erbarmte Lola. Sie trocknete ihr die Tränen, herzte und tröstete sie.

»Den Eindruck habe ich zwar doch, daß du, Mai, ihm am meisten gefällst von uns allen. Ihr versteht euch am besten, weißt du.«

»Nicht wahr?« – und Mai ließ sich zu Bett bringen.

»Möchtest du denn Contessa Pardi werden, Mai? Die Frau von Cesare Augusto Pardi? Welch stolzer Name!«

»Wer weiß... Vielleicht. Aber nur, wenn du es nicht möchtest.«

»Ausgeschlossen, Mai. Ich könnte ihn niemals lieben.«

Warum lieben? Lola überlegte es oft: was gab es Persönliches an Pardi zu lieben? ›Mit diesem Typus bin ich doch wohl glücklich fertig. Alle waren so, Da Silva und die früheren. Und da ich jene losgeworden bin und auch Da Silva entbehren kann –‹ In manchen Augenblicken und besonders einmal, als Pardi gelaufen kam: gierig wie ein Tier, ganz auf das Ziel zusammengezogen war er dahergelaufen: da hatte sie geglaubt, Da Silva zu sehen. Sie führte absichtlich dieselben Gespräche mit Pardi wie mit Da Silva und wußte seine Antworten voraus. Daß er von »Emanzipation« schon gehört hatte, wunderte sie... Nur stand hier der Typus auf der Höhe des Lebens, war gereift und vollendet: aber nicht gesättigt. Immer noch waren seine Äußerungen auf eine Art, die Lola merkwürdig stark zum Kampf reizte, aus Abenteurerhaftem und Philisterei gemischt.

Gleichviel: Lola hätte es nicht rühmlich gefunden, in den sich zu verlieben, dem links und rechts die Frauen zufallen mußten, der über alle die gleiche, beschämend sinnliche Macht erlangte. Sie spürte eifersüchtiges Unbehagen, wenn sie eine der anderen bei Pardi glänzendere Augen und schmachtendes Wesen bekommen sah; – und gleichzeitig schämte sie sich.

Der Italiener erhielt fortwährend alle in Bewegung. Während die eine noch mit verträumten Wangen umherging, triumphierte schon eine andere; und die dritte, die zurückkehrte, ward mit Unruhe gemustert. Mai schmollte halbe Tage, lachte dann wieder alle aus, und am Abend hatte sie eine Tränenkrise. Die Baroneß Thekla fluchte auf bayrisch und kam wenig mehr nach Haus. Frau Gugigl nötigte Tini, mit ihr, nach ihren Einfällen und von der Mode unabhängig, Hüte aufzuputzen. Sie trug den Zopf als Fladen an die linke Schläfe gedrückt und entlieh von den Bäuerinnen die dicken Goldlitzen aus dem großmütterlichen Hochzeitsstaat, um sich Pardi in künstlerischen Gewändern vorzuführen. Über Mais und Lolas Abhängigkeit von Paris gönnte sie sich jetzt spitze Bemerkungen. Saßen alle in der Stube, enthüllte sich hier und da, kurz und halblaut, eine Feindseligkeit. Mai wollte die Läden fast geschlossen, die Baroneß Thekla alles weit offen, und beide erbitterten sich gegen Tini, weil ihr jedes Licht recht war. Frau Gugigl verlangte ungewohnte Rücksichten von Lola, die nicht verheiratet sei. Männerschritte wurden hörbar: und sogleich lief ein künstlich angeregtes Lachen um. Dann waren's nur Gugigl und Gwinner, und sie wurden mit Geringschätzung empfangen.

Sie rächten sich, nun er nicht dabei war, an dem, der sie verdrängte und kleinlaut machte.

»Wo is denn der Katzlmacher?« fragte zuerst Gugigl und bat mit gutmütigem Grinsen der Baroneß Thekla die Kränkung ihres Vetters ab. Sie hatte nichts dagegen, der anderen wegen, die es in ihren Gefühlen verletzte. Und jede lachte mit: weil sie den übrigen einen Stich gönnte, und auch, um sich gegen Pardi zu waffnen. Wie Gugigl doch komisch war! »Der galante Ratzifatzi«, verkündete er und krümmte sich, wie eine betrunkene Schlange und das Gesicht von Süßigkeit ganz verrenkt, um die Damen her. Ja, so war Pardi eigentlich! Gwinner legte, den runden Kopf vorsichtig zwischen den hohen Schultern, Eier um sie her, die Witze waren. Er sagte:

»Alles gleicht sich aus. Wenn ich solchen übermenschlichen Schick sehe, denke ich immer an Löcher im Hemd.«

Er wiederholte dies häufig, gab Rätsel auf, deren Lösung »ein Loch im Hemd Pardis« war, beteuerte jede seiner Behauptungen »bei den Löchern im Hemd des Pardi«. In Pardis Gegenwart umschrieb er: »Bei den Löchern, Sie wissen schon in wessen Hemd.« Die Damen kicherten verlegen; Pardi, der umsonst aufhorchte, lachte mit, ein Lachen, das sie rührte und bei dem sie ihm, wie um Verzeihung, zunickten. Er stutzte, ward plötzlich ernst. Das nächstemal, als er die rätselhaften Laute fallen und die Mienen wieder so verdächtig mitleidig sah, schlug sein bezauberndes Lächeln unvermittelt in eine breite, katzenhafte Drohung um. Die Damen erschraken, Gwinner machte eine kleine demütige Verbeugung. Aber Gugigl, der soeben seinen Maßkrug geleert hatte, richtete sich kühn auf, strich mit der Hand über den feuchten Bart und blickte gefaßt und kundig umher, als sei er bereit, Hand anzulegen, wo es fehlte: ein Faß Bier anzuzapfen oder einem Huhn den Kopf umzudrehen.

»Was is denn?« fragte er, inmitten der Stille, mit hoher Trompetenstimme. »Hier hat doch überhaupt gar niemand Löcher im Hemd.«

Pardi faßte jetzt ihn ins Auge. Gugigl schmetterte prahlerisch:

»Und Katzlmacher gibt's hier auch keinen!«

»Sie meinen?« fragte Pardi. »Was, bitte?«

Seine Kusine schlug auf den Tisch. Ihre nackten, gebräunten Arme lagen darauf; sie beugte sich weit darüber und sah aus, als erstickte sie: so voll zornigen Vergnügens war sie. Das war eine Hetz! Am End ward noch gerauft!

»Dummer Bua, *dich* meint er!« schrie sie ihrem Vetter ins Gesicht.

Er verbeugte sich leicht vor ihr. Plötzlich trug er das liebenswürdigste Lächeln, wandte sich an Mai, an Arnold... Gugigl, den er nicht mehr beachtete, nahm große Schlucke. In allzu geräuschvoller Heiterkeit endete das Mittagessen. Wie man aufgestanden war, wurden Gugigl und Pardi vermißt. Tini stürzte herein, die Augen erweitert von banger und wilder Feierlichkeit.

»Sie sind draußen. Sie wollen sich schlagen!«

»Wer? Bist du verrückt?«

»Pardi verlangt es!«

»Himmel!« machte Frau Gugigl, mit einer kleinen, irren Stimme, die Schultern hinaufgezogen und die geschlossene Hand am Mundwinkel. Die Baroneß Thekla warf barsch hin:

»Blöde Mannsbilder, blöde!«

Mai, die nichts begriff, lachte über sie. Aber Lola ge-

wahrte Gwinner, der aus einem unbeteiligten Winkel her-
schielte. In einer Wallung von Haß, die sie selbst überraschte, und in dem jähen Drang, zu handeln, sich zu äußern, ging sie auf ihn los.

»Da haben Sie's! Sind Sie zufrieden? Das kommt von
Ihren unanständigen Witzeleien! So unanständig wie billig! Jemand braucht nur elegant angezogen sein –«

Sie erschrak und brach ab. Gwinner hatte sie demütig,
blaß feixend angehört; und von den anderen, die Lolas
Ausbruch sicher verstanden hatten, legte niemand ihm
Gewicht bei, so verstört waren alle. Lola selbst atmete rascher. Ihr fiel ein, daß Frau Gugigl und die Baroneß Thekla zu ihrem Mann und ihrem Vetter hinausmüßten; – und
dann trat sie selbst in die Haustür und beobachtete, wie
die beiden Frauen, an die Arme der Männer gehängt, auf
sie einsprachen.

Da polterte es auf der Brücke zum Schlafzimmer des
Barons Utting; der Pferdekopf erschien an der Hausecke;
und neben dem Tier ging Arnold. Der Alte ritt hinüber,
vor die Öffnung des Baumganges, beugte sich vom Pferd,
legte die Hände auf die Schultern der beiden Gegner. Sein
großer heller Bart stieg in der Sonne auf und nieder. Die
Gesichter blinzelten, mit scharfen Schlagschatten, zu ihm
hinauf. Frau Gugigl flatterte, unter den kleinen, bunten
Flügelschlägen ihrer weiten Hängeärmel, um die eifrige
Gruppe.

Nun schien es dem Alten gelungen, er wandte das
Pferd. Lola kehrte ins Zimmer zurück. Gleich nach ihr
kam Gugigl, hob die Arme, schnitt Fratzen und krähte
darauflos:

»Mir war's g'nua! Eine Courasch wenn der Katzlmacher hat!«

Der Anblick seines Maßkruges gab ihm Festigkeit. Er
ergriff ihn, stemmte sich auf gespreizte Beine und hob ihn
nervig an die Lippen. Die beiden Frauen brachten Pardi

herein; er mußte mit Gugigl trinken. Er tat es unter knir-
schendem Lächeln, richtete an die Damen einige galante
Sätze und verschwand wieder. Man war besorgt und unzufrieden.

»Ah! der stört die Gemütlichkeit!« rief seine Kusine.
»Da sicht mer's, was dees da drunt für Bazi sein!«

»Gehns, machens doch an Witz!« – und Gugigl sah aus
geröteten Augen erbittert auf Gwinner.

»Wissen Sie, warum er sich mit Ihnen schießen
möchte?« begann Gwinner pünktlich. »Damit auch Ihr
Hemd Löcher kriegt!«

Nur Frau Gugigl lachte. Tini fragte tiefernst, mit etwas
Starrem im Ton:

»Und Sie, Herr Gwinner? Würden Sie sich schlagen?«

»Ach ja, das ist interessant!« – und Frau Gugigl hüpfte
empor. »Wie stehen wir eigentlich zu der Frage im allgemeinen?«

Gwinner erklärte, er würde solche Sache in zwei Minuten erledigt haben. Für ihn als modernen Menschen sei der
Zweikampf ein einfacher Unfug und tief unter seiner
Würde; – und er erklärte es in so herausfordernder
Sprechweise, als hätte er jedes Wort sogleich mit der Waffe
vertreten. Frau Gugigl stimmte begeistert zu. Tini stand
ohne Regung; sie sagte langsam, und jede Silbe ward von
einer rätselhaften Schwere erschüttert:

»Das hatte ich von Ihnen nicht anders erwartet.«

Lola wandte sich nach Arnold um.

»Wie denken Sie?«

»Über den Zweikampf? ...Ich habe vorhin eingegrif-
fen, um einen zu verhindern... Was mich betrifft: – aus
eigenem Drang würde ich mich vielleicht schlagen, nie um
der Welt willen. Es muß jemand dasein, der nicht mehr
leben darf: dann ja... Aber wer hat so starke Affekte?
Vielleicht... Ich weiß nicht, komme ich für das Duell in
Betracht? Alles kann eintreten: auch daß ich einen Orden

erhalte oder ins Zuchthaus komme. Nur kann ich mir's nicht vorstellen...«

»Ist er nicht zu komisch?« fragte Frau Gugigl. Ihr Mann bemerkte:

»Ah! Freunderl! Sie san g'scheit.«

Und Lola schwieg, enttäuscht. Sie hatte sich gewünscht, auch ihn verachten zu dürfen. Nein: er behielt das Recht, ihr Blumen, als Mahnungen, ins Zimmer zu stellen...

Plötzlich stieß Mai einen Schrei aus. Sie hatte begriffen, was vorgegangen war! Nachträglich kam alles in ihr in Wallung. Lola brachte sie hinauf. Wie Lola dann am Fenster stand, sah sie, unvorbereitet, Pardi aus den Büschen treten. Er stand grade unter ihr, ganz nahe: sie unterschied die gesträubten schwarzen Härchen auf der energischen Blässe seines Gesichts und erschauerte, als werde sie von seinen Wimpern gekitzelt. Flüsternd und eindringlich, mit einer Art herrischen Flehens, verlangte er, daß sie hinunterkomme. Sie sah sich um: Mai hatte nichts gehört; und sie ging, leicht betäubt.

Pardi erwartete sie am selben Fleck. Sie vermieden die Vorderseite des Hauses und erreichten durch eine vorsichtig geöffnete Seitenpforte den lautlosen Wiesenboden.

»Ich danke Ihnen!« sagte Pardi, leise und stürmisch. »Wie sehr habe ich es in diesem Augenblick nötig, zu jemand zu sprechen, der mich versteht! Ist es zu glauben, daß man hier die Dienstboten mit ›Sie‹ anredet und sogar den Kopf vor ihnen entblößt?«

Lola sah ihn rasch an – und dann konnte sie ihr Gelächter nicht mehr dämmen. Er war zornig erstaunt.

»Auch Sie? Lachen Sie doch nicht! Sie kennen diese Leute noch nicht. Alles Sozialisten und Schlechterzogene! Man braucht nur ihre Kleidung anzusehen. Die Schuhe und die Nase dieses Gugigl: beide krümmen sich nach oben. Verkommen sind alle, überzeugungslos und feige.

Sind das noch Männer, die ihren Frauen diese Sitten gestatten und diesen Ton? Wer stopft hier die Socken? Mulier subiecta viro. Leugnen Sie es nicht! Ich weiß, welche Ideen Ihnen jener Hölzerne, Furchtsame einzuimpfen trachtet. Aber sehen Sie nur seine Hände an, die immer weich werden und anschwellen ...«

Lolas Lachen brach ab.

»Sie sind zu klug: Sie lassen sich nicht unglücklich machen. Glauben Sie mir: die Frauen hier sind sämtlich unglücklich. Man hat ihnen die Zügel abgenommen, und allein wissen sie nicht wohin und wie sich wehren... Sie aber, was tun Sie hier? Sie sind doch stärker als alle diese.«

Er ließ ihr den Vortritt auf das Brett über einer sumpfigen Stelle. Aber am Ende des Brettes trat sie in Wasser und wandte sich um. Auch er blieb stehen.

»Sie sind doch stärker!« wiederholte er und warf sich dabei selbst in die Brust; und durch seinen leichten, engen Leinenärmel hindurch sah sie, daß er die Muskeln anspannte. Feindselig, auf ihrer Hut, führte sie ihren Blick hinauf, bis in seine Augen; – und in den sprachlosen Sekunden, die sie einander musterten, war es ihr auf einmal heftig erleuchtet, nicht mit den Hiesigen und nicht mit Arnold habe sie Zusammenhang... Sie erschrak über den Leichtsinn, mit dem sie zu dieser Begegnung ausgegangen war, und darüber, daß sie noch soeben gelacht hatte.

»Also kehren wir um!«

»Haben Sie Furcht?«

»Wovor denn? Die Wiese ist ungangbar. Vor Ihnen doch nicht? Sie sind ja noch einer von den Rittern.«

»Ein Jäger, sagen Sie! Der Mann ist Jäger.«

Da sie schwieg:

»Ihre Mama spricht davon, nach Italien zu gehen. Sie werden mir hoffentlich bald nachkommen. Denn Sie begreifen, daß ich nach dem Vorgefallenen nur noch der Form wegen zwei Tage mit der Abreise warte. Wir müssen uns aber wiedersehen.«

»Es wird mich freuen, wenn es sich so macht.«

»Nein! Wir selbst müssen es machen! Ich gehe nach Viareggio; aber ein Telegramm, und ich fahre Ihnen entgegen, wie weit Sie wollen!«

»Ich begreife gar nicht...«

»Sie begreifen vollkommen, daß Sie zu uns gehören. Warum? Warum? Erstens haben Sie eine gute Schneiderin.«

»Das allerdings.«

»Und dann viel Leidenschaft.«

»Das ist nicht wahr!«

»Das Temperament, womit Sie's leugnen! So viel bringt man hierzulande höchstens auf, wenn man getrunken hat.«

Er neigte den Kopf auf die Schulter.

»Sie sind anbetungswürdig.«

»Sagten Sie nicht, daß Sie Jäger seien? Wirklich, manchmal sind Sie wie ein Jäger, der sein Wild gerührt bewundert, bevor er es totschießt.«

Sie waren bei der Pforte. Lola dachte daran, wie sie ihn loswerde, bevor man sie sähe: da verabschiedete er sich; er gehe noch nach dem Walde.

Hinter einem Busch rief Tinis Stimme, und sie klang erstickt:

»Komm her, Lola, ich muß mit dir reden!«

»Was ist denn, Tini? Wie hast du dich komisch hingesetzt?«

Tini saß neben einer Bank, fast unter ihr; griff mit ihren langen Armen um das Sitzbrett herum und hielt den Mund in die Arme gepreßt.

»Lola, wie ist nun alles schrecklich!« jammerte sie und

hob nur die Augen auf. »Warum mußten sie in Streit kommen? Jetzt hab ich gesehen, daß Gwinner ein Feigling ist.«

Lola ließ sich rasch neben Tini auf die Knie, zog Tini in ihre Arme, hielt ihr den Mund mit ihren Lippen zu.

»Er ist kein Feigling, arme Tini! Wie kannst du nur glauben! Er will keine Gewalttat begehen, weil er sie ungerecht und unschön findet.«

»Du willst mich trösten.« Aufschluchzend: »Du bist gut. Aber das ist doch klar, daß Pardi ein stärkerer Mann ist. Und dann kann mir die moderne Weltanschauung auch nichts nützen, wenn einer sich nicht schlägt. Denke dir, man wird beleidigt, und er schlägt sich nicht für mich. Schrecklich! Schrecklich!«

Der Schmerz schüttelte Tinis Kopf, und das Weinen verzerrte ihr Gesicht zu einer Kindergrimasse.

»Du hast ihn wohl sehr lieb gehabt, Tini?«

Tini schrak auf – und plötzlich fiel sie in Zorn.

»Nicht die Spur! Nur mit Reden hat er mir imponiert, grade wie – na, ich kann's wohl sagen: grade wie der Arnold dir!«

Lola ließ Tini los; schnell, ehe sie die Kränkung, die sie fühlte, bedacht hatte:

»Der taugt doch wohl mehr, Tini.«

»Wieso?«

Beide senkten die Hände bis zur Erde, und, Tini sitzend, Lola auf den Knien, sahen sie einander ganz nahe in die Augen.

»Hat er vor Pardi nicht Reißaus genommen? Meinst du, ich merke nicht, was du durchmachst? ...Und ich mit Gwinner! Du weißt noch gar nicht: ich wollte Diakonissin werden, so fromm war ich. Immer hab ich mich geschämt, es dir zu sagen. Er aber hat mir Nietzsche zu lesen gegeben und mir so viel Sprüche gemacht, bis ich glücklich ein modernes Weib war. Da hab ich nicht mehr gewußt, bin ich in ihn verliebt? Ich fragte dich doch, an was man's kennt! Und wollte, daß er mich entführen sollte. Er sagte natürlich, es sei nicht modern. Das sagt er immer; damit redet er sich aus allem heraus: grade wie dein Arnold. So sind sie jetzt. Ich aber bin anders!«

Und Lola sah wieder in die haltlos kreuzenden Augen eines wilden jungen Vogels. Sie wich ein wenig zurück.

»Da kam der Pardi«, sagte Tini und nickte heftig. »Das ist einer, der täte es. Aber meinst du, daß ich ihn mag? Er macht mir einen so gemeinen Eindruck, Lola! Ich kann dich nicht genug vor ihm warnen!«

»Du bist noch sehr jung, Tini.«

»Aber schon furchtbar verdorben!«

Mit einem großen Ruck:

»Ich muß knien, ich!«

»Du, verdorben?« – und Lola streckte wieder die Arme aus. »Durch was denn? Nichts ist geschehen, arme Tini. Mit dir nicht und mit mir nicht...«

Ganz neues, durchdringendes Mitleid fiel Lola an, mit Tini, mit sich: als seien sie beide verschmäht worden; und sie fühlte sich demselben haltlosen Kinderweinen nahe, das vorhin Tini erschüttert hatte. Gern hätte sie Tini wieder an ihrer Brust gehabt; aber Tini machte sich steif, und sie war stärker.

»Was soll denn geschehen?« fragte sie mit ganz leerem Jungfrauengesicht. »Wir haben doch unsere Gedanken, nicht? Und die sind nun anders und kommen nicht mehr so wieder wie einst... Ich wollte, ich könnte noch Diakonissin werden!«

Und bekennerhaft zurückgeworfen, mit leidenschaftlichem Atem:

»Es ist nicht wahr, daß ich Pardi nicht möchte! Ich hab dich gehaßt, und deine Mama auch, und die andern auch: weil ihr mir ihn wegnehmt!«

»Ich nehme ihn dir nicht weg. Tini.«

»Doch! Grade du! Paß auf, du wirst ihm folgen, wenn er fortgeht!«

Wie Lola sie mit Grauen ansah, warf Tini sich über sie.

»Und ich –«, krampfhaft, erstickt: » – werde dir dazu helfen. Du sollst sehen! Denn dich will ich nicht hassen, Lola. Du bist die einzige, die ich wirklich liebe, Lola: du bist mein Ideal... Mit den Männern ist es nichts...«

Durch Tränen befreit, begann sie ein Liebkosen.

»Warum liebst du mich nicht?«

»Ich habe dich so lieb wie meine liebste Schwester.«

»Wirklich? Ich dich aber viel mehr! Schwester: was heißt das?... Und warum hast du mir nie ein Wort des Dankes für meine Blumen gesagt?«

»Deine Blumen?«

»Die ich dir fast jeden Tag hingestellt habe.«

»Du hast – Das warst du?«

»Wer sonst... Ach! Arnold? Du dachtest?... Oh! Mach nicht solch Gesicht! Das ist entsetzlich! Ich wollte, ich hätte nichts gesagt. Vielleicht hat auch er welche hingestellt... Bist du mir nun böse?«

Lola faßte sich.

»Es macht gar nichts. Ich dachte wahrhaftig, er sei verliebt in mich; – und wenn man dann merkt, er ist es nicht, ist man blamiert, weißt du.«

Tini hielt Lolas Gesicht zwischen den Handflächen fest und ging mit den Augen darauflos.

»Und du liebst ihn nicht?«

»Nein!«

»Das ist recht: du hast nicht gezuckt... Hab ich dir nicht längst gesagt, daß er mir widerwärtig ist? Und auch unheimlich? Das ist nichts für dich, meine Lola. Ich habe jetzt meine Erfahrungen, und wenn du einen Mann willst, nimm schon lieber den Pardi!«

»Ich will mir's überlegen.«

Lola stand auf. Tini fiel vornüber auf die Hände.

»Au au! Hilf mir auf, Lola! Hast du dir nicht auch die Steine in die Knie gedrückt?«

Mit wehmütigem Rückblick auf die Stelle, wo sie gelegen hatten, und aufseufzend:

»Wenigstens hab ich Hunger gekriegt.«

Auf der Schwelle, wie sie schon wieder die gewohnten Menschen um denselben Tisch sitzen sah, merkte Lola, daß sie am liebsten umgekehrt wäre. Alle Anstrengungen, unbefangen zu scheinen, ermöglichten ihr kaum, höflich zu bleiben; und es ward ihr zur Qual, beim Sprechen den Leuten ins Gesicht zu sehen. Zum Glück war die Verstimmung allgemein. Jeder nahm sich sichtlich zusammen, um nicht auszubrechen gegen jeden. Mai sagte plötzlich etwas Unliebsames zu Arnold. Pardi legte sich geschmeidig ins Mittel: er war der einzige, der sich nichts anmerken ließ; und Lola war ihm dankbar dafür, daß er sich in der Gewalt hatte. Wenn er sie anredete, atmete sie auf.

Er unterhielt die Gesellschaft von Monte Carlo, erklärte ihnen sein System, glitt allmählich von den andern ab und trachtete nur noch Lola zu überzeugen. Überrascht, da sie zurückblieb:

»Sie haben nie gespielt?«

»Ich traue mir kein Glück zu.«

»Das müssen Sie: sonst verlieren Sie.«

»Drum habe ich nie auch nur das einfachste Kartenspiel gelernt.«

»Ich zeige Ihnen eins. Wollen Sie? Sie werden gewinnen!«

Sie richteten sich im Winkel ein. Aber die Regeln des Whist machten Lola hoffnungslose Langeweile; sie mußte dazwischen nach Gwinner hinhören, der wieder einmal Schriftzüge und Handflächen deutete. Tini hielt ihm ihre hin und machte sich dabei, weit von ihm weggebeugt, ganz steif.

»Bei mir muß sich manches gründlich verändert haben«, sagte sie fast ausdruckslos, vielleicht mit leiser Trauer und entferntem Hohn.

Er stotterte, fand nichts zu sagen; und von der Hand aufzusehen, wagte er auch nicht.

»Doch, ich weiß eins«, entdeckte Lola plötzlich. »Ein sehr altes, ganz einfaches: als Kind lernte ich es von meiner Großmutter, drüben auf der Großen Insel. Lassen Sie mich's wiedersuchen!«

Sie warf die Karten durcheinander, teilte sie neu aus, probierte, dachte nach... Ihr war, als zöge sie ein Stück Kindheit wieder an sich, abhanden gekommenes Glück und verlernte Zuversicht. Ein etwas mißgelauntes altes Gesicht unter einer Faltenhaube erschien ihr. Erregt lachte sie vor sich hin. »Damals gewann ich immer! Alle Orangen gewann ich Großmama ab. Oh, in diesem Spiel werde ich auch heute noch gewinnen!«

»So, also so: passen Sie auf! ...Sie haben begriffen? Einen Pfennig die Partie.«

Pardi lachte, erklärte das Spiel für sehr schwierig und verlor. Er verlor mehrmals.

»Ich bin unglücklich, solange das Glück keinen Gegenstand hat. Haben Sie etwas dagegen, daß wir diesem Pfennig den Wert einer Million beilegen?«

Lola erschrak.

»Aber – das ist etwas ganz anderes. Und ich habe nicht soviel Geld.«

Pardi wollte sich ausschütten.

»Was denken Sie! Wenn das Spiel aus ist, wird der Pfennig wieder zum Pfennig und verpflichtet zu nichts.«

»Also gut.«

Sie schämte sich ihrer Furcht. Lachend verlor sie die erste Partie, lachend die zweite.

»Drei Millionen!« sagte Pardi nach der dritten und sah sie, beim Geben, von unten an. Sie stutzte. Seine Stimme klang ihr weicher und gefährlicher als sonst. Unter dem Überfall eines kindischen Entsetzens glaubte sie seinen Mund teuflisch verzogen zu sehen.

Sie verlor weiter. Betäubt ließ sie's geschehen und sah zu, wie seine allzu geschickten, weißen und starken Hände mit Karten hantierten, das Kettchen am Gelenk erklirren ließen, auf ein Papier ungeheure Zahlen setzten, die sie verloren hatte...

»Sind wir nicht Kinder?«

»Ja – aber ich habe genug, ich bin müde.«

»Also sieben Millionen: merken Sie sich's. Vielleicht, daß ich später meine Forderung einziehe.«

Sie versuchte, noch im Weggehen, zu lachen. Aber in ihrem Zimmer schloß sie die Läden, kämmte sich langsam und mochte noch lange das Licht nicht löschen.

›Wenn es nicht das alte Kinderspiel gewesen wäre, in dem ich immer gewonnen hatte!‹

Aber erklärte dies wirklich ihr Grauen vor dem Scherz, der ihr eine Schuld an Pardi auferlegte: eine untilgbare, lebenslängliche?

Aus unruhigen Morgenträumen fuhr sie auf, unzufrieden, weil es schon so spät war. Vor Tag, erinnerte sie sich, war sie schon einmal aufgestanden, hatte das Fenster geöffnet und sich versprochen, in der stillsten Frühe in den Tau hinauszuwandern. Welche Erfrischung ihr das bringen sollte! Nun lasteten Sonne und Leben schon wieder schwer. Um nicht mit Pardi zusammenzutreffen, verzichtete sie auf das Frühstück, ging gleich ins Freie und war froh, den Gugigls mit Tini und Gwinner zu begegnen, sich in den Haufen bergen zu können. Auch Arnold war dabei, und wie die andern unter sich beschäftigt waren, begann er schon:

»Sie sind dieser Tage in Unruhe...«

Und das klang, als ob er Aufklärung, Ordnung für alles

wisse; und Lola hielt sich schon vor, mit welchem Recht sie ihn verachten wolle, ihn abgetan glaube. Die Blumen? Wann hatte er vorgegeben, ihr zu huldigen?

Da kam aber Frau Gugigl dazwischen. Etwas Wichtiges war im Gange. Gugigl keuchte unter einem Sack: darin waren leere Farbentuben, deren Blei er einschmelzen wollte. Den Kessel trug Gwinner. Er stellte ihn auf den Grashügel. Tini und Frau Gugigl liefen nach Reisig. Gugigl leerte, unter Kommandorufen an die Helfer, den Sack in den Kessel, beaufsichtigte, entschlossenen Blickes, den Vorgang des Schmelzens, rührte in dem Brei, entfaltete, indes ihm die Frauen achtungsvoll zusahen, eine ernste und gespannte Tätigkeit.

»Einen Klump gibt's, einen großartigen!« verhieß er, heimlich fiebernd.

Gwinner fragte ihn wohlwollend und nicht besonders sachlich, wie einen talentvollen Knaben:

»Und wozu brauchen Sie eigentlich den Klumpen?«

Gugigl wandte sich rasch und kühn nach ihm um.

»No – damit i halt an Klump hab!«

Der Kübel Wasser, den er verlangt hatte, ward von zwei Mägden herbeigeschleppt. Gugigl setzte ihn auf den Rand des Kessels. Alle reckten im Kreise die Hälse.

»Jetzt abkühlen!« – und er stülpte den Kübel um.

Im nächsten Augenblick taumelte Lola, die Augen zugedrückt, mit Tini zusammen. Es hatte furchtbar geknallt, und noch immer flogen Bleistücke umher. Mit Grauen kam man näher. Gugigl stand sprachlos da und zupfte sich das Metall aus den Kleidern. Sein erstes Wort war:

»O damisch!«

Und das Gwinners:

»Hat zufällig einer der Herrschaften noch seine beiden Augen?«

Dann brach große Heiterkeit an; – und Lola war glücklich über alles: daß es Menschen gab, die solchen Unsinn betrieben; daß man lachen konnte und daß man in Gefahr war; daß etwas geschah und nicht in ihrem Innern geschah...

Gegen Abend wollte sie, um auszugehen, wie immer, durch die Stube. Noch rechtzeitig sah sie durch den Spalt und schrak zurück: da stand er. Wartete er? Langweilte er sich einfach? Er nahm eine Zeitung, warf sie wieder hin, ging zum Fenster und zurück, mit den Augen auf der Tür, hinter der Lola ihn belauschte. Einen Moment fürchtete sie, er bemerke sie: so wach war sein Blick. Er wendete sich, streckte elegant die Büste, tat keine Bewegung, der nicht eine Gesellschaft hätte zusehen dürfen. Lola dachte an Arnold, damals, wie sie ihn mit sich selbst belauscht hatte. Pardi – sie erkannte es mit einer Art Grauen – war nicht allein: war offenbar nie allein; war immer in Gegenwart seiner Menschen, seiner – Opfer, mußte sie denken; war immer sprungbereit. Keinen Augenblick vergaß er einen, und immer mußte man vor ihm auf der Hut sein... Vorsichtig ging sie von außen um die Stube herum.

Von einem hohen Acker vor der Sonne, auf dem Heu gebunden war, rief ihr jemand nach, und wie sie noch umsonst hinaufblinzelte, lief die Baroneß Thekla ihr entgegen. Droben kreischten die Dirnen; eine schrie hinter der Laufenden her:

»So eine reine Jungfrau als wie du!«

»Ich schwatze mit ihnen über ihre Lieblingsgeschichten und stelle mich naiv«, sagte die Baroneß Thekla zu Lola. »Dabei haben sie keine Ahnung, was ich durchgemacht habe.« Und sie begann von einem Leutnant ... Vielleicht hatten die Ereignisse, hatte die wühlerische Stimmung des Hauses sie in Fluß gebracht. Vielleicht trieb es sie, Lola vorzuführen, daß es ihr mit Pardi nicht Ernst sei und sein Verschwinden an ihr nichts ändern werde. Ausführlich klagte sie. Der Leutnant war zart und fein; auf einem Hofball hatten sie sich kennengelernt. Er konnte Schnada-hüpfln singen. Aber er hatte kein Geld, und um sie zu trennen, war er in die Provinz versetzt worden. Die Baroneß Thekla mochte keinen andern, sie haßte die Gesellschaft und wäre lieber eine Bauernmagd gewesen.

Lola hörte dem zu und verachtete es. Sie verachtete die Trägerin dieser landläufigen, billigen Schmerzen, und aus der Ferne beneidete sie sie auch. Lieben, nicht glücklich werden dürfen und sich trösten, wie es geht: damit war man in der Ordnung und hatte es leicht. Aber zu einem Manne hingezogen sein und ihn dabei höhnisch durchschauen! Aber seinem Gegner sich so nahe fühlen als ihm! Aber nie wissen, ob man für die Liebe gemacht ist, die doch bereit wäre, in einem aufzustehen! Sich selbst nicht trauen dürfen! Geteilt sein! Nirgends ganz zu Hause, seines Eigensten nicht habhaft, fragwürdig und der Antwort auf immer unmächtig!

So ward es Abend. ›Glücklich der letzte Abend: und morgen ist er fort, und ich werde aufatmen.‹ Lola war lauter als sonst, weil sie Befangenheit verbarg. Im Lauf des Pfänderspiels zog sie den Stuhl weg, auf den Gwinner sich eben setzte, hob Gwinner mit erschrecktem Gelächter vom Boden auf und lachte, indes er vor verwundeter Eitelkeit knirschte, haltlos weiter.

Dann sollte sie draußen ihre Aufgabe erwarten. Sie stand auf der Veranda, vor dem Dunkel, das sternenlos und schwül war; – und wie drinnen die Beratung ein wenig lange währte, näherte sich ihr die Versuchung, dahinaus zu wandern, plötzlich alles abzuschütteln. Sie dachte daran nur wie an eine bezaubernde Unmöglichkeit, eine Entführung durch den Widderwagen, den, schlimmer Werbungen müde, Prinzessin Eselshaut besteigt. Nur im Spiel ging sie die Stufen hinunter, tastete einige Schritte durch den Garten... Sie lauschte rückwärts: Stille; – und lächelnd über ihre unsinnige Tat und immer noch, als sei's nur Probe und ohne Belang, stieß sie die Pforte auf, machte ein Stück der Straße, die sie nicht sah... Nochmals blieb sie stehen; ihr war's, sie werde gerufen; – und da lief sie gradeaus, stürzte sich in das Dunkel, das so unwiderstehlich lockte mit seiner großen Freiheit und Unempfindlichkeit.

›Sollen sie denken, was sie mögen! Für heute bin ich alles los!«

Aber das Dunkel regte sich. Wie es zirpte und duftete! Welche lauen, schwarzen Wellen einen umspülten! ›Warum habe ich nicht alle vorigen Nächte solchen Spaziergang gemacht? Nie ist man wacher und nimmt freier auf, als wenn man allein ist. Ich will keine Menschen ...‹ Sie hielt eine Weile an, um einen einzelnen Glockenschlag zu genießen. Langsam, berauschend erfüllte er ihr den Kopf. ›Wenn ich die ganze Nacht wandern würde, wo mich wohl die Sonne träfe? Seltsam, nichts erkenne ich wieder. Bin ich auf einen unbekannten Weg geraten?‹ Eine riesige Mannesgestalt stand vor ihr auf. Mit dem nächsten Blick und noch zitternd unterschied sie einen Heuhaufen. Häufiger blieb sie stehen und lauschte auf etwas Unbekanntes. Wenn nun Schritte kamen? Jemand konnte ihr nacheilen. Nur natürlich war's, wenn man sie suchte. ›Wer wird es sein?‹ Und plötzlich: ›Wer jetzt zu mir stößt, der ist es!‹

Vor einem Walde zögerte sie lange. Dort innen ward ihr armer Weg vollends erstickt. Jene regungslose Finsternis mußte einem den Atem nehmen! Man fand nicht mehr heraus! Aber der Wald war unerbittlich: er zog Lola an sich, legte Arme um sie ... Da, rasche Schritte: rasche und starke Schritte, quer übers Feld. Und einer kam auf sie zu, das Dunkel durchbrechend.

»Fräulein Lola?«

Pardi, selbstverständlich. ›Der andere wird sich doch

nicht aufraffen. Ich konnte vorauswissen, wer von ihnen zu mir stoßen würde. Das bedeutet natürlich nichts. Was für eine dumme Wette das war!‹

Er war da.

»Fräulein Lola –«

Er gab ihr, hier zuerst, ihren Namen. Sie griff sofort ein.

»Sie haben es so eilig? Was gibt's denn?«

»Alle suchen Sie! Die anderen sind nach den übrigen Richtungen.«

»Suchen mich? Ich begreife nicht, was man will. Wie oft bin ich des Abends auf einige Minuten allein hinausgegangen.«

»Einige Minuten! Eine Stunde sind Sie fort, und niemand weiß, was Ihnen zugestoßen ist.«

»So hat mir's heute mehr Spaß gemacht als sonst. Und zustoßen? Was denn? Die Gegend ist sehr friedlich. Überdies kenne ich jedes Haus am Wege. Warten Sie: wenn wir durch den Wald sind, kommt links ein Holzhaufen und dann ein Weg und ein Kruzifix.«

Entschlossen betrat sie den Wald.

»Auf diesem Baumstumpf habe ich oft genug gesessen. Die Form dort hinter den Zweigen ist eine Holzfällerhütte. In dieser Zeit übernachtet meist jemand darin…« Alles sehr sicher und umsichtig. Sie ging, die Arme auf den Rücken verschränkt, dahin, indes Pardi stolperte, sich nicht zurechtfand, auf nichts vorbereitet war. Und sooft er ihr mit einem Wort näher zu kommen drohte:

»Achten Sie auf den Weg!«

Sie selbst war sich bewußt, einen höchst gewagten zu gehen, fast schon durch leere Luft; – und in Gegenwart der wirklichen Gefahr sah sie keine Phantome mehr, hatte den Traum abgeschüttelt, das Spiel weggeworfen und beaufsichtigte mit trockenem Mißtrauen, was geschah.

»Der Wald ist noch lang. Sie kennen ihn nicht, er ermüdet Sie. Ich habe die Absicht, bis ans nächste Dorf zu gehen: kehren Sie um, ich werde es nicht übelnehmen.«

In völliger Finsternis standen sie sich gegenüber; aber Lola klopfte das Herz vor bangem Stolz, weil sie ihn in dieser Minute so sehr unterlegen wußte, daß er zögerte und ihren Vorschlag vielleicht annahm... Plötzlich sah sie sein Gesicht aufschimmern. Beide wandten sich: ein Licht schwankte um die Bäume, Stimmen und Schritte waren unvermittelt da, eine rote Lache lief über den Weg herbei, und große, dumpfe Schatten kamen mit.

»Hinter mich!« raunte Pardi und faßte Lolas Arm. Sie hatte Furcht; und ihre plötzliche Einschüchterung und ihr Schutzbedürfnis genoß sie lautlos, wie ein schimpfliches Glücksgefühl.

Die Kommenden wurden kenntlich. Ein Greis hielt einen Mann aufrecht, der ein blasses, wütendes Gesicht und Blut unter den Haaren und am Hend hatte. Eine Frau trug die Laterne und zog ein Kind nach. Da, ehe der Alte zugriff, war der Mann gegen einen Baum getaumelt und stöhnte auf. Pardi trat an sie heran. Lola ward sich bewußt, außer Gefahr und in Menschennähe zu sein; und sie zitterte ganz vom Nachlassen der Spannung, worin dieser Gang zu zweien und im Finstern sie erhalten hatte.

Sie mußte hin und die Erklärungen der Leute zu verstehen trachten. Der Bauer sollte mit seinen Messerstichen zum Arzt geschafft werden. Seine Betrunkenheit erschwerte das Vorwärtskommen nicht weniger als seine Verletzungen. Der Alte war erschöpft... Pardi machte seine Handbewegung, zog das Jackett aus, warf es der Frau zu – und mit einem Ruck hatte er den Mann auf den Schultern. »Vorwärts!« Und munter, ohne Keuchen: »Gnädiges Fräulein, Sie können mir glauben, daß es mir lieber gewesen wäre, den Rückweg allein mit Ihnen zu machen – und im Dunkeln.«

»Wirklich? Aber Sie machen so eine viel bessere Figur!«

Sie fand es selbstverständlich, was er tat, mit solcher Leichtigkeit tat er's – und doch sehr schön. Die schweißigen Ärmel des betrunkenen Raufboldes engten ihm den Hals ein, verdarben ihm die Weste; die großen schwarzen Hände fuhren ihm übers Gesicht; die steifen Knochen des Bauern rutschten, Pardi mußte sie überall anpacken, stützen, mußte machen, daß sie mit seinen geschmeidigen Bewegungen mitglitten. Lola lachte auf.

»Sie erinnern an einen Tiger, der den Bacchus trägt!«

Er antwortete fröhlich:

»Ich will die Frau Gugigl bitten, uns zu malen.«

Und sie bewunderte ihn vollends. Oh, er konnte auch Lachen vertragen: er fühlte sich viel zu sehr in Tätigkeit und Kraft. Menschliche Schmerzen, menschlicher Schmutz ekelten ihn nicht; er scheute nicht das feste Anpacken menschlicher Körper. Er war selbst ein ganzer Mensch. Der andere war keiner. Sie stellte sich vor, wie der sich hier benommen haben würde. ›Ja: den darf ich wirklich verachten !‹ Dieser aber war stark, eigentlich war nichts gegen ihn zu machen. Mit einer Art von Begeisterung erkannte sie es an. Sie sagte zu den Leuten, daß sie froh sein könnten, diesen Herrn getroffen zu haben.

»Wollen Sie denn nicht ausruhen?« fragte sie ihn. Er brachte ein Nein hervor, das sie wieder bewunderte. Dazwischen drang die Erkenntnis durch, wie gefährlich ihr zu Sinn sei. Sie wollte glauben: ›Er setzt sich in Szene.‹ Aber er führte nur vor, was ihm stand. Übrigens galt es gleich. Die dunkle Masse des Dorfes wuchs schon heran. Jetzt war noch das Wiedersehen mit den andern zu überstehen, die Erklärungen des Abenteuers, die öffentlichen Belobungen für Pardi – und morgen, Gott sei Dank, war's ohnehin aus. ›Wenn ich aufwache, ist er fort.‹

Sie wachte auf, erinnerte sich und erschrak. Nun war er also fort. ›Während ich geschlafen habe.‹ Fast war's, als sei sie eingeschlafen, indes jemand starb, und nun war er tot. Er war fort und so gut wie tot. Und sie fühlte sich beklommen und unheimlich, wie nach einem Sterbefall, hatte keine Lust aufzustehen und die Zimmer und die Wege wiederzusehen, in denen es jetzt verlassen und gedrückt zugehen mußte.

Sie trat sogleich ins Freie, sie mochte niemand treffen, von niemand bestätigt hören, daß er fort sei. Vielleicht war er noch da? Es war schwer zu glauben, daß dies so rasch und glatt verlaufen sollte. ›Kaum, daß wir uns noch die Hand gedrückt haben. Oh, er war sehr aufrichtig, als er, erregt und halblaut, noch einmal in mich drang, ihm zu schreiben, sobald ich nach Italien käme. Ich bin überzeugt, er führe mir entgegen. Aber wird denn etwas aus solchen Vorsätzen? Immer kommt anderes dazwischen, gleitet einem auch wieder unter den Händen weg, und nichts bleibt übrig von all den unterbrochenen Freundschaften als Bitterkeit. Immer vergeblicher erscheint mir alles. Ist mir denn kein anderes Leben erreichbar als dieses Reiseleben?‹

Sie sann auch: ›Was wäre gestern daraus geworden, wenn nicht der verwundete Bauer dazwischengekommen wäre?‹ Aber sie brach ab. ›Da er dazwischenkam, mußte es wohl sein und ist es wohl besser.‹

Bei Tisch trank Gugigl ihr zu.

»Gelt? Jetzt sind wir wieder unter uns. Diese Welschen sind ganz ein hübscher Menschenschlag, aber trauen derf man keinem, und keine Gemütlichkeit hams.«

Selbst der alte Utting gab zu, daß ihm bei Pardi niemals recht warm geworden sei. Alle verstanden sie sich! Ganz aufgeräumt waren sie jetzt! Lola trennte sich in ihrem Sinn von ihnen mit Heftigkeit, rechnete sich ganz dem Abwesenden zu, verachtete in seinem Namen diese alle. Wie er sich über die täppischen Bewegungen der Männer lustig gemacht haben mußte, er, der ein Fechter war! Und über die Frauen in ihrem selbst erdichteten Plunder! Lola verglich sich angstvoll mit ihnen: ob gar keine Ähnlichkeit da sei. Nein: dies war eine andere Rasse von Frauen, mit schmalen Schultern und breiten Hüften; und damit sie noch breiter würden, trugen sie riesige Gürtel. ›Doch! Den schlechten Haaransatz habe ich von ihnen.‹ Und sie beugte sich, unter der Scham, über ihren Teller.

»Künstlerisch!« hörte sie Frau Gugigl sagen; und dann war von dem Kitschgeschmack der Italiener die Rede. Lola fuhr auf. Ihr sei etwas eingefallen; und sie bat Gugigl, ihr ein Fenster der Münchner Frauenkirche genau aufzuzeichnen.

»So aus dem Kopf? Ja, das kann man doch nicht. Wie schauens denn aus, die Fenster?«

Seine Frau dachte nach, die andern dachten nach.

»Das kann überhaupt kein Mensch!«

Lola lächelte und sagte, es sei gut. Das konnte kein Mensch: aber Pardi – wie einst Arnold den Florentinern vorgeworfen hatte, die Fassade ihres Domes weiche in manchem vom Vorbild des Glockenturmes ab: Pardi hatte in den Sand gezeichnet und gefunden:

»Es ist wahr: die Terrassen auf den Pfeilern des Turmes sind achteckig, und die der Fassade haben nur vier Seiten.«

Und Pardi war kein Künstler. Aber er hatte das Blut von Menschen, die mit einem Griff durch die Luft mehr Kunst machten als diese hier, wenn sie malten! Menschen mit einer Erziehung des Auges, aller Sinne, des ganzen Körpers, die weit zurückreichte. Sie stellte sich Pardis gewölbte Augen vor. Er sah – sah so stark, daß er, ohne daran zu denken, zum Seelenleser ward... Bei diesen hier war das Leibliche lange vernachlässigt, das Auge fast schon tot. Gewaltsam sollte es sich nun ermuntern, und über Nacht mußte alles »künstlerisch« werden... Da begegnete sie Arnolds Blick und verstand: was sie dachte, kam von ihm. Er hatte erraten, weshalb sie nach den Fenstern der Frauenkirche gefragt hatte. Das Gefühl erbitterte sie, daß sie kaum noch ihre Gedanken vor ihm wahren könne. Hundert Gespräche mit ihm hatten sie ihm bloßgelegt, und sie hatte den Kopf, sie mußte es wohl gelten lassen, voll von Dingen, die ohne ihn nicht darin entstanden wären. Er durchschaute auch, was sie zu Pardi zog, was Pardi vor ihm selbst auszeichnete, Lolas Kämpfe, und daß sie in diesem Augenblick wieder vergebens danach lechzte, ihn verachten zu können, ihn in den Haufen der übrigen zurückstoßen zu können. Er wußte alles; und sein großes Wissen um sie gab ihm selbst das Recht, sie zu verachten: sie, die einem Geist wie ihm hätte auf seine Höhe folgen können und die sich zu einem baren Sinnlichen hinabließ. Es war ihr, als lebte sie unter dem Auge eines Herrn. Sie liebte ihn nicht, gab ihm kein Recht auf sich: und doch – so groß war die Macht des Geistes – fühlte sie sich ohnmächtig vor ihn hingebreitet! ›Wäre ich ihm erst entronnen!‹ Der Trieb brannte sie, aufzuspringen und davonzulaufen.

Sie suchte sich ihn im Kampf mit Pardi vorzustellen und in der kläglichen Rolle, die ihm dabei bestimmt gewesen wäre. Und sie mußte sehen, daß Pardis Manneskraft sich an diesem brach, der kein tüchtiger Mann, aber vielleicht mehr als Mann war? Sie fühlte: Pardi und er konnten sich nicht nahekommen, auch nicht zum Kampf. Dieser bot einem Pardi keine Angriffsstelle – sowenig wie er ihr gestattete, ihm seine Untüchtigkeit anzurechnen, die er im voraus gerechtfertigt, vermöge vieler Sophismen in Tugend umgewandelt hatte. Wenn er sich eine Blöße gegeben hätte! Wenn er mit den anderen auf den Abwesenden gescholten hätte! Nein: er hütete sich. Er war ja ein Mensch von Geschmack. Hatte er nicht die ganze Moral, wenn sie selbst erworben sei, für ein Ergebnis ästhetischen Sinnes erklärt? Ihm war nicht beizukommen, man mußte ihn laufenlassen.

Sie wich ihm nicht aus; eher erwartete sie ihn, erwartete, daß er sich um die frei gewordene Stelle nun wieder bewerbe, ein wenig Würdelosigkeit zeige – und litt, weil er's nicht tat. Es zog sie zu Tini, sie hätte sich mit ihr verbünden wollen; denn auch Tini fand Arnold unheimlich und haßte ihn. Aber Tini verhielt sich jetzt herbe und scheu. Launisch ging sie Lola aus dem Wege. Waren sie zusammen im Zimmer, fühlte Lola die großen Augen beunruhigend hart auf sich haften – und wenn sie hinsah, waren sie schon gesenkt. ›Ist sie nachträglich wieder eifersüchtig? Sie könnte sich's sparen.‹ Wie unwichtig Lola diese Backfischnöte erschienen neben ihrer eigenen Qual!

Schlimmer war's, daß sie auch mit Mai nicht sprechen konnte. Den ersten Tag hatte Mai sich in der Gesellschaft so betragen, als sei durch Pardis Fortgang ihr ein besonderes Unrecht angetan, als habe man ihn vertrieben, um ihn ihr wegzunehmen. Bald hatte sie sich zurückgewinnen lassen: nur mit Lola schmollte sie noch, bot ihr keins von den mitgebrachten Handtüchern an und kam nicht zum Gutenachtkuß. Und wäre sie gekommen: an das Unausgesprochene hätte Lola sich nicht gewagt. Wie stand Mai mit Pardi? Sehnen mußte sie sich. Dann aber sann sie auf die Abreise nach Italien – auf die auch Lola sann. Nur aus Befangenheit voreinander taten beide, als gäbe es nichts zu beschließen, und ließen das Dasein fortdauern, das doch bloß noch Last war. Denn Lola ward gedemütigt von ihren herabsetzenden Entdeckungen an diesen Menschen, deren Gast sie war. Jeder Tag vermehrte ihren Widerwillen und ihre Scham.

Am dritten Morgen aber fand sie auf ihrem Tisch wieder Blumen; zwei Tage lang hatte Tini sie vernachlässigt; – und darin steckte ein Briefchen.

»Heute mittag«, schrieb Tini, »wirst du nämlich mit der Post einen Brief aus Mantua bekommen, von einer Pensionsfreundin. Sie hat zufällig erfahren, daß du hier bist, und möchte, daß du rasch hinkommst, denn lange bleibt sie nicht. In Wirklichkeit aber ist der Brief von mir. Ich habe es mir schon längst ausgedacht und habe mir dazu den Umschlag von einem Brief an Pardi aufgehoben, den er aus Mantua gekriegt hatte. Da mußte ich denn aus seinem Namen deinen machen, mir ganz genau dieselbe Schrift einüben und auch das Kuvert wieder heil machen. Das war eine ziemliche Geduldprobe, daher mußt du entschuldigen, daß ich mich die letzten Tage sowenig um dich bekümmern konnte. Du siehst nun doch, wie lieb ich dich habe, Lola, daß ich dies für dich getan habe! Jetzt ist der Brief mir sehr gelungen, du kannst ihn allen zeigen, sie werden es dir gewiß glauben: und dann kannst du hinreisen. Italien muß herrlich sein. Du wirst gewiß noch einmal sehr, sehr glücklich werden. Vergiß nicht deine Tini.«

›Welche heroische Kinderei!‹ dachte Lola und wollte die Achseln zucken. Aber ihr kamen Tränen. Sie ließ das Blatt sinken, verschloß die Tür und drängte sich in einen Winkel, um, vor sich selbst versteckt, diese Tränen zu weinen, ohne zu wissen, wem? Sich? Tini? Den Dingen?

Bei Tisch blieb Tinis Stuhl frei, aber auf Lolas Platz lag der Brief. Frau Gugigl hatte schon gesehen, daß er aus Italien kam. Niemand nahm Anstoß an dem, was darin stand: auch Mai nicht. Wie sie von der Einladung hörte, erhob sie schon die Hände, um hineinzuklatschen, besann sich aber rechtzeitig und machte ein trauriges Gesicht.

»Wir sollen also fort? Oh!«

»Es wird nicht anders gehen«, erklärte Lola. »Meine Freundin erwartet uns übermorgen. Morgen müssen wir reisen: morgen mit dem ersten Zug.«

Gugigl wollte beweisen, es sei auch abends noch rechtzeitig. Ein Streit über das Kursbuch entstand.

»Und der Tini geht's wirklich nicht gut?« fragte Lola. »Kann ich sie nicht sehen?«

Frau Gugigl ging mit. Tini habe Fieber: es komme bei ihr plötzlich und verschwinde wieder; sie sei noch wie ein Kind.

Als sie, mit aufwärts verdrehten Augen, Lola am Kopfende ihres Bettes sah, fuhr sie aus den Decken.

»Was hast du, Tini?« – und Lola warf sich auf die Knie und nahm Tini in die Arme.

»Mir hat geträumt, Lola, du gingst weg.«

»Nein! Wenn du lieber möchtest, daß ich dableibe, bleibe ich.«

Tini hielt sich ganz steif in Lolas Armen. Sie rückte mit dem Gesicht ein Stück fort; ihre dunkeln Blicke erweiterten sich gespenstisch; und mit ihren blassen Lippen, tonlos bewegt, daß ihre Schwester hinter ihr nichts hören konnte, sagte sie:

»Geh nur hin!«

Lola mußte die Augen niederschlagen.

Sie packte, ohne zu wissen, was ihr bevorstehe, was sie wähle. Nur erst hier heraus, wo so viel Wirrnis erlitten war und alles verbrauchte, zwecklose Gesichter trug. ›Wenn ich ihn wiedersehe, soll mir's recht sein; wenn nicht, ist's auch gut‹, dachte sie im Einschlafen; und bei Tagesanbruch, unlustig und mit Gähnen, vor den fertigen Koffern: ›Wie unwahrscheinlich ist das Wiedersehen! Ich werde ihm doch nicht nachreisen. Und bis der Zufall es einrichtet, ist er vielleicht wieder in Afrika.‹

Der Wagen mit dem Gepäck stand auf der Landstraße. Mai hatte noch mit ihrem Schleier zu tun gehabt. Niemand war aufgestanden: Lola hatte es sich dringend verboten. Fröstelnd durcheilte sie den grauen Garten. ›Dieselbe unwirtliche Stunde, zu der vor drei Tagen er fortging.‹ Im Laubgang roch es nach Nebel. Der Sommer war fast zu Ende, merkte sie plötzlich. Sie blieb stehen: eine solche Trostlosigkeit durchdrang sie bei diesem Gedanken, daß ihr der Mut zum nächsten Schritt fehlte. Dahinten, über dem Lande, wallte es weißlich und ohne Grenze. So ging man denn wieder allein, allein dahinaus.

Wie sie die Hand auf die Pforte legte, tat von der andern Seite Arnold es.

»Sie – schon auf?« stammelte Lola.

»Ich konnte nicht schlafen«, erklärte er. Sie sah ihm ungläubig in die Augen und fand sie übernächtigt.

»Dann bin ich froh, Ihnen nochmals Lebewohl wünschen zu können«, äußerte sie, unschlüssig. Er schien zu wissen, was er sagen wollte.

»Ich habe Ihnen für einige der besten Stunden zu danken, die Menschen mir gewähren konnten. Ich hatte so viel nicht erwartet«; – ganz ohne Bitterkeit: was ihr Staunen machte. Er senkte kurz die Lider. Dann:

»Daß mehr Glück als dieses nicht an meinem Wege liege, daran habe ich keinen Tag gezweifelt. Aber auch in Ihr Schicksal glaube ich einen Blick getan zu haben und fürchte, daß Sie heute noch im Irrtum sind. Könnte ich Sie für eine Minute so sehen machen, wie Sie nach einiger Zeit sehen werden!«

»Sie geben mir ein Orakel mit auf den Weg?« – und Lola suchte hochmütig zu lächeln. »Ich kenne Sie auch: Ihnen verwickelt sich das Einfachste.«

Wie es schal und hassenswert war, dieses Zweifeln, dieses Zögern! Jetzt quälte ihn die verdiente Eifersucht auf den, der glücklicher war und sie glücklicher machen würde. Er hätte sie so ratlos und an allem unteilhaftig gewollt, wie er selbst war! ...Vor Zorn und Kummer war sie bleich. Er war bleich von den Worten, die er gesagt hatte.

Und er konnte recht haben! Jener andere lebte jetzt schon wieder darauflos, wie je. Was war sie ihm? Was änderte sie an ihm? ... Und an diesem hier? Nichts, als daß er nicht schlief. ›Und wenn er tiefer leiden kann: was habe ich davon!‹

Sie wandte sich ab. Sein Gesicht glitt langsam an ihrem vorüber. Nun sah sie es nicht mehr. Ein äußerster Zweifel schnürte ihr die Brust zu. Sie schluckte ihn hinunter. ›Wenn es bestimmt wäre, käme es.‹ Und mit Grausamkeit gegen ihn und gegen sich: ›Das Leben ist nicht anders.‹

V

Nachts stiegen sie in Mantua aus, aber es war schwül wie bei Tage. Am Morgen erschrak Mai über Lolas Aussehen. Sie habe kaum atmen können, sagte Lola; Mücken seien unter ihren Bettschleier gedrungen. Und Mai:

»Ah! Du verträgst nichts. Drüben bei uns würdest du etwas erleben.«

Kaum aufgestanden, streckte sie sich wieder aus. Von den geschlossenen Läden war ein grünlicher Schimmer auf ihrem weißen, runden Arm, den sie mit kindlicher Genugtuung betrachtete.

»Jetzt ist's ganz wie zu Hause.«

Nie hatte Lola sich weniger heimisch gefühlt. Sie überlegte, daß sie hierher nur wegen einer Persönlichkeit geraten sei, die es gar nicht gab.

»Nun muß ich mich wohl nach meiner Freundin umsehen«, äußerte sie.

»Es ist wahr, du bist schon wieder angezogen. Eine richtige Deutsche bist du!«

Lola überließ Mai der Einschläferung durch die träumerischen Geräusche im Hof und ging aus. Die Straße war von Hitze wie verzaubert. Unter dem alten Uhrturm hatte ein kleines, von Zeltdächern beschirmtes Marktgedränge etwas künstlich Aufgewecktes: als würden diese paar munteren Wesen dem ungeheuren Druck der leeren, heißen Stadt auf einmal nicht mehr widerstehen können, sich aneinander lehnen und einschlafen. Am Ende der nächsten Gasse galt es, sich in einen Platz zu stürzen, über dem das Licht wogte und blendete wie auf einem Meer. Dort

weit hinten, am schmalen Schattenufer von kaum durch-
dringlicher Schwärze, begegneten zwei schwarze Gestalten sich, neigten mit groteskem Ruck die großen Priester-
hüte gegeneinander – und plötzlich klappte die Matratze
der Domtür über ihnen zu.

Lola eilte mit angehaltenem Atem durch die Sonne. Ein
Arkadenhof nahm sie auf, überlieferte sie einem zweiten
mit einer feurig geschweiften Kirchenfassade – und dann
fand sie sich in einem, um den die Säulen zerbrechlicher
tänzelten und, wie unter Komplimenten, zu einem kleinen gezierten Theater geleiteten, das geborsten, bemoost,
mit Schutt auf seinen rosigen Marmorschwellen, noch zu
lächeln schien, galant und schmerzlich, wie ein Rokoko-
gesicht, worauf die Schminke eintrocknet in Staub. Gras
wuchs aus den feinen Fliesen; darüber flimmerte die Luft;
und ging man, wandte man rasch noch den Kopf nach
einem gespenstischen Kichern und Fächerschlagen... Da
starrte aber, im nächsten Hof, eine riesige dunkle Burg
einen an. Hinter ihrem Tor setzte eine graue Brücke ein,
um, ein endloser Trauermarsch, durch Sümpfe zu ziehen.

Wie Lola sich in ihre Straße zurückgefunden hatte,
ward vor einem Café, dessen Tür Karyatiden bewachten
und worin niemand saß, ein sehr alter Herr von Wirt und
Kellner an eine ungetüme schwarze Karosse begleitet. Der
Kutscher nahm die schwarze Peitsche in seinen schwarzen, faltigen Handschuh, und knarrend bewegte sich das
Gefährt.

Im Hotel hing Mais Hand noch über dieselbe Arm-
lehne.

»Meine Freundin ist –«

Lola hatte sagen wollen: »Abgereist«, schrak aber vor
einer ganzen Lüge zurück.

» – ist nicht zu finden«, sagte sie.

Mai erstaunte nur leicht.

»Wirst du sie noch einmal suchen?« fragte sie.

Lola suchte sie bis zum Abend noch mehrmals. Dann erklärte sie die Wohnung der Freundin für gefunden, sie selbst aber kehre erst in mehreren Tagen von einer Reise zurück.

»Wir haben nichts Besonderes vor, wollen wir nicht hier warten?«

Mai wandte nichts ein. Wenigstens war Zeit gewonnen.

Und Lola, die im Zimmer nicht Ruhe fand, durchirrte weiter die tote Stadt, betrat hinter verlassenen Haustoren, über denen die schöne Palastmauer barst, feuchte Höfe mit schmuckreichen und zerbrochenen Brunnen – und mußte denken: ›Wenn die müde, ausgestorbene Treppe nun in all seiner Lebendigkeit Pardi herabliefe!‹ Da drückte die Sonne noch dumpfer auf das leere Pflaster. Alle hatten sie sich selbst überlassen!

Auf der Flucht vor der nahenden Sehnsucht fuhr sie, ganz allein, in das braune, traurige Land hinaus. Weiß stand darin, auf ihren groben Säulen, eine kleine Gnaden-kirche: innen bäurisch bunt und die Wände umringt von Holzfiguren in den schweren Stoffen und Rüstungen von einst, von den Bildern Geretteter. Jener Ritter war aus der Schlacht bei Pavia heil hervorgegangen, diese Dame von einem Pestgeschwür gesundet, und der verdächtige Gauch dort in Schnürkittel und schütterem Bart hatte schon im Block gelegen, mit Feuer an den Füßen, und doch hatte die Madonna ihn frei gemacht. Und Lola erschien sich auf einmal als die Beute einer Leidenschaft, einer Krankheit, eines barbarischen Übels; wünschte sich, gleich diesen die Madonna anrufen zu können; sank, vernichtet von der Einsamkeit dessen, den keine Götter mehr hören, auf eine Bank.

Als ihr dann wieder die Sonne ins Gesicht schien, war sie beschämt, als habe sie sich dort innen eine Komödie vorgespielt.

›Dieses Leben macht mich verrückt. Warum laß ich ihn

nicht kommen: alles wäre so einfach, wäre freundschaftlich abzumachen.‹

Zwar bedachte sie sogleich, er sei kein Freund: er, der
mit jedem Tage schwerer zu Vermeidende … Und auch
Mai hatte Lola hierbei nicht zur Freundin. Das erbitterte
sie. Wie oft hatte Mai sich, wenn's nicht not tat, zu einem
Opfer erboten. Jetzt kam's darauf an – und Mai schwieg.
Sie hütete sich, noch einmal, wie am Anfang der Bekanntschaft, Lola zu fragen, ob sie Pardi heiraten wolle; denn
diesmal fürchtete sie eine andere Antwort zu bekommen.
Sie tat, als sei nichts los, und nötigte Lola, zu heucheln.
Die Unaufrichtigkeit und die geheime Spannung zwischen
ihnen beiden lagen, fand Lola, nur an Mais bösem Willen.

Genug, ein Ende mußte gemacht werden; und wie Lola
eintrat, sagte sie sofort heraus:

»Also sie kommt nicht mehr zurück nach Mantua. Damit wir nun nicht ganz umsonst gewartet haben, könnten
wir wenigstens Pardi kommen lassen. Er hat es mir ange-
boten.«

Gelassen antwortete Mai:

»Mir auch. Ich dachte sogar, wenn wir ankämen, würde
er schon dasein. Du würdest dafür gesorgt haben.«

Lola starrte Mai an. Da hatte sie die ganze Zeit gelegen,
hatte Lola gewähren lassen und sich ihr Teil gedacht!

»Dann haben wir wohl Verstecken miteinander gespielt?« fragte sie. Mai erwiderte:

»Komm her, ich will dich umarmen.«

Aber während der Liebkosungen errötete Lola. Sie ging
hinaus. ›Oh, sie hat sich gehütet, zu fragen, ob ich ihn
liebe!‹

Bei seiner Ankunft waren sie am Bahnhof. Lola dachte:
›Das erstemal, daß Mai sich angezogen hat.‹ Er begrüßte
Lola zuerst mit den Augen und Mai zuerst mit der Hand.
Lola achtete peinlich darauf. Keine Einzelheit seines Ver-

haltens gegen sie und Mai entging ihr. Den Champagner bestellte er, nachdem Lola ihn abgelehnt und Mai ihn angenommen hatte. Lola trank keinen Tropfen. Er wünschte noch in Mantua zu bleiben.

»Wir haben es genossen«, erklärte Lola. Mai war's recht.

»Wunder romantischer Versunkenheit werde ich Ihnen zeigen«, verhieß er.

»Wir bekommen noch das Fieber«, meinte Lola; und Mai:

»Bisher hast du dich gar nicht gefürchtet und warst immer unterwegs.«

Im Palazzo del Tè, unter dem Schwall der Fleischlichkeiten, die nach Jahrhunderten noch aus Decken und Wänden überquollen, beneidete und verachtete Lola Mais unbefangene Freude. Sie selbst konnte Pardi nicht in die Augen sehen und gab zornige Antworten. Er neckte sie anfangs mit ihrer Übellaunigkeit, dann zeigte er sich um ihr Befinden besorgt, und auch Mai äußerte Besorgnis. ›Sie weiß ganz gut –‹ dachte Lola und verlor vollends die Herrschaft über ihre Nerven. Als man sich in der Stadt eine Kapelle zeigen ließ, stand sie teilnahmslos neben dem Sakristan, der den Stock mit der Kerze über die Wände hinführte. Pardi drehte ihr, auf Mai geneigt, den Rücken. ›Ich werde ihnen nicht im Wege sein‹, sagte Lola sich; ›aber zu ihrer Bedeckung gebe ich mich auch nicht her!‹ Und wie der Sakristan den Schrein aufschloß, machte sie sich leise davon, schmerzlich berauscht von ihrer Rache. Sie erwartete, Mai werde an ihr Bett kommen, und war entschlossen, sich schlafend zu stellen. Aber Mai blieb aus.

Am Morgen beschäftigte Pardi sich nur mit Lola. Ihr schien's, daß Mai sich zurückhalte; und sie argwöhnte, dies sei Verabredung, er habe Mai im voraus um Entschuldigung gebeten. Sie sah ihn plötzlich fest an.

»Sie brauchen nicht so viel Rücksicht auf mich zu nehmen, wissen Sie.«

Wie er etwas einwandte, hob sie die Schultern.

»Nachgrade habe ich doch schon Erfahrung darin, daß meine Mutter besser gefällt als ich; und ich kann Ihnen versichern, daß mich das nicht beleidigt.«

»Sie sind kokett.«

»Gar nicht. Ich brauche niemand. Jeden gönne ich meiner Mutter.«

Er sagte zuredend:

»Sie werden doch begreifen, daß ich Ihrer Mama den Hof machen muß.«

Lola fand nichts mehr. Wie lag es nun? Oh, grundfalsch! Sie erschrak tief, wie schlimm sie sich schon verrannt habe. Am zweiten Tage! ›Was soll daraus werden. Wenn ich mich nicht zusammennehmen kann, bin ich verloren.‹ Von der Minute an war sie ruhig. Und aus der Genugtuung, daß sie nichts mehr durchblicken ließ, ward allmählich wirkliche Überlegenheit.

Sie brachen nach Viareggio auf. Pardi hielt sie noch einen Abend in Florenz zurück, obwohl Mai gern ihre Sachen ausgepackt und Lola lieber am Meer als in der heißen Stadt geschlafen hätte. Aber er erklärte, es würde nicht gut aussehen, wenn er mit fremden Damen so spät noch ankäme. Auch das Hotel zum Übernachten wählte er ohne Rücksicht auf ihre Wünsche. Zuvorkommend und bestimmt brachte er sie in eins, wo sie bessere Bedienung und ein gediegeneres Publikum finden würden. Bevor er sich verabschiedete, um in sein eigenes Haus schlafen zu gehen, empfahl er sie dem Hotelier. Er, der Conte Pardi, sei verantwortlich für die Damen.

»Hast du nicht auch den Eindruck?« sagte Lola nachher zu Mai. »Wenn wir jetzt abreisen wollten, würde man ihn holen und uns vorher gar nicht fortlassen.«

»Eigentlich ist es ganz hübsch hier«, antwortete Mai;

und Lola dachte, klarer als Mai: ›Einmal nicht allein über sich bestimmen; nicht mehr gar so frei sein und überall hingehen dürfen, ohne daß etwas darauf ankommt: beinahe tut es wohl…‹

Dennoch geriet sie noch vor der Weiterfahrt mit Pardi aneinander. Sie mußte aus einem Coupé wieder aussteigen; ein Paar hatte darin gesessen, dessen gesetzliche Zusammengehörigkeit Pardi leugnete.

»Aber Sie werden jetzt schrecklich!«

»Ich bin für Sie verantwortlich! Sie kompromittieren mich!«

Lola war fassungslos. Mai äußerte schüchtern:

»Auch ich habe dir so etwas schon manchmal verweisen wollen, Lola.«

Plötzlich fuhr Lola auf, als habe sie nun verstanden.

»Wie kann ich denn Sie –«

Aber sie nahm sich zusammen und sah lächelnd und mit Kopfschütteln zum Fenster hinaus.

Bei der Ankunft wollte sie zu Fuß gehen, mußte aber, denn ein Auftritt drohte, in den Omnibus steigen. Die Hotelzimmer, die Pardi seinen Damen zugedacht hatte, waren am Abend vergeben. Lola sah ihn bei der Gelegenheit zum erstenmal in Wut; sie dachte: ›Gut, daß ich ihn kennenlerne.‹ Der Wirt war trostlos, die Kellner traten mit den Zehen auf. Mai und Lola saßen, von neugierigen Badegästen umringt, im Salon, wie feindliche Fürstinnen, denen ihr Marschall die Unterwerfung der Völker erzwang und die ihm mit ebensoviel Angst wie Stolz dabei zusahen.

Er erreichte, daß die Fremden die Zimmer räumten. Dafür wurden Mai und Lola beim Lunch mißbilligend gemustert. Pardi sah den Männern nacheinander in die Augen, die auf einmal unbeteiligt dreinblickten. Er erklärte, man habe die Leute nicht nötig, und bestellte die Gedecke künftig an eigenem Tischchen.

Dann führte er seine Damen in ihre Zimmer, mit einer anmutigen Größe, als vertrete er eroberte Provinzen. Die weißen Vorhänge flatterten von Stößen blauer Luft. Die großen eisernen Betten sahen kühl aus unter ihren Musselinzelten. In dem kleinen Salon standen die Theaterstühle in zwei Reihen an den Wänden. Überall Spiegel: und wenn sie schräge hingen, rollten Wellen darin und sprang Schaum.

»Mit Verlaub« – in vier Stimmen; und vier Herren ließen sich vorstellen, hatten schlechterdings nicht länger warten können, machten Pardi Vorwürfe, daß er ihnen die Damen drei Tage vorenthalten habe, und fingen gleich an:

»Du weißt nicht, daß die kleine Miß Edith…«

Mai und Lola wurden auf das laufende gebracht. Die ganze Gesellschaft zog an ihnen vorbei, jedem war eine Bosheit angeheftet. Ihnen wurden alle geopfert; sie brauchten nur fragend einen Namen nachzusprechen, und sogleich beleuchteten ihn Geschichten. Die einzigen Unanfechtbaren blieben sie selbst; und eine Ergebenheit ohne Grenzen, die rückhaltloseste Zutraulichkeit und eine spontane Verehrung drangen in knabenhaft ehrlichen Lauten und Gesten von vier Seiten auf sie ein. Nutini zog gleich seine leeren Taschen ans Licht: alles verspielt. Der Leutnant Cavà handhabe seinen Säbel mit so glücklichem Gesicht, als habe er ihn soeben geschenkt bekommen; und seine Ballhandschuhe, errötend mußte er's gestehen, trug er schon aus Vorfreude auf heute abend. Deneris sprach mit etwas schwächerer Stimme als die anderen; aber Botta wippte beim Reden mit den Absätzen und schlug sich auf die fette, straff bekleidete Brust. Allen saßen die Anzüge nach der Mode vom nächsten Jahr und ohne eine Falte, wie auf guten Bühnen.

Sobald Nutini zu Lola ein unbemerktes Wort sprechen konnte:

»Er hat Sie nicht früher herbringen wollen, wie? Und er hat recht gehabt: denn die Damen Arletti sind erst heute früh fort.«

»Was machen uns die Damen Arletti?«

»Oh – Ihnen nichts. Aber ihm!«

Und Nutinis Miene stellte so viele Enthüllungen in Aussicht, daß Lola etwas wie Schrecken kam.

»Sind Sie nicht sein Freund?« fragte sie.

»Versteht sich... Und weil ich sein Freund bin, freut mich's, daß die Arletti fort sind. Ich glaube, es waren Abenteurerinnen. Er läßt sich zu leicht ein. Sein Temperament ist sein Unglück. Ah, bitte, so viel Geld, als er nötig hätte, kann ihm auch der beste Freund nicht geben. Darum habe ich vorhin meine Taschen sehen lassen.«

Lola lachte mit; aber indes sie Nutinis Augen funkeln sah in seinem eingefallenen Gesicht, nahm sie sich, unter einer Wallung von Freundschaft, vor, Pardi über diesen Feind aufzuklären. Pardi spähte schon herüber. Noch bevor er da war, zeigte Nutini vom Balkon nach Badenden. Cavà rief über Lolas Schulter, unaufhaltsam:

»Ist sie schön, die Mistreß Nicholson!«

»Bravo!« machte Pardi. »Sicher ist sie die längste der gelben Stangen.«

Nutini klopfte Cavà auf die Schulter.

»Mich hat er einmal mit meiner sechzigjährigen Sprachlehrerin gehen sehen, und dann fragte er mich: ›Du, sag, wer war die wunderschöne Amerikanerin?‹«

Lola wandte sich lächelnd nach dem Leutnant um. Er lachte wehrlos. Seine Augen in ihren sorgfältigen Wimpernhecken blickten aus seinem rosigen Gesicht, wie aus einem Öldruck. Lola erinnerte sich, daß er vorhin nur den harmlosen Klatsch mitgemacht habe.

»Sie haben alle in Italien diese Vorliebe für die Amerikanerinnen, und über Ihre eigenen Damen wissen Sie nur Unvorteilhaftes. Wie kommt das?«

»Ja, sie sind nicht so schön«, erklärte Cavà. »Sie sind nicht blond.« Botta wußte mehr.

»Wenn wir uns mit einem unserer jungen Mädchen sehen lassen, heißt es sofort, wir sind verlobt.«

»Mit jungen Mädchen ist hier nicht zu verkehren«, bestätigte Nutini; und Botta setzte hinzu:

»Auch haben andere mehr Herz.«

»Schon wieder deine Olimpia? Dieser Gigi hat nämlich hier im Walde an einem Teich einen halben Sommer mit einer Balletteuse verbracht.«

»Ach ja«, seufzte Botta und schlug sich auf die Brust, daß sein fetter Tenor ins Zittern kam. Nutini störte ihn: schließlich sei sie ihm doch davongelaufen; und Botta fuhr verwundet gegen ihn los.

Deneris seufzte laut. Er lehnte rückwärts auf dem Balkon und schmachtete von unten Mai an. Seit seinem Eintritt hatte er sich keinen Augenblick von Mai getrennt. Es gäbe wertvollere Frauen, versicherte er in gezogenem Ton, als die Balletteuse Olimpia.

»Wenn die Mühe, die man sich ihretwegen gibt, ihren Wert bestimmt –« meinte Pardi. Nutini klopfte nun Deneris.

»Ja, du hast das Talent, unglücklich zu lieben.«

»Könnten Sie das?« sagte Cavà kindlich zu Lola. Sie mußte lächeln.

»Ich habe in der Liebe keine Erfahrung.«

Sogleich begann Botta, um Lola die Liebe zu erläutern, wieder von seiner Olimpia. Und auf Lolas ungläubiges Lächeln:

»Denken Sie nur an die Lieblingspuppe, die Sie gewiß gehabt haben, und wenn Sie sich die Arme Ihres kleinen Lieblings um den Hals legten. Auch wir jungen Leute spielen gern mit Puppen, aber ach! Nicht selten werden sie uns gefährlich.«

»Wirklich?« machte Lola, dankbar. Botta sprach mit

dicker Zunge, schmatzend, und rollte in seinem massigen Gesicht selbstzufriedene Kuhaugen. Aber Deneris wartete nur, daß er fertig sei. Er hatte sich aufgerichtet, das Monokel eingesetzt und trachtete mit Gesten, die beiden Damen um sich zu versammeln. Auf seinem kleinen blassen Kopf lagen die kanariengelben Härchen seiden wie Kinderhaare. Seine blauen Augen starrten ängstlich.

»Wissen Sie wohl, daß ich, um die, die ich liebte, zu sehen: jawohl, nur um sie zu sehen, täglich sechs Stunden mit der Bahn gefahren bin? So ist es: dreiundeinenhalben Monat täglich nach Pisa und unter ihrem Fenster vorbei. Selten ließ sie sich sehen; aber im Salon eines Photographen stand ihr lebensgroßes Porträt – vor dem ich mich eines Tages fast erschossen hätte. Wäre nicht grade der Photograph gekommen –«

»Er spricht wahr«, sagte Cavà, mit Achtung. »Der Photograph hat es überall erzählt.«

»Dein Tod, mein Lieber«, sagte Nutini und klopfte Deneris, »wäre zu öffentlich gewesen. Viel zartfühlender handelte doch die Contessa Gavazzo, als sie um meinetwillen Gift nahm. Eigens reiste sie nach der Schweiz.«

»Sie war eine Morphinistin, mein Lieber«, wandte Botta ein.

»Mein Lieber –«, und Nutini nickte dringlich, »ich weiß, wie jene Frau mich liebte.«

»Ich aber weiß«, entgegnete Botta, von sich erfüllt, »wie es war, als ich die Olimpia liebte; und ich werde es Ihnen erklären, mein Fräulein.«

Pardi unterbrach ihn:

»Ich könnte Liebe nicht erklären: ich vergesse jedesmal wieder, wie es war. Ist sie aber da, weiß ich's und handle!«

Als er der Wirkung ein wenig Zeit gelassen hatte:

»Wir holen die Damen ab, nachdem sie sich angezogen haben.«

Von der Schwelle mußte er noch mahnen:

»Marchese, komm!«

Denn Deneris konnte sich von Mai nicht trennen. Sie strahlte.

»Ist das nicht ein reizender Mensch? Sage, Lola! Es scheint, daß er mich liebt?«

Und Lola, voll Freude:

»Gewiß, Mai! Das muß jeder sehen!«

Die Dazwischenkunft all dieser Männer hatte ihre Spannung unterbrochen. Zum erstenmal konnten sie einander wieder unbefangen und mit Wohlwollen ins Gesicht sehen.

»Ich freue mich eigentlich auf das Ausgehen. Es ist doch schön, daß wir hergekommen sind!« sagte Lola. Und Mai:

»Heute abend werden wir also tanzen! Was soll ich nur anziehen?«

Lola ging mit in Mais Zimmer. Wie sie zurückkehrte, stieß sie im Korridor auf Nutini. Sie blieb unschlüssig auf der Schwelle des Salons.

»Dieser Botta macht mich lachen«, sagte Nutini. »Wissen Sie wohl, daß er von seiner Olimpia ganz einfach ausgehalten worden ist?«

»Nicht möglich –«, und Lola brach ab. Sie hatte sagen wollen, Botta mache ihr grade den Eindruck des vollkommenen Liebhabers. Nutini zuckte die Achseln.

»Aber nicht dies führt mich her. Sondern ich möchte Sie bitten, mir doch gleich jetzt Ihre Noten zu geben. Im Augenblick habe ich Zeit, die Begleitung zu üben. Denn das Geschwätz der andern zieht mich nicht an.«

»Wohin sind die anderen gegangen?«

»Ich weiß es nicht einmal.«

»Aber die Noten sind unten im Koffer, und er steht in meinem Zimmer.«

»Mein Fräulein! Ein guter Freund spricht mit Ihnen – wenn er's auch erst seit kurzem ist. Wären Sie eines unserer Püppchen, ich würde mich Ihnen zum Auspacken

Ihres Koffers nicht anbieten. Aber Sie sind eine Amerikanerin...«

Lola erinnerte sich, daß nicht sie, sondern Germaine die Sachen hineingelegt habe: sie lagen sicher sehr ordentlich. Sie öffnete Nutini ihr Zimmer.

Er schob zuerst die Jalousietür weg, half ihr dann geschickt und diskret und trat mit den Noten ans Licht, auf den Balkon. Er schien sich in die Musik zu vertiefen und stieß nur seltene Worte der Bewunderung aus. Lola mußte auf die Stimmen hören, die aus der Nähe kamen. Zuerst war's die kindliche des Leutnants Cavà; Lola wollte es nicht glauben, daß sie diese Dinge sagte; dann, bevor Lola sich gefaßt hatte, die schmatzende Bottas und Deneris' näselnde. Eins seiner Worte ward von Gelächter zugedeckt. Dann beglückwünschten sie Pardi. Er antwortete:

»Mich reizte es, sie einem Deutschen wegzunehmen.«

Bei seinem verächtlichen Auflachen errötete Lola und erblaßte wieder. Sie hielt sich am Pfosten, begriff nicht, daß sie noch dastand, und starrte angstvoll auf Nutini, der über die Noten geneigt blieb und manchmal entzückt den Hals bewegte. Lola dachte in einem Atem und im Wechsel ihres Errötens und Erblassens: ›Wenn er hört!‹ und ›Er hat mich herausgeholt, damit ich hören sollte!‹

»Was ist Ihnen?« fragte plötzlich Nutini und warf alles hin. Sie brachte nichts hervor; und deutlich kamen Bottas Worte herauf:

»Wenn ich wählen sollte: Teufel. Vielleicht beide – auf einmal.«

»Prahlhans!« rief Pardi scharf. »Handeln ist alles!«

»Wovon redet man? Mein Gott! Doch nicht –«

Nutini schlug sich vor die Stirn.

»Ich Unseliger! Konnte ich aber ahnen, daß diese Leute drunten bei offenem Fenster solche Abscheulichkeiten von sich geben würden? Halte ich selbst mich doch meist von ihnen zurück. Aber dieser Art Menschen ist nie zu trauen…«

Und drinnen, flüsternd:

»Dem Pardi noch weniger als den anderen. Wenn ich Ihnen erzählen wollte, wie er's mit den Damen Arletti getrieben hat…«

»Lassen Sie's!« stieß Lola aus. Sie warf die Balkontür zu.

»Sie haben gehört, wie er über Sie und Ihre Frau Mutter spricht. Denn so ungeheuerlich es mir vorkommt, er meinte offenbar Sie! Ich kann nur wiederholen, wie schmerzlich ich bedauere –«

»Ich vermute«, sagte Lola kalt, »daß so über alle gesprochen wird.«

»In der Tat, es gibt Männer: die Mehrzahl sogar, kann man sagen, ändert, kaum daß sie die Damen verlassen hat, durchaus den Ton. Die Damen, die all die Achtung und Rücksicht um sich sehen, ahnen nicht –«

»Es ist auch nicht nötig.«

Unvermittelt kam ihr Wut auf sich selbst, daß sie diesen Menschen nicht hinauswies. Vorgebeugt, ihre dicke Falte zwischen den Brauen, sagte sie in unheimlich hellem Frageton:

»Wollen Sie mich jetzt nicht allein lassen? Ich habe etwas Kopfschmerzen.«

»Tatsächlich sind Sie sehr blaß«, stammelte Nutini, und sein eingefallenes Gesicht erblaßte selbst noch mehr. Er verbeugte sich. Lola sah, immer in derselben Haltung, seinen weichlich geschweiften Rücken sich dem Ausgang zuwiegen. Als sein Händchen in dem nach vorne weibisch erweiterten Ärmel die Tür geöffnet und geschlossen hatte, fiel Lola auf einen Stuhl, gelähmt von Ekel. So war nun hier die Welt! Weil sie grade aus einer anderen kam, hatte sie sich eine Stunde lang täuschen lassen können. Sonnig, elegant und herzlich hatte es sich ausgenommen: alles grade entgegengesetzt den schlechtgekleideten, geistig hochmütigen Menschen dort hinten in ihrem Nebel. Aber wäre jener Arnold fähig gewesen, mit allen Leuten und zum offenen Fenster hinaus über ihren Körper zu verhandeln? Die Frage demütigte sie so, daß sie das Gesicht in die gerungenen Hände drückte... Auch Gugigl hätte das nicht fertiggebracht, und nicht einmal Gwinner! So aber war man hier. So war der Mann, den sie vielleicht lieben wollte. Ach! es hatte keinen Sinn, sich ihm befreundet zu fühlen, ihn vor diesem Nutini zu warnen. Der Intrigant und der Brutale waren einander wert.

Mai wußte schon durch Germaine, Lola sei schlechter Laune. Zögernd kam sie herein.

»Bist du fertig? Mein Gott, hast du mit den Sachen herumgeworfen! Die letzten Haare wirst du dir noch abbrennen!«

»Mach mich nicht ganz verrückt, ich bitte dich, Mai!«

»Dort liegen diese dummen Bücher! Du hast gewiß wieder gelesen, und dann kommen die Kopfschmerzen.«

»Ja, ich habe gelesen.«

»Sie liest, Pardi! Kommen Sie doch herein und schelten sie! Sie ist ein wahres Kind.«

»Sie sind schlecht angezogen«, sagte Pardi sofort. »Sie müssen sich noch einmal umziehen.«

Lola fuhr auf.

»Was fällt Ihnen ein!«

»Wenigstens müssen Sie das Halsband anders stecken, es liegt in Falten. Auf den Schultern haben Sie übrigens zuviel Puder.«

»Das ist nicht Ihre Sache. Erwarten Sie mich im Salon! Hätten Sie sich früher vielleicht erlaubt, mein Zimmer zu betreten?«

»Hier ist es etwas anderes. Ich bin für Sie verantwortlich.«

»Ach ja, ich kompromittiere Sie! Warum aber sagen Sie Mai niemals etwas?«

»Ihre Mama ist tadellos angezogen.«

Mai konnte ihren frohlockenden Blick nicht mehr zurückholen. Lola hatte ihn aufgefangen und wandte sich stumm weg.

Beim Aufbruch hatte sie noch etwas gefunden, was ihn treffen sollte.

»Jetzt sagen Sie mir, was Sie auf der Reise ausgelegt haben!«

»Das hat Zeit, gehen wir!«

»Ich will Ihnen nichts schuldig sein.«

»Gehen wir! Die Herren warten.«

»Ich soll gehen, ich? Weil die Herren warten?«

»Aber Lola!« sagte Mai, ganz erschrocken über so viel heftigen Widerstand. Pardi nickte ihr zu.

»Ihre Tochter ist tatsächlich noch ein Kind.«

Aber er rechnete zusammen. Lola gab ihm das Geld, mit vielem Geklapper der Münzen. Pardi schloß kaltblütig:

»Ehrlich sind Sie.«

Lola war sprachlos. ›Hat er das nicht erwartet?‹ dachte sie. ›Er tut, als wäre ich eine Kokotte... Das stimmt mit dem Gespräch beim offenen Fenster. Wenigstens ist er konsequent.‹

Und mochte sie's noch zu leugnen versuchen, seine Art, sie zu nehmen, ohne Rücksicht auf ihre Stimmungen, ohne Verzärtelung: seine Art besiegte sie und erleichterte sie. Auf der Treppe bemerkte sie, daß sie sich hätte weigern sollen mitzukommen, und ärgerte sich, weil sie keine Lust hatte umzukehren.

Den ganzen Abend unterhielt sie sich, und nicht schlechter am nächsten. Die Tage vergingen mit Baden und Nichtstun. Das Bad dauerte Stunden. Man lebte in diesem durchsonnten, blauen und weichen Wasser. Mai lachte vor Glück, wenn sie ihre Hand hineintauchte, und sagte, es sei, wie wenn sie durch den Stoff eines Ballkleides gleite. Man schwamm, so weit man mochte; und ermüdete man, waren immer Herren mit einem Boot da. Man kletterte hinein; – und indes man recht unbeteiligt und träumerisch die Augen schloß, gewahrte man durch ihren Spalt doch die hungrigen und diskreten Blicke des halbnackten Ruderers. Sie prickelten einem auf der Haut. Pardi verbot ihnen diese Rast im Boot; Lola hatte, in aller Beisein, einen Auftritt mit ihm. Er hielt ihr Mai als Beispiel vor.

»Ihre Mama ist noch eine der wirklich weiblichen Frauen, die gehorchen können. In Ihnen ist etwas Feindliches.«

»Glücklicherweise«, sagte Lola höhnisch.

Denn dies Feindliche reizte ihn! Lola sah immer deutlicher: ›Mai gefällt ihm. Zu mir zieht ihn seine Herrschsucht.‹

»Eines Tages«, verhieß er, »werden wir uns auseinandersetzen müssen: ich sage es Ihnen voraus.«

»Ich glaube, wir haben uns gar nichts zu sagen.«

»Zu sagen vielleicht nicht viel.«

Er lachte, und sie drehte ihm den Rücken. In dieser Minute hätte sie keine heftige Antwort gewußt. Sie war erschlafft und einem weichen Weinen nahe. Manchmal spürte sie so, inmitten seiner Unverschämtheiten, eine begehrliche Wärme von ihm her, etwas wie einen jähen Stoß Südwind, daß einem der Atem stockt; oder wie den heißen Brodem aus einem Tigerrachen, die Sekunde, bevor er zuschnappt.

Tags darauf schwamm sie wie gewöhnlich hinaus. Mai hatte ihr zugerufen, sie dürfe nicht weiter. Wie sie ins Boot wollte, war keins zu sehen. ›Diese Feiglinge!‹ Lola kehrte um. In immer kürzeren Pausen mußte sie sich auf dem Rücken ausruhen. Solange sie noch einen Überschuß an

Kraft fühlte, dachte sie mit befriedigter Rachsucht daran, daß sie nun vielleicht umkommen werde. In dem Augenblick, als es ihr ängstlich ward, tauchte neben ihr Pardis Kopf auf. Wie lange war er denn unter Wasser geschwommen?

»Rühren Sie mich nicht an!«

Auf der Stelle hatte sie ihre Kraft zurück und schoß in großen Zügen dem Strande zu. Mai winkte mit dem Sonnenschirm.

»Kind, mein Kind! Hat er dich gerettet?«

Und sie fiel Lola um den Hals. Lola mußte erst zu Luft kommen. Sobald sie's hervorbringen konnte:

»Wie käme ich dazu, mich von diesem Herrn retten zu lassen?«

Aber sie fühlte sich dennoch von Pardi überrumpelt und in ihrer Niederlage glücklicher als Mai. Auch Mai mußte es fühlen. Sie sah von Lola zu Pardi, der stumm blieb und ruhig atmete. Darauf betrachtete sie besorgt ihr eigenes Kleid und dann die beiden in ihren triefenden, um die Körperformen geklatschten Kostümen. Plötzlich wandte sie sich ab.

»Ich bin nicht schuld, wenn sie sich schlecht benimmt. Man hat mir nicht erlaubt, sie zu erziehen.«

»Wir werden es nachholen«, sagte Pardi – indes Lola schon von dannen war.

Und es ward Mittag, und man flüchtete auf die Hotelveranda, an den Frühstückstisch. Sah man hinaus, ward das Auge verbrannt von Sand und See; von dem frechen Wirrwarr der roten, grünen, gelben Karren vor dem wütenden Meerblau; von den weißen Flammen der Zelte, der Anzüge. Die Gäste traten aufatmend in den Schatten, oder sie schlichen an seiner Grenze vorbei, die Häuserreihe hin, in deren grausame Helle die Balkone scharf, dünn und schwarz hineinschnitten. Ermattete, schöne Frauen, die sich rückwärts bogen, willenlos und doch in einer Linie, als hätten sie Ballett tanzen gelernt, riefen mit sehr häßlicher Stimme einen Namen, streckten, ohne umzublicken, einen Arm nach hinten – und eins dieser Kinder hängte sich daran, die nie ganz Kinder waren, die schon kokett waren, keine Ungeschicklichkeit begingen und deren schmelzend blasse Gesichter manchmal, wie von Strapazen, die erst noch auszuhalten waren, unter den Augen bräunlich dunkelten. Matronen flanierten, mit erfahrenem Lächeln, Töchter, deren weißes Gesicht wie ein schmales Stück aus dem der Mutter aussah. Näherten sie sich, lagen beide, das der Mutter und das der Tochter, unter einem Teig von Schminke. Die alternden Männer bekamen Säcke unter die gewölbten Augen; den sehr alten entleerte sich das Gesicht von Blut; – aber sie blieben schlank, behielten den aufrechten, raschen Gang des Jünglings und trugen, wie er, ihre silbernen und goldenen Stockgriffe, über den Arm gehängt, spazieren. Die aristokratische Gruppe auffallender, lauter Damen und verlebter Herren in großgewürfelten Anzügen streifte an eine Bande von Lastträgern und Schiffern; und beide sprachen mit schleierlosen Stimmen und Gebärden von Liebe und von Geld. Alle waren aus einem Blut; und wie sie gleichmäßig schritten und sich kleideten, war sicher, meinte Lola, auch die Art, zu denken und zu lieben, bei allen dieselbe. Lola gedachte der Menschen im Norden, die sie verlassen hatte, wie an Sonderlinge, von denen jeder seinen kleinen verrückten Kreis lief. Der alte Baron Utting übertrieb nur ein wenig die Sucht der übrigen. Hier ließ sich keiner aus der Masse reißen: er wäre verloren und sinnlos gewesen. Die Amerikanerinnen allein kreuzten dazwischen in gelben Winkeln, zu scharf von Umriß, um von der Sonne gedämpft zu werden. Die anderen alle schwammen ohne Mühe, und jeder für sich fast unbemerkt, in dieser Atmosphäre, die sie getönt hatte und ineinander mischte.

Die Sonne tränkte gleichmäßig alles, berauschte, erschlaffte und verzauberte alles und einen selbst. Hohe, dünne Gerten mit Blumen, die nicht daran gewachsen waren, umstanden einen als Hecken, man lehnte sich in grell lackierte Sessel, hörte springenden oder schmachtenden Noten zu, fühlte sich, in seiner gewagteren Strandkleidung, freier und dreister als sonst, trank mehr, lachte mehr, ließ losere Worte zu, glaubte halb, man träume, und empfand bei allem, was geschah und was man tat, daß nichts darauf ankomme. Mit Cavà hatte Lola Freundschaft geschlossen. Seine rohen Worte von neulich deuchten ihr kaum noch wirklich, wenn sie seine Knabenaugen ansah. ›Man vergißt hier so rasch. Übrigens würde man mit niemand leben können, wollte man daran denken, was die Leute sagen und tun, wenn man nicht dabei ist.‹

An Mais und Lolas Tisch war ein Hin und Her von Herren: Nutini, Botta und Deneris führten Freunde ein. Der Dichter Merluzzo war dabei, mit den Puppenaugen in seinem Modellkopf, auf seinem langen, nackten Halse. Er huldigte Lola mit seiner Altweiberstimme und versprach ihr, vorzulesen, wenn sie singe. Sie sang, ohne ihn um das Seine zu bitten: sang leichtfertig drauflos und freute sich des Beifalls, ob er verdient oder unverdient war. Sie lachte.

»Klatschen Sie! Sie klatschen doch auch, wenn der kleine Beppo aus Neapel uns in seinem weiten Frack und seinem Riesenzylinder Späße vormacht. Fragt man das Kind, ob es auch in Rom auftreten werde, schneidet es eine betretene Fratze und sagt: ›O nein, so stolz sind wir nicht.‹ Auch ich bin nicht so stolz ...«

In aller Ausgelassenheit fühlte sie sich eifersüchtig bewacht von Pardi. Mai, harmloser, vergaß; einmal hörte sie Deneris zu lange an. In seiner schwermütigen Schwärmerei war er eben dahin gelangt, daß er nach Afrika wollte, um sich von der Schlafffliege den rätselhaften Tod geben zu lassen. Da erklärte ihm Pardi, daß diese Dame unter sei-

nem Schutze stehe! – und verblüfft, des Widerstandes unfähig, wich unter seinem Ansturm Deneris vom Tisch.
Nur noch heimlich wagte er sich, dem Verbot zum Trotz,
an Mai. Sie ergab sich dann zum voraus in das Geschick,
die Seufzer des einen mit der barschen Rüge des anderen
zu büßen. Lola versuchte umsonst, sie aufzuhetzen.

»Du kennst das nicht: so sind sie. Auch dein Vater war
so.«

Pardi faltete die Brauen, und Mai senkte die Stirn.

Den und jenen schloß er von der Vorstellung aus: sie
hatten sich mit einer zweifelhaften Person gezeigt!

»Und sie sind wohl nicht langweilig genug?« fragte
Lola, kampfbegierig. Dann:

»Warum machen Sie uns mit keiner Dame bekannt?
Fürchten Sie, daß uns Geschichten über Sie zu Ohren
kommen? Wer sind die beiden puppenhaften Blonden mit
den rotgeschminkten Lidern?«

Cavà antwortete statt Pardis:

»Die Contessa Bernabei und ihre Schwester.«

»Eher die hätte ich für zweifelhaft gehalten.«

»Bedenken Sie, was Sie sagen!« heischte Pardi.

»Ach! Sie sind sehr befreundet mit ihnen?«

Lola lag nichts an Frauen. Dennoch warf sie es Pardi
immer wieder vor, daß er gleich bei der Ankunft durch
seine rücksichtslose Eroberung der Zimmer alle Damen
des Hotels zu ihren Feindinnen gemacht habe. Einmal, im
Wasser, hoffte sie eine für sich gewonnen zu haben, eine
noch Unbekannte. Als nachher Pardi ihnen entgegenkam,
ward die neue Freundin verlegen, Pardi verhielt sich un-
leidlich abweisend; und Lola brach, als die Fremde sich
ängstlich entschuldigt hatte, in ernste Wut aus. Er wartete
mit steinernem Gesicht, bis sie ihn sprechen ließ.

»Sie ist eine Chanteuse.«

Erst als Lola sich durch diese Enthüllung nicht geschlagen zeigte: was das schade, im Wasser habe die Dame

keine schlüpfrigen Lieder gesungen – da verfiel auch er in Sturm. Lola habe haarsträubende Begriffe; er werde sich von ihr trennen oder sie einschließen müssen. Er verstieg sich zu der Frage:

»Warum sind Sie hergekommen, wenn Sie eine Wilde bleiben wollen?«

»Ich werde abreisen, um Sie nicht länger zu kompromittieren«, entschied sie mit Leidenschaft. Statt dessen hielt sie sich bei Tische heftig über Pardis Lächerlichkeit auf; denn er habe ein hübsches Mädchen nur darum vom Blumenkorso ausgeschlossen, weil sie eine Schneiderstochter sei. Woher sie's wisse, fragte er; und kaum, daß sie einen Namen genannt hatte, stand er auf. Man sah dort hinten ihn und den andern gegeneinander fuchteln. Pardi verlangte, daß ein Gericht sich bilde und sofort über seine Handlungsweise entscheide. Als er recht bekommen hatte, forderte er seinen Kritiker. Mit Mühe besänftigte man ihn; – und wie er dann, entladen, heiter, bezaubernd, unter lauter bewundernden Blicken an den Tisch zurückkehrte, begann Lolas Herz nachträglich zu klopfen. Was sie nun fast angerichtet hätte! Sie kannte ihn doch: er verlor mitunter die Besinnung. Einen Engländer hatte er aus dem Spielzimmer weisen wollen, weil ihm sein Tabak nicht gut roch. Der Engländer aber hatte Humor gehabt, und jetzt spielte Pardi mit ihm und rauchte aus seinem Beutel. Lola bemerkte erstaunt, daß er, der sich mit hundert Dummheiten aufhielt, sich an die Leitung von hundert Festen verzettelte, hundert Ehrenhändel erregte, bei alledem nicht kleinlich wirkte. Denn er trat für jede Nichtigkeit mit ganzer Persönlichkeit ein: immer bereit zur Verantwortung, immer im Begriff, sich zu verfinstern, sich mit dem Zweifler zu messen. Lola dachte an seine Erzählungen aus Afrika. Im Großen, das ihm bekannt war, blieb er derselbe, wie hier im Flüchtigsten. Er war das Kind, das das Meer vor sich hat und doch darauf besteht, aus einem Sandloch, worin das Wasser versickert, ein zweites Meer zu machen.

Sie ging umher und sann ihm nach. So war er. Er war etwas Ganzes – und dies Ganze war vielleicht nicht weit von einem Helden. Die Frau, die ihn geliebt hätte, wäre beinahe gerechtfertigt gewesen. Und eigentlich war's von einer weniger starken Natur unnütze, peinliche Streitsucht, sich ihm zu widersetzen... Da schrak sie auf. Lieben? Diesen Abenteurer, der nur nach außen und nach allen Seiten lebte? Der sich nie hätte zusammenhalten können für eine? Diesen unzuverlässigen Spieler, für den kein Gewinn, nichts in Spiel oder Leben endgültig war? Diesen immer von seinen Launen gequälten Mann aller Frauen?

›Mai will er gradesosehr wie mich! Mehr vielleicht!‹

Das war das Schlimmste. Darüber hätte man die Augen schließen mögen und gar nicht mehr aufstehen. Aber Lola wollte alles wegwerfen. ›Sollen sie tun, was sie wollen!‹ Und sie kam nicht zu Tisch; war gleich nach dem Bade in den Pinienwald gelaufen und durchstrich ihn weiter und weiter. Er nahm kein Ende. Man konnte sich verirren: wie das kitzelte! Sie drehte sich mit geschlossenen Augen mehrmals um und wußte nun die Richtung nicht mehr. Das weiße Schloß lag tief, tief in den Bäumen: so gedämpft blaß, als hätte nie Sonne es beschienen. Daß nun der Wald sich wie mit Schleiern füllte! War das Dämmerung? Schon? Man konnte hier sitzen und sich in den fremden, gelben Geruch all dieses Gestrüpps hineindenken, bis man weit fort war und die Zeit vergaß. Zwar hatte man den ganzen Tag nichts gegessen – und dort, auf der Lichtung, packten Holzfäller ihr Gerät zusammen und legten Brote auf den Baumstamm... Nein, noch weiter: jetzt grade, nun man schon sehr, sehr müde war und die Nacht kam... Da sah mit Eulenaugen das Meer zwischen die Stämme; die Richtung war wiedergefunden, die Stelle erkannt. ›Eine halbe Stunde höchstens nach Haus! War ich dumm!‹

Sie kam zurück und fühlte sich ganz fremd und verachtend. Sie brauchte von dem hellen, lauten Tisch nur wegzublicken – und ins Dunkel, jenseits der Terrasse, waren friedevolle Bäume gezeichnet und Waldwege, die stumm verrannen. Ganz erfüllt war sie noch von ihrem schönen Tag in Einsamkeit, und das zwischen Menschen galt ihr gleich.

Erst tags darauf fühlte sie, daß ihre Abwesenheit Mai und Pardi einander irgendwie nähergebracht habe. Mai hatte ihr nur laue, etwas künstliche Besorgnis gezeigt, Pardi ihr keinen Auftritt gemacht. Als die anderen von einer gestrigen Ruderpartie anfingen, schwiegen sie. Waren sie allein geblieben? Mai sah an Lola, die sie prüfte, vorbei. Lola tat keine Frage. Sie sprach mit vom Rudern. Pardi fiel ein:

»Sie wären gern dabeigewesen? Dann gehen Sie also heute mit! Ihre Mama verträgt die See nicht, ich leiste ihr Gesellschaft.«

Lola sah von ihm zu Mai. Sie suchte nach einer spöttischen Ablehnung. Plötzlich aber stieß sie hervor:

»Gut denn!«

Sie hatte sich geschämt! Als sie ins Boot stieg, bereute sie's. Mai gab den Herren lauter Empfehlungen mit, zu Lolas Wohl. ›Wie sie heuchelt!‹ Lola dachte weiter: ›Warum erlaube ich ihr, daß sie ihn mir wegnimmt! Gebe ich mich denn auf? Ich habe doch mein Recht aufs Glück!‹ Sie beschloß: ›Ich werde mich nicht mehr fortdrängen lassen! Ich kann ihn gradesogut haben wie Mai. Er hat mir sogar gesagt, daß er Mai nur meinetwegen den Hof macht.‹ Sie verlangte nach einer Bucht weit dort hinten; und wie eingewendet ward, ihr Vormund werde böse sein:

»Meinen Vormund nennen Sie ihn? Es fehlte noch, daß

er's wäre! Finden Sie ihn nicht, im Ernst, ziemlich an-
maßend?«

»Wenn man einen unverschämten Menschen sucht«,
sagte Cavà frisch, »da hat man ihn.«

»Er geht so weit, daß er mir manchmal unsympathisch
wird«, sagte Botta.

»Das ist recht!« – und Lolas üble Laune hob sich –
»schimpfen wir ein bißchen auf ihn! Was wissen Sie von
ihm, Marchese?«

Deneris antwortete:

»Als junger Mann hat er sich einmal selbstmorden wollen.«

»Das – wollten Sie doch selbst schon.«

Deneris, tief erstaunt:

»Das ist doch etwas anderes. Übrigens hatte er keine
unglückliche Liebe. Höchstens Schulden.«

»Die sind ihm treu geblieben«, begann Nutini. »Trotz
seinem großen Familienbesitz kann man den Zeitpunkt
seines Ruins schon berechnen. Leute wie er enden immer
schlimm.«

»Tatsächlich hat er zusammengewachsene Brauen«, bemerkte Cavà. Botta bedauerte das Haus Pardi.

»So altadelig!«

Deneris widersprach:

»Alt wohl, aber nicht lange adelig. Diese Florentiner
Bürgerhäuser sind spät geadelt.«

Nutini wollte auf die Geldsachen zurückkommen, aber
Lola verlangte: »Lassen wir ihn gehen!«

Sie ertrug es auf einmal nicht mehr, hier draußen, abgesondert von ihm, gemeinsame Sache zu machen mit seinen
Feinden, von denen keiner sich an ihn wagte. Auf einmal
fühlte sie sich voll Angst: beklommen und gereizt durch
all das feindliche, leere Blau um sie her, durch die Gesichter, die sie ansahen. Er liebte Mai: man mußte schnell ans
Land – liebte Mai. Und Mai ihn.

Sie begann Mai neu zu beobachten, mit Blicken, die sie selbst schmerzten und unter denen Mai sich verwandelte. Ihre liebenswürdigen kleinen Torheiten bekamen etwas Untergeordnetes, ihre Kindlichkeit ward albern. Bei jeder von Mais Äußerungen sah Lola in den Schoß, schämte sich und empfand Genugtuung in einem. ›Wie kann man so dumm sein!‹ Diese verbrauchten Listen! Daß eine Mutter die Tochter, die sie fürchtete, als Kind behandelte: es war so alt, so alt. Nur ein wenig Geschmack, und man ließ es. Aber Mai wäre, in ihrer Eifersucht, nicht einmal davor zurückgeschreckt, Lola schlecht anzuziehen! Mais Ratschläge empfing Lola nur noch mit Mißtrauen. Einmal machte sie die Probe: frisierte sich absichtlich sehr unvorteilhaft und fragte Mai, wie es ihr stehe. Mai war entzückt: Lola wußte nun Bescheid. Zum Schein ging sie ein Stück mit; – aber unten auf der Treppe blieb Mai stehen, ihr Gesicht war verwirrt und errötet, und sie sagte:

»Laß dich noch einmal ansehen: nein, ich glaube, es geht doch nicht.«

Mais Kampf rührte Lola nicht. Es verdroß sie, daß sie nun weniger harte Gedanken hegen mußte. Sie wollte jetzt wirklich, wie sie war, unter die Leute. Aber Mai flehte und jammerte, bis sie Lola wieder oben im Zimmer hatte und sie eigenhändig, mit eifrigen, reuigen Händen, von neuem frisieren konnte. ›Ist es Verstellung? Was hat sie vor?‹ dachte Lola und haßte sich selbst dafür. Aber sie konnte nicht dagegen, daß Mais Hände auf ihrem Kopf ihr widerstrebten. Sie konnte nicht hindern, daß Mais Art mit den Männern sie erbitterte, ihr schließlich übel machte. Dieses Schnurren und Schmachten, diese singende, lispelnde Sprechweise, diese seitwärts geneigten Köpfe, unenthaltsamen Blicke und dies ironische Lächeln einer gedämpften Wollust, womit ein Mann und eine Frau sich verständigten! Und der Mann war irgendeiner – nicht bloß Pardi: früher auch Deneris, neuerdings auch Botta; und die Frau, das lockende Weibchen, war Lolas Mutter, ihre eigene Mutter! Die Kokotten nebenan mochten dasselbe treiben, und die Aristokratinnen; Lola mochte umringt sein von unreiner Weiblichkeit; – erst in Mai aber bekam sie etwas Groteskes und etwas, das Grauen machte. Eine Mutter hatte nicht das Recht, noch Weib zu sein!

Je länger sie sich hineindachte, um so überwältigender deuchte ihr das Unrecht, das sie von Mai erfuhr. ›Als ich sie damals für gefallen hielt, war's weniger schlimm. Es war wirr wie ein Weltuntergang; es peinigte nicht, denn alles war auf einmal aus; – und es war eigentlich nur, weil ich Romane gelesen hatte. Ich wußte nichts, ich stand draußen. Jetzt sehe ich von innen, wie alles geschieht. Ich liebe einen der Männer, mit dem sie kokettiert: denn so würde sie es nennen, und doch ist es entsetzlicher, als wenn sie ihn mir einfach wegnähme. Dann würde ich mich vielleicht töten! So aber äfft sie, mit allen und ihm, die Liebe nach, die ich fühle, zeigt mir, namenlos verzerrt, was eine Frau ist, macht mir Grauen, daß ich eine bin. Ich liebe einen, mit dem meine Mutter solche Blicke wechselt! Bin ich nicht beschimpft und ganz beschmutzt durch das, was ich in mir trage? Ich will nicht Frau sein! Ich will nicht lieben!‹

Sie machte sich jungfräulich steif, hörte von den Reden weg, die auf allen Wegen zur Liebe glitten, und verlangte, daß man in ihrem Dabeisein von ernsten Dingen spreche.

»Ich begreife nicht, daß man hier in einer Gesellschaft von Männern und Frauen sich immer nur miteinander, nie mit unpersönlichen Fragen beschäftigen kann.«

»Ja, Sie sind eine Amerikanerin«, sagte Cavà... Lola sah von allen Seiten Komplimente für die Amerikanerinnen kommen, fiel nervös ein und erklärte die Stellung der Frau in Italien für unwürdig und vollkommen veraltet.

»Glücklicherweise wollen Ihre Minister endlich die Ehescheidung einführen.«

Botta bat:

»Nur das nicht. Wenn die Scheidung, was Gott verhüte, Gesetz wird, sind wir verloren.«

»Sie machen wirklich ein ganz betretenes Gesicht. Solche Angst haben Sie vor den Frauen?«

»Im Gegenteil«, versicherte Botta. »Ich habe Angst für sie. Denn sie zuerst werden unter dem Gesetz leiden: haben sie doch wenig Urteil, die Armen. Sie werden, kaum daß etwas sie ärgert, aus der Ehe laufen. Dann meiden alle sie, und sie verkommen.«

»Schon jetzt«, begann Deneris, »sitzt die Caputi allein in den Konditoreien, und sie ist nur getrennt. Was werden erst die Geschiedenen tun!«

Nutini bemerkte:

»Ein Sodom und Gomorra wird entstehen. Wir jungen Leute werden uns nicht darüber zu beklagen haben.«

Deneris aber klagte:

»Uns wird die poetischste Sache verlorengehen, nämlich unsere unbedingte Ehrfurcht vor der Frau, die in der Ehe unantastbar und die erste ist.«

»Ich hätte meine Mutter nicht achten können, wenn mein Vater sie hätte entlassen dürfen!« rief Botta.

»Gut, Advokat!« machte Nutini.

»Die Frau, die geschieden werden kann, wird man vielleicht nicht einmal mehr zuerst grüßen«, fürchtete Deneris. Cavà rief entschlossen:

»Ich werde sie grüßen!«

»Genug«, folgerte Botta, »wir haben die Pflicht, die Frauen vor sich selbst zu schützen.«

Lola hätte gern erwidert: ›Und wie schützt ihr sie jetzt? Indem ihr möglichst viele von ihnen zum Ehebruch verführt?‹ Aber Pardi kam über den Sand herbei.

»Und Sie? Sie sind natürlich für die Scheidung?« fragte Lola ihn. Er antwortete:

»Ich bin der unversöhnlichste Gegner jeder Regierung, die sie uns aufzwingen will!«

Cavà bedeutete Lola mit einem Blick, daß sie auf ihn sich verlassen könne.

»Warum soll unser Land das letzte von allen sein?« rief er hell. »Die Amerikanerinnen sind meistens geschieden, und sie sind reizend...«

Botta unterbrach.

»Der Fortschritt! Das ist euer Wort. Wenn es nun aber bewiesen ist, daß die Scheidung geschichtlich und ethnographisch eine tiefstehende Einrichtung ist und sich in direkter Verbindung mit allen Entartungserscheinungen der menschlichen Psyche befindet, als da sind Verbrechen, Selbstmord, Wahnsinn und – noch mit einer, die ich vor Damen nicht nennen kann?«

»Gut, Advokat«, sagte Nutini. Cavà behauptete frisch: »Die Ehe ist das Grab der Liebe!«

Seine drei Widersacher fielen zugleich über ihn her. Pardi verschränkte die Arme und wartete. Als er sprechen konnte: »Die Ehe ist das Grab der Liebe, wenn man von Liebe einen falschen Begriff hat, wenn man für Liebe hält, was nichts weiter ist, als tierische Fleischlichkeit, nichts als die Berührung zweier Epidermen. Die echte Liebe aber, die in der Seele wohnt und gereinigt, vergeistigt und von den Launen der Sinne unabhängig ist, kann nur eine einzige Person angehen und nirgends vorkommen als in der unlösbaren Ehe! Nur sie ist der ganz reine Herd dieser Liebe!«

Lola betrachtete ihn: da stand er, der Idealist, und glaubte an sich! Unter denen, die ihm so leidenschaftlich zustimmten, hätten vielleicht noch einige Ehefrauen sein sollen, deren reiner Herd dank ihm etwas weniger rein war, und ein paar Gatten, die er halbtot gestochen hatte.

»Oh!« machte sie. »Was Sie da sagen, ist die Logik eines Dichters. Wenn nun die Wirklichkeit nicht immer so logisch wäre? Dann würde man, Ihrer Poesie zuliebe, unglücklich.«

Er merkte gar nicht ihren Spott. Mit Strenge entgegnete er:

»Auf diese oder jene, vielleicht vorschnell geschlossene Ehe kann nicht Rücksicht genommen werden, wo es sich um die Ehe als Grundstein des gesamten gesellschaftlichen Gebäudes handelt.«

»Sehr richtig!« bemerkte Botta. »In der Ehe befiehlt der Staat.«

»Besteht der Staat nicht aus Menschen?« fragte Lola. Pardi erklärte:

»Sie haben sich zu opfern. Nicht ihr Glück ist das Wesentliche. Das Wohl der Kinder geht ihm vor, der Bestand der Gesellschaft. Wer mit seinem freien Willen gewisse Pflichten eingegangen ist, hat, was nachkommt, nur sich zuzuschreiben und kein Recht, sich zu beklagen. Ich würde mich nicht beklagen«, schloß er, durchdrungen.

›Und er ist ein Mensch‹, dachte Lola, ›der noch keine Handlung mit ruhigem Blut und Voraussicht der Folgen begangen hat!‹ Sie äußerte:

»Wie Sie von Pflicht zu sprechen wissen! Sie sind förmlich ehrwürdig!«

»Tatsache ist«, sagte Botta, »daß Sie einen ausgezeichneten Verteidiger der guten Sache geben würden; – und Gott weiß, daß sie Verteidiger braucht…«

Er wartete, ob man nicht ihn selbst auffordern werde. Dann beschied er sich:

»Stellen Sie doch Ihre Kandidatur auf!«

Deneris und Cavà stimmten ein. Lola bestätigte:

»Sie müssen ins Parlament und die Ehe retten.«

Er sah ihr spähend in die Augen. ›Sein Tigergesicht‹, dachte sie.

»Von diesem Augenblick bin ich entschlossen – und Sie werden sehen, wer recht behält!«

»Also wetten wir: für und gegen die unlösbare Ehe?« schlug Lola vor.

»Nein! Dafür ist es zu ernst. Aber Sie können schreiben, Nutini, daß ich kandidiere. Bereiten wir doch gleich das Nötige vor...«

Schon ward er umringt, im voraus beglückwünscht und begann einem Kreise Neugieriger sein Programm zu entwickeln. Die Hotelgäste kamen die Terrasse herunter, und von weit her sah man laufen. Die aristokratische Gesellschaft mit ihren gewürfelten Anzügen und riesigen Schleiern drängte sich, warf skeptische Bravos in die Rede, fächelte, plapperte; und während der Kopf nach der anderen Seite lächelte, betasteten unten sich irgendwelche Hände.

Pardi ließ keinen einzigen Scheidungsgrund zu, nicht Zuchthausstrafe, nicht Wahnsinn.

»Wenn erst Bresche gelegt ist, gibt's kein Halten, und man endet dabei, daß der Wunsch des einen Gatten genügt! Eher bin ich dafür, daß das Band noch fester geknüpft wird, daß wir, meine Herren, die Verantwortung für unsere Frauen übernehmen und sogar ihre Verbrechen büßen!«

›Welch wilder Romantiker!‹ dachte Lola, auf ihrem Sesselchen im Schatten des Badekarrens.

»Dafür muß unsere Herrschaft nicht lockerer, sondern noch fester werden. Meine Herren, es haben sich Richter gefunden, die entgegen dem Gesetz eine Frau der Verpflichtung enthoben haben, ihren Mann zu begleiten, wohin immer er befiehlt...«

Eine der beiden puppenhaften Blonden mit den rotgeschminkten Lidern, die Contessa Bernabei, wandte sich Lola zu, machte einen Schritt aus der Masse, daß ihr Schatten darauf fiel, und hob, mit angeregter Miene, nochmals den Fuß. Als Lola gleichgültig sitzen blieb, trat sie ärgerlich zurück, sprach nach links und nach rechts, als rührte sie in einem Sandhaufen – und auf einmal waren drei, vier Lorgnons auf Lola gerichtet.

Aber eine Stimme, Deneris' Stimme, zog die Aufmerksamkeit ins Innere des Kreises zurück.

»Die Furcht vor der Scheidung würde keine Frau vom Ehebruch abhalten und keinen Liebhaber. Denn in der Leidenschaft fürchten wir nichts.«

»Meine Meinung!« rief Pardi; und die beiden streckten einander die Hände hin.

»Mag der Gatte aufpassen!« höhnte Cavà, knabenhaft hell; und der Chor erklärte sich fürs Aufpassen.

Die Versammlung bröckelte ab; auch Mai löste sich heraus, mit Deneris hinter sich.

»Hat er reizend für die Scheidung gesprochen, und auch Sie, Marchese! Oh! ich schwärme für die Scheidung. Meine Tochter übrigens auch: Nicht wahr, Lola?« – und Mai lief trippelnd herbei, ganz unbefangen, wie immer, wenn Leute dabei waren. Deneris hielt sie zurück; er hatte ihr etwas zuzuflüstern. Mai schüttelte auf alles den Kopf. Schließlich sagte sie:

»Gut, daß Sie mit Pardi versöhnt sind; jetzt können Sie wieder mit uns reden. Sonst aber: lieber Marchese, Sie dürfen es nicht übelnehmen, eine glückliche Liebe würde Ihnen nicht stehen. Ihnen steht eine unglückliche. Als Sie täglich sechs Stunden gereist sind und sich bei einem Photographen haben erschießen wollen, da müssen Sie schön gewesen sein… Sollen wir jetzt nicht baden, Lola?« – und Mai ließ Deneris zurück.

Lola dachte: ›Sie ist so dumm, daß sie keine zwei Worte versteht, die etwas Allgemeines sagen. Gleich darauf aber, wenn es sich um ihren Körper handelt und um die Sinne eines Mannes, wird sie beinahe geistreich. Muß man als Frau so sein? Dann bin ich ein verfehlter Mann. Wenn ich hätte auftreten dürfen: wie ich denen dort die Wahrheit gesagt hätte! Was für eine Gesellschaft! Sie sind schlaff und unmenschlich zugleich; frivol und philisterhaft, alles beides. Pardi ist das alles auch: nur heftiger als die anderen.

Ich kenne ihn: sich würde er alle Freiheiten nehmen und seine Frau würde er einsperren. Draußen würde er wie ein wildes Tier herumstreichen oder wie ein Narr, und in seinem Hause würde er alles abgezirkelt und niedlich wie in einem Vogelbauer wollen. Kann man so abscheulich ungerecht sein! Nein, ich möchte kein Mann sein. Oder ich wäre einer wie Arnold...‹

Zornig riß sie sich die Bluse auf – da erschien um die Ecke des Karrens auf nacktem Hals der Modellkopf des Dichters Merluzzo. Seine Puppenaugen spähten hinein.

»Was wollen Sie, mein Gott!«

Mai, schon halb entkleidet, schrie und stürzte umher.

»Endlich treffe ich Sie allein. Erinnern Sie sich nicht, daß ich Ihnen eine Novelle vorlesen wollte?«

Es mußte sofort sein. Lola ließ ihn sich auf die Karrentreppe setzen und versprach, hinter dem Vorhang genau zuzuhören. Aber die weichliche Stimme reizte sie noch mehr. Zum Schluß sagte sie:

»Recht hübsch. Aber den Gedanken, daß an der Untreue der Frau auch der Gatte schuld haben kann, finde ich sehr kühn.«

»Nicht wahr?« – ganz stolz. »Das sagten mir schon andere: die Idee sei neu und vielleicht zu kühn. Auch der Conte Pardi sagte es.«

»Das dachte ich mir« – und Lola schlug den Vorhang zurück und ging in ihrem Mantel an Merluzzo vorbei. Im Wasser erklärte Mai:

»Ich mag diese Dichter nicht. Dieser ähnelt wieder dem vorigen, dem in Deutschland.«

Lola antwortete:

»Liebe Mai, solche Leute wie Deneris verstehst du sehr gut«; – und dann schwamm sie unter Wasser davon.

Mai sprach sie nicht wieder an. Am Abend ward Lola von Pardi zur Rede gestellt. Sie sei so unartig, daß ihre Mutter geweint habe, und dabei verschwende sie das Geld ihrer Mutter. Wie sie dazu komme, die ganze Familie des Stubenmädchens zu unterhalten. Ob sie nicht sehe, daß der Mann ein Lump sei, der nicht arbeiten wolle und sie belüge. Sie wisse es, sagte Lola; da er aber einmal so sei und die Familie Not leide –

»Das ist unmoralisch!« behauptete Pardi.

»Wenn ich fragen wollte, wem ich helfe, käme ich nie zum Helfen. Glauben Sie, daß der betrunkene Bauer in Deutschland, den Sie ins Dorf trugen und so reich beschenkten, würdiger war?«

»Er war ein sehr guter Mann, ich habe mit den Leuten gesprochen.«

»Ich auch. Und er hatte die Messerstiche, weil er gestohlen hatte. Aber Ihr Geld verdiente er darum, meine ich, nicht weniger.«

Da Pardi nur fuchtelte:

»Sehen Sie, Sie waren in Afrika, haben so vieles hinter sich: ich aber, die ich nichts erlebt habe, bin enttäuschter als Sie. Sie brauchten mich wirklich nicht so oft zu belehren.«

Das war ein Triumph! Auch daß er Merluzzos Albernheiten kühn gefunden hatte, war einer; und daß die süßlichen Bilder im Saal ihn entzückten. Für alles, was süßlich und veraltet war, für jeden Kitsch war er zu haben. Er mußte als Held in älteren Romanen vorkommen. Seine Abenteuer, sein Ehrbegriff, seine Ideen, seine Lebensanschauung und sein Urteil über Menschen rührten von solchem Helden her. Für ihn gab es natürlich nur Gute und Böse, Ehrenmänner und Schufte, und wer das Fechten verstand, erhielt sich stets auf der Seite der Ehrenmänner. Eine Welt, so einfach in ihrer Wildheit, daß es nicht zu glauben war. Eine Naivität, die manchmal rührte, manchmal empörte: nur Achtung konnte sie nicht eingeben.

Ihre Beobachtungen rieben sie auf, sie erschrak bei jeder

neuen Waffe, die sie gegen ihn in die Hand bekam, denn mit allen traf sie sich selbst. Sie schlief nicht mehr, verbarg mit Mühe ihre ständige Gereiztheit, und von früh bis spät war sie in der Angst, einen Zug an ihm zu bemerken, der ihn entstellte, der ihn vervollständigte. Nutini war ihr Schrecken; bei jeder Begegnung lüftete er, feixend oder unter Freundschaftsbeteuerungen, wieder ein Stück von Pardis Vergangenheit. Pardi hatte die Chiarini, als sie von ihm in anderen Umständen war, mit dem Wagen umgeworfen, wobei sie umkam... Nutini verhehlte nie, Lola auf den Mut hinzuweisen, womit er sie über den gefürchteten Duellanten aufklärte. Sie hielt trotzdem das meiste für Verleumdung; aber ein ruheloses Mißtrauen und eine verzweifelte Lust an seinem Gezischel trieben sie zu Nutini. Sie standen zusammen abseits, wiesen nach dem Horizont, lachten laut, und dabei sagte Nutini:

»Sie wissen wohl nicht, warum die Bernabei Sie so viel durchs Lorgnon ansieht?«

»Die mit dem zusammengedrückten Gesicht und den roten Lidern? Nein.«

»Weil sie Pardis Geliebte ist... Ja, man spricht seit zwei Tagen davon, aber ich habe mich erst überzeugen wollen...«

Lola hörte gierig die Einzelheiten von Nutinis Entdeckung an.

»Sie begreifen nun, die Bernabei ist auf Sie eifersüchtig.«

»Aber neulich, als Pardi seine Rede gegen die Scheidung hielt, schien sie sich mir ganz freundlich nähern zu wollen.«

»Das glaub ich!« – und Nutini lachte auf, mit großen Falten neben dem Munde; »Sie wissen wohl, was Eifersucht ist: man muß die Gegnerin kennenlernen!«

»Nein, ich weiß das nicht. Und ich bin nicht die Gegnerin der Frau Bernabei.«

»Im Ernst?... Ich will aufrichtig sein. Die Gräfin hat mich beauftragt, zu machen, daß Sie beide sich kennenlernen.«

»Mich verlangt nicht nach der Bekanntschaft!«

»Oh! Sie sind nicht eifersüchtig. Sie sind ein bewundernswertes Geschöpf, in das auch ein ernster Mann sich verlieben könnte. Unglaublich, wieviel Seele in den Augen dieses Mädchens ist...«

Lola dachte: ›Für alles andere habe ich Blick, nur nicht für Liebessachen... Jetzt begrüßen sie sich: ja, es ist wahr. Daß ich das nicht früher gesehen habe! Und doch war sie mir unsympathisch vom ersten Augenblick, und ich habe mich ihretwegen mit ihm gestritten! Also hat er eine Geliebte: hier gleich neben mir, die er doch behandelt, als ob ich ihm gehörte...‹

Gegen die Liebe in ihr vermochte das alles nichts; nur die Last dieser Liebe konnte es vermehren. Ihr Wachstum war nicht mehr aufzuhalten. Kein Tag, der ihr nicht Nahrung gab. Noch mit der Verachtung des Geliebten nährte sie sich!

Und ihr Dasein glich jetzt ganz jenem Spaziergang, die letzte Nacht in Deutschland, als sie in die Luft schlug, aus blinder Angst vor seiner Berührung. Immer war sie in Angst, sich zu verraten: mochten ihre Worte noch so gehalten sein, sich mit Blicken zu verraten, wie die Bernabei, mit einer Betonung, die ihr, sie merkte es, ausglitt, mit einer Bewegung, die entschlüpfte. Stand ihr nicht der Traum der vergangenen Nacht noch in den Augen, als sie sich, einen steilen Weg hinab, fest auf ihn gestützt und sich abgespannt und genesen gefühlt hatte? Konnte er nicht in sie hineinsehen? Drang nicht ihre Leidenschaft ihr durch die Haut? Sie drang doch bei allen durch, so lang die Terrasse war, so viele Menschen hier gehäuft saßen, so viele Gesichter sich aufeinander zuneigten, so viele Hände nacheinander tasteten. Lola sah jetzt dies alles und fühlte es, ohne hinzusehen. Ein neuer Sinn war ihr gekommen für den Strom, der um diese Tische und durch diese Menschen lief und von dem der Blick jedes Mannes und jeder Frau, die sich ansahen, dieses ironisch gedämpfte Einverständnis empfing. Sie fragte nicht mehr, warum hier zwischen Frauen und Männern kein Gespräch über irgendeine draußen liegende Sache aufkam. Sie selbst konnte nur noch darauflosschwatzen, schlaff lachen und, nun Nutini ihr den Hof machte, sinnlos herausfordernd an seinen Augen haften. Dazwischen empörte sie sich gegen ihren Zustand, begriff nicht, wie er hereingebrochen sei, schrieb ihn dem Scirocco zu, der einem den Atem nahm, einen gedankenlos, matt und nach Schauern gierig machte. Man zog die Mahlzeiten hin, trank, rauchte – und wenn man die heiße, schlaffe Hand über das Geländer hängte, traf Regen sie, der nicht kühlte. Die Gerüche dieser eleganten Menge standen still in der Luft. Das Meer sandte bleierne Reflexe. Die Blicke erschienen fiebrig, die Gesichter fahl, gedunsen und von aufstachelnder Zerrüttung.

Lola fand jetzt viele beneidenswert schön. Manche dieser Frauen schminkten sich Masken wie Kokotten. Man mußte das herausbekommen. Man mußte ihren lauten Schick erlernen. Sie probierte des Nachts. Mai, sah sie, hatte täglich breitere Kohleränder. Wenn sie zusammen die Terrasse betraten und von der Bernabei und den anderen gemessen wurden, spürte Lola von weitem den Erfolg. Mais dunkle, weiche Schönheit und Lolas herbere blonde Eleganz hoben einander. Sie sprachen unter sich kaum ein Wort, sie hielten beim Ankleiden die Tür zwischen sich geschlossen, gaben sich keinen Rat mehr: – am Fuß der Treppe aber blieb Mai stehen, um Lola an ihre Seite zu nehmen; und am Strande legten sie einander die Hand in den Arm und lachten sich zu.

›Wir sind eigentlich wie ein Paar Abenteurerinnen‹, dachte Lola. ›Wer uns nicht kennt –‹ Mit der Wucht des

Schreckens vertiefte sie sich dahinein. ›Wir sind immer, ohne irgendwo hinzugehören, durch Europa gezogen, haben nur an Plätzen gelebt, wo sich Abenteuer finden lassen – und haben wir keine gefunden? Womit habe ich, wenn ich die Branzilla abziehe, meine Zeit verbracht? Auch hatten wir nur unregelmäßig Geld…‹ Und da hatte sie ihr Dasein umgesehen, verstand sich, sehr befremdet, auf einmal ganz anders. ›Ich bin es! Ich bin eine Abenteurerin!… Die anderen, die es sind, wissen es vielleicht auch nicht. Man merkt das wohl selbst erst, wenn die Leute es schon längst sehen…‹

Sie wehrte sich: ›Ich habe doch so viel gelesen; durch meinen Kopf, der jetzt wohl leer ist, sind doch Gedanken gegangen, wie gewiß niemals durch diese Köpfe hier. Wenn ich jetzt in diese Gesellschaft gehöre – noch vor kurzem war ich doch mit ganz anderen Menschen fast verwandt. Wie war mir zumut, als ich mit Arnold war? Alles war anders. Frauen, wie diese, die ich jetzt nachahme, hätten mich gedemütigt durch ihre bloße Gegenwart.‹ Dann: ›Aber vorher war ich mit Da Silva. Auch das habe ich in mir. Und das bricht jedesmal mehr durch. Jetzt bin ich hier und bin so.‹

Einen halben Tag lag sie gelähmt von ihren Entdeckungen; und als sie aufstand, hatte ihre Rolle einen tragischen Sinn bekommen. Wie Mai, die nichts ahnte, es kläglich gut hatte! Für sie war, sobald Paolo einmal wieder ein paar tausend Francs schickte, alles in Ordnung. Man mußte sanfter mit ihr sein… Beim Anblick der Bernabei schnellte in ihr ein Stolz auf, der sie erschütterte. ›Diese Frau‹, dachte sie, ›wird sich mir vorstellen! Sie wird in das Palais der Contessa Pardi kommen und sich ihr vorstellen!‹ Sie ließ kein Erstaunen über den Einfall in sich aufkommen. ›Ah! Diese Leute halten mich für eine Abenteurerin. Der Geliebte solcher Weltdame hat nebenher noch eine etwas verdächtige Bekanntschaft, die er in die Gesellschaft nicht einführen kann. Denn er hält mich von ihnen getrennt, er behandelt mich wie eine Kokotte. Aber sie sollen sehen! Er soll sehen!‹

Sie verachtete diese Menschen! Und dabei gab die Aufgabe, sich unter ihnen Platz zu machen, ihr Begeisterung. Nun wußte sie sich wieder unangreifbar, suchte keinen Schutz mehr vor Pardi, nahm ihn sogar mit auf ihre einsamen Spazierwege.

»Nicht in den langweiligen Wald, bitte: nach den Bergen zu.«

»Es wird sehr heiß sein – und weit.«

»Sie sehen ganz nahe aus, und droben geht gewiß Wind.«

»Wie Sie meinen... Übrigens wiederhole ich Ihnen, daß Sie verschwenden. Ihre Mama weiß nicht mehr, wie sie die Kleider bezahlen soll, die jetzt wieder für Sie da sind.«

»Möchten Sie, daß ich hinter der Bernabei zurückstehe?«

»Warum vergleichen Sie sich der Bernabei?«

Lola hörte, wie er stammelte. Sie fühlte sich, da sie den Namen seiner Geliebten nannte, im Genuß einer Überlegenheit; fühlte, daß ihr kühles Lächeln ihm unheimlich sei, wie gewissen Wilden eine Jungfrau.

»Ich kenne Sie schon«, sagte sie. »Sie gehören zu den Männern, die ihrer Freundin etwas Festes im Monat geben und von ihr verlangen, daß sie darüber abrechnet. Man kann, denke ich mir, ganz gut eine Menge Geld verspielen und dann in Kleinigkeiten geizig sein. Nicht?«

»Was Sie sagen, schickt sich nicht für Sie!«

»Nehmen wir an, es wäre eine Frau, eine ältere Frau, die es Ihnen sagte.«

»Sie sind viel zu klug für eine Frau! Übrigens: wozu reden wir. Lange genug haben wir getan, als ob nichts wäre zwischen uns, als ob wir nicht wüßten, daß ich Sie besitzen werde und daß Sie darauf warten. Ihre Klugheit ändert daran nichts. Was Sie reden, sind bloß Worte; und im stillen wissen wir mehr. Ist es nicht so?«

Seine Stimme fühlte sich an wie eine Hand, die im Würgen noch schmeichelt.

»Was Sie sagen, schickt sich nicht für Sie«, erklärte Lola.

»Sie bringen mich zum Äußersten!«

Halb ihr zugewendet, hielt er seine beiden, bebenden Fäuste vor sie hin. Sie ging weiter, ohne hinzusehen.

»Was hindert mich: was? Wenn Sie die Contessa Dingsda wären oder auch das Stubenmädchen –«

Er zischte nur noch; aber sie verstand ganz gut: man behandelte sie nicht wie eins jener Weibchen. Eine Scheu benachrichtigte selbst diesen, daß das nicht ging. Sehr hochgemut, mit Auflachen:

»Ich nehme an, daß dies alles einen Heiratsantrag bedeutet.«

»Nein!« – ganz brutal. Lola duckte den Nacken, sie konnte nicht anders. Sie versuchte zu trotzen:

»Einen Gegner der Ehescheidung könnte ich auch nicht brauchen.«

Aber sie dachte in Panik: ›Soll ich sagen: wenn es keinen Antrag bedeutete, war's Unverschämtheit? ... Darf ich das noch? Ich hatte mich ihm gleichgestellt! Plötzlich schlägt der Mann dann zu: so ist es immer. Dies Nein werde ich nie vergessen.‹ Sie setzte sich hin.

»Gehen Sie, bitte, allein weiter. Ich will hierbleiben.«

»Auf der Mauer, in der Sonne? Ich warte natürlich, bis Sie sich ausgeruht haben.«

Lola sah nach den Bergen und dachte: ›In was für einer Lage! Mai wäre nie in solcher: sie, die ich so oft dumm finde.‹ Sie lachte gewaltsam:

»Wissen Sie wohl, daß Sie ziemlich grob waren? Aber ich verzeihe Ihnen. Für die dummen Frauen hat man die

Galanterie; aber was tut man mit den klugen. Da ist man ratlos.«

Dann:

»Die Berge kommen aber gar nicht näher. Kehren wir also um.«

»Sehen Sie, daß Sie nachzugeben verstehen?« sagte Pardi.

Er trällernd im Tenor, Lola mit Kopfschmerzen, so kamen sie zurück. In ihrem Zimmer schloß sie sich ein, fand aber keine Ruhe.

›Wenn er mich nicht heiratet – ich muß mich erschießen! Dies geht nicht einfach vorüber, das weiß ich. Oh! wie ich ihn hasse.‹

Im Umherirren gab sie ein leises Wimmern von sich. Plötzlich, stehenbleibend:

›Oder – ist das Haß? … Was tut er jetzt? Ist er bei der Bernabei?‹

Sie horchte an Mais Tür, öffnete leise: Mai war nicht da.

›Und was tut Mai?‹

Fieberhaft trieb es sie nach allen Seiten. Keinen Augenblick konnte sie länger allein bleiben. Da kam Mai und hatte wieder dies verdächtig Unsichere.

»Woher kommst du?« fragte Lola hastig. Mai stutzte, und ihr Blick, der um Teilnahme gebeten hatte, verschloß sich. Lola mußte sich erst sanft machen; dann erfuhr sie, Mai habe wieder einmal Pai erblickt, vorhin, während ihrer Nachmittagsruhe – aber noch seien ihre Augen offen gewesen; Pai sei von links gekommen und habe ein schrecklich ernstes Gesicht gehabt.

Mais sklavische Angst entrüstete Lola auch diesmal. Sie wollte sagen: ›Wenn du mit vollem Magen schläfst –‹ Aber sie sagte:

»Pai ist offenbar nicht zufrieden mit dir. Wundert dich das?«

Mai sah vor sich hin. Ihre Brust ging immer heftiger. Da fiel sie Lola, ohne ihr in die Augen zu sehen, um den Hals.

»Willst du Pardi? Ich lasse ihn dir. Ich begnüge mich mit Botta.«

Lola vermochte nichts gegen die eigene Gereiztheit. Sie erwehrte sich Mais.

»Du weinst mir das ganze Gesicht naß, und ich hatte mich eben gepudert... Wie willst du mir Pardi lassen? Gehört er dir?«

Und Mai, enttäuscht, aus der Stimmung gerissen und auf einmal voll Feindschaft:

»Also dann wirst du's sehen!«

»Was werde ich sehen, Mai?«

Sie maßen sich; – und wie Lola dies haltlos und kindlich böse Gesicht dringend betrachtete, brach ein Schauer von Mitleid über sie herein. ›Das ist doch Mai‹, dachte sie. Da umfaßte sie Mai, drückte sie auf den Stuhl nieder, legte, vor sie hingekniet, Stirn und Augen in ihren Schoß. Dunkelheit: die tat wohl. Was sich noch eben so wild angefühlt hatte, war nun abgeschafft. ›Es ist doch gar nicht nötig‹, dachte Lola.

»Ich brauche ihn gar nicht«, sagte sie und hielt die Augen geschlossen; »ich liebe ihn gar nicht.«

Mai legte ihr die kleinen weichen Hände um das Gesicht.

»Das kennen wir«, flüsterte sie nur. Und wie Lola die Lider öffnete:

»Sagte ich's nicht?«

›Was sieht sie in meinen Augen?‹ dachte Lola und ging zum Spiegel.

»Ich habe wohl etwas Fieber, Mai. Meinst du, daß ich heute abend zu Hause bleiben soll?«

»Ich meine, daß wir jetzt keine Zeit mehr verlieren, sondern dich verheiraten müssen«, antwortete Mai wichtig. »Ich muß für dich handeln, sonst kommen wir zu nichts. Du bist so klug, aber ich sagte dir's schon oft, eine Negerin weiß die Männer geschickter zu nehmen als du. Auch betest du zu keinem Heiligen. An welchen Gott glaubst du eigentlich?«

»Wie willst du handeln, Mai? Daß du ihm kein Wort sagst, du würdest mich sehr böse machen.«

»Ich habe das Recht, ihm zu verbieten, daß er meine Tochter noch länger kompromittiert. Man bleibt nicht mit einem jungen Mädchen drei Stunden vom Hause fort. Laß mich nur machen, ich bin erfahrener.«

Lola wendete sich hin und her.

»Warum muß ich denn heiraten?«

»Damit du einmal zur Ruhe kommst. Weißt du das nicht? Und die Geldsachen aufhören. Seit Paolo all unser Geld in dieses Ansiedelungsunternehmen gesteckt hat, kriegen wir immer weniger.«

Mai war ganz Gesetztheit, ganz Vernunft.

»Aber wenn das Geschäft gelingt, sind wir reich.«

»Du selbst hast noch gestern gezweifelt. Besser, wir versorgen dich gleich.«

»Mir widerstrebt es, Mai. Ich werde Pardi nur heiraten, wenn unser Geschäft gelungen ist. Jetzt mußt du dich wohl anziehen«, setzte sie rasch hinzu.

»Nein«, sagte Mai ebenso rasch, und als habe sie darauf gewartet. »Ich werde mich gar nicht anziehen. Ich bin gut genug, wie ich bin. Aber ich werde dir helfen.«

»Was fällt dir jetzt ein? Irgend etwas mußt du doch anhaben.«

»Dann ziehe ich das grüne Kleid an.«

»Das die Schneiderin ganz verdorben hat? Und Grün steht dir nie!«

Mai wiederholte mit einer Festigkeit, unter der es zitterte:

»Ich ziehe das grüne Kleid an.«

»Du bist schrecklich!« – und Lola sah sich verzweifelt

nach allen Seiten um. Daß Mai sich häßlich machen wollte, war ein peinlicheres Opfer, als wenn sie ihr Pardi frei ließ.

»Zu dem grünen mußt du wenigstens Rot auflegen, hörst du?«

»Ich werde mich überhaupt nicht schminken: nur Eau végétale.«

Und Mai ging, von sich selbst erschüttert, hinaus.

An diesem Abend schickte Mai alle Tänzer fort, machte Bekanntschaften unter den Müttern einiger kleinen Provinzlerinnen und führte sorgenvolle Gespräche über die Kinder. Dafür ließ sie sich das nächstemal zu ihrer silberbestickten weißen Empirerobe überreden; und jedesmal, wenn sie in Pardis Arm an den Wänden hinglitt, trieb es Lola ihr nach. Sie gab dem eigenen Begleiter keine Antwort, hing nur an Mais und Pardis Mienen, die zu süß, zu vertieft waren, quälte sich um die Worte, die er in Mais Corsage sprach, litt unter dem weichen Seidenfluß um Mais Gestalt, unter den blaßbunten Palmen darauf aus altem Kaschmir, unter Mais Flimmern und üppigem Gleiten und der nie gestörten Weiße ihres Gesichts in den breiten schwarzen Haarwellen. Sie selbst erhitzte sich, ihren Fächer bewegte sie nicht so melodisch, und nie würde sie es verstehen, solche Hingebung zu spielen! ›Diese Männer hier wollen nichts, als daß man ihren Augen schmeichelt, und allen ihren Sinnen. Das ist alles, was sie kennen.‹ Sie ließ sich ins Freie führen, ans Buffet, von einem Raum zum andern: in aller Hitze klapperten ihr plötzlich die Zähne; und sie begann wahllos zu schwatzen. ›Wie ich mich schäme!‹ dachte sie dazwischen.

»Was haben Sie mit Mai gesprochen?« fragte sie Pardi und lachte.

»Wir haben uns gestritten. Ihre Mama will nicht, daß ich mit Ihnen spazierengehe. Sie wissen, daß ich darauf nicht verzichte: eher auf alles andere«, sagte er mit dieser sengenden Süße. Sie lachte schwächer, schloß eine Sekunde die Augen; – und in der Sekunde war alles gut.

Beim Hinaufgehen verhielt Mai sich kleinlaut. Am Morgen sah sie verweint aus, hatte eine Stimme voll Mitleid mit sich selbst, war einfach angezogen und wollte, nur mit Botta, an den unbelebten Strand unter der Pineta. ›Bis zum nächstenmal‹, dachte Lola. Denn sie wußte jetzt: Mai opferte sich stückweise. Immer noch blieb ein Rest Selbstsucht zu bezwingen. Aber ihre unerklärten Abwesenheiten mit Pardi wurden seltener, und nach ihnen war's, als flüchtete sie sich, verstört, zu Lola, als wollte sie nie mehr von ihrer Seite, mit Blicken und Bewegungen, wie um Schutz und um Verzeihung... Lola erinnerte sich seines furchtbaren »Was hindert mich –« Vielleicht, daß ihn bei Mai nichts hinderte? Nicht die Scheu, die sie selbst umgab? Nein! Bei Mai nichts. Und Bilder brachen herein...

Kein Mittel gab es, ruhig zu atmen, als wenn man aus jeder Stunde wußte, was sie getan hatten, sie und er. Lola verbündete sich enger mit Nutini.

»Wir betragen uns zu sehr als Amerikanerinnen, nicht? Mai ist wieder mit jemand allein fort, ich glaube mit Pardi. Gestern auch, glaube ich.«

»Nein, gestern mit Botta. Sie haben droben an der Düne gelegen. Aber jemand lag auf der andern Seite und hat sie belauscht. Botta hat zuerst von seiner Balletteuse geseufzt, dann hat er Ihrer Mama einen Antrag gemacht, und nachdem er abgelehnt war, hat er sie um Geld gebeten. Es scheint, er steckt, von der Balletteuse her, noch immer in Schulden.«

»Wie man hier, bei allem Gefühl, praktisch ist. Das gefällt mir. Also Geld sucht man bei uns? Aber hält man uns denn nicht für Abenteurerinnen? Sagen Sie's nur!«

»Mein Gott, manche geben vor, es zu glauben. Wer

Ihnen schadet, ist Pardi. Hat er nicht geprahlt, er werde Sie beide zu seinen Geliebten machen? Ihre Mama und Sie?«

Lola sah ihm in die Augen: sie waren lügnerisch. ›Und doch könnte Pardi das sagen!‹ mußte sie denken.

»Wo und wann hat er das geäußert?«

»Vor aller Welt, noch gestern. Sie und Ihre Mama brauchen nur den Rücken zu wenden.«

Lola bebte vor Zorn.

»Das lassen Sie ihn sagen? Und Sie behaupten manchmal, Sie lieben mich.«

»Ich liebe Sie«, wiederholte Nutini, durchdrungen. Gleich darauf nahm sein Gesicht einen anderen Faltenwurf an.

»Was den Herrn Pardi betrifft, verachte ich ihn zu tief, um seine Prahlereien wichtig zu nehmen. Niemand nimmt sie wichtig. Übrigens macht er mich nicht eifersüchtig, denn ich habe die Überzeugung, daß er es viel mehr auf Ihre Mama absieht.«

Lola zuckte zusammen. Vergebens hielt sie sich vor: ›Nur aus Feigheit spricht er so.‹ Sie fühlte sich tief niedergeschlagen und rätselhaft gefangen, wie mit Stricken aus Luft. Nutinis Ränke, Pardis Unzuverlässigkeit, Mais Schwäche und Lolas eigene Ängste würden immer so weitergehen. Eine atemlose Ungeduld quälte sie auf einmal. Keinen Augenblick länger durfte dies alles dauern. Sie machte eine Bewegung, als risse sie sich los.

»Daß ihr Männer, kaum daß ihr unter euch seid, von uns Frauen so redet, das ist mir nichts Neues. Sie erinnern sich, was ich einmal, auf meinem Balkon, von euch zu hören bekam.«

Nutini legte die Hand aufs Herz.

»Ich war nicht dabei: vergessen Sie das nicht.«

»Auch Sie hätten dabeisein können. Was würde das ändern. Nur von Pardi glaube ich nichts.«

»Damals haben Sie seine Stimme wohl erkannt; und was seine Worte von gestern betrifft –«

»Nichts glaube ich, und dürfte es auch nicht; denn –«

Laut:

»Ich liebe ihn!«

Aufatmend, mit Stolz:

»Ja, ich liebe ihn. So ist es. Was wollen Sie dabei tun.«

Sie grüßte und ging. Das tat wohl: etwas Unwiderrufliches war geschehen. Zurück ging's nun nicht mehr. Nutini würde dies herumschwatzen. Pardi erfuhr es… Er konnte sie auslachen – oder sie heiraten. ›Wenn nicht, erschieße ich mich.‹ Das Mitwissen aller konnte auch einen Druck auf ihn bewirken, konnte ihn nötigen, sie zu heiraten. ›Wie ich berechne! Ich werde wirklich zur Abenteurerin.‹ Gleichviel: wer alles wagte, hatte Rechte auf alles. ›Werde ich mich nicht erschießen?‹

Pardi holte sie ein; er war ganz in Flammen.

»Wissen Sie, daß ich den Nutini zur Rede stellen werde? Ihre Duos mit ihm gefallen mir nicht mehr.«

»Wenn sie aber mir gefallen?«

»Das genügt nicht –«, und sie zankten schon wieder, vorgeneigt, mit leidenden Gesichtern, aufeinander ein. Lola verfiel in die Furcht, er möchte schon wissen, was sie erst eben gesagt hatte; der Lauscher, der hier hinter jedem Baume stand, hatte wohl schon gesprochen! Und jetzt, da sie ihm in die Augen sah, begriff sie nicht mehr, daß sie's hatte sagen können. ›Ich habe mich aufgegeben, ich habe ihn zu meinem Herrn gemacht!‹ In Verzweiflung:

»Was geht Sie's an: ich liebe Nutini!«

Pardi war plötzlich still. Lola sah verstört beiseite. Er erholte sich.

»Das ist natürlich wieder eine Lüge.«

»Wie kommen Sie dazu –«

»Sonst würde es ihm schlecht ergehen. Aber Sie werden

ihn nicht wiedersehen. Sie werden ihn wegschicken, wenn er Sie anredet!«

»Sie sind verrückt. Sie vielmehr: Sie werde ich besser einige Tage nicht sehen. Heute abend fahren wir nach dem Hause, wo Botta die Balletteuse geliebt hat. Ich bitte Sie, hierzubleiben.«

»Heute abend überreiche ich dem Kommandanten der ›Savoia‹ im Namen des Komitees die Fahne. Sie werden mit mir auf das Schiff kommen.«

»Ich werde im Hause der Balletteuse dinieren.«

»Sie werden mit mir auf das Schiff kommen!«

»Gute Unterhaltung!«

»Ich befehle Ihnen…«

»Bitte?«

»Sie werden nicht mit Nutini gehen! Sie werden ihn nicht lieben!«

»Ich liebe, wen ich will.«

»Hüten Sie sich!«

»Morgen reise ich, und er folgt mir.«

»Schweigen Sie! Ich befehle es!«

»Sie befehlen mir? Gehen Sie!«

Die lange Halskette, die von ihren vorgestreckten Schultern herabschaukelte, knirschte unter Lolas Fingern: sie hatten eine Perle zerrieben. Die andern rannen auf den Teppich, ein dünner, bunter Regen. Pardi sah zuerst ihn, dann Lolas dicke Falte, die bewußtlose Wut ihrer Augen, die ganz leise, und ohne die seinen loszulassen, hin und her rückten. Und da gewahrte Lola, wie er rückwärts ging. Kein Wort mehr sagte er, tastete hinter sich nach dem Türgriff und verschwand. Lola erstaunte; aber im Begriff, sich aufzurichten, erkannte sie im Spiegel den ganzen irren Schwung des Hasses, den ihr Körper ausdrückte. Sie setzte sich, strich sich über die Stirn. ›Er hat wohl geglaubt, ich würde ihm in die Augen springen?‹ Die Wonne der Freiheit begann plötzlich in ihr zu strömen. ›Ich bin ihn los! Er ist vor mir davongelaufen! Ich kann tun, was ich will!‹

Sie stellte sich mit einer Zigarette auf den Balkon. Dann:

»Mai! Mai! Heute abend wird an den See gefahren, den Kanal hinauf. Wir wollen uns furchtbar amüsieren!«

Und als Mai die Fahne und Pardi einwendete:

»Er ist vor mir davongelaufen! Wir sind ihn los! Mai! wir wollen tanzen!«

Ohne Mai Fragen zu erlauben, drehte sie sie herum. Als Mai endlich, atemlos, zu Wort kam:

»Ich muß aber hierbleiben.«

Dabei verharrte sie, weinerlich und feindlich.

»Mai! du kannst mir nicht in die Augen sehen. Das ist nicht recht. Das ist nicht recht.«

Und Lola ging aufgebracht durch das Zimmer. Mai klagte: »Was soll ich denn tun?«

»Wählen!« antwortete Lola, den Türgriff in der Hand.

»Also... fahren wir an... diesen dummen See?«

»Und inzwischen packt Germaine! Und wir werden Pardi nie wiedersehen!«

»Das glaubst du selbst nicht«, sagte Mai.

Sie behandelte den Ausflug mit Verachtung, lehnte es ab, sich dafür anzuziehen, und fragte schon, wie man ins Boot stieg, ob es lange dauere. Lola erklärte sich zu allem aufgelegt. Sie warf den Kindern, die am Ufer des Kanals mitliefen, Süßigkeiten zu. Nutini hatte eine Gitarre, Cavà setzte sich, seiner Uniform ungeachtet, eine künstliche Nase auf. Die kreischenden Kleinen blieben allmählich zurück. Mai nahm die Hände von den Ohren und sagte »Gott sei Dank«. Die große Stille der leeren Wiesen, der grenzenlos umblauten Kornfelder ward fühlbar. Mochte Botta ihn verhöhnen: Deneris seufzte ergriffen. Als Lola zu singen begann, nahm Cavà seine Nase wieder ab. Ihr Lied galt der rosigen Wasserbahn, die man, ohne je zu landen, ohne

je mit Menschen Gemeinschaft zu wollen, einsam entlang-
gleite. Nur fremd und gleich wieder entrückt, konnte man
die Menschen lieben, konnte von ihrer Liebe träumen, wie
die blauen Pfade dem Walde entgegenträumen.

Sie sang dies am Boden ausgestreckt, den Kopf im
Arm, der sich auf die Bank stützte. Mai fragte, wider-
spenstig: »Riechst du denn nicht die Füße des Ruderers?
Was für eine ekle Hitze! Während wir in unserm kühlen
Salon liegen könnten!«

Aber Lola verlangte ein kleines Mädchen ins Boot zu
nehmen, das im dünnen Schatten der seltenen Pappeln
ein Lamm vor sich her trieb. Sofort flüchtete Mai vor
dem Lamm an das Ende des Bootes. Die Herren bewunderten es. Unter Lolas Augen überboten sie sich mit
Zärtlichkeiten an die Kleine. Deneris küßte sie, Cavà
schenkte ihr seine Nase, Botta gab ihr, im fetten Tenor,
väterliche Ratschläge, Nutini schnitt ihr Fratzen. Dann
sahen alle sie mit wehmütigen Köpfen an, wie Lola sie in
den Armen hielt.

»Ich dachte, ihr würdet viel lustiger sein«, bemerkte
Mai boshaft.

Und Lola gestand sich, daß sie Komödie spiele; daß
der schöne Abend ihr verloren sei; daß nicht auf der ro-
sigsten Bahn das Glück mitfahre, wenn sie abgewendet
sei von ihm. Leere und Verlassenheit ängsteten Lola. Das
Kind fing an zu weinen: es war an seinem Hause vorüber
und glaubte, es solle entführt werden. Es ward ausgesetzt; – und nun glitt das Boot in den lang vorgeschobe-
nen Schatten des Waldes. Der dunkle Wasserweg blinkte
tief drinnen auf. Das nasse alte Grün duftete wild und
einsam; die Ruderschläge hörten sich an wie ein Wagnis.

»Ihr habt alle fahlgrüne Gesichter«, sagte Botta.

»Die Fahrt zur Unterwelt!« sagte Cavà.

Mai klagte, sie werde sich erkälten. Da wichen die
Laubmauern zurück; und unbewegt, dreieckig und voll

abgründiger Schatten öffnete sich der See. Das Haus drüben im letzten Licht sah, über sein Spiegelbild hinweg, weiß und sehnsüchtig her, wie eine Gefangene, deren Kleid im Wasser schleppte.

»Ich kann nicht glauben, daß sie fort ist«, sagte Botta, durchdrungen, indes er die Tür aufschloß.

»Olimpia!« rief Cavà unter ein Sofa und schlug sich dabei lockend aufs Knie.

»Zeige uns die Küche!« verlangte Deneris. »Die gnädige Frau will die Güte haben, uns eine süße Speise zu bereiten.«

Er sah, die Hand am Herzen, in Mais schmollendes Gesicht.

Dann kehrte Botta mit Lola vor eine noch verschlossene Tür zurück. Er sperrte auf.

»Das Schlafzimmer!« – und er seufzte, aus fetter Brust. Lola lächelte trübselig. Sie gingen hindurch, traten auf den Balkon und lehnten sich über das Wasser. Botta seufzte nochmals: »Wie oft habe ich hier mit ihr gebadet!« – und er spuckte hinab. Aus jener Bucht kam mit Nutinis Geklimper Cavàs frische Stimme gesprungen.

»Da nun Succi bewiesen hat, daß man ohne Essen leben kann, liebe Nina, will ich dich heiraten: dann können wir zusammen fasten.«

»Was ist der Mensch«, sagte Botta. »Ein wenig Gesang, einen Sommerabend am Wasser – und ein Herz, das sich alt glaubte, wird wieder ungestüm. Fräulein Lola, haben Sie Mitleid mit einem, der leidet: holen Sie Deneris aus der Küche, ich muß mit Ihrer Mama sprechen. Alles hängt davon ab!«

»Ich glaube«, sagte Lola, »Deneris spricht schon mit ihr: er tut es, sooft er kann.«

»Ein hochherziges Geschöpf wie Sie kann nicht den gemeinen Eitelkeiten des Weibes verfallen: ich weiß, Sie sind nicht eifersüchtig auf Ihre Mama. Auch werden Sie es angenehm finden, wenn ein ehrenhafter Mann Ihre Mama heiratet. Die Sorge um sie, die von Ihnen beiden das Kind ist, nimmt er Ihnen ab...«

Lola dachte: ›Er hat recht: ich würde sie nicht mehr vor all den Männern behüten müssen.‹ Aber darunter, insgeheim: ›Sie würde mir nicht mehr ihn wegnehmen!‹

»Sind Sie meine Bundesgenossin?« fragte Botta vertraulich. »Oh, natürlich erwarten Sie auch Ihren Nutzen davon.«

Da sie errötete:

»Das ist billig... Seien wir offen. Mag das dumme Volk hier glauben, was es will: ich habe mich nach Ihnen erkundigt und weiß, daß Ihr Herr Bruder sehr aussichtsreiche Geschäfte in Händen hat. Sie werden einmal reich sein. Aber Ihnen persönlich nützt dies nichts, bevor Sie heiraten, und (ich kenne die Sitten Ihres Landes) nur wenig, bis zum Tode Ihrer Mama. Machen wir einen Pakt: Sie begünstigen meine Werbung um Ihre Mama; und im Fall, daß ich sie bekomme, verpflichte ich mich Ihnen zur Abzahlung eines noch zu bestimmenden Kapitals...«

Lola dachte, ohne sich zu regen: ›O mein Gott, und eben wünschte ich mir, Mai möchte ihn nehmen!‹ Sie wandte ihm das Gesicht zu.

»Aber ich habe meine Mutter nicht zu verkaufen.«

Botta sagte im selben väterlich vertraulichen Ton, wie das übrige:

»Sie sind noch sehr jung.«

»Dann warten wir also, bis ich älter bin.«

Sie richtete sich auf. Drinnen war's nun ganz finster. Cavà und Nutini riefen nach Licht. Wie man die Speisekörbe auf den Tisch leerte, trat Mai ein, lächelnd, als brächte sie ein Versöhnungsgeschenk – und Deneris trug hinter ihr das süße Gericht. Es ward bestaunt; jeder verlangte gleich eine Probe.

»Du tust ja, als wäre es dein!« sagte Botta zu Deneris.

»Wer weiß«, machte er, bedeutsam, und starrte glücklich auf Mai, die an ihm vorbeilächelte.

»Wie du heute gesund aussiehst!« bemerkte Cavà.

»Und ich?« fragte Nutini an Lolas Ohr. »Werden Sie
den gesund machen, dem ihretwegen die Wangen einfallen?«

Bei Tisch, neben ihr:

»Ich kann Ihnen versichern, daß Sie heute ungewöhnlich schön sind. Der andere schadet Ihnen. Sie haben
förmlich etwas Beruhigtes. Eine Frau mit Ihren Nerven
braucht einen bequemen Gatten. Ich würde einer sein: Sie
dürfen es glauben. Ich liebe Sie so sehr, so sehr, daß ich
sogar bereit wäre wegzusehen, wenn einmal eine Laune
Sie ankäme...«

»Das ist mehr, als ich erwartete«, sagte Lola. ›Nein‹,
dachte sie. ›Pardi würde nicht wegsehen. Weder Bottas
Vorschlag wäre ihm eingefallen, noch das, was ich nun gehört habe...‹

Cavà sah mit knabenhaftem Spott herüber, indes er seinen Uniformrock aufknöpfte und ihm eine Photographie
entnahm. Er stellte sie vor Lola hin: Pardi!

Alle lachten: da ging die Haustür. »Nun?« Jemand tastete die Treppe herauf. Noch rührte sich keiner; man sah
einander in die Augen. Cavà lachte laut auf:

»Er wird uns doch nicht alle umbringen!«

Und auf einmal sprangen alle Männer an die Tür. Lola
erschauerte vor Grauen und Stolz. ›Welche Furcht haben
sie alle vor ihm!‹ Sie leuchteten in den Gang; und auf die
Schwelle trat in dürftiger Eleganz ein blasser Kellner aus
dem Hotel und hielt einen Brief hin. »Wer? Wer?...Nu-
tini!« Die anderen zogen sich ein wenig von ihm zurück,
wie von einem, den's getroffen hatte. Er hatte gelesen und
sah erbleicht umher.

»Er fordert mich. Pah!«

»Gratuliere«, sagte Cavà.

»Endlich!« – und Nutini schielte hastig nach den Damen. In die Brust geworfen, fuchtelnd: »Ich habe ihn erwartet! Oh! ich triumphiere. Zu spät wird er erkennen, daß er diesmal an den Rechten kam.«

Er schrie den Kellner an:

»Sage dem, der dich schickt, daß er's bereuen wird! Daß dies sein letztes Duell sein wird!«

»Beachte die Formen!« sagte Botta. »Du sprichst mit Pardis Sekundanten.«

»Er sieht verhungert aus, der Sekundant. Er soll essen!«

Nutini drückte ihm, gewaltsam lachend, die Schüssel mit Mais süßer Speise in die Hand und schob ihn zur Tür hinaus. Mai griff nicht ein; sie hielt eine angstvoll geballte Faust an den Mund und wimmerte. Lola saß reglos da, mit erweiterten Augen und ineinandergepreßten Fingern. Nutini nahm den Brief vom Boden auf, schien ihn nochmals lesen zu wollen. Plötzlich zerriß er ihn in zackige Fetzen und stampfte darauf. Dann fiel er gegen den Türpfosten, griff sich, rasch atmend, ans Herz und zerdrückte, unter krampfigen Grimassen, Tränen zwischen den Lidern. Stockend murmelte er:

»Was will er übrigens von mir…«

Sogleich, wie gehetzt, fuhr er wieder auf, schielte wild nach den Damen, gab sich verzweifelt Haltung.

»Laß nur!« – und Cavà reichte ihm ein Glas Champagner. »Das würde jedem passieren. Im ersten Augenblick macht solche Forderung uns stolz, im zweiten besinnen wir uns. Der Pardi ist ja wirklich ein furchtbarer Gegner. Wer aber seinen Schrecken sehen läßt –«

Cavà wandte sich den Damen zu.

»– schlägt sich nachher oft am besten.«

Botta bemerkte:

»Aber schön siehst du nicht aus.«

»Schweige!« schrie Nutini. »Oder ich fordere auch dich und schone dich ebensowenig!«

»Armer Kerl, *seine* Forderung geht ja vor; und nachher, wo bist du dann?«

»Sst!« machte Cavà; – und zu Mai und Lola:

»Die Damen begreifen, daß es in diesem Augenblick unter uns Männern einiges zu besprechen gibt. Da Sie leider Zeuginnen der peinlichen Sache geworden sind, darf ich Ihnen sagen, daß sie wohl schon bei Tagesanbruch geordnet werden wird und daß wir ein wenig Eile haben...«

Deneris bot Mai den Arm, Botta Lola. Sie machten ihnen im Schlafzimmer Licht und ließen sie allein. Lola ging in einen Winkel, Mai in einen andern. Ein erregtes Schweigen; – plötzlich, unterdrückt:

»Lola!«

»Mai!«

Und Mai lief Lola entgegen, drängte sich in ihre Arme, die sie empfingen.

»Das darf doch nicht geschehen«, sagte Lola mehrmals, indes Mai nur wimmerte. Da entquoll ihr alles auf einmal.

»Mit welchem gefährlichen Menschen haben wir uns eingelassen! Oh, Lola! Das hättest du nicht tun sollen...«

Ohne auf Lolas Widerspruch zu hören:

»Wir sind viel zu weit mit ihm gegangen; jetzt schießt er, damit er uns allein hat, um uns her die Leute tot. Warum hast du dich ihm auch widersetzt! Bist nicht dageblieben, wegen dieser Fahne, wie er's wollte! Einem solchen Mann darf man sich nicht widersetzen. Ich habe mehr Erfahrung als du, aber du glaubst mir nicht. Wird er dich heiraten? Welche Ängste! Was soll ich tun?«

»Beruhige dich, Mai, ich werde verhindern, daß er ihn tötet!«

»Was soll ich tun! Dein Vater erscheint mir – aber auch Pardi! Nur durch den finstern Korridor brauche ich zu gehen, und mir ist's, als hätte ich ihn hinter mir. Ich bin zwischen ihnen beiden, die mich ängstigen! Aber ein Ende muß gemacht werden. Wir entkommen nicht anders: er

muß dich heiraten. Dein Vater verzeihe mir, aber ich
werde alles tun, damit er dich heiratet: ich werde mich
opfern.«

Lola hörte das nur von fern, ohne einzudringen.

»Mai! Mai! Gib doch acht: ich muß verhindern, daß er
diesen Menschen tötet. Ich könnte das nicht aushalten: es
wäre durch meinen Leichtsinn geschehen. Denn ich habe
ihm gesagt, daß ich Nutini liebe. Verstehst du: weil ich
kokett und widerspenstig und kleinlich bin und gelogen
habe, stirbt ein Mensch. Das ist furchtbar, das ist das Äußerste. Davor muß ich mich retten! Zu allem bin ich bereit. Soll ich mich ihm hingeben?«

»Nein! Was denkst du denn!«

Eine Pause. Mai löste sich aus Lolas Armen und nahm
sie selbst in die ihren.

»Du bist unpraktisch«, sagte sie mütterlich; und
schmerzlich stolz: »Ich bin viel praktischer.«

»Wie denn, Mai?«

Lola suchte, durch ihre Tränen hindurch, vergebens in
Mais Gesicht. In diesem Augenblick kam Mai ihr befrem-
dend groß vor. Sie selbst fühlte sich wie ein kleines Mädchen.

Wie sie den Kopf gegen Mais Schulter senkte, traten die
Herren ein, sie abzuholen: alle zusammen, mit Nutini an
der Spitze, der Haltung zeigte. Er beteiligte sich mit Maß
und freiem Kopf an der Unterhaltung, die nichts Kriegeri-
sches hatte. Lola mußte immer nach ihm hinsehen, gequält von nichtiger Neugier und unablässig versucht, von
seiner schlimmen Angelegenheit anzufangen, wie eine
Verbrecherin, die nicht schweigen kann.

»Haben Sie nicht das Bedürfnis, sich zu betäuben?«
fragte sie endlich, durchschauert. Nein; Nutini war nüchtern und besonnen; er beabsichtigte, noch einige Stunden
zu schlafen. Man stieg ins Boot. Vor dem Gesicht des
Schiffers, das plötzlich aus dem Dunkel trat, schrak Lola

zurück. Nutini war's, der sie festhielt, als ihr Fuß schon das Wasser berührte. Sie haßte dies kurzatmige Klappen der Ruderschläge; es klang nach Flucht; – und doch wartete, wohin immer sie ins Dunkel die Augen richtete, kurz und geisterhaft aufflammend, Pardis bleiches, drohendes Gesicht. Was die andern ihr sagten, machte ihr Ungeduld. Mai hatte ganz recht, daß sie Deneris' Geflüster abschnitt und ihn bat, er möge vergessen, was sie vorhin verabredet hätten. Alles sei verändert; sie könne ihn nicht mehr heiraten. ›Natürlich‹, dachte Lola. ›Ist nicht alles in Auflösung?‹

Sofort schickte sie nach Pardi. ›Wäre ich nur die erste, mit der er spräche!‹ Vom Balkon sah sie ihren Boten von Hotel zu Hotel irren und ohne Eile in die schlafende Stadt biegen. Lola ging bis in den Winkel bei der Tür, übersah das helle, heitere Zimmer, suchte den Stuhl aus, auf dem er sitzen würde, und nahm sich zusammen: ›Was werde ich ihm sagen? Damit er den Nutini nicht tötet, mich ihm hingeben? Wie bin ich zu der Überschwenglichkeit nur gekommen? Das dunkle, moderige Haus muß Schuld haben, an dem unheimlichen See. Ich habe Phantasie, wie ein Mann. Nutini, den es doch am nächsten angeht, ist viel nüchterner geblieben. Wie die Menschen hier, trotz ihrem Feuer, eigentlich mäßig und vernünftig sind! Im rechten Augenblick bekommen sie immer ihre Nerven in die Gewalt. Ich bin sicher, Gugigl hätte sich betrunken. Er fing damals schon damit an... Woran denke ich denn? Gleich wird er dasein. Was will ich? Ohne Umschweife: ich will, daß er mich heiratet. Und hat er um meinetwillen jemand umgebracht, dann werden vielleicht alle und sein Gewissen ihn drängen, zu tun, was ich will? Ich müßte also Nutinis Tod wünschen. Das bring ich nicht fertig. Dann muß ich ihm sagen: Es war eine Lüge, ich liebe nicht Nutini. Und da er mir nicht glauben wird, muß ich hinzusetzen:

273

Ich liebe niemand, und gleich morgen reise ich ab... Auch das kann ich nicht. Aber es ist furchtbar, dort, wo man liebt, keinen Augenblick mit Rechtlichkeit und Sanftmut rechnen zu dürfen, immer nur mit unbedingtem Drang...‹ Wieder sah sie auf den Platz, den er einnehmen würde, und dachte sich dort statt seiner eine verhaltene, befangene Geste, eine nachdenkliche, verläßliche Freundesmiene: Arnold. Sie seufzte und schüttelte den Kopf. ›Das ist abgetan. Der Zwang und das Leiden der Sinne sind gegeben und erprobt. Ich kämpfe nicht mehr. Besser ist's, ich beruhige ihn und stimme ihn menschlich...‹

Da schrak sie auf; es klopfte heftig. Erregt trat sie ihm entgegen; der Vorsatz der Milde war ihr schon entfallen; und sie sagte drohend:

»Wenn Sie sich mit Nutini schlagen, ist zwischen uns alles aus.«

»Ah! wie Sie ihn lieben. Aber lange genug haben Sie mich genarrt: ich werde ihn töten.«

»Hören Sie die Wahrheit! Ich liebe ihn nicht. Erst wenn Sie ihn getroffen haben, werde ich ihn lieben. Hüten Sie sich, ihn nicht ganz zu töten! Sie werden sehen, wie ich ihn lieben werde!«

»Oh, ich treffe!« – und sein Gesicht war zerfahren von Haß. Sie rief, hingerissen, voll Not:

»Was wollen Sie! Sie lieben mich doch nicht!«

»Doch!«

»Dann heiraten Sie mich! Begreifen Sie nicht, daß Sie es mir längst schulden? Was hält Sie ab? Ich bin aus angesehener Familie, die künftig reich sein wird. Glauben Sie sich meiner schämen zu müssen? Nein, nein: grade aus Eitelkeit lieben Sie mich! und irgendeine zieht Sie von mir ab, die Sie anders lieben.«

»Sie irren sich...«

»Sprechen Sie doch!«

Wie dies hassenswert und trostlos aussah: das Schwanken, die Unehrlichkeit und Unzuverlässigkeit dieses von seinen Launen gequälten Mannes aller Frauen! Und das mußte man begehren: grade das!

»Was sage ich, irgendeine: alle vielmehr! Sie sind eine männliche Dirne! Gehen Sie!«

Pardi zischte:

»Danken Sie Gott, daß Sie kein Mann sind!«

»Danken *Sie* Gott dafür!«

Er rang sich nieder.

»Ich würde mich vergessen; lieber verlasse ich Sie. Ihre Mama hat mich gerufen.«

Lola, über die Schulter:

»Mai heiratet Deneris.«

»Das ist nicht wahr! Ich werde es verhindern!«

»Gut, auch das noch.«

»Und dann sehen Sie mich wieder!«

Die Tür krachte. Lola ging, die Hände vor der Brust, rasch hin und her. ›Was geschieht nun! Mai wollte ihn mir lassen. Aber im äußersten Augenblick vergißt man die anderen. Mai ist schwach. Wenn er sie statt meiner will, sie heiratet ihn!‹ Sie warf sich in Kissen, drückte das Gesicht weg. ›Es ist klar, war immer klar: sie liebt er, nicht mich!‹ Tiefer in die Kissen, weit fort. ›Was tun sie nun!‹ Nein: auf! Das Haar ordnen! Sich bereit halten, stolz zu lächeln, wenn er eintrat und die erwarteten Worte sprach.

Da flog, ohne Klopfen, die Tür auf. Er stand da, stürmisches Glück auf seinem schönen Gesicht. Wie er Lola ansah, kam ihm eine Falte; mit wiedergekehrter Gereiztheit in der Stimme fragte er:

»Wollen Sie mich also heiraten?«

Sie antwortete, zornig nach vorn geworfen:

»Ja!«

Dritter Teil

I

So leise Lola, ohne Licht zu machen, ihr Schlafzimmer betrat, Mai hörte sie doch, kam zögernd herein – und plötzlich, schluchzend im Dunkeln, hängte sie sich an Lola, die den Atem anhielt und mit schlechtem Gewissen auf dies Schluchzen hörte.

»Werde glücklich!« brachte Mai hervor.

»Darum handelt es sich nicht«, murmelte Lola. »Aber du weißt, man muß vernünftig sein.«

Und sie übte sich in Vernunft und Nachgiebigkeit. Sie durfte jetzt nicht mehr das Damenbad verlassen. Pardis Augenrunzeln begegnete sie, wenn sie, ohne ihn zu erwarten, zu Tisch gegangen war. Er fand es unverschämt, fragte sie nur, wo er mit Mai den halben Tag verbracht habe. Denn sie verschwanden aufs Meer, in das Land... Dafür machte er aus Lolas Eintritt jedesmal etwas wie das Erscheinen einer Fürstin. Ein Fest, mit Regatta, Ball und Feuerwerk, das er plante, sollte ihm dazu dienen, seine Verlobte mit Größe in die Gesellschaft einzuführen. Lola erklärte aber, wegen ihrer Ausstattung nach Florenz zu müssen. Am Morgen ihrer Abreise, noch bevor der Strand sich belebte, sah sie die Bernabei und sah, daß sie auswich. Lola machte einen Bogen und grüßte: mädchenhaft, mit Unterordnung. Sie schämte sich, zu triumphieren. In diesem Augenblick trat Pardi auf und stellte vor. Seine Geste war blühend, voll des Genusses der Lage. Lola zog die Brauen zusammen. Sie reichte der Bernabei die Hand, mit einer raschen Regung, die sagte: ›Er rühmt Ihnen seine Braut und prahlt vor mir mit seiner Geliebten: muß uns diese brutale Manneseitelkeit nicht zu Verbündeten machen?‹ Und sie erstaunte einfach, als die Hand der anderen nicht kam und in dem zusammengedrückten Gesicht die blassen Augen vor Haß dunkler wurden.

In der letzten Minute sagte Pardi:

»Nein, Sie können nicht allein reisen, ich komme mit Ihnen.«

Mai erwiderte:

»Ich habe Ihnen schon gesagt, daß ich es nicht wünsche.«

Er erklärte Mais Bedenken für lächerlich; Lola selbst gab zu, sie nicht einzusehen. Aber Mai zeigte sich, zum ersten Male, stark; sie trotzte dem drohenden Auftritt.

»Sie werden Lola immer für sich allein haben. Ich werde mich nach Amerika zurückziehen.«

Pardi lief plötzlich davon. Er erschien nicht am Bahnhof.

»Was hat er?« fragte Lola.

Mai weinte schon wieder.

»Oh, mir macht es nichts«; – und Lola, zart gestimmt, tröstete. »Mich freut es, daß du erreicht hast, was du wolltest.«

Mai sah sie, durch ihre Tränen, mit rätselhaftem Entsetzen an.

Zu der Bossi sagte Lola:

»Jetzt brauchen Sie mir keine Rastaquouèrepreise mehr zu machen: ich werde zu den Damen der Stadt gehören.«

Die Schneiderin riet sofort richtig.

»Contessa Pardi! Da wäre es aber eine Beleidigung, wenn ich meine Preise herabsetzen wollte.«

Das Glück, in Stoffen zu wühlen, sich im Geiste mit ihnen zu schmücken, sie vor dem Spiegel um sich her zu legen, belebte Mai. Sie sprach nicht mehr klagend, sie gestand, Lust nach einem sehr guten Diner zu haben. Am nächsten Morgen ließ Lola sich Paolos ungewöhnlich hohen Scheck auszahlen. Allein spazierte sie durch die helle, feine Stadt, die ihr zulächelte, ihr all ihre Eleganz, all ihre unbesorgte Sonne anbot. ›Die »Tosca«! Schon jetzt, Anfang September: welch Glück! Also heute abend die »Tosca«.‹ Ein Romantitel lockte sie an; und auf der Hotelterrasse, zwischen zwei Sitzungen bei der Bossi, las sie. Unter ihr wurden Blumen ausgerufen, und warmer Duft stieg herauf. Der Fluß wiegte sich, hinter den im Dunst zerschmolzenen Brücken, golden und frei, zu glücklichen Hügeln hinaus. Glücklich war doch jener Sommer gewesen, dort zwischen den Hügeln! Straßen, einst fröhlich beschritten, fielen Lola ein; eine mündete plötzlich bei einem Landhause in Fontainebleau, mit einem jungen Menschen, von dem sie geliebt worden war. Der Arme! Wie leidenschaftlich hatte sie selbst eine Woche lang die Giannoli geliebt, nach jenem Abend in Brüssel, als sie die Euridike sang! Sie hatte sie besucht… Die Blumen, die sie ihr brachte, ähnelten einer, die am Rande eines Abgrunds in den Pyrenäen stand. Ein ganz schmaler Pfad führte hinab, und vor dem letzten Schritt war Lola entsetzt umgekehrt… Sie lächelte, ohne zu wissen, wo sie war, in die Sonne hinaus. Aufschreckend: ›Aber ich bin wahnsinnig, daß ich heirate! Will ich denn alles, alles aufgeben? Was habe ich heute mit meiner Zeit getan? Ich bin gewohnt, sie zu verschwenden, und künftig soll ich unter Vormundschaft stehen. Es ist so selbstverständlich, daß es schlimm werden muß. Ja: und grade wenn etwas gar zu selbstverständlich ist, kommt ein Zeitpunkt, wo man davon absieht… Pardi ist mir bekannt; aus dem, was ich mit ihm schon erlebt habe, kann ich alles Kommende ableiten. Über nichts werde ich mich zu beklagen haben, ich werde es gewollt haben…‹ Und in Hast: ›Noch kann ich mich retten!‹

Aber sie zerriß den begonnenen Absagebrief. Denn wie

sie ihm den Irrtum des Geschehenen klarzumachen suchte, fand sie vielmehr auf den unvermeidlichen Weg zurück, der hierher geführt hatte. Da Silva und die vor ihm waren an diesem Wege die Leidensstationen. Bei dem ersten biß man noch die Zähne zusammen und kam durch. Pardi war grade dort, wo man hinfiel. ›Sein Unglück: auch seins; denn natürlich brauchte er eine Frau, die ihm schmeichelt und ihn betrügt. Aber ich kann ihm nicht helfen. Sowenig wie mir. Wirklich, ich gehe sehend in alles hinein. Ich habe mein Blut zu büßen.‹

Mai ließ sie zu sich bitten. Es war die flaue Vorabendstunde; man ist vom Tage verbraucht und entbehrt noch die Anregungen des Abends. ›Um diese Zeit sollten wir uns in Ruhe lassen. Aber Mai begreift nicht, warum sie sich schlecht fühlt, und muß mit allem heraus.‹

Mai lag auf dem Diwan und hatte wieder geweint.

»Ich habe nachgedacht«, sagte sie wichtig, »und gefunden, daß du nicht für ihn paßt. Meine Mutterpflicht will, Lola, daß ich dir von dieser Heirat abrate.«

»Danke für deine gute Absicht, Mai, aber es ist zu spät.«

»Soll ich ihm schreiben?« – ganz rasch; und da Lola stutzte, mit leidender Stimme:

»Ich sehe nämlich voraus, daß ihr beide unglücklich werdet.«

»Das ist wohl niemals ausgeschlossen, Mai.«

»Bei euch aber ist es beinahe sicher ... und –«

Mais Stimme hörte sich plötzlich gereizt an.

»Die Schuld wirst du haben mit deinen modernen Ansichten.«

»Oder er mit seinen veralteten. Aber vielleicht geht es auch gut.«

»Er ist so, wie ein Mann sein muß ... Aber du brauchst einen, der sich zu deinem Kameraden hergibt. Denn, nicht wahr, du möchtest seine Kameradin sein? Sage, wie wäre es denn mit jenem Deutschen: du weißt schon, welchen ich meine. Ich bin sehr betrübt, daß ich nicht früher daran gedacht habe.«

»Du kannst sicher sein« – und Lola lächelte, »daß ich auch das bedacht habe. Pardi ist trotz alledem der, den ich brauche.«

»Du willst also deinen Entschluß nicht ändern?« – mit flehendem Augenaufschlag und gerungenen Händen. »Ich rede zu deinem Besten. Du verstehst nicht viel. Du hast nicht viel Talent, eine Frau zu sein. Ich rede zu deinem Besten...«

Aber Mais Ton ward immer rachsüchtiger.

»Du glaubst wohl, in der Ehe erweise man sich Gefälligkeiten. Du weißt also nicht, daß sie ein genaues Geschäft ist, bei dem der Mann sein Vergnügen von uns möglichst billig zu bekommen sucht. Dein Vater hat mich um das Meinige betrogen. Ich hätte von ihm viel, viel mehr Diamanten und Pariser Hüte verlangen sollen. Reisen hätte er mich machen lassen sollen. Ich war unerfahren, und er nutzte mich aus. Jetzt hasse ich ihn: daß du's weißt, ich hasse ihn! Es reut mich, daß ich ihn damals nicht betrogen habe. Er würde verdienen, daß ich ihn noch jetzt betrüge – mag er mir auch erscheinen.«

Und aus verzerrtem Gesicht, grotesk wie ein böses Kind, stieß Mai mit ihren ganz schwarzen Blicken nach Lola.

»Schade«, sagte Lola und zog sich zurück. »Ich konnte das wohl vermuten; aber daß du es aussprichst, macht mir's noch schwerer, eine Frau zu sein.«

Plötzlich schluchzte Mai krampfhaft in ihre beiden Hände.

»Geh nicht fort! Du ahnst nicht, was ich leide!«

»Was denn, Mai?« – aufzuckend von Mißtrauen. »Was hast du?«

Mai nahm die Hände vom Gesicht, das tief errötet war.

»Du wirst hoffentlich nie erfahren, wie sehr ich leiden muß, weil ich deine Mutter bin.«

Lola prüfte sie, ungläubig. Mais schmerzvolles Nicken fand sie theatralisch und hob leise die Schultern. Mai, die die Liebhaber mit den Badeorten wechselte!

»Der Verzicht sollte dich wirklich so viel kosten?«

»Es gibt etwas, das mich mehr kostet«, sagte Mai, noch rätselhafter.

Und nach einer Pause, sehr bedeutsam und mit Stolz:

»Was ich getan habe, geschah alles für dich, und was du künftig bist, wirst du alles durch mich sein!«

Lola sah zu so viel Feierlichkeit keinen Grund. Sie brach ab.

»Wir müssen zur Bossi.«

»Gut«, sagte Mai und schmollte schon wieder; »aber ich begreife nicht, was dies schöne teure Brautkleid soll. Niemand wird es sehen, außer den jungen Leuten, die euch als Zeugen dienen. Warum mit der Hochzeit nicht warten, bis die Gesellschaft wieder in der Stadt ist. Wozu diese Heimlichkeit und Eile.«

»Ich weiß nicht…«

Lola sah verwirrt umher.

»Vielleicht habe ich genug gewartet?«

Sie ward getrieben von der Hast des schlechten Gewissens. Wie sie endlich mit Pardi allein im Schnellzug saß, fürchtete sie, von Bekannten ertappt zu werden, und zugleich forderte sie den Zufall heraus. ›So‹, dachte sie, ›muß einem anständigen jungen Menschen zumut sein, dem es einmal passiert, daß er mit einer Dirne auf Reisen geht.‹ Sie hätte Champagner verlangen, den Mann dort küssen mögen und wagte vor Befangenheit kaum den Kopf zu wenden. Pardi rauchte und lächelte ihr siegesgewiß zu.

Als sie sich von ihm in den Wagen heben ließ, dessen

kleines Pferd nicht stehen wollte, schlugen ihr die Zähne aufeinander. Unter dem Mantel des Mannes, in seinem Arm: so jagte sie in die dunkle Campagna hinein. Manchmal flirrte fieberhaft in nächtlichen Gärten ein Haus, von Sternenlicht weiß. Manchmal fiel einen, wie ein Räuber, ein schwüler Duft an und blieb, wie von einem Hufschlag getroffen, am Wege liegen. Jetzt hingen nur noch wenige schwere Gestirne tief herab auf das verödete Land – dessen ganze wilde und schlaffe Schwüle Lola durchdrang, wie die Lippen des Mannes sich auf ihrem Hals zerdrückten.

Pardi und der Kutscher stiegen ab; ein Büffel lag auf die Straße gewälzt. Dann hallte über ihnen der Bogen eines Aquäduktes und dröhnten unter ihren Rädern die römischen Lavaquadern. Bei einem Brunnen, der seinen geschweiften Giebel, sein Muschelbecken und seine trinkenden Putten, wie ein heroischer Dandy, gegen die Einöde behauptete, rasteten sie. Pardi befahl, das nasse Pferd zu bewegen. Als hinter dem Wagen die Dunkelheit zusammenfiel, fing Lolas Herz zu klopfen an. Sie wartete. Ihre und des Mannes Hände trafen sich und erschraken. Da riß er sie an sich.

Lola atmete ungeregelt und lachte, als sie wieder einstiegen.

»Können wir nicht bis ans Meer fahren, Liebling? Jetzt möchte ich das Meer sehen.«

»Ans Meer? Wir sind gleich zu Hause.«

»Zu Hause? Wo?«

Wie durch ein dunkles Abenteuer raste man dahin, liebte einander, ohne einer des anderen Augen erkennen zu können, und hatte in aller Überreiztheit das Gefühl, man schlafe.

Was kam nun? Langsam stieg es in dicke Mauern hinein. Ein Städtchen hängte darüber seine langen, wilden alten Häuser, schickte sie, schlaftrunken und voll Wirrsal, den Berg hinan. Auf einem gewalttätig gewinkelten Platz hielt ihr Wagen; düster wuchtete der Dom herab; – und sie stiegen, der Arm des Mannes um Lola, zwischen lagernden Ziegen über die Treppengassen. Aus einem verschlossenen Hause ein Lachen machte, daß sie auseinanderfuhren und, noch fester beisammen, auf der niederen Mauer die Gesichter ins Weinlaub drückten. In schattig erstickten Kissen sahen sie es sich hinabbiegen und zergehen in der heißen und schweren Tiefe, deren Atem mit verhaltenen Stößen an ihre Lippen prallte.

Und ganz oben – der Mann trug sie über die letzten Häuser hinaus – der vergitterte Palast, von Greifen bewacht, in seiner Verwilderung und seinen Wunden. Und jenseits der bröckelnden Schwelle das Echo aus weitem Dunkel, und dahinten am Fuß der Treppe ein Licht, so dünn, daß nur des Alten, der es hielt, magere Halssehne aus dem massigen Schatten sprang. Und über ihren Mosaikböden die leeren Säle, in deren Wänden einmal ein bleiches Gesicht sich entblößte, als heulte es auf; aus deren Decken einmal ein dunkles Gefunkel fiel, wie ein vergangener Dolchstoß. Und, am Ende, das Gemach, eingeengt von mächtigen, ineinander verfleischten Leibern, deren es voll schien, die durch die weiten Fenster und zur Tür hinausquollen und die Wildnis des schwarzen Gartens durchtobten... Schwindlig von Gesichten, fühlte Lola ihre Kleider gelöst, sich umgewendet, gezogen, hingerafft.

»Laß, daß ich mein Haar öffne!«

»Meine Göttin!«

»Wer sieht uns zu, hinter der Bettsäule, am Spalt des Teppichs?«

»Warum erschrickst du? Ich bin da. Fühlst du mich?«

Aber nach Stunden, jenseits der Traumgrenze, funkelten wieder die gelben Augen der Faune, die mit ihren gespaltenen Hufen über die Schwelle der Gartentür stapften und das Bett umstellten.

Sie stand auf, bevor er wach war, wagte nicht das Zimmer zu verlassen, sich nicht zu zeigen, und saß, mit der Schulter nach dem Bett, unbehaglich auf dem zerrissenen Gobelin eines Prunksessels. Ohne darauf zu achten, hatte sie ihre Toilettesachen wieder in die Tasche gelegt und hielt die Hand darauf. Sie sann verstört. Hinter ihr gähnte es und warf sich's herum.

»Komm!« lallte er.

Sie sprang auf und flüchtete in den Garten. In kurzem, sah sie, verlief er auf den kahlen Berg. ›Ich möchte fort‹, dachte sie. Da erinnerte sie sich jener Nacht in Deutschland, als sie, wie spielend, auf und davon gegangen war und er sie eingeholt hatte. Sie ging das Haus entlang und betrat durch eine zweite Tür eine Galerie, worin der Alte von gestern den Tisch deckte. Er legte langsam hin, was er hielt, und verneigte sich; und während sein Kopf auf der Brust lag, errötete Lola. Sie nahm einen Korbstuhl, verließ ihn wieder, wechselte mehrmals den Platz. Ihr Kleid, merkte sie plötzlich, bekam einen roten Saum vom Fußboden! Sie wollte sich auf eine der seidenen Bänke setzen, sich an eine der goldenen Konsolen lehnen: und Staub flog auf. Unter dem Sofa drüben sah sie ihn geballt, wie Watte.

»Das Schloß ist wohl sehr alt?« fragte sie den Diener.

Sofort setzte er ein mit einer Aufzählung von Daten, Namen, Gegenständen, als führte er Fremde umher.

»Auch ein römisches Mosaik? Das will ich sehen.«

Sie erreichte nicht die Tür: eine Frau in schwarzem Kleid trat ein, groß und dunkelhaarig, noch schön trotz gelber, müder Haut, und starrte Lola finster an – bevor sie, als besänne sie sich, sehr freundlich ihre Dienste anbot. Lola antwortete, aus Verwirrung, mit entgegenkommendem Lächeln. Durcheinander fragte sie die Frau, wie sich's hier lebe, was denn ihr Mann jage, wie alt ihre Kinder seien... Da sah sie über dem Kamin, auf der Lockenperücke des bronzenen Reiters, eine ganz in Staub gewikkelte Haarnadel. In ihr zuckte es auf. ›Natürlich! Sie gehört zu seinen Geliebten. Eine andere hätte das gleich gesehen.‹

»Nein, ich brauche gar nichts, Sie können gehen.«

Auch der Alte ging: rückwärts, und sah dabei fragend auf Lola. Sie reinigte mit der Serviette einen der Korbsessel, bevor sie sich hineinwagte. Sie hob ein Knie auf das andere, beugte sich darüber, faltete dick die Brauen: ›Da sitze ich nun; das habe ich davon.‹ Wo war die leidenschaftliche Poesie der Nacht? Schmutzig, nüchtern und gemein war's jetzt. Der Garten lag voller Abfälle, die schwerlich von Faunen herrührten.

Pardi stieß die Tür auf.

»Guten Tag, Cesare Augusto«, sagte Lola, mit einem Lächeln aus gesenkten Augen, angewidert und entzückt in einem.

»In Hut und Schleier, als ob sie mir durchgehen wollte! In ihrem großen blauen Schleier, unter dem ihre goldenen Haare schimmern wie ein versenkter Feenschatz.«

Sie blieb regungslos, bis sie seine Hände spürte: da stieß sie, entsetzt, um sich.

»Was gibt's? ... Ach so, auch vorhin bist du mir davongelaufen. Habe ich etwas nicht recht gemacht? Aber mir scheint –«

Er tätschelte, und Lola bebte.

»– daß diese Kleine mit mir ganz wohl zufrieden war.«

»Ich habe lange gewartet. Der Hunger macht mich nervös.«

»Oh! essen wir! Ich meinerseits bin hier auf dem Lande oft den ganzen Vormittag draußen, nur mit einer Tasse Kaffee im Magen. Stört dich's, daß ich rauche?«

»Nein ... Und dann finde ich's hier langweilig.«

»Schon? Wohin möchtest du? Was sollen wir vor Oktober in Florenz?«

»Bleiben wir also! Ich muß das Schloß kennenlernen.

Wo hast du als Knabe dein Zimmer gehabt? Denn du warst doch schon als Knabe hier?«

»Nein. Ein Großonkel, der als Kardinal in Rom lebte, hat es gekauft. Ich habe es erst mit zwanzig Jahren betreten, nachdem ich es geerbt hatte.«

»Und das bleiche Bild von gestern abend?«

»Alles fremde Leute. Wir sind jünger; wir sind keine Feudalen. Unser einziger Kardinal war nur ein Snob. Wir sind Florentiner Bürger und durch Fellhandel reich geworden. Glücklicherweise sind es bald hundert Jahre, seit wir das letzte Fell verkauft haben.«

»Aber seither seid ihr Grundbesitzer. Eine Meile im Umkreis, sagtest du gestern, gehört dir?«

»Und meinen Gläubigern.«

»Wie kommt das? Dein Vater –«

»– war ein Geizhals.«

»Also du allein. Und auch in Toskana warst du reich. Sage, was hast du mit alledem getan?«

Da er nur lachte:

»Du hast gespielt?«

»Auch.«

Sie drängte ihre Brust gegen seinen Arm. Mit Kinderstimme:

»Und sonst?«

Sie duldete seine Liebkosungen, sah dabei angestrengt zur Seite. Plötzlich schroff:

»Laß!«

Mit wiedererlangter Verführung:

»Und sonst? Wer hat dein Geld bekommen?«

Er umfaßte sie, mit Armen und Knien, ruhig und fest, küßte sie, wo es ihm beliebte, und lachte in ihre zornigen Augen, die ihren Mund und sein süßes Lächeln verleugneten.

»Wie dies Kind neugierig ist!«

»Ich bin kein Kind; ich möchte deine Freundin sein.«

»Glücklicherweise eine Freundin, die kein Glied rühren kann.«

»Ich muß wissen, wie du gelebt hast. Bin ich denn eine Fremde? Bin ich eine Untergebene?«

Sie sah gespannt hin: sein Lachen ward zusehends zu einem stummen Feixen der Verachtung – das sie begriff. ›Ich habe dich gehabt‹, sagte es. ›Worauf pochst du noch? Was kannst du noch?‹

Sie war dunkelrot, und ihr lockendes Lächeln zitterte, aus Verstörtheit, noch immer um die entblößten Zähne. Er küßte sie darauf und ließ sie los. Sie floh in den Kaminwinkel.

»Sie beleidigen mich! Sie verhöhnen mich!«

Sie stand vorgebeugt zum Kampf, das Gesicht verzerrt von Wut. Er verschränkte die Arme.

»Sie haben eine Vergangenheit. Sie haben mit Frauen gelebt. Ich weiß es.«

»Wenn Sie's wissen. Aber ich versichere Ihnen, daß Sie sich irren«; – sehr höflich. Und mit nicht nachweisbarer Ironie:

»Sie sind die erste Frau, die ich liebe.«

»Und wenn ich selbst Ihnen manches verheimlicht hätte?«

Er wehrte gelassen ab.

»Oh! Nicht nötig. Ich habe mich überzeugt, daß ich keinen Vorgänger gehabt habe.«

»Sie sind gemein!«

»So liebe ich dich!« – und er kam rasch auf sie zu. Vergebens wand sie sich unter seinem Griff; er schleifte sie aus dem Winkel hervor, stieß sie aufs Sofa. Sie fiel auf die Brust und klammerte sich an die Lehnen.

»Sei artig!« – und er machte, ohne ihr weh zu tun, einen ihrer Arme los.

»Ich will Ihre Vergangenheit wissen«, wiederholte sie, störrisch und ratlos. Er ließ sie.

»Nun, Sie sind schlechter Laune. Also kümmere ich mich jetzt um meine Geschäfte. Auf Wiedersehen.«

Als draußen seine Schritte verhallt waren, richtete Lola sich auf, stützte die Hände auf den Sitz und sah mit Ekel an sich hinunter. ›Wie der Mensch mich zugerichtet hat! Warum führe ich auch eine Lage herbei, in der ich ihm Widerstand leisten muß. Häßlich war ich dabei. Die Frauen macht echter Widerstand häßlich. Nur der geheuchelte steht ihnen. Und ich kann nicht heucheln. Ist es lästig, ein halber Mann zu sein! Wenn man ihm doch nicht mehr damit imponiert. Ich war in grade solcher Wut wie neulich in Viareggio, als er rückwärts aus der Tür ging. Das fällt ihm jetzt nicht mehr ein, denn er hat sich genau überzeugt, daß ich eine gewöhnliche Frau bin, daß alles in Ordnung ist. Wie sagte er? Nicht nötig; ich habe mich überzeugt. – Oh, sehr gemein; aber wußte ich's nicht? Den eifersüchtig machen zu wollen mit Gefühlen, aus denen nichts geworden ist! Schläft er denn mit meiner Seele?‹

Lässig stand sie auf, strich an ihrem Rock hinunter, ordnete das Haar. ›Er ist stark: er braucht mich gar nicht. Ein anderer wäre mein Freund gewesen. Aber –‹, und sie spähte in sich hinein, nach dem verschwimmenden Bilde eines Gesichtes, ›hätte ich ihn dafür nicht verachtet? …Oh, wir sind erbärmlich, wir Weiber; wir kennen nur Verachten oder Verachtetwerden. Dies hab ich nun. Fürs erste hänge ich an ihm. Ist das erst vorüber, bleibt nur noch der Haß; und dann werd ich ihn wohl betrügen? So sind wir Weiber doch?‹

Sie verließ die Galerie, schlenderte, die Röcke mit beiden Händen aufgerafft, durch mehrere Säle. Am Ende des letzten sah sie einen Arkadenhof. In einer sonnigen Ecke, an die zierliche Doppelsäule gelehnt und mit hängenden Rosen auf ihrer Nachtjacke, saß eine Alte und spann.

»Guten Tag, wie geht es?« sagte Lola und blieb müßig stehen.

»Ihr seid hübsch, unser Herr hat recht gehabt«, sagte die Alte und fuhr mit ihren wilden schwarzen Augen um Lolas Formen. Lola errötete. Sie bemerkte, daß das trockene weiße Gezottel der Alten so aussah, als hätte sie's gesponnen.

»Das ist eine Handspindel? Wie macht man's?«

»Laßt doch! Ihr seid ungeschickt. Zu anderem werdet Ihr geschickter sein: unser Herr wird schon wissen, wozu.«

Die Alte begann mit tiefer Stimme zu summen, wiegte sich und bewegte spinnend, wie im Reigen, die Arme. Ein wenig ängstlich, als müßte sie nun gleich den Zauber der Hexe wirken fühlen, sah Lola ihr zu. Die Alte brach ab; plötzlich sog sie ihre beiden Lippen ganz ins Innere des zahnlosen Mundes. Dann:

»Ihr seid wahrhaftig die hübscheste seit der allerersten, die er herbrachte.«

»Wann war das?«

»Als er das erstemal kam. Viele Jahre sind's. Mein Sohn hatte noch den Hof von ihm in Pacht, drunten in Spello, bis er am Fieber starb, auch er, der Arme.«

»Ja. Aber jene erste: wie hieß sie?«

»Ich weiß nicht mehr. Er brachte seither so viele mit.«

»Immer war er mit Frauen hier?«

»Auch mit Freunden. Sie tranken und jagten. Einmal im Winter haben sie droben auf der Akropolis einen Wolf erlegt.«

»War auch damals eine Frau hier?«

»Da sieh! Ihr scheint eifersüchtig!«

Das tiefe Gelächter der Alten klapperte in allen Winkel nach.

»Ihr liebt ihn wohl sehr, Kleine? Er ist ein Mann, wie? ein tüchtiger. Ah! Das sieht man: Ihr liebt ihn. Da würdet Ihr ihn also nicht betrügen, wie jene erste tat: – verdammt sei ihr Name, der mir nicht einfällt. Denn Ihr müßt wissen, daß ein junger Herr mit ihm hier war, der auch mir gefallen hätte. Als aber er, der unsere, dahinterkam, daß sie jedesmal, wenn er betrunken war, zu jenem ging, da meinten wir draußen, es gebe Mord. Doch einigten sie sich und ließen alles am Mädchen aus. Nackt jagten sie es hier heraus – zuviel Wein hatten alle – und mit erhobenen Peitschen um den Hof herum, viele Male, bis die Knie ihr zitterten und ihr Geschrei rauh klang. Ich war's, die dort aus der Kirchentür lugte und sie ihr aus Mitleid öffnete, daß sie hineinschlüpfen konnte. Da kommt! Da seht!«

Die Alte glitt von der Mauer, packte Lolas Hand und strebte, vorgebeugt, eilig schlürfend, über den Hof.

»Helft mir doch, die Tür zu öffnen! Ich habe nicht mehr genug Kraft. Ach, ach!«

Und Lola: »Oh!«

Von der Schwelle des Hofes voll abgefallener Kalkbrokken sah sie unvermittelt in eine Welt spiegelnden Marmors. Die Stufen zum Hochaltar hielten den Abglanz seiner gelben Wand in ihrer schwarzen Marmorkaskade. Blau, voll goldener Augen, schwangen marmorne Vorhänge ihre Falten um die Pfeiler der Kapellen, um die Balkone.

»Dort auf den Stufen warf sie sich nieder: ja, seht, genau hier; und grub das Gesicht in dieses Silbertuch, das vom Altar hängt. Wie Tolle stürzten jene hinterdrein. Ich konnte die Tür nicht rasch genug schließen, aber ich rief mit erhobenen Armen: Tötet sie nicht! Tötet nicht die schöne Gida! …Denn ja, jetzt ist's mir eingefallen, Brigida hieß sie, wir nannten sie Gida, und er und seine Freunde sagten Gigi… Da liegt sie nun, seht doch! ganz nackt, mandel- und rosenfarben, hell und rund gekrümmt auf dem schwarzen Stein, und sie wollen über sie herfallen! Mit unserm Herrn ist der schlimmste der, um dessentwillen ihr's so schlecht geht. Gibt es Dank unter den Menschen? Und wäre nicht einer gewesen, der sie am Arm festhielt – Er sagte: Wie ist das schön! Und dann standen sie und betrachteten. Und unser Herr neigte sich ganz zärtlich – Aber was habt Ihr, daß Ihr erbleicht? Fürchtet nichts, solche Dinge können nicht mehr vorkommen; er ist jetzt älter und frömmer; er betrinkt sich nicht mehr wie die Jungen; auch sagt man, daß er weniger Geld hat. Reichere Herren gibt's in der Gegend. Beim Heraufkommen werdet Ihr die Villa des Herrn Catelli gesehen haben, die unterste, mit den Erdstufen und dem roten Hause. Er ist ein freigebiger Herr. Schon mehreren unserer Mädchen habe ich, indem ich sie zu ihm führte, eine gute Einnahme verschafft; und wenn Ihr wollt –«

»Nein«, sagte Lola, »ich will nicht.«

»Natürlich. Ich vergaß: Ihr liebt zu sehr unsern Herrn.«

»Und ich bin seine Frau.«

Da die Alte ratlos zu ihr aufblinzelte:

»Ich bin die Contessa Pardi, und ich verzeihe Ihnen, daß Sie mich nicht kannten.«

Sie wollte gehen, aber die Alte hing ihr an den Röcken; sie weinte:

»O Herrin, gute Herrin, übt Mitleid! Seht, ich arme Alte lebe in jenem Turm allein. Meine Söhne, die Eurem Gemahl dienten, sind nun alle gestorben, ich habe keine Zuflucht als diese. Meine Nudeln koche ich mir, spinne und sehe niemand. Was wußte ich? Übt Mitleid und verratet mich nicht unserm Herrn! Wohin mit mir, wenn er mich vertreibt?«

»Bleiben Sie, bitte, hier«, sagte Lola, höflich und etwas verlegen, wie zu einer Dame, die sich wegen einer Taktlosigkeit entschuldigte. »Ihre Erzählung war sehr unterhaltend.«

In einem der Säle begegnete Lola dem alten Benedetto, ließ sich von ihm das römische Mosaik zeigen und dachte dabei: ›Was ich da gehört habe, konnte ich eigentlich erfinden. Ich fing eben an, es mir so zu denken. Er war mit allen seinen Frauen hier: warum nicht auch mit mir. Wie das stimmt! Die Ehe ist heilig, wie eine Zwingburg, und darf nicht abbröckeln: Das ist Grundsatz und gilt für die andern. Wir selbst aber fühlen uns stark genug, auch die Freiheit zu ertragen, das Leben nicht als Pflicht zu nehmen, sondern als Vergnügen. Ein einzelner verdirbt wohl nichts am Grundsatz...‹

»Eine Nilüberschwemmung ist es?« fragte sie. Der Diener sah sie verdutzt an; er sprach seit fünf Minuten.

»Also gut. Wenn der Herr kommt, sagen Sie ihm – Nein, es ist nicht nötig.«

Nicht ausgehen: lieber noch allein durch diese Höfe, diese halb verschütteten Kammern irren, zwischen Wänden mit herabhängenden Lederfetzen. Zu mühsam selbst das. ›Ich bin träge. Auch die anderen, die vorigen werden's hier gewesen sein – nach solcher Nacht. Eigentlich muß er, indes er mich küßt, auch jene, die auf denselben Kissen lagen, unter den Lippen haben. Von jeder das Beste. Es war geschickt, mich hierherzubringen. Er versteht sein Vergnügen.‹

Beim Betreten des Schlafzimmers sah sie die Frau in Schwarz das Bett machen. Lola ward rot. Die Frau sagte, über das Bett gebeugt, im sachlichen Ton einer Mitwisserin:

»Die gnädige Frau wird viel Vergnügen gehabt haben.«

Lola dachte: ›Mein Gott, was tun?‹

Die andere sagte noch:

»Die Frauen lieben ihn sehr, und der Herr verdient es wohl. Befiehlt die gnädige Frau noch etwas? Die Kleider habe ich dort hineingehängt. Wenn Sie möchten, daß ich helfe, rufen Sie aus der Tür nach Maria. Hier gibt es keine Klingeln. Was wollen Sie, man muß Geduld haben.«

Lola dachte, allein: ›Haßt sie mich nicht? Ist es ihr nicht zuwider, mir von dem zu sprechen, was sie selbst genossen hat? Möchte sie mich durch ihre Schamlosigkeit erniedrigen? Oder ist sie einfach sicher, daß er zu ihr zurückkehrt?‹

Ihr Blick ward starr. Sie sah die starkknochigen Arme der Frau wie matt spiegelnden gelben Marmor um den Mann gelegt und seine Lippen, von brutaler Röte, auf ihr breites, schmachtendes Gesicht zukommen. Die dumpfgeistige Begierde der schweren Augen in diesem schwarz umsträhnten, halbwelken, blaßlippigen Gesicht machte Lola erschauern. Die beiden Leiber vor ihr bebten, und sie bebte selbst. Sie stieß die Vision fort, wandte sich seufzend ab: ›Ich will nicht!‹ Dann: ›Aber da ich ihn nahm? …War denn er der Mensch, den ich nicht entbehren konnte? Ach, das ist müßig. Schon hat er gemacht, daß alles, wonach es mich verlangt, in ihm ist. Jetzt habe ich zu machen, daß er gar nicht mehr von mir wegsehen kann. Viele mag er geliebt haben; jetzt aber ist die Reihe an mir.‹

Sie legte Hut und Schleier ab, vertauschte ihr Reisekostüm mit einer Matinee aus Schleierstoff, lockerte ihre Frisur, legte leises Rot auf, half dem Glanz der Augen nach, schminkte die Fingernägel. Sie entblößte die Hand von Ringen und prüfte die Wirkung. Dann bettete sie sich auf den Diwan und wartete.

Zwei Tage lang gingen sie nicht aus. Lola wünschte in der Galerie die Mahlzeiten hergerichtet zu finden, ohne daß jemand aufwartete. Die Dienerschaft durfte sich nicht an den Fenstern nach dem Garten zeigen. Am dritten Abend beschlossen sie, Luft zu schöpfen; und als nach der von Lust durchbebten Stille das Tor vor ihnen aufging, warteten davor vier oder fünf bettelnde Greise. Lolas Blick traf eine Zwergin mit Kropf und Triefaugen. Schaudernd sah sie weg, machte schnellere Schritte, und Tränen des Zorns kamen ihr. Wie durfte in das erlesene Reich der Zärtlichkeiten, worin sie lebte, dies einbrechen! Plötzlich kehrte sie um, und in dem Gefühl, das werde sie der Störung, der Mahnung ledig machen, schüttete sie der Elenden all ihr Geld in die Hände. Dann, an Pardis Arm, mit zugedrückten Lidern:

»Sag ihr, daß sie zurückbleibt!«

Trotzdem folgte ihnen die Verkrüppelte noch bis an die erste Treppe. Mit heulender Stimme betete sie für ihre Wohltäterin. Einige Jungen überrannten sie, schlugen Purzelbäume und streckten schwarze kleine Handflächen hin, Pardi hieb mit dem Stock darauf. Sie lachten. Aus allen Häusern schallten Grüße. In die Türen, aus deren rauchiger Nacht die Kupferkessel blinkten, traten die Weiber mit den Säuglingen, reckten den freien Arm nach den Herren und wünschten Glück. Die Nachbarinnen gellten aus den Fenstern einander Lobsprüche zu, auf die Schönheit der jungen Frau. »Zu viel Schmutz für so schöne Füße!« rief ein Mädchen und räumte eilends, mit vollen Armen, einen Haufen leerer Maiskolben von den Stufen, die Lola betreten sollte. Dann blieb sie hocken, den Blick über sich, auf Lolas Gesicht, mit einer leidenschaftlichen Schwärmerei, die Lola kannte: aus dem Blick der kleinen Tini.

Auf dem Platz am Fuß der Treppengassen schrie der bunte Kram der Händler in der letzten Sonne noch einmal bäurisch auf. An der geebneten Straße den Berg hinab, schnatterten in ihrem offenen Waschhaus die Wäscherinnen. Der Himmel war von einem warmen, reichen Blau, und jede der goldenen Weinbeeren in all den Laubnestern trug seinen Abglanz auf ihrer kleinen Kugel. In ihren Augen, die sie aufeinander richteten, fanden die Frau und der Mann wieder ihn. Lola blieb unversehens stehen, öffnete die Arme und küßte den Mann auf den Mund. Gleich darauf begriff sie, sehr rot, nicht mehr, wie sie's vermocht hatte, und sah ängstlich nach Zuschauern umher. Droben am Bergabhang lehnte unter einer Pinie ein junger Hirt, aber er behielt ganz ernste Augen. Pardi zog sie zärtlich von der Hecke fort.

»Du wirst dein Kleid zerreißen.«

»Ich weiß nicht, warum«, sagte Lola, »aber mir ist, als wäre es sehr lächerlich, darauf zu achten. Die Dornen –«, sie faltete sinnend die Brauen – »sind so viel wichtiger als mein Kleid.«

Ihre Lust, Tage und Nächte in engen Zimmern zusammengepreßt, breitete sich auf einmal aus. Das Glück ihres Körpers ergriff alle Körper und kam zurück von allen. Das Rund der Baumkronen wiegte ihr Freuden in die Augen, vor deren Unermeßlichkeit sie nur Tränen fand. Das leiseste Lüftchen fühlte sich stark genug an, sie bis in das rote Sonnengestirn zu tragen.

Die Arme einer um des anderen Schulter, durchschritten sie ein stolzes Tor, einen langen Zypressengang, der seine feierlichen Schatten über die hellen Weingärten warf; und am Ende hielten sie vor einem verwahrlosten Bauernhaus. Pardi rief in ein scheibenloses Fenster. Frau und Kinder kamen heraus, eins mußte nach dem Vater laufen. Die Frau legte, unter Glückwünschen, ein Tuch auf den Tisch. Sie brachte Trauben. Lola sagte, noch bevor sie davon gekostet hatte, sie seien gut. Dann langte der Mann an, reichte dem jungen Paar vertraulich die Hand und setzte sich mit ihnen zum Wein. Lola lächelte fortwährend; sie suchte nach Freundlichkeiten und fühlte doch, daß sie nicht gegenständlich klangen, sich auf kein gemeinsames Ding stützten. Pardi schwatzte breit und von gleich zu gleich; er lag über dem Tisch, einer seiner Arme stand darauf, und er hatte die Wange in der Hand: grade wie drüben der Bauer. Lola betrachtete ihn; sie spürte das Aufstachelnde in der Mischung von Eleganz und Roheit. Sie hielt ihre Ringe gegen das Licht, raschelte auf dem Strohstuhl mit ihrer Seide. Schon auf den schmutzigen Treppen hatte sie, unbemerkt von sich selbst, den Kitzel des eleganten Vergnügens genossen, das aufs Land geht, in Spitzen Schäfer spielt und die Armut des Volkes zum Mitwirkenden macht bei seinem Spiel ... Da hörte sie die Stimmen der Männer anschwellen und verstand, daß es um Geld ging. Der Bauer beteuerte, dies Jahr das Pachtgeld nicht aufzubringen, und Pardi schlug auf den Tisch.

»Exzellenz! ich sage die Wahrheit. Der Pächter, den Sie weggejagt haben, hat mir aus Rache die besten Weinstöcke abgeschnitten, heimlich, dicht am Boden. Erst als er längst fort war, habe ich's bemerkt. Sie wissen, was er für ein Rüpel war und daß die Carabinieri kommen mußten, ihn hinauszuschaffen ...«

Die Frau sprach alle Worte des Mannes mit; jedes klappte nach, wie ein Echo. Lola sah ihn an: plötzlich entdeckte sie das ganze Elend des fiebergelben Gesichtes mit den tiefen schwarzen Strichen darin; verstand auf dem dürren schwarzen Arm den welken Säugling und im Haufen der größeren Kinder die kranke, glühende Tiefe der Augen. Reue schüttelte sie. Sie haßte sich. Auf diesem Elend als Hintergrund erging sich ihr gepflegtes Glück, und ihm verdankte sie es! So mußte hier gelebt werden, damit alle ihre Sinne blühen und sich sättigen konnten! Der Gedanke an den kleinlich lasterhaften Kitzel, den sie noch eben diesem selben Elend entnommen hatte, schlug sie mit Entsetzen. Sie begriff nicht, wie ein Herz dies hervorbringen konnte, in derselben Stunde, in der es dort draußen sich allen Wesen, ja der Sonne selbst, verbunden gefühlt hatte.

Die Frau antwortete Lolas entsetztem Blick.

»Ja, wir haben alle das Fieber. Es ist nicht wie im Winter, da lebt man. Aber der Sommer war hart, und wir hatten kein Geld, in die Berge zu gehen.«

»Exzellenz!« schrie der Bauer in seiner ungebärdigen Art. »Sie sollen mit Ihren Augen die abgeschnittenen Weinstöcke sehen. Sie werden nicht sagen, daß ich es selbst getan habe.«

»Ach was«, machte Pardi. »Ich kenne euch, ihr seid Spaßvögel.«

»Ich bitte dich«, wagte Lola: mit feuchter Stimme und ganz leise, damit niemand höre, daß sie sich ihres Mannes schämte. Er erwiderte barsch:

»In was mengst du dich?«

Zu dem Bauern:

»Sonntag bringst du mir den Rest; sonst wehe!«

Und zu Lola:

»Komm!«

»Sprechen Sie für uns!« jammerte die Frau ihr nach. Lola ging gesenkten Kopfes einen halben Schritt hinter Pardi; sie dachte: ›Warum kann ich ihnen nicht sagen, daß ich sie liebe? Mein Bestes bleibt immer ganz stumm.‹ Pardi kehrte unversehens um, rief einen Scherz, schlug dem Bauern, der lachte, auf die Schulter und gab der Frau die Hand. »Es ist doch ein guter Herr«, sagte sie. Pardi wiederholte zum Abschied noch:

»Also Sonntag. Sonst habt ihr's mit dem Gericht zu tun.«

»Sie werden bedient werden«, sagte die Frau. Und Pardi schob, voll mitteilsamer guter Laune, seinen Arm in Lolas.

Sobald man sie nicht mehr sehen konnte, machte sie sich los.

»Gekränkt?« fragte er, mit ironischer Zärtlichkeit. »Ich habe dich angeschrien: ich weiß, es ist infam. Aber was willst du, du warst im Begriff, mir das Geschäft zu verderben. Jetzt hast du gesehen, wie man die Leute nehmen muß. Also komm, sei lieb!«

Bei seiner Berührung fuhr sie auf:

»Laß mich!«

Er pfiff durch die Zähne. Kurze Zeit hielt er ihren Arm gepackt, der sich wand; dann ließ er ihn mit einem kleinen Ruck fahren und ging weiter. Lola atmete kürzer vor Wut.

Der Weg zwischen den Hecken war lang und schwül. Er deuchte einem dunkel; und jenseits der Himmel blendete mit seinem dick und glatt aufgetragenen Gold. Sie gerieten in den Staub und das Getrappel einer Schafherde. Das kindliche Geplärr der Lämmer, der gute, friedliche Geruch all dieser langwolligen Leiber feuchtete Lolas Augen. Rasch gab sie ihren Arm hin; und sehr sanft:

»Lieber, diese Leute sind arm.«

»Teufel, auch wir brauchen Geld.«

»Die kleine Summe, die sie uns schulden, nützt uns wenig.«

»Wenn wir das bei jedem Schuldner sagen wollen – Außerdem lügen sie.«

»Aber sie bezahlen mit ihrer Gesundheit.«

»Dafür sind sie römische Campagnabauern.«

»Ist nicht jeder zuerst Mensch? Erlaß ihnen die Pacht!«

»Nein, meine Liebe; ich habe Grundsätze... Guten Abend, Advokat!«

Der beleibte, aufgewichste Herr in Schwalbenschwanz und weißen Gamaschen wartete bei dem geschwärzten, rauhen Stadttor. Er machte Kratzfüße und sagte der jungen Gräfin mit heiserer Flüsterstimme Artigkeiten. Auf dem Platz, vor dem Café, erhoben sich der Apotheker und der Brigadiere der Gendarmen und grüßten. Pardi bestellte Vermouth, machte Lola mit allen Honoratioren bekannt und brachte die belebteste Stimmung hervor. Nachdem sie sich verabschiedet hatten:

»Aber wenn man so menschenfreundlich ist, darf man nicht so steif sein.«

»Verzeih! Ich kann oft nicht, wie ich möchte. Aber du: habe jetzt Nachsicht mit jenen armen Leuten. Mir zuliebe.«

»Was täte ich nicht dir zuliebe?«

»Also du erläßt ihnen die Pacht?«

»Wir werden sehen. Wenn du sehr artig bist.«

»Was soll ich tun?«

Er lachte. Über die letzte Treppe trug er sie, wie das erstemal. Eine Frau, die auf ihrer Schwelle dem Kinde das Haar durchsuchte, rief fröhlich hinterdrein. Lola zerrte an seinem Arm, damit er sie niedersetze. Aber sie konnte nichts dagegen, daß die Stärke des Mannes, seine Unempfindlichkeit selbst und seine Unverführbarkeit zum Weichmut, sie begehrlich erregten. Oben strichen Fledermäuse, stießen eckig aus dem Dunkel, und mit üblem Zwitschern vergruben sie sich wieder darin. Wirr abwärts entwich die Schar der Dächer; und im kahlen Nachtblau behauptete sich, allein und ungeheuer, der Palast. Mit verwischten Rändern breitete er in die Dämmerung seine geschweiften Drachenflügel. Sein schwarzes, leeres Tor schnappte ins Ungewisse. Alles fühlte sich hungrig, atemlos und voll Reiz an. Die Hände, an denen sie einander hineinführten, waren heiß und trocken.

Plötzlich ging der Mond auf. Lola löste ihre Zähne aus seinen Lippen und sagte lockend:

»Du erläßt ihnen die Pacht?«

Er fuhr auf.

»Daß ich verrückt wäre!«

Ihre Münder rangen von neuem miteinander: all ihr Fleisch. Er, endlich:

»Mach mich müde, dann erlaß ich ihnen die Pacht.«

Als er am Morgen, zum Ausgehen bereit, vor ihr, die noch dalag, seine Zigarette anzündete:

»Bin ich müde? Nein? Dann werden sie also bezahlen.«

Das Zimmer ward ihnen schwüler mit jeder Nacht. Sie trugen ihre Decken in den Garten hinaus. Das feuchte Gras löschte ihr Fieber. In der Hand, die sich, nach dem Geliebten schmachtend, aufreckte, blieb eine Granatfrucht zurück. Ein unsichtbarer Zweig mischte sich in ihre Umarmung. Aus dem schwarzen Dickicht funkelten wilde, grüne Augen und strömte strenger, erbitternder Duft.

Schlaff verdehnte Lola die Stunden, die er draußen war, in der kühlen Galerie, ließ die Zigarette herabhangen und genoß ein langsames Lächeln der Erinnerung. Unter ihren Augen der Alkoven und der Garten: das war die Welt; sie mochte nicht hinausdenken und faßte nicht, was jenseits sie hätte heiß oder kalt machen können. War sie selbst es, die lange gekämpft, gelitten hatte, bis sie dies Glück, gleich einer Schande, sich abgewandten Gesichtes gewährt hatte? Jetzt erwies sich das Sinnenglück als das allein vollkommene, als das einzige ungetrübte, mühelose, immer erreichbare. Kein quälender Gedanke, an Schicksal und Zukunft keiner, unterbrach es. Man hatte keine andere Bestimmung und erwartete nichts als das Beben der letzten Lust.

Mit Zuneigung gedachte sie des jungen Hirten, der ernst auf sie herabgesehen hatte, als sie, an der Straße, den Mann auf den Mund küßte. Die ernste Schamlosigkeit der Natur füllte ihr die Augen mit Tränen der Zärtlichkeit. Zum erstenmal fühlte sie sich, kraft der Lust, allen Wesen gleich und nahe. Maria, die am ersten Morgen, über ihr Bett gebeugt, nach dem Vergnügen der Nacht gefragt hatte, war ihr kein Rätsel mehr. Lola redete die Frau an, wenn sie eintrat, behielt sie bei sich und plauderte. Sie brachte Maria zum Geständnis ihrer Liebe mit Pardi. Zwei Jahre war's her, und ihr jüngstes Kind war von ihm. Ihr Mann wußte es; sie hatte zu büßen. Aber sie bereute nichts, denn viel hatte sie genossen. Schwachrote Wolken zogen auf der Höhe ihrer mürben Wangen zusammen, unter den schweren Augen, die erwachten. Die Arme auf den Knien verschränkt und die Büste darübergebeugt, kraftvoll bei ihrer Welkheit, saß sie vor Lola, die lässig lehnte in ihrer auf den Stacheln der Lust über sich selbst erhobenen Schwäche. Und sie sprachen einander von dem Manne, der sie beide erweckt und erfüllt hatte: genußsüchtige, nachschmeckende, hellseherische Worte, unter deren Tasten plötzlich der Schauer selbst wieder auflebte; die manchmal auffuhren zu einem Schrei der Eifersucht und nun hinabsanken in ein Geflüster, das die Augen erweiterte. Maria hatte mehr erfahren, und sie flüsterte davon... Aber draußen klappte der Schritt des Mannes, und die Dienerin verschwand ohne Laut.

Sie hatte den Auftrag, die Bettler vor dem Tor täglich zu bewirten und zu beschenken. Oft überzeugte Lola selbst sich, ob es geschah. Nur die eine Sorge fand zu ihr hin. Aus einem brennenden Traum schrak sie empor, ging hinaus und legte sich den Anblick der triefäugigen Zwergin wie eine Buße auf, die den Bestand ihres Glükkes verbürgte. Sie lebte im Sinnenrausch wie in einem Garten roter, abenteuerlicher Kelche, deren Duft die Vernunft betäubte. Abergläubisch durch die Fülle des Glücks, gab Lola der Verführung Marias nach und ließ sich von der Zwergin wahrsagen. Die Zwergin ward ins Zimmer gelassen. Die entzückenden Visionen, von denen es voll war, durchbrach ihr Kropf, und ihre entzündeten Augen hefteten sich an alle... War das nicht genug? Lola überließ ihr auch noch ihre Hand. Indes sie das Scheusal kichern hörte, bedrängte ein Gedanke sie. ›Wenn ich's nicht tue, bin ich verloren!‹ Da schnellte sie vor und küßte die Zwergin grade auf den überfließenden Mund.

Auch die Bitten um das Pachtgeld jener Bauern stieß sie unter dem Brennen einer Sucht aus; sie weckte den Mann dazu auf.

»Was soll ich tun, damit du es ihnen zurückgibst?«

Seine Nachsicht gegen diese Armen verlockte sie in dem Taumel, der sie dahinraffte, wie eine letzte Erfüllung, wie der Sieg im Zweikampf der Liebe, der äußerste Gipfel der Lust. »Was soll ich noch tun?« – verheißend, mit geheimer Begierde, zu erfahren, was sie verhieß. Maria hatte davon angedeutet. Er weihte sie ein.

»Ich dachte nicht, daß ihr dahinten zu solchen Sachen zu brauchen seid. Das war sogar der Hauptgrund, weshalb ich einige Zeit zögerte, dich zu heiraten.«

Sie hatte sich zu den letzten Würzen des Vergnügens herbeigelassen. Ob eine andere ihm so gefällig gewesen sei?

»Vielleicht Gigi?«

Sie gestand nicht, was sie wisse. Aber sie machte sich, in seinen Armen, hinter ihren geschlossenen Augen zu dem Mädchen, das nackt in der Kirche, auf den Stufen des Altars, den Mann erwartet.

»Nenne mich Gigi!«

Dann: »Was hast du mich noch zu lehren? Nichts mehr? Gar nichts? So gib mir das Pachtgeld!«

Aber er brach lachend sein Wort. Auch ihre erbitterten Vorwürfe verlachte er.

»Gegen euch Weiber ist alles erlaubt.«

Dies Unerreichbare ließ ihr einen Durst und eine Unruhe zurück, als sei die süßeste Frucht des Gartens nicht in ihren Mund geflossen, als stehe irgendwo im Palast ein unzugängliches Zimmer voller Seltsamkeiten. Sie hatte, sobald er fort war, den Kopf in Bilder verstrickt, in zehrende, nie ganz vollendete. Auf unbestimmter Suche machte sie manchmal einige Schritte allein vors Haus. Am Ende der Schloßterrasse das Kloster lockte sie an: dies Frauenkloster mit seinem vergitterten Schalter. In der Sonne stand sie und schmachtete mit Haß zu der dunklen, kühlen Mauer hinauf. Einmal fand sie daneben die Kirche offen. Hinten sangen im Halbkreis die Nonnen. Von fern betrachtete Lola sie mit Hohn. Wenn jetzt eine kam, wollte sie ihr im Vorüberstreifen solche Dinge ins Ohr sagen, daß sie für den Rest ihrer Tage ihren kläglichen Frieden verlieren sollte.

Vor dem Palasttor lungerten schon wieder die Bettler. Die Zwergin zerrte die andren weg, drängte sich vor.

»Laßt sie, ihr Pack, meine Herrin ist's. Mich kennt sie, und sie liebt mich, denn ich leiste ihr nützliche Dienste.«

Lola ging kalt an ihr vorbei. Sie sah noch die Verkrüppelte von ihren Gefährten unter Spott zu Boden gestoßen, und es befriedigte sie. Ihre Gelüste verkehrten sich ins Böse. Der Schmerz der anderen barg vielleicht noch unbekannte Genüsse? Sie stritt mit der Versuchung, Marias Kinder, die in den Gängen lärmten, vom Diener schlagen zu lassen. Jene Bauernfamilie, der ihr Mann das Pachtgeld abgepreßt hatte, hungerte jetzt wohl? Lola dachte sich das verfallene Gesicht der Frau, einen Kreis fiebriger Kinderaugen um einen leeren Tisch. Als das nächstemal die Zwergin sich an sie hängte, rief sie einem Jungen zu: »Hol den Gendarmen dort!« Beim Geklirr des Säbels und dem Zetern der Zwergin zauderte sie noch, abgewandt, auf der Schwelle; Scham nur hielt sie ab, den Befehl zurückzunehmen. Aber dann ging sie weiter. ›Dafür ist sie eine Bettlerin!‹ Pardi, fiel ihr ein, hatte gesagt: ›Dafür sind sie römische Campagnabauern.‹ – ›Jetzt bin ich selbst dort angelangt!... Und wenn schon, jeder leidet das Seine. Auch das Genießen führt, ganz in der Tiefe, zum Leiden...‹

Der erste, schwüle Herbstregen fiel, als sie die Abreise beschlossen. Lola atmete schwer in der Luft, die braun durchs Land schlich. Sie hatte mit dem Manne allein, eng beisammen, unter dem Lederdach des zweirädrigen Wägelchens, hinabgewollt. »Rascher!« Mit zugedrückten Lidern, in wonnigem Schwindel. Als sie sie einmal öffnete, hockte dort unten bei einem Busch die Zwergin. Sie schloß sie wieder, lächelnd. Da, gelles Hennengeschrei, der Fall von Steinen, Pardis wütende Drohungen und das Krachen und Schwanken des Wagens, den das Pferd, gestreckt, dahinriß. Auf einmal Stille.

»Bist du verletzt?« fragte der Mann, unter ihr.

Lola antwortete nicht. Dies war fast der Tod gewesen. Und die Angst selbst seines Vorüberstreifens war zu Wollust geworden. Sie lebte in so tiefen Schauern, daß keiner mehr sie schreckte.

Er hob sie aus dem Graben. Er wollte der Übeltäterin nach; Lola hielt ihn zurück.

»Du hast den Wagen umgeworfen? Hast gemacht, daß ich auf dich fiel, und dein Leben für mich gewagt?«

Sie gedachte dessen, was Nutini von ihm geflüstert hatte: er habe die Chiarini, als sie von ihm in anderen Umständen gewesen sei, mit dem Wagen umgeworfen, habe sie getötet... Vielleicht war die glücklicher gewesen? Denn sicher: der Gipfel der Lust war hier gewesen. Und im Weiterfahren sah sie beklommen rückwärts.

›Schade!‹

Auf der Fahrt vom Bahnhof, aus dem Wagen des Hauses Pardi, sah Lola mit nachdenklicher Geringschätzung die Rücken der Leute an, die durch den Regen trabten und nicht wußten. Denn die Abgründe, in denen Lola heimisch war, hatten jene nie berührt. Mit dem Manne zusammen war sie in eine eigene Luft geschlossen, in eine stärkere, durch die man höher atmete und rascher verbrannte. Sie hatte keinen Blick für das Haus, in das sie einzog, für die Diener, die sie begrüßten. Wozu standen sie noch da? Schickte er sie nicht weg? Endlich: die Arme durften sich öffnen.

Aber Pardi bemerkte Blumen mit Karten, der Haushofmeister meldete das Diner, und wie sie sich setzten, kam ein Fremder.

»Mein Freund Valdomini«, sagte Pardi.

Lola erstaunte: ›Sein Freund?‹ Glückwünsche und Komplimente nahm sie hin und dachte: ›Also gut, das ist abgemacht. Was noch?‹ Der Fremde setzte sich mit zu Tische, man mußte ihm zuhören, sich an eine Menge verschollener Personen, dahinten gebliebener Angelegenheiten erinnern lassen. Was konnte dieser auch wissen? Doch sprach er gut; Lola lachte mehrmals; unwillkürlich trat sie einige Schritte aus ihrer Welt heraus.

Wie er dann in Pardis Begleitung fort war, besann sie sich auf die Wirklichkeit, auf das einzige Wirkliche. In zwei Minuten hatte sie das Kostüm gewechselt, und die Hände verschränkt im Nacken, während die Schleierfalten um sie her schaukelten, ließ sie sich auf die Ottomane fallen. Bereit. Jetzt schloß das Tor sich hinter dem Fremden, Pardi war schon auf der Treppe, schon vor der Schwelle. Sie war bereit. Sie lächelte. Horch!… Nein, noch nicht… Immer noch nicht? Das Kammermädchen gab Antwort:

»Der Herr Graf ist mit dem Herrn Fürsten fortgegangen.«

»Ach so, ich weiß…«

Sie überlegte: ›Er muß ihn eine Straße weit begleiten… Der andere sagte, seine Frau sei leidend. Er wird ihm in seinem Hause eine Viertelstunde Gesellschaft leisten.‹ Eine halbe Stunde war vorbei. ›Das Tor geht! Ah!‹

»Sagen Sie dem Herrn, ich sei im Schlafzimmer.«

»Der Herr Graf ist noch nicht zurück.«

Wieder allein: verwunderlich allein. So waren sie wohl an Valdominis Hause vorbeigegangen. Jener hatte gesagt: »Meine Frau ist krank, ich langweile mich, machen wir einen Rundgang.« Aber eine Stunde dauerte der Rundgang? Wohin konnten sie spazieren? Lola folgte ihnen im Geiste. Vor dem Klub der Via Tornabuoni standen Herren; sie hatte sie oft dort stehen gesehen. Sie verdauten, überlegten, ob sich's noch lohne, in ein Theater zu gehen, und wenn fremde Damen vorüberkamen, sagten sie »der Hut« oder »die Schuhe«, um bekanntzugeben, was ihrem Geschmack nicht genüge. Gesellte sich Pardi zu diesen? Vermochte er, den Klub zu ertragen, die Reden, die Gesichter?›In seinem Kopf bin doch ich, so wie ich hier liege, die Arme nach den Schultern hingebogen, und ihn erwarte! Zwei Stunden! Das ist unmöglich, ein Unglück muß geschehen sein.‹ Und sie sprang auf. In der Sekunde, da sie sich bewegt und nicht hingehorcht hatte, konnte das Tor gegangen sein. Ja? Ja! Rasch sich wieder hingelegt und gelächelt!... Nein, nichts. Aber natürlich hielten sie ihn fest. Die von Viareggio waren dabei, er mußte ihnen die Geschichte seiner Verlobung geben. ›Er denkt nur an mich!‹ Lola schloß die Augen, in ihre Lippen drückten sich seine... Sie seufzte und sah sich allein.

Auf einmal hörte sie ihn laut, mit seiner schleierlosen, sicheren Stimme, ein sehr schmutziges Wort sagen und wußte, es galt ihr. Sie zuckte zusammen, lauschte entsetzt. Die anderen lachten. Pardi berichtete weiter von ihr. Er zergliederte, ganz sachlich, ihren Körper, rühmte ihre Gelehrigkeit. Lola fühlte ihr Gesicht brennen und versteckte es; sie warf sich umher und stöhnte; – aber Pardis unerbittliche Stimme ging weiter. Hatte er damals, als Nutini sie zur Lauscherin gemacht hatte, etwa geschwiegen?

Sie wanderte durch das Zimmer. ›Mein elendes Mißtrauen! Heute liebt er mich. Überdies, sobald wir verlobt waren, fing er an, mich zu achten. Alles, was ich soeben phantasiert habe, ist bare Unmöglichkeit, da ich seine Frau bin. Man muß die Männer kennen...‹ Aber sie litt, weil sie ihn zu prüfen hatte. Als ihre Gedanken sich endlich verlangsamten, merkte sie, daß es sie fror. Die Uhr zeigte drei. Lola ging zu Bett.

Sie erwachte, es war hell, und neben ihr schlief Pardi. Sie richtete sich auf und betrachtete sein unbewegtes, schönes Gesicht. Der Mund, leicht offen, stand fleischig und feuchtrot aus der kraftvollen Blässe hervor... Die Mundwinkel beleidigten sie mit ihrer satten Senkung. Aber bevor sie es sich gestanden hatte, war ihr Blick auf seinen Lidern, auf seiner breiten Stirn. Dahinter weilten nun Gesichte, die nicht auch ihre waren, Erinnerungen, die ihre gemeinsamen zu verschütten drohten. Sie überlegte, in Angst, wie sie ihn ausfragen solle. ›Schweigen und ihn zurückholen‹, stellte sie schließlich fest.

Er verlangte, daß sie zur Promenade führen. In den Cascine stellte er sie vor. Die Bernabei winkte aus ihrem Wagen; sie mußten den Abend bei ihr verbringen. Als Pardi ihr zu Hause den Pelz abnahm, hatte Lola noch seine Lippen auf der Schulter gespürt; und wie sie sich umwandte, war er fort. Seine Rückkehr weckte sie. Er kam mit zusammengebissenen Zähnen auf sie zu; das Düstere, Gewalttätige seiner Begierde machte ihr solche Furcht, daß sie über den Bettrand zurückwich und er sie auffangen mußte. Die folgenden Tage ging er über ihre Zärtlichkeit leicht hin. Er schien den Kopf bei anderem zu haben, sie fragte nicht, wo. Sie hatte beschlossen, das Haus so wohnlich zu machen, daß es ihn keinen Abend mehr fortverlangte. Bei ihrem Einzuge hatte sie es nicht angesehen, es war nur für die Zuflucht und den Verschluß ihrer Liebe bestimmt. Jetzt ließ sie es säubern, ordnete eigenhändig die Sitze an, die alle, wie in Schlössern oder Wartezimmern, die Wände entlang prangten, entfernte den Überfluß an schlechten Bildern, verstaubten Festons und Teppichen samt den großen venezianischen Mohren aus bemaltem Blech und den Pfauenfedern hinter den Spiegeln. Diese plunderhafte Pracht mochte das untere Stockwerk verschönen, das aus der engen Gasse noch weniger Licht und von hinten, wo steil der Garten nach der Hügelstraße anstieg, schon im Oktober keine Sonne mehr traf. Oben sollte es hell und luftig werden. Pardi spottete über das Schlafzimmer, worin kaum mehr anderes als das Bett übrigblieb. Als ob nicht Raum für seine ausgestopften Vögel, seine Säbel und seine Schuhsammlung gewesen wäre! Der Vermehrung der elektrischen Lampen sah er schweigend zu, herrschte die Arbeiter, die die Wände hell bekleideten, unvermittelt an, drehte ihnen aber gleich den Rücken – und erst als er eines Abends Lola in einem ganz fremden Zimmer fand, brach er los. Sie verschwende seine Einkünfte. Zweitausend Francs diese paar grauen Lackmöbel?

»Damit spiele ich eine Woche!«

Er biß sich auf die Lippen und setzte hinzu:

»Und verdoppele sie, verzehnfache sie!«

»Aber ich hatte kein Boudoir«, sagte Lola. »Und mein Bruder schickt doch schon wieder zweitausend Francs.«

»Und da habe ich die unbezahlte Rechnung der Bossi.«

»Du willst, daß ich mir immer neue Toiletten anschaffe.«

»Werfe ich's dir vor? Eine Dame muß angezogen sein: ein Boudoir braucht sie nicht. Das ist für jene Frauen dahinten in Deutschland, in ihren lächerlichen Phantasiegewändern: die können sich auf der Straße nicht sehen lassen.«

»Auch ich verbringe mein Leben nicht auf der Straße.«

»Zu Hause hast du genug in deinem Ankleidezimmer zu tun.«

»Ich brauche auch einen Raum, um zu lesen.«

»Das ist unnötig! Das ist schuld an deinem ganzen verrückten Wesen! Wie ich dies Zeug hasse!«

Er hielt ein Buch in der Hand und warf die Augen leidenschaftlich umher. Da flog es in den Kamin. Durch die Tat erleichtert, sprach er mit Wohlwollen weiter.

»Siehst du, wir sind dem Gesellschaftsleben bestimmt. Von unserer Wohnung sind nur die Räume wichtig, die die Leute zu sehen bekommen. Und die müssen nicht wie bei Bürgern sein, sondern unserm Range entsprechen. Ich werde die Decke im Saal neu vergolden lassen. Auch die Fresken lasse ich restaurieren – wenn ich Geld habe. Diese Künstler können nie warten.«

»Die Fresken werden verlieren, sie sind von Luca Giordano.«

»Aber sie müssen wieder glänzen.«

Lola fügte sich. Ihre von Menschen freien Stunden verloren sich im Ankleideraum der Schneiderin und in ihrem eigenen. Die Mahlzeiten ohne Gäste wurden so einfach, wie er sie wünschte. Sie hatte seine Miene gedeutet und seinen Kammerdiener befragt. Wenn sie nach dem Theater, Lola in großer Toilette, im »Gambrinus« soupierten oder Valdomini mitbrachten, kosteten die Getränke mehr, als die Einkäufe zum Diner betragen hatten. Was tat es? Es galt, mit ihm einig zu sein. Es galt festzuhalten, was entgleiten wollte, die Zeit zusammenzuraffen, damit sie nicht weiterströmte; galt zu machen, daß auf einer selben Straße, unter dem Verdeck eines Wägelchens, sie und der Mann ohne Ende dahinjagten. Denn in jene Fahrt, das letzte ganz enge Beieinander, träumte sie sich oft zurück und wünschte sich, sie wäre nie ausgestiegen. Nun kreischte die Zwergin, nun fühlte sie sich dahingerissen, ins ungewisse fliegen und, nochmals vereinigt mit dem Geliebten, an ihm vergehen. Welch gutes Ende es gewesen wäre, das Ende in jenem Straßengraben! Dem Kommenden wagte sie manchmal kaum die Augen zu öffnen... Aber Pardis Schritt ward hörbar, und von Dankbarkeit heiß, schoß ihr das Blut zum Herzen. Ihr schien es sein Blut. Ihr schien's, er habe sie mit seinem Blut erfüllt, sie lebensstärker, zuversichtlicher gemacht, daß jetzt auch sie sein mutiges Leben ohne Selbstüberwachung würde leben können. Auf dem großen Ball im Casino Borghese fühlte sie's ganz deutlich, wie ihr Körper und ihr Wesen geschliffener und glänzender waren durch eine neue Anmut, von ihm ihr eingetränkt; daß sie gefallen müsse dank ihm. Die Verführungen ihres Geistes sah sie weich zusammenfließen mit denen ihres Anzuges; ihre Augen wußten zu spielen wie ihre Antworten; und umringt und in aller königlichen Lässigkeit bis zu den Fingerspitzen durchpulst von Sieg, suchte sie dahinter

ihn und liebte, schien ihr's, zum erstenmal das Frauenleben, zu dem er sie erweckt hatte.

Sie war reich. Dieser eine Mensch hatte sie so mit Liebe
beschenkt, daß sie davon der Menschheit mitteilen
konnte. Auf der Promenade, unter huldigenden Blicken,
bemerkte sie plötzlich das Gesicht des Elends, verließ ihren Wagen, winkte das Geschöpf in eine Seitengasse,
fragte aus, half, verschaffte Verdienst: Alles mit Heiterkeit, in Sicherheit, ohne das zweifelhafte Gewissen des
Gebenden, aus einfacher Wärme, fern von dem düsteren,
menschenfeindlichen Bewußtsein der Vergeblichkeit, das
sonst ihre hingestreckte Hand erkältet hatte. Durch Valdomini lernte sie einen sozialistischen Abgeordneten kennen. Zum Schluß des Gespräches sagte er ihr:

»Sie sind die erste und einzige Dame von Florenz, die
nicht im Mittelalter lebt.«

Sie lachte: ein so übermütiges Vertrauen war in ihr. Der
Bernabei hatte sie schon einen Beitrag zur Volksuniversi-
tät abgerungen. Die beiden kleinen Niccoli wollten sogar
in die Vorlesungen. Und Claudia Grilli nahm an allem teil,
was sie selbst bewegte. Claudia war eine Freundin! Sie
brachte Lola Blumen mit. Welch rasche Stunden, wenn
ihre eigenen liebsten Wünsche und Gedanken aus Claudias großen, bräunlich weißen Tieraugen in weicherem
Glanz zurückglänzten; wenn Claudia mit ihrer gewand-
ten Hand, die gleitend, leicht und fest war wie ihr Schritt,
wie ihr Lächeln, über ihre schwarzen Bandeaus strich;
wenn sie die einfach und sanft gebogenen Lippen leise von
den kleinen Zähnen zog und aus den Winkeln nach Pardi
aussah: was er nun noch vorbringen werde. Er verließ,
solange die Freundinnen sich unterredeten, nicht das
Haus, lief, die Schultern schüttelnd, vor ihnen auf und ab,
hielt plötzlich an und rief sie, mit Gesten, als wollte er sie
überwältigen, auf die bewährten Standpunkte zurück.
Konnten sie wirklich vergessen, daß sie ohne den Mann

keinen Zweck auf der Welt hatten? Er griff sich an die Schläfen, wie in einem Traum, worin eine Schar Puppen ihn anfiele. Lola redete, vor Verlangen stürmisch, auf ihn ein. Welche Vereinigung, welche Umarmung, wenn sie ihn gewänne! Claudia lächelte zu ihm auf; sie wiederholte Lolas Gründe in spitzbübischem Neapolitanisch, und ihre beweglichen kleinen Mienen überkugelten sich vor Spott. Er traf ihre Augen, blieb darin haften und brach seine Widerrede ab. Lola sprach eine Zeitlang allein. Plötzlich, ein wenig zerstreut trotz seiner Heftigkeit, fing er wieder zu streiten an.

Er würde gewonnen werden! Er war seelisch ein Kind; sie spürte, stritt sie mit ihm, Regungen von Mutterzärtlichkeit. Er verspielte Tausende, und dann machte er ihr einen Auftritt, weil sie die Wäscherin um einige Pfennige zu teuer entlohnt hatte. Seine Härte gegen die Dienstboten glich ganz dem Hochmut eines verwöhnten Kindes. Sie gab ihm das Beispiel, die Leute mit Güte anzusprechen, ihre Dienste zu erbitten und ihnen dafür zu danken.

»Wozu unsere zufällig günstigere Stellung mißbrauchen? Soviel wie sie für uns, leisten wir niemals für sie; ein ›Danke‹ ist nicht zuviel.«

Er behauptete die strenge Zucht.

»Das ist eine andere Gattung Menschen: sie verstehen nur die volle Ausnutzung der Gewalt; sobald wir nachlassen, sind wir verloren. Wenn wir die Herren nicht mehr zeigen, sind wir's nicht mehr.«

Lola meinte:

»Das ist wohl allen Menschen gemeinsam: nicht mehr zu geben, als gefordert wird. Aber warum mehr fordern, als wir brauchen? Wozu überhaupt herrschen? Mich verletzt die Demütigung anderer in meiner eigenen Menschenwürde.«

Er nannte das sträflichen Unsinn. Als ihr eine Spange fehlte, mußten, trotz Lolas Widerspruch, Gepäck und

Kleidung der Dienerschaft durchsucht werden. Es blieb umsonst; – und Pardi bestand nun darauf, Germaine verantwortlich zu machen. Sie allein betrete das Schlafzimmer; ob sie die Spange habe oder nicht, sie müsse fort. Lola sah, daß vor allem seine Herrschsucht ihn aufbrachte. Sie selbst, die sich ihre Untergebenen zu Freunden wünschte, sollte gestraft werden in der, die ihr am nächsten war. Germaine hatte nicht mit Mai nach Amerika gewollt, sie war Lola gefolgt. Sie drohte, den Herrn Grafen wegen Verleumdung zu verklagen. Lola zuliebe stand sie davon ab; sie willigte sogar ein, das Ende des Monats im Hause abzuwarten. Inzwischen bat und kämpfte Lola täglich für sie. Pardis Antwort war:

»Ich bin der Herr.«

Lola lebte in Angst um der Ungerechtigkeit willen, die er ihr auflud. Unvorsichtig aus Erregung, setzte sie sich eines Abends in der Pergola für den Schutz der unverheirateten Mütter ein. Ihre Loge war voll Menschen. Botta war darunter und vertrat in seiner schmatzenden Art die Ansprüche der Gesellschaft. Lola versteifte sich. Zwei Herren sahen sich an und lächelten. Pardi, der eintrat, warf einen Blick über die Lage und sprang Lola bei. Er trumpfte mit den ritterlichsten Gründen. Er arbeitete sich ab in verzweifelter Donquichotterie, vor den anderen, die ruhig wie die dumpfe Mauer des Vorurteils selbst ihm lächelnd zusahen. Seine Tigermiene und eine Anspielung auf seinen Degen wischten das Lächeln weg. Lola hatte gesiegt. Er hatte sich mit ihr durchgefochten. Sie atmete schwer und glücklich, als habe er sie wirklich auf seinen Armen durch Feinde hindurchgetragen. Er war bei ihr: oh, sie hatte gewußt, sie werde ihn gewinnen! Wie wäre es möglich gewesen, daß in zwei Körpern, die kraft so vieler Umarmungen fast zu Zwillingskörpern geworden waren, nicht auch die Seelen sich verstehen lernten, sich umarmten!

Sie hatte Tränen in den Augen und nahm, indes alle nach der Bühne sahen, seine Hand. Er entzog sie ihr. Im Wagen verbot er ihr zu sprechen; es dringe Nebel ein; – und dann kam er plötzlich aufgereckt, entschlossen durch das Ankleidekabinett herbei. Auf der Schwelle des Schlafzimmers hielt er an, die Hand an der Brust. Sie erschrak über sein Gesicht. Auf ihn zu:

»Was hast du? Lieber?«

»Keine Komödie! Wir wissen, woran wir miteinander sind. Madame, ich erkläre Ihnen, daß Sie mich nicht länger kompromittieren werden!«

»Ich – dich? Ich wollte dir danken, dich so liebhaben wie noch nie. Du hast meine Partei genommen!«

»Jawohl: ich habe Ihre Partei genommen! Was weiter? Sie sind meine Frau: Sie könnten gestohlen haben, und ich würde Sie freilügen. Aber merken Sie sich, daß ich Sie darum nicht weniger verachten würde!«

»Ich habe unsere Freunde um ein wenig Menschlichkeit gebeten für gewisse Ausgestoßene. Ich verdanke dir so viel Liebe, daß ich kein Wesen ganz ungeliebt sehen kann.«

»Schwelgen Sie in Ihren unpassenden Utopien, solange wir allein sind. Aber hüten Sie sich, die Ehre meines Hauses den Leuten zum Spiel hinzuwerfen!«

»Ich begreife nicht, was die Ehre Ihres Hauses –«

»Sie stellen mein Haus auf den Kopf, moralisch noch mehr als materiell, und ich habe zu lange zugesehen. Sie suchen den beiden kleinen Niccoli den Glauben an die Hölle auszureden: gottlob umsonst. Meine Dienerschaft verliert den Respekt. Sie dulden eine Diebin im Hause…«

»Germaine ist keine Diebin!«

»Sie dulden eine Diebin! Und dank Ihnen hat einer dieser infamen Sozialisten hier Zutritt gefunden.«

»Der arme Ricchetti! Er leidet unter der Gewißheit, daß in diesem Lande seine Ideen niemals Wurzel fassen werden. Mag sein, daß er sich durch Gewalthandlungen manchmal darüber hinwegtäuscht. Doch weiß ich von ihm, daß er den Generalstreik nur zugelassen hat, weil er mußte, und hoffnungslos. Ein unglücklicher Messias – vielleicht. Und, wie man sagt, ein armer Epileptiker…«

»Ein schwächlicher Halunke, ganz einfach«, entschied Pardi – und schnitt Lola die prüfenden Gedanken ab. Da er sie durch sein entschlossenes Urteil eingeschüchtert sah:

»Du hast ihn für morgen eingeladen: du wirst ihm abschreiben.«

»Geht denn das?« murmelte sie. »Überlege es dir, bitte!«

»Ich soll überlegen?« Er schäumte wieder auf. »Du mißverstehst die Lage: ich habe nicht zu überlegen und nicht zu bitten. Ich verbiete dem Ricchetti mein Haus. Wer hat dich übrigens berechtigt, dem Cesco monatlich fünf Francs mehr zu versprechen?«

»Unsere Empfänge erschweren ihm den Dienst…«

»Du wirfst mein Geld hinaus!«

»Besinne dich! Sieh deine Hand an und denke dir, du habest fünf Francs darin. Was tust du damit? Du gibst sie irgendwem als Trinkgeld… Sei gut!«

Er schüttelte sie ab, getroffen und erbittert.

»Zu solcher Wirtschaft habe ich dich nicht hergebracht. Woher kommst du überhaupt? Gehorche, sonst magst du in Gesellschaft deines Kammermädchens zu dem Stadttor wieder hinausgehen, durch das du hereingekommen bist!«

Mit Schrecken erkannte sie in seiner Miene den Haß. Es konnte nicht sein, sie wollte nicht glauben: er irrte sich, er war krank! Eindringlich und mütterlich, mit einem Lächeln, als habe er gescherzt, und doch mit leise beschwörenden Händen:

»Im Ernst, du schickst mich fort? Also dann bitte ich

den hartherzigen Mann für zwei statt einer. Laß mich bleiben, und erlaube, daß auch Germaine bleibt!«

»Erlaube, daß Germaine bleibt! Das ist der Refrain: wenn ich ihn höre, gehe ich. Adieu. Erlaube, daß Germaine bleibt! Das ist wie: Erlaß dem Bauern das Pachtgeld. Wir wissen auch, welche schönen Dinge du mir statt des Pachtgeldes gewährtest. Auch Germaines Entlassung möchtest du mir gewiß mit diesen Späßen abkaufen? Also komm, Gigi!«

Sie taumelte zurück. Er lachte auf und war fort. Lola blieb ans Bett gestützt und hörte dies Lachen im leeren Zimmer weiterlachen. ›Er verachtet mich!‹ Sie sah starr, aus geröteten Augen vor sich hin, hatte die Hand am Herzen und dachte: ›Er verachtet mich!‹ Die Knie zitterten ihr; sie ließ sich, am Fleck, wo sie stand, zu Boden gleiten. Kauernd dachte sie: ›Daß ich mir's nicht gesagt habe! Ein Mann sollte von einer Frau solche Bilder im Kopf tragen, wie er von mir, und sie noch achten? Wie darf sie, die so tief mit ihm durch Schmutz ging, irgendeine reine Sache berühren wollen! Es ist wahr: das Mitleid selbst habe ich damals mißbraucht zum Dienst der Lust. Ich bin unrein für immer. Nicht er dürfte mir's vorwerfen: Alle, nur er nicht, mein Mitschuldiger; aber die Wahrheit ist's, und meine Sehnsucht, ihn dem zu gewinnen, was ich als höheres Menschentum empfinde, steht doch mit beiden Füßen im mehr als Tierischen, und seine Seele zu umarmen, drängt es mich nur darum so sehr, weil ich bis in Verirrungen, und ohne meine letzte Scham zu hüten, seinen Körper geliebt habe!‹

Immer neue Blutwellen stürzten ihr in die Wangen. Zitternd hob sie sich vom Boden, voll Bangens danach, ihre Schande zu betrachten und ganz zu ermessen, durch ihren Anblick sich zu kasteien. Sie warf sich, mit gierigem Ekel, dem Spiegel entgegen. Da waren diese Augen, die endlose Züge unzüchtiger Träume erblickt hatten: da waren sie!

Da war dieser entweihte Mund!... Plötzlich hielt sie ihre beiden Hände vor sich hin, wie etwas Neuentdecktes, Furchtbares. Ihre Hände zuckten zusammen, als sie einen heißen Tropfen empfingen. Lola erkannte:

›Was habe ich getan! Ich habe mich selbst verraten an das Fleisch! Jetzt hält es mich, ich bin seine Gefangene, ich darf nicht mehr aus ihm hinausdenken. Nichts weiter mehr, solange ich leben mag, liegt vor mir als die düstere Wut dieser hoffnungslosen Umarmungen. Ich hasse mich und werde von ihm, der sie genießt, verachtet für meine Dienste, wie eine schmutzige Magd.‹

Sie setzte sich auf den Bettrand.

›Mein Gott! Ich bin verloren.‹

II

Sie weigerte sich, am Abend darauf die Gäste zu empfangen. Trotz Pardis Drohungen schrieb sie nicht nur Ricchetti, sondern allen ab. Pardi rächte sich durch die Herausforderung des Abgeordneten. Als er ihn leicht verwundet hatte, erklärte er Lola, sein Haus und sie seien wieder fleckenlos, jetzt könnten die Leute kommen.

»Du irrst dich«, sagte sie, »ich werde vorläufig niemand sehen.«

Er wollte losfahren, erkannte aber ihre Miene: diese feindlich verschlossene Miene, der er seit ihrer Heirat nicht mehr begegnet war. »Verrückt«, sagte er und ging.

Lola blieb allein mit dem Gefühl, ringsum wispere es von ihr, deute auf sie. Es war wie das Jucken eines unsichtbaren Ausschlages. Sie konnte nicht mehr ausgehen, seit ein begehrlicher Männerblick ihr begegnet war. Der hatte gewußt! Das Laster spürte das Laster heraus! Die Frauen: die reinen Frauen, denen man zutuschelte über sie!... Und ihr Mann, ihr Genosse, dem das alles vielleicht zu seiner Ehre diente, der sich damit rühmte, trat bei ihr ein, wie es ihm beifiel: ohne sie zu bemerken, oder scheltend, oder mit einer flüchtigen Liebkosung, unter der sie sich kalt und stachlig überschauert fühlte. Das war das Unerträglichste: keinen Fußbreit zu haben, wo sie allein sein konnte, wo keine fremde Haut an ihre streifte und kein feindlicher Atem ging! Wie sie die Menschen haßte! Es dürstete sie nach jener Mädchenzeit und nach der scheuen Einsamkeit der Gewittertage im Bergwald, da sie sich, durch Blitze und Regenströme vor Menschen sicher, mit

Versen von anderen Sternen in eine Reisighütte barg. Allein und rein, allein und rein sein! Immer wieder stieg ganz frisches Entsetzen herauf. ›Wie ist es geschehen? Wie komme ich hierher? Was war ich vorher! Welche Kluft!‹ Und sie dachte an Arnold. Wenn er wüßte! Wenn er ihr je begegnete! Oh, sich nicht zeigen, sich niemals mehr zeigen.

Im geschlossenen Wagen fuhr sie vor der Stadt die ödesten Wege. Pardi verbot es.

›Weil du verrückt bist, dürfen meine Pferde noch nicht leiden. Vernünftige Leute fahren die Wege, die dafür da sind, in den Cascine. Auch den Viale de'Colli fährt niemand: er ist zu steil und überanstrengt die Pferde.‹

Sein Geiz und seine geistlose Härte, seine unbeherrschten Begierden, sein elastisches, unbefangenes Hin und Her zwischen einer engen Mannesehre und jovialer Lokkerheit bedrückten sie jetzt mit ihrer Nähe wie eine unheilbare Krankheit. Und sie hatte es für ein Spiel gehalten, sie zu heilen; war glücklich gewesen, daß es etwas an ihm zu heilen gab! Von demselben Cesco, dessen Monatslohn er nicht um fünf Francs hatte erhöhen wollen, hörte sie ihn fünfzig Francs leihen. Cesco schien geschmeichelt; er eilte lebhaft nach dem Gelde und bat freudig zum Diner. Lola konnte die Augen nicht von den Schüsseln heben, die der Diener ihr hinhielt. Pardi plauderte mit ihm. Dann schien ihm aus der Zigarrenkiste etwas zu fehlen, und Cesco ward des Diebstahls beschuldigt und in schnell herabgewürdigtem Zustand hinausgeschickt. Als die Notwendigkeit näherkam, wieder einen Besitz zu verkaufen, erklärte Pardi den grünen Spieltisch für das fruchtbarste Landgut. Während derselben Mahlzeit entrüstete er sich aufrichtig über den alten Niccoli, der nun auch seine zweite Frau ruiniert hatte und noch den Verlobten der mittellosen Tochter durch seine Tyrannei aus dem Hause trieb.

»Kein Gewissen! Unwürdig, eine Familie zu regieren!«

Dazwischen warf sie es sich vor, daß sie ihn allzu klar, ungetrübt durch ihr Herz, beurteile. ›Er ahnt nicht, daß er ein Paar feindlicher Augen auf sich hat. Auch verdient er's nicht: vor unserer Heirat war er derselbe, und ich wußte es. Ich wußte, er sei brutal, ein Lump und der Gerechtigkeit unfähig. Verklärt, beinahe durchgeistigt ward das alles durch eine Art Heldentum: durch eine großartige Eitelkeit und die Bereitschaft, für jedes Nichts mit ganzer Persönlichkeit einzustehen. Sein Heldentum war eins mit seinem Temperament; und das habe ich durchgemacht, er hat es an mir abgenutzt, es ist mir verächtlich geworden. Mit dem, was übrigbleibt, heißt es nun leben… Nicht er hat die Schuld. Manche andere hätte er zufriedengestellt: manches der unbewußten Wesen, denen er gleicht. Die Verantwortung ist bei mir, die voraussah. Welches meiner heutigen Leiden überrascht mich denn? Nur der fleischliche Irrsinn konnte mich vergeßlich machen; aber damals entschloß ich mich sehend zu meinem Verderben… Andere dürfen klagen, daß es keinen Ausweg, keine Scheidung gibt: ich nicht; ich verdiene sie nicht. Ich darf ihn auch nicht hassen: nur er mich. Er ist, und ich wußte es, der hochmütige, dumme Rassemensch, ohne Verständnis für irgend etwas, das nicht sein kleines, überlebtes Herrenrecht ist. Ich hafte nirgends (wie konnte ich mich vermessen, hier zu haften!), habe einen Fuß in jeder Welt, in jedem Volk, habe Fühler für alles, bin allem verwandt. Daß ich ihn verstehe und er mich nicht, das macht mich rechtlos…‹

Sie hielt sich zur Geduld an, nahm seinen Zorn hin und die Geschenke, mit denen er sie, gutmütig, entschädigte.

»Du bringst mir Glück«, sagte er. »Ich habe bemerkt: wenn ich von dir komme, gewinne ich.«

Und er forderte eine Umarmung. Er war warmherziger: seine Liebe, anders als ihre, vertrug sich mit Verachtung; vertrug sich damit, daß er, den Geruch anderer

Frauen noch in der Haut, sich zu ihr legte. Er schlief; sie mußte wachen und diesem fremden Geruch gramvoll nachgrübeln. Endlich: ›Was will ich? Habe ich nicht gewußt, er werde sich nicht zusammenhalten können für mich? Er sei ein Abenteurer, der nach allen Seiten lebe, ein unzuverlässiger Spieler, für den nichts in Spiel oder Leben endgültig sei, und ein immer von seinen Launen gequälter Mann aller Frauen?‹ Als sie ihn zum erstenmal betrunken sah, sprang eine Erinnerung in ihr auf: der Leierkastenmann, der einst mit seiner feurigen Blässe den Geschichtslehrer Herrn Dietrich in ihren Backfischträumen abgelöst hatte, dem sie all ihr Taschengeld zugeworfen hatte und der betrunken gewesen und verhaftet worden war. ›Alles wiederholt sich oder erfüllt sich. Es ist bestimmt; ich muß es aushalten.‹ Er war geradeso unwissend wie der Leierkastenmann; manchmal rührte er sie. Er begriff nicht, warum sie für ihn erloschen sei, kämpfte knirschend, damit sie sich wieder entzünde, konnte eigens aus seinem Toilettenzimmer treten, um ihr seine Muskeln und seinen Torso vorzuführen. Von einer Reise schickte er ihr sein Bildnis, nackt, mit gespreizten Beinen und die Hände auf den Hüften. Dazwischen forderte er einen Sohn von ihr. »Wo bleibt Giovannino?« Und im Frühling: »Wehe, wenn das Jahr vergeht, ohne daß Giovannino kommt!« Aber jedesmal vergaß er's wieder für lange.

Sie dachte mit Befremden und mit Widerwillen an die Möglichkeit. Ein Kind, von diesem fremden Manne? Sie konnte sich nicht vorstellen, daß durch dieses ihr gleichgültige Haus ein Kind von ihr laufen solle, ihr wahres Kind. ›Es würde nicht meins sein, es würde mich nicht kennen, mich nicht lieben. Die Rasse des Mannes ist so viel stärker, sie würde mich überwältigen, noch in dem Geschöpf, das ich hervorbrächte. Es wäre seins, es würde zu diesen Fremden hier gehören. Ich will es nicht: ich will nicht die Fremden bis in meinen Leib…‹

Kaum ertrug sie noch diese Menschen: ihre lauten, schleierlosen Gebärden und Stimmen, all das gierige Leben in den gewölbten Augen. Durch einen Salon sandte sie einen trostlosen Blick über das heimliche Aneinanderstreifen der Hände, der Wünsche, über die spöttelnde Wollust der Lippen, die sich anlächelten, über das in allen wache Geschlecht – und plötzlich entwich aus diesen Toiletten, diesen schlanken Fräcken ein Qualm tierischer Gerüche und erstickte sie. Und an diesem Getriebe sollte sie noch in Viareggio beteiligt gewesen sein, es durch Leidenschaft vergoldet gesehen haben? Jetzt sah sie's ohne Glorie und nüchtern. Sie mußte sehen; ihre Beobachtungen sprangen sie an, wie böse Hunde. Dem kleinen Sandrini drückte alles die Hand, und alles wußte, daß er falsch spielte. Aber seine Frau war die Tochter des Präfekten. Lola dachte: ›Wenn Pardi nicht seinen Degen hätte –‹ Der Trappola zeigte eine Zigarettendose umher, und seine Schwester bewegte den Fächer vom Baron Bergmann, dem auch die Dose gehört hatte. Gastgeschenke. Für mehr als eine Familie waren Gastgeschenke der sicherste Teil ihres Einkommens; die Unehre der Frauen ergänzte das Glück im Spiel. Jeder gewährte allen Nachsicht. Kein Mensch fühlte hier die Nötigung, vor sich selbst ohne Flecken zu sein. Die äußere Geltung, das Übereinkommen war alles. Sie machten, bei ihrer animalischen Tüchtigkeit, den Eindruck moralisch unendlich Ermatteter. Die Spitzbüberei war bei diesen Enkeln großer Bankiers blutarm und kleinlich. In ihrem Geist schienen die Federn verbraucht; er wiegte sich, hart und platt, wie die Chaise einer zu alten Staatskutsche, auf den verjährten Ideen aus ihrer großen Zeit. Man glaubte ihnen nicht, daß sie anderswo noch dachten als in Gesellschaft, um »Figur zu machen«, des Pompes wegen. Auch geistig waren sie arme Dandys, die zu Hause nicht aßen. Nichts erneuerte sich hier; kein Vermögen, kein Ideenvorrat. Und im Wegsehen von allem Zeitgemäßen eignete ihnen dieselbe klägliche Einmütigkeit wie im Vertuschen ihrer Schmutzereien. Eins nur war unverzeihlich: anders zu sein. Ricchetti, dem Abgeordneten, der aus gutem Hause war, sagte man Verbrechen nach. Mußten sie nicht in Lola die Kritik spüren? ›Wenn Pardi stürbe, würde man aufbringen, daß ich ihn vergiftet habe.‹

Plötzlich ward die Bernabei von ihrem Gatten erwischt: mit dem Leutnant Cavà. Die Männer schossen sich ergebnislos, Cavà ward nach Sizilien versetzt. Von der Bernabei, deren elf Liebhaber jeder herzählen konnte, zog sich von heute auf morgen alles zurück, ihre Eltern mit den übrigen, samt ihrer Schwester, die genau aussah wie sie und statt elf nur neun Liebhaber gehabt hatte. Ihr Mann setzte ihr ein Monatsgeld aus, unter der Bedingung, daß sie auf dem Lande lebe. Lola ging zu ihr: so sehr empörte sie die allgemeine Heuchelei. Diese Frau war die letzte Geliebte Pardis vor seiner Heirat gewesen; sie und Lola hatten eine feindliche Anziehung füreinander gehabt: – nun schämte Lola sich, sie am Boden zu sehen. Sie konnte nicht ganz schlecht sein, wenn Cavà, der Anständigste von allen, sie geliebt hatte. Cavà kam, um Abschied zu nehmen. Lola fragte ihn gradaus:

»Sie müssen die Gräfin sehr geliebt haben.«

Er schlug die Augen nieder.

»Und wenn auch nicht«, sagte er dann. »Jetzt muß ich ihretwegen in die Verbannung, mehr kann sie nicht verlangen.«

Schmollend und mit knabenhaftem Erröten:

»Leid tut sie mir…«

»Mir auch – und ich möchte es ihr sagen.«

»Um Gottes willen! Wie können Sie mit der Frau noch verkehren!«

…Und der war der Anständigste! Lola ging sogleich zu ihr, hinter die Ringallee, in die halbbebaute Vorstadtstraße, am Rande eines Scherbenfeldes. Alles stand weit offen; niemand zeigte sich; und mit Mühe gelangte Lola durch das wackelnde Gerümpel über den Flur. Ein armer Salon, die Wände volkstümlich bemalt, wie in einer Kneipe; und nichts darin als ein Damenschreibtisch, eingelegt, bedeckt mit Gegenständen aus Silber, und auf einem Samtkissen darunter ein Mops: der Mops des Hauses Bernabei. Lola mußte husten von dem scharfen Mauergeruch.

»Contessa!« sagte darauf eine einladende Stimme. Die arme Verwandte der Hausfrau watschelte herein, mit demselben schiefen Kopf, mit dem sie die Honneurs des Palazzo Bernabei gemacht hatte.

»Setzen Sie sich doch, Contessa… Ach Gott, kein Stuhl!« – und bestürzt ließ sie ihre frisch gestärkte Frisierjacke los, die sich auftat. Ein wulstiges Gewoge, in ergraute Leinwand gewickelt, ward sichtbar. Sie eilte nach Sitzen. Lola trug selbst einen Strohstuhl herbei.

»Wir wissen es sehr zu schätzen«, sagte die Alte, »daß Sie sich für unser neues home interessieren. Auch meine kleine Nichte weiß es zu schätzen. Da kommt sie.«

Die Barnabei blieb in ihrer eleganten Matinee vor der Tür stehen.

»Stefano! Diomira!« rief sie rückwärts ins Dunkel. »Hier versperren Sachen den Weg.«

Da niemand antwortete, trat sie mit Achselzucken ein.

»Sie wissen wohl, Contessa, die Dienstboten…«

Lola stimmte rasch und verlegen bei. Es eilte ihr, über dieses wahrscheinlich gar nicht vorhandene Gesinde hinwegzukommen. Aber die Bernabei fuhr fort und ordnete, wie sie sich auf den Strohstuhl setzte, sorgfältig ihre Falten:

»Was sagen Sie zu der Wohnung? Mein Gott, die Auswahl war in diesem Augenblick natürlich nicht groß.«

»Sehr hübsch«, brachte Lola hervor.

»Ich hoffe, ich werde hier meinen Kreis empfangen können.«

Lola verstummte. Die Lider der Bernabei klappten, auch heute rot geschminkt, auf und zu über den kleinlich besorgten Augen.

»Wer hat Ihnen das Kleid gemacht?« fragte sie.

Und Lola sah entsetzt von ihr zu der Verwandten. War diese Frau durch ihr Unglück verstört? Nein: sie hatte dieselben Augen; jedes blaßblonde Haar lag an seinem Platze. Diese ärmliche Korrektheit, während Empörung sie hätte zerreißen müssen! ›Du mußt doch fühlen…‹, wollte Lola sagen. ›Heuchle nicht mit mir! Was liegt daran. Du denkst weder an mein Kleid noch an deinen Kreis.‹ Sie entschloß sich:

»Ich komme, Ihnen zu sagen, wie ungerecht ich Sie behandelt finde.«

Die Bernabei sah sie zwinkernd an. Weinerlich:

»Sagen Sie das nur! Eine Unschuldige so zu verfolgen!«

»Wenn das nicht abscheulich ist!« ergänzte die Verwandte. Lola, betroffen:

»Sie hätten sich nichts vorzuwerfen?«

»Aber gar nichts. Ich werde verleumdet.«

Die Verwandte half nach:

»Schändlich verleumdet. Das Kind ist rein wie ein Engel.«

Der künstlich in die Länge gezogene Ton der Bernabei, das falsche Gegreine der Alten widerten Lola an.

»Immerhin erzählt man manche Einzelheiten. Auch sollen Sie alles eingestanden haben.«

»Was man mir abgepreßt hat. Konnte ich mir denn noch helfen?«

»Eine wehrlose Frau!« klagte die Verwandte.

»Ich möchte Ihnen glauben. Ob Cavà lügt? Wozu aber? Ich sage Ihnen offen: er war bei mir, um Abschied zu nehmen.«

327

Die Bernabei fuhr auf.

»Ah! er geht umher und schwatzt.«

Und sie brach in unschönes Weinen aus. Der Mops unter dem Schreibtisch stand auf und knurrte. Die Verwandte tröstete:

»Arme Kleine, sieh mich an, du hast noch Freunde.«

Die Bernabei hob das Gesicht aus den Händen.

»Wie gut, daß wir sein Kissen mitgenommen haben!«

Sie sah sich im leeren Zimmer um.

»Wenn nur er sein Kissen hat!«

Der Mops schien sich dasselbe zu sagen. Er drehte sich mehrmals auf seinem Samtpolster um und ließ sich darauf zurückfallen. Die Verwandte schüttelte den Kopf.

»Wir werden hart bestraft, unser Unglück will es. Und doch hätte es gut ablaufen können.«

»Ob es gekonnt hätte!« – und die Bernabei belebte sich. »Ich bin ein Opfer der Männer, ihrer Dummheit und ihres Eigennutzes. Wegen einer Zigarre, verstehen Sie: wegen einer Zigarre verfeindet mein Mann sich mit Attilio und beschließt, uns zu überraschen! Als er dann mit der Polizei herbeirückt, will der Himmel, daß meine Jungfer ihn rechtzeitig erblickt und uns warnt. Ich verlor nicht die Besinnung, ich habe mir nichts vorzuwerfen! Gleich wußte ich, was zu tun sei, und wäre man mir gefolgt, wäre alles gut gegangen. Ich befahl der Diomira, ins Kabinett zu treten. ›Der Leutnant‹, sagte ich, ›wird mit dir gehen. Du schließt ab, und verlangt man, daß du öffnest, zeigst du dich mit emporgehobenen Röcken im Türspalt. Man wird deine Zurückgezogenheit achten…‹ Es war die Rettung, und es war so einfach. Werden Sie glauben, daß dieser Cavà sich weigerte? Er fürchtete, sie möchten ihn dennoch entdecken, und lieber als an solchem Orte wollte er in meinem Schlafzimmer gefunden werden! Die Lächerlichkeit scheute er, und doch handelte sich's um die Ehre einer Frau!«

Die Verwandte verdrehte die Augen.

»Was für Männer heutzutage! Ihr wäret so sicher durchgekommen...«

Sie verbreitete sich über die Lage der Örtlichkeit, an die die Rettung gebunden gewesen war. Lola hielt nicht mehr aus.

»Und wennschon. Wären Sie auch durchgekommen: Sie wären doch nicht weniger schuldig, als Sie sind! Und heute, da man Sie überrascht hat, sind Sie doch nicht verwerflicher als gestern, da man noch tat, als wüßte man nichts.«

»Das ist ein Unterschied«, sagte die Bernabei, mit gedrücktem Lächeln.

»Ihr Gatte wußte darum!« rief Lola. »Ist es nicht empörend, daß er Sie opferte, nur weil er sich mit Ihrem Liebhaber gezankt hatte?«

Die beiden Frauen wehrten mit kundigen Mienen ab. Aber Lola war im Zuge.

»Empört Sie's denn nicht, daß jetzt plötzlich alle jene Frauen Sie verleugnen, die Ihre Schuld längst kannten und deren eigene Vergehen jedem bekannt sind?«

Die beiden warfen sich einen Blick zu.

»Wen meinen Sie?« fragte zögernd die Verwandte.

»Wen sollte ich meinen? Oh! mich ersticken hier Ungerechtigkeit und Heuchelei.«

Und da sie sich von den kalten Augen der Bernabei beobachtet sah, als redete sie irre:

»Sie fühlen wirklich nicht Menschenwürde genug, um sich zu empören?«

Unvermittelt fiel jene wieder in Heulen. Der Mops knurrte wieder, aber ohne sich vom Kissen zu bemühen. Die Bernabei wimmerte:

»Bedenken Sie, wie wenig fehlte, und alles wäre gut gegangen!«

»Allerdings«, sagte Lola, beschämt, weil sie hier saß.

Die Bernabei ordnete ihre beringten Finger im Schoß, lehnte sich zurück und vernichtete in ihrer Miene jeden Ausdruck. ›Richtig: man muß vor allem sein Gesicht schonen‹, dachte Lola. ›Solange es hübsch bleibt, ist nichts verloren. Man hat keinen Erfolg gehabt und ist dafür mit Recht bestraft worden. Aber was kann man am Ende mehr wünschen als eine gute Schneiderin und ein Zimmer voll von Anbetern. Schließlich darf es auch dies Zimmer sein. War man im Grunde nicht immer schon, was man jetzt ist? Die Veränderung ist fast nur äußerlich... Da sitzt sie, zurechtgemacht, als wartete sie auf Männer. Die andere hat schon jetzt etwas von einer Kupplerin.‹ Plötzlich fiel ihr ein, daß die Bernabei dort hinten Kinder zurückgelassen habe. Sie fühlte Tränen kommen und stand hastig auf.

»Sie gehen also nicht aufs Land, Contessa?«

»Es wäre nicht der Mühe wert. Mein Mann ist im Begriff, sich zu ruinieren; er würde mir die Pension nicht lange auszahlen. Lieber vermiete ich gleich Zimmer.«

Die Verwandte sagte:

»Sie, Contessa, die Sie viele Fremde kennen, bitte, empfehlen Sie uns!«

Schon tags darauf kamen aus ihrem Gespräch mit der Bernabei entstellte Bruchstücke zu Lola zurück. Sie hatte der Verurteilten recht gegeben. Sie hatte Namen von solchen genannt, die auch nicht besser seien, und erklärt, daß sie die Geopferte rächen wolle. Am Nachmittag, im Salon Valdomini, begegnete sie entsetzten Blicken. Sie ward umschmeichelt: auch von Männern; und nicht nur von den Liebhabern, auch von den Gatten derer, die Enthüllung zu fürchten hatten. Ganz übel vor Verachtung, schloß sie sich ein. ›Ich werde mich nicht hineinfinden‹, sah sie. ›In der Fremde ist alles Feind, und ich bin in jedem Lande fremd.‹ Sie hatte Tränenkrisen. Sie fühlte sich erstickt, riß das Fenster auf; die dumpfe, schmutzige Regenluft schlich ihr entgegen, und sie meinte, Ungerechtigkeit und Heuchelei griffen ihr an den Hals. ›Und ich hatte, den gestrigen Schritt zu tun, kein Recht. Ich bin Pardis Frau, er muß aufkommen für das, was ich mir erlaube. Habe ich nicht, als ich ihn heiratete, seine Welt zu meiner gemacht? Wie will ich, ein losgelöstes Geschöpf, durch keine Gemeinschaft gerechtfertigt, diese Welt hier richten! Sei sie, wie immer, sie ruht doch in sich und ist zufrieden. Die Miene der Bernabei! Ich hätte ihr von den Gebräuchen ferner, wilder Inseln sprechen können... Ich will allein bleiben, allein.‹

Pardi begriff nicht, warum sie ihn nicht sehen wolle:

»Ich bitte dich, Lieber, laß mir das Schlafzimmer allein! Mir ist nicht wohl. Siehst du nicht, wie ich häßlich geworden bin?«

Er fuhr auf.

»Schon wieder Launen?«

»Ich versichere dir: ich bin krankhaft gereizt; ich habe Übelkeiten. Ich würde dich stören.«

Und er, plötzlich sehr sanft.

»Ist es soweit? Giovannino?«

Sie griff sich ans Herz.

»Nein! Das nicht!« stammelte sie, entsetzt und flehend.

Er sagte überzeugt:

»Schämst du dich nicht? Dieser Ton ist empörend von seiten einer Mutter, oder von einer, die es sein sollte!«

Er faßte hinter sich, durchs offene Fenster, nach der Grafenkrone, die an der Hauswand schwebte. Er klopfte den runden Arm des Majolikaengels, der sie hielt. Mit Nachdruck:

»Nur über dem Haupte einer Mutter tragt ihr sie! Andernfalls –«

Im Fortgehen, über die Schulter hinweg, stieß er den Refrain aus:

»– geh nur zu dem Tor wieder hinaus, durch das du gekommen bist!«

Sie lehnte sich ans Fenster und sah starr hinunter auf den blanken, frommen Kopf der Madonna, die die Verkündigung vernahm. Eine wehmütige Eifersucht beschlich Lola... Sie schüttelte sich, sie trat vom Fenster weg. Aber ein Drang ängstete sie heimlich, nach der Frau, die die Botschaft empfing. Zu Fuß verließ sie das Haus, nur um gegenüber sich ungesehen in einen Flur zu stürzen und hinzuspähen. Da knieten sie, links und rechts des Torgiebels, in ihren spiegelnden Gewändern und beide mit zusammengestellten Handflächen, die Jungfrau und der Engel: er stürmisch hingeworfen, sie geordnet und still, als habe sie ihn erwartet. Die Lilien und die Rosen waren ihrer Mutterschaft zu Ehren schon entsprossen, die bunten Vögel sangen ihr schon, und schon hoben die Kinderengel über ihr Haupt die Krone. Bis unter die Fenster des zweiten Stockwerkes war das weite alte Haus bedeckt mit der Schaustellung der Mutterschaft, mit ihrer Verklärung. Ihr, der Mutter, gehört es. In ihr vereinigten sich alle die Frauen, die je in diesem Hause ein Kind erwartet hatten. Und noch immer erfüllten und bewachten sie es, waren sie seine Herrinnen. Nicht die Einsame, Unfruchtbare war's, die sich sträubte, zu empfangen, und allein bleiben mußte. Als sei sie daraus vertrieben, mied Lola das Haus. Im Dämmern erst schlich sie sich hinein, tastete durch die dunklen, dumpfen Säle des ersten Stockwerkes und öffnete die Tür nach dem schmalen Balkon. Da stand sie nun zwischen den beiden, die größer waren als sie, deren Züge und Gebärden soviel kerniger waren und die ihrer nicht achteten. Lola mußte die gesenkten Lider der Jungfrau mit dem Finger bestreichen, mußte in das kleine tiefe Ohr spähen, durch das die Botschaft ging... Ganz still war's in der alten Straße. Die Rosen und Lilien sprossen umher, um sie drei; die Flügel des Engels zitterten noch vom Fluge. Da setzte seine Stimme ein: seine glockenhafte, unerbittliche Stimme, und verkündete. Wild erschreckt warf Lola die Tür zu.

Sie lehnte an dunkler Wand, und ihr Herz schlug laut. Die eiserne Laterne zu Füßen der Jungfrau knarrte. Ihr ward Licht gemacht, indes Lola im Dunkeln Furcht litt. Dann fiel von drüben ein weißer Schein in den Saal. Lola seufzte auf und wandte sich. Da waren sie! Da blickten sie von den Wänden, die Frauen, die in diesem Hause ein Kind erwartet hatten! Feindliche Neugier zog Lola zu ihnen. Welche ruhigen Tieraugen, immer dieselben: in gepuderten Locken oder zwischen glatten Haarbändern, immer dieselben. Aus so vielen Häusern der Stadt diese Frauen in dies Haus gezogen waren, sie glichen einander im Blut. Umringt von ihren Blutsverwandten, hatten sie ihr Kind geboren und aufgezogen, hatten es in ein anderes Haus verheiratet, und der Strom unverfälschten Blutes war gelassen ein- und ausgeströmt. Von den Männern trug keiner die Schönheit Pardis. Aber ihre härteren Gesichter waren nur das strenger bewahrte Gefängnis derselben Leidenschaften; und wenn Lola ihnen lange in die Augen sah, traten in alle die Begierden, die sie kannte. Sie atmete bedrängt. Diese alle wollten sie überwältigen; sie forderten von ihr das Kind: das Kind, das sie dem Hause schuldete!... Da sah einer sie an: ein Jüngling, fast ein Knabe, mit weichen, traurigen Haaren über dem hohen weitoffenen Tuchkragen, den gepufften Ärmeln des Fracks. Auch aus dieses Knaben weißem Gesicht stand, wie bei den andern, der Mund feuchtrot hervor und fleischig; aber dies Fleisch schien zu seufzen über sich selbst. Die braunen, gewölbten Augen betrauerten es, untröstlich. Und die Stirn, die sanfte Wange neigten sich dem Schatten zu, als wollten sie sich ganz von ihm überziehen lassen. Lola sah ihn in Schatten dahingehen, den Kopf noch halb zurückgewendet, und doch schon fremd dem Hause, über dessen Schwelle er hinwegtrat, und der Straße, ihren Fenstergittern, Fackelringen und Steinbildern, und den Brücken mit dem Geräusch der Buden, und dem Domplatz und den schön geschminkten Frauen darauf, deren Augen ihm winkten und die er nicht ansah. Letztes Abendgold beglänzte schwach die Hügel; und zwischen ihnen, auf Steinen, an einem Pfad, den niemand schritt, fand er eine arme Frau, eine arme, häßliche und fremde Frau, die keine Gemeinschaft hatte und ihres Weges müde war. Er legte sich zu ihr auf die Steine; er folgte ihrem Weg mit ihr, und er bekam ein schönes Kind von ihr: ein schönes, heiteres Kind von der traurigen und häßlichen Frau. Lola gab ihm, ohne darum zu wissen, einen Namen: dem Kinde und seinem Vater – indes sie, den Kopf gesenkt, aus dem Saal, die Treppe hinauf und in ihr Zimmer ging.

Seit sie sich nicht mehr blicken ließ, suchten täglich Freundinnen bei ihr einzudringen. ›Sie fürchten mich. Claudia ist die einzige, der an mir liegt. Nur sie will ich sehen.‹

Claudia kam zögernd herein.

»Hast du etwas gegen mich?«

Und als Lola lächelnd den Kopf schüttelte, schnellte Claudia ihr, aufjubelnd, an die Brust, drängte, rieb und schmiegte sich, ein warmes, liebebedürftiges Tier. Ihr Gesicht hatte vor Traurigkeit in lauter kleinen matten Polstern herabgehangen, und auf einmal war es ganz fest und klar vor Glück.

»Wie schön, daß du mir nicht böse bist! Ich habe dich so lieb!«

»Und ich bin froh, daß ich dich habe, Claudia. Ich fühle mich oft sehr allein und traurig.«

»Und dann liest du und machst dich damit noch trauriger. Man soll nicht lesen: noch dazu dies.«

Mit tiefem Mißtrauen in jedem ihrer Kinderfinger faßte Claudia das Buch an.

»Das ist Deutsch? Du verschließt also deine Tür und

liest Deutsch. Das heißt, du willst mit uns allen nichts mehr zu tun haben. Du bist mit uns fertig, du findest uns falsch und äußerlich.«

Von unten, schlau und ruhig:

»Ist es nicht so?«

Lola zog die Wange der Freundin an ihre.

»Ah, du willst nicht, daß man dir in die Augen sieht! Aber ich weiß alles. Das Unglück der Bernabei hat dich empört, denn du bist eine ehrliche Deutsche. Du stehst nicht, wie sie sagt, auf ihrer Seite: hat sie doch ihren Mann betrogen, und das ist schlimm. Aber wir dürfen keinen Stein aufheben, meinst du. Wir sollen selbst erst ehrlich sein, meinst du, sollen uns von unserm Manne trennen, bevor wir einen Liebhaber nehmen. Ist es nicht so?«

»Was du alles weißt!« – und Lola liebkoste das eifrige Gesichtchen. Unter ihrer Hand bewegte es sich, wechselte, und was Claudia so feierlich enthüllt hatte, sah nun aus wie ein Witz.

»Wie du mich verstanden hast! Und wie du es gut sagst, mit deinem rollenden und singenden neapolitanischen Munde!«

Dies hübsche, gelehrige Äffchen, von dem nachgesprochen Lolas Gedanken weniger untröstlich klangen: wie eine etwas triste Posse nur! Dessen nächste Miene sich immer über die vorige lustig machte, bis keine mehr galt! ›Wer sich auch so rasch abtun könnte! Man müßte sich ein wenig geringer achten, und man hätte es so viel leichter…‹ Aber Claudias Mundwinkel hingen schon wieder. Die Augen, unter schwer fallenden Lidern, starrten aus den Winkeln.

»Eine Sünderin: ja. Aber bedenke auch, wie furchtbar das Frauenleben ist! Welche Schrecken uns drohen, jeden Tag! Hast du gehört, was der Beamte in Via del Mezzo mit seiner Frau getan hat? Nun siehst du! Er kommt, mit einem Fiasco unter dem Arm, die Treppe herauf.«

Claudia ahmte seinen Schritt nach. Sie ließ sich breit am Tisch nieder.

»Er will weitertrinken; die Frau rät ihm ab, sie wirft ihm sein Laster vor. Er antwortet nicht; er schweigt und trinkt. Als er fertig ist –«

Claudia wischte sich mit der Handfläche den Mund.

»– steht er auf, holt einen Strick und –«

Claudia stand, von Grausen erkältet, sehr steif, die Arme am Leib. Ihre Augen sahen den Mörder kommen.

»– schnürt ihr den Hals zu, wie einem Spatz. Dann hängt er sie auch noch an die Decke.«

Und Claudia machte sich, dumpf stöhnend, noch starrer, verdrehte die Augen und streckte die Zunge aus. Plötzlich fiel sie auf einen Stuhl. Nach vorn geworfen, heftig flüsternd:

»Und das ist ganz der Typus meines Mannes! Auch mein Mann ist ein Neurastheniker, auch er trinkt, schreit mich an... und eines Tages wird er schweigen und –«

Claudia führte mit der geballten Hand rasche Kreise um ihren Hals. Dann zog sich ihr Gesicht zusammen, und laute Tränen kamen. Lola ließ sich, erschreckt, vor ihr auf die Knie.

»Aber Claudia, jene Frau hatte einen Liebhaber.«

Claudia klammerte sich an.

»Ich habe solche Angst!«

»Wovor, Liebling? Du bist nicht wie jene.«

»Doch!« – mit großen, nassen Sünderinnenaugen. Und schwer nickend:

»Ich habe einen Geliebten. Oh, frage mich nicht, wen! Aber glaube nur, wenn du's noch nicht weißt: unsere Männer sind von einer Art, daß wir einen Trost brauchen.«

»Ich weiß es schon.«

»Wie du nun aussiehst. An wen denkst du jetzt? Verrate mir dein Geheimnis, Lolina?«

Lola schrak auf und machte sich los.

»An niemand denke ich, sei versichert. Aber auch wenn ich meinen Mann nicht mehr lieben würde, ich nähme doch nie einen Geliebten. Oh, ich verurteile euch nicht; ihr seid anders. Nur ich habe nicht das Recht dazu.«

Claudia richtete ihre kleine elegante Gestalt auf. Tragisch:

»Wir bezahlen dafür. Möblierte Zimmer oder... so.«

Sie ließ nochmals die ganze Zunge hängen. Und leichtsinnig zärtlich:

»Aber Spaß macht's doch. Sage, Lolina, warum könntest nicht auch du –? Hast du nicht gemerkt, daß Valdomini in dich verliebt ist? Übrigens sind viele es, nur daß du sie entmutigst. Aber wie ich lachen wollte, wenn Pardi –«

Sie stellte zwei Finger über ihrer Stirn auf.

»Er, der so viele verführt hat! Alle könntest du rächen. Meinst du nicht, daß er dich betrügt?«

»Ich wußte es, bevor ich ihn nahm«; – und Lola schlug die Augen nieder. »Ich habe ihn genommen, wie er ist.«

»Seid ihr ehrlich! Weißt du, daß das schließlich zum Lachen ist?«

Und sie krümmte sich. Gleich nachher, demütig abbittend, voll Bewunderung:

»Nicht wahr, wenn du einen liebtest, würdest du dich ganz und gar trennen von deinem Mann? Ihn nie mehr zu dir lassen?«

Gramvoll und ohne Mut sagte Lola:

»Ich wollte, ich könnte immer, immer allein bleiben.«

Claudia sprang auf.

»So sehr zuwider ist er dir?«

Sogleich löschte sie ihre Miene wieder aus, machte sich ganz sanft und farblos.

»Dann tu's doch, arme Kleine! Wie glücklich wärest du!«

Aber Lola war aufmerksam geworden.

»Warum? Du möchtest es?«

Ein Schritt ward laut: Pardi. Angstvoll wendete Claudia sich umher.

»O Gott! Ich muß fort!«

»Warum? Bleibe!«

Claudia zuckte, in fliegendem Schrecken, an der Hand, die sie festhielt. Sie drückte die Zähne in die Lippe, sah nicht vom Boden auf und drehte Pardi, wohin er sich immer stellte, den Rücken. Lolas Blick ging von ihr zu ihm. Plötzlich ließ sie Claudia los.

»Adieu«, sagte Claudia, ohne den Mund zu öffnen. Sie lief hinaus.

»Was hat sie?« – und Pardi war erblaßt. Lola, am Fenster, kämpfte ihren Atem zur Ruhe. Mit einer langsamen Wendung:

»Ich weiß es nicht.«

Er wanderte umher und stellte Fragen, nach denen er suchte.

»Du antwortest sehr kurz. Bin an deiner schlechten Laune ich schuld?«

»Nein.«

»Du hast mir nichts vorzuwerfen?«

»Nein.«

»Um so besser. Ich sehe, daß du Ruhe brauchst.«

›Das war eine Freundin! Dies kleine schlaue Tier, das sich mit seinen Gazellenaugen in mich eingeschlichen hat, mein Empfinden und meine Stimme nachgeäfft hat! Sie wußte, was sie wollte: vom ersten Tage an! Wir disputierten; ich dachte, Pardi zu gewinnen; ich glaubte, zwei Körper könnten nicht, wie unsere, durch Liebe verschwistert sein, ohne daß auch die Seelen sich umarmten. Sie unterstützte mich, schelmisch, schmiegsam. Im selben Atem – wie abstoßend häßlich! – nahm sie mir den Mann! Daß solch Geschöpf sich leben sehen mag!‹

338

Lola ertrug sich selbst nicht, weil sie dies erlebt hatte. Sie irrte umher, vergrub sich in Winkel.

›Werde ich nie mißtrauisch genug werden? Werde ich nie Weib werden und weiblichen Schlichen zu begegnen lernen? Warum muß mich jeder Mensch, nach dem ich die Hand ausstrecke, in noch tiefere Einsamkeit stoßen? Mein Gott, gib mir Verachtung.‹

Sie weinte. Dann sah sie:

›Das alles ist falsch. Sie hat mich betrogen, aber sie liebte mich. Habe ich nicht ihre Reue und ihr schlechtes Gewissen vor Augen gehabt? Sie war wie ein verderbtes Kind, dem plötzlich vor ihm selbst bange wird und das lieber gut wäre. Oh, das wäre leicht und einfach: dumm sein und sie hassen! Aber ich fühle, wenn ich mich besinne, von ihr und ihrer Welt grade selbst genug, daß ich ihr Recht lassen muß. Sie wird schuldig und sie büßt. Unter Gefahren genießen, sich durch einen Tag bringen und durch noch einen, täuschen, siegen, geschlagen werden: es wäre doch eine starke, schöne Welt. Man dürfte keine andere kennen. Auch ich trage sie in mir – neben der anderen, die ich auch in mir trage. Und immer, wenn die eine mich haben sollte, fühle ich das Gewicht der anderen, die mich fortzieht...‹

Da sprang sie auf, stürzte sich auf die Klingel.

»Ich bitte den Herrn Grafen, sofort zu mir zu kommen.«

»Der Herr Graf ist nicht zu Hause.«

Lola sah sich im Spiegel entstellt von Zorn. ›Recht so! Ich werde einen Skandal machen, an den Florenz denken soll! Er ist bei ihr, ich habe ihn sicher gemacht. Sie überraschen, mich rächen, sie beide ganz klein sehen und dann fort: leicht und frei, wieder frei sein!‹

...Sie merkte, daß sie sich, anstatt die Tür zu öffnen, dagegengelehnt und geträumt hatte.

›Für wen will ich frei sein? Welchen Namen habe ich schon wieder gedacht? Auch Claudia sah, daß ich einen

Namen dachte... Oh, ich bin schlechter als sie beide, als sie alle! Heuchlerischer bin ich! Sie bilden sich keine Reinheit ein. Sie sind nicht selbstgerecht. Ich liebte Arnold, als ich, um meiner Sinne willen, Pardi heiratete. Das ist die Wahrheit, die schlimme Wahrheit!‹

Sie sah leer vor sich hin... Von der Dämmerung beschlichen, schrak sie auf.

›Ich wußte, was ich tat, und daß er noch andere begehren und nehmen würde. Er und sie: es ist so selbstverständlich; wie konnte ich mißverstehen, wie durfte ich mich auflehnen. Bei mir ist kein Recht, keins; und ich schäme mich, ihnen im Wege zu sein.‹

Kaum ward es Mai, und schon erklärte sie, nach San Gregorio zu wollen. An den Ort, wo ihre Sinne geschwelgt hatten, trieb es sie jetzt, um Buße zu tun. Pardis Blick flammte auf.

»Weißt du noch, der Garten, nachts, wenn wir in den Büschen lagen und es wetterleuchtete? Du möchtest wieder anfangen; und ich sage nicht nein. Aber...

»Du irrst dich. Ich will allein hin.«

»Ohne mich? Was soll nun das wieder?... Ach ja, ich weiß, du bist krank. Du bist immer krank, ohne daß der Teufel begreift, woran. Von Giovannino kommt er nicht, dein Zustand: soviel ist sicher, wie? Und nun mußt du aufs Land... Aber wenn ich dir befehlen würde, bis Mitte Juni hierzubleiben? Du hast dich, nach unserem Gesetz, dort aufzuhalten, wo es deinem Mann beliebt.«

Sie ließ ihn ohne Antwort. ›Ihm ist's bequem, daß ich gehe‹, dachte sie. Er schloß:

»Nehmen wir an, daß du unser Klima nicht verträgst. Aber ich kann dir sagen, daß man es zuweilen bereut, wenn man eine Fremde geheiratet hat.«

Und Lola: »Ich hätte daran denken sollen. Ich bitte dich um Verzeihung.«

Ein Aber ließ er dennoch bestehen. Lola erstaunte über seine geringe Eile, sie loszuwerden. Schließlich schlug er ihr einen anderen Landsitz vor. Als sie auf San Gregorio bestand, brach er in Wut aus. Dann verbrachte er den vollen Nachmittag in seinem Arbeitszimmer, schrieb und telefonierte. Tags darauf eröffnete er ihr, sie könne reisen. Er bot ihr an, sie bis Rom zu begleiten; aber sie dankte ihm.

Draußen blühten Mandel und Pfirsich. Die rosigen Blütenschleier glitten auseinander auf Lolas Wege, wehten ihr nach, hochzeitlich. Droben im Städtchen leuchteten, wie sie sich zeigte, alle Gesichter auf: Lolas Glück von damals glänzte noch einmal auf sie ab. ›Das Glück, von dem ich selbst nichts mehr weiß!‹ Das Herz zog sich ihr zusammen, wie sie, ganz klein, dem Riesenleib des Palastes entgegenging. Auf kahler Höhe breitete er seine morschen Fledermausflügel nach ihr aus. Die Dächer alle flohen wirr den Berg hinab, als striche ein Angstwind über sie hin. Lola duckte die Schultern – kalt lag es darauf – und begab sich, zwischen der gellend betenden Zwergin und den Alten, die um Barmherzigkeit murmelten, in das Greifenportal, wie in einen Rachen.

Die Zimmer waren verdunkelt und noch kalt. Lola mußte sich anstrengen, um den Befehl zu geben, man solle die warme Luft hereinlassen. Gern hätte sie die Lider gesenkt vor den Dienern, diesen Zeugen dessen, was sie hier einst gewesen war. Des Kastellans kalte Greisenaugen forschten unerträglich. Und das gelbe, mürbe Fleisch der schwarzen Maria erinnerte sich noch immer, mit melancholischem Stolz und Gleichgültigkeit gegen alles, was kommen mochte, jener Wonnen, die sie mit Lola geteilt hatte; kraft deren sie zu Lolas Vertrauter, fast zu ihrer Schwester geworden war; von denen sie ihr, indes ihre schweren Augen erwachten, mit solchen Worten geflüstert hatte, daß plötzlich der Schauer selbst wieder auflebte.

Mit langsamen Schritten, deren jeder eine Welt von

Angst durchmaß, gelangte sie an der Frau vorbei – hörte sie nicht, sogleich, im Nacken eins jener Worte? – vor die Schwelle des Schlafzimmers und hinüber. Ein kopfloser Griff: die Tür fiel zu. Darangelehnt, die Hände vors Gesicht gedrückt: ›Zu viel Demütigung, zu viel!‹ Mit geschlossenen Augen fand sie zwischen den Möbeln und am Bett vorbei – ›Oh, ich kenne dies Zimmer, und es kennt mich!‹ –, und dennoch strauchelte sie, glitt und meinte, wie ekle Tiere, die Bilder von damals, die sie mit ganzer Seele niederstieß, unter ihren Füßen zu spüren.

Nach allem hatte sie irgendwie den Garten erreicht, ein Versteck und Finsternis. Ermattet und gleichgültig sah sie vor sich hin. Es wetterleuchtete – wie damals. Ins Dunkel, neu gesammelt und mit Beben: ›Muß ich mich noch länger quälen? Arnold?‹ Jetzt enthielt die dunkle Luft diesen Namen, war erlöst und leichter zu atmen.

›Bist du genug gerächt? Siehst du, ich bin hergekommen, weil ich mich deiner Verachtung ganz ausliefern wollte; weil ich deine Verachtung nötig hatte, wie ein Bad.‹

Sie schrak zusammen. ›Mein Gott! wenn er käme: wohin mit mir!‹

Sie griff sich ans Herz, lauschte – und fühlte das bange Lächeln wieder zergehen. Mit Seufzen:

›Wozu alles? Er hört nicht und hat längst verwunden. Man muß krank sein, um sich aus seiner eigenen Natur eine Marter zu machen. Ich habe nichts getan, was gegen meine Natur wäre.

Doch. Ich bin nicht Maria, die breit in ihrem Fleische lebt; der seine Freuden rein sind. Sie gehört nur ihm: die Glückliche... Ach nein, ich will nicht lästern, mich nicht selbst verleugnen.‹

Sie atmete tief ein; ihr schwindelte; und sie fühlte sich aufgehoben.

›O Arnold! weißt du nicht mehr? Wir liebten uns, als

wären wir schon auf einen jener späteren Sterne entrückt gewesen, wo das Höhere in uns sich einen eigenen Körper schaffen soll.‹

Staunend bewegte sie den Kopf.

›Ich bin, denke ich deiner, ganz erfüllt vom Licht jener Mondnacht, durch die wir gingen.‹

Sie hielt das Gesicht, die geschlossenen Lider einem milchigen Glanz hin.

Und sie besann sich wieder auf das Dunkel.

Nach kurzem Schlaf trat sie aus dem Hause, in einen frischen, perlfeinen Morgen. Zum flimmernden Himmel duftete der weiche Kranz der Berge; klar schossen die Türme hinein; und Glockenklänge wandelten den reinen Raum entlang und sprangen durch ihn hin. Aus der Pforte von Blumen, am Rande der Treppengasse, quoll Blau. Unter betendem Gemurmel entstiegen grelle Standarten der Tiefe und schlangen ihre Flammen in den blauen Tanz des Lichtes. Kleine weiße Mädchen mit wippenden Flügelchen trippelten durch die Blumenpforte; die Sandalen der Mönche schlürften unter ihr hin; der Baldachin des Bischofs neigte sich vor ihr; und Volk in seinem Herdenstaub drängte nach und stieß seine grobfrommen Stimmen durcheinander. Am Ende der Terrasse, im Tor der Klosterkirche, warteten die Nonnen, mit lichtergestirntem Dunkel hinter ihren blassen Gestalten. Die Orgel schnob und grollte. Plötzlich ward sie von Stille geschlagen; – und das Meer ihres Tobens hinterließ nichts als das Rinnsel eines Kindersingens.

Wie alles, was diese Luft bespülte, rein, wie die Menschen makellos waren! Diese glockentonsatte Luft, worin Seelen badeten, hatte Lola – schrecklich fiel es ihr aufs Herz – einst mit frechen Liebesschreien zerrissen! Sie drückte sich in die hohle Wand des Portals, empfing Staub auf Schultern und Haar, spähte von fern, als eine Unwür-

343

dige, nach dem Segen jener Gebärden und Worte und sah, darbenden Gesichtes, den Füßen der Fortziehenden zu, die an ihr Kleid stießen. Dann klappte das Tor; und wie Lola den Kopf hob, bannte sie die dunkle, fensterlose Mauer des Klosters. Kühl war sie und starr; vor unergründlicher, starrer Kühle wachte sie. Wen sie aufgenommen hätte! Wer hinter ihr vergangen wäre! Einst hatte Lola mit Haß zu ihr hinaufgeschmachtet; hätte sie stürmen wollen; hätte aus ihrem schamlosen Blut jenen eingeschlossenen Frauen solche Dinge ins Ohr sagen wollen, daß sie für den Rest ihrer Tage ihren kläglichen Frieden verlieren sollten. Jetzt wünschte sie sich selbst, so streng und unversucht unter jenen Gewölben zu enden, den Hauch des Geistes kühl auf dem Scheitel. Die Gedanken gebunden, in Gesänge und Gebete gemessen, das Träumen selbst der Nacht durch eine gebieterische Glocke zerschreckt, Stacheln in der Haut und leeres Herz: das lockte. Das Nichts lockte. Noch leben, noch am Leben sein – und dennoch den aus der Seele verstoßen haben, dessen man sich unwürdig gemacht hatte! Den letzten Atem nach einer Richtung seufzen, wo er nicht weilte! War's Buße genug? Dann sollte es vollbracht werden.

Der Mittag drückte. Sie hielt sich kaum aufrecht und hatte doch den Kopf voll brennenden Dranges. Das Gehirn brachte die Gedanken hervor, wie aus Wunden. Die Glieder wurden, die Terrasse hin und her, durch Sonne geschleppt und durften nicht ruhen. Manchmal wandte der Blick sich, lechzend, nach dem glitzernden Streifen am Horizont, in der Lücke zwischen zwei Bergzügen. Das Meer! Es war der Ausgang und war unerreichbar. ›Ich bin gestrandet. Bin ich bestimmt, hier zu enden? Ich mag nicht in das Haus dort und kenne doch kein anderes, in das ich gehörte. Vielleicht werde ich nie mehr menschliche Gesichter sehen? Wie sollte ich dazu kommen, sie aufzusuchen!‹ Plötzlich schwindelte ihr's, und heftige Angst durchflog sie. ›Es ist aus‹, dachte sie und lehnte sich an den Pfeiler beim Haustor. Die Schwäche des Herzens dauerte noch. Lola rief nach Hilfe; aber der kraftlose Ton verging ungehört. Überwältigend weit umwogte blaue Luft ihr geängstigtes Gesicht; Quadern blendeten hart; und wie sie über sich blickte, sah ihr, vom Torgiebel herab, das entfleischte, gierige Gesicht eines Fabelvogels aus schwarzen Höhlen in die Augen. Sie ließ sich gleiten und hing, die Lider geschlossen, am Hals des Greifen, der das Tor hütete. ›Also hier. Hier sterben. Warum nicht? Wohin hätte dies noch führen sollen. Nur steinerne Geschöpfe umher, und ein Himmel, der von mir nichts weiß. Genug.‹

Und als sie sich ergeben hatte, kehrte ihr Kraft zurück. Sie konnte aufstehen und den Torflügel fortschieben. Ungesehen entkam sie in ihr Zimmer. Lange Tage ging sie nicht aus, vermied den Anblick der Hausgenossen, sann im Halbdunkel, matt und verstrickt, den Wegen nach, die hierhergeführt hatten, und den Schicksalen, die irgend einmal an ihres gerührt hatten. Mai war nun drüben, hatte Europa, die »Fremden« und auch Lola gewiß vergessen und schrieb niemals. Für Mai gab es nur körperliche Beziehungen; der Geist war nie, wo nicht auch der Körper weilte. Mai lebte im Stoff und im Augenblick; ihre Persönlichkeit zerflatterte mit den Dingen; sie war glücklich. In Lolas Leben hatte sie, nach der zweiten Trennung, gar keine Lücke gelassen; Lola dachte, da sie sich Mais erinnerte, nacheinander an ein Reiseabenteuer, an die Miene eines Mannes, an ein Kleid. Eine Masse Auftritte kehrten ihr wieder, hastige Vergnügungen, Müdigkeiten, Drang der Sinne, Zuflucht zum Gesang, das Gesicht der Branzilla, gelb und irr, mit den schwarzen Augenhöhlen des steinernen Vogels draußen überm Tor... Lola strich die Vision von den Lidern. Sie sann beschwerlich weiter. Da war Paolo, ihr Bruder: ein Name nur, kein Gesicht, nichts, was sich vor die Seele hinstellte und befreundet

lächelte. Sie verstand seine Sprache nicht, er verdiente ihr
Geld, und sie hatte ihm nichts dafür zu sagen. Von anderen Verwandten, dort drüben, anderen Wesen, mit denen
sie Blut gemein hatte, waren ihr sogar die Namen unbekannt. Vielleicht nannten sie zufällig einmal den ihren?...
Auch näher bei ihr lebten Menschen, denen sie sich zu-
rechnen durfte; die Pai liebgehabt hatten und um seinet-
willen auch Lola! Eins nach dem andern, rief sie die Gesichter herbei: die Brüder ihres Vaters, dann jene Vettern
in München. Zögernd folgten sie; und verschwanden
rasch, wie unlustige Besucher, die festzuhalten man sich
schämt. Lola sah bitter ins Leere. Keine Gemeinschaft.
Nichts übrig, von allem Erlebten nichts, worauf sich
bauen ließe. Sand ringsumher: heimtückisch herabrieseln-
der Sand; und in der Wüste ihres Lebens nichts Menschliches. Einer war darin begraben: der, an den sie nicht denken wollte.

Kein Gesicht?... Da kam ein ungerufenes, schüchtern
und herzlich: ein kleines gefältetes, bittend lächelndes
Altjungferngesicht. Erneste, ach ja: die war immer da.
Die, der Lola die längste Zeit ihres Lebens hatte ins Gesicht sehen müssen, war ein gutes, unbeträchtliches Geschöpf aus ganz anderer Empfindungswelt, eine Bezahlte,
bei der nur äußerer Zwang Lola festgehalten hatte. Sogar
jetzt noch, da Erneste tot war, trug Lola es ihr nach, daß
sie so viel mit ihr allein geblieben war, sich unter den immer ängstlichen, beschränkten Blicken dieser Verküm-
merten hatte entwickeln müssen. ›Wieviel freier und
glücklicher könnte ich jetzt sein, wenn ich hätte Schauspielerin werden dürfen! Oh! man hat sich sehr an mir
versündigt.‹ Die kleine Tini war's geworden, ihr war das
Schicksal günstiger. Marie Gugigls kleine Schwester, die
schon fast Diakonissin gewesen war, jetzt spielte sie
irgendwo in der Welt Komödie. Neugier kam Lola an,
nach Kunde aus solch einem Leben, aus dem, das auch

ihres hätte sein können. ›Und wir fühlten uns doch zueinander hingezogen. Wir verstanden uns doch.‹ Das schrieb sie Tini und daß sie sie um ihre Laufbahn fast beneide. Es kämen Zeiten, wo man wünschte, man wäre wieder auf sich selbst gestellt. Übrigens sei sie mit ihren Verhältnissen ganz zufrieden, setzte sie, aus Scham, hinzu. Plötzlich fiel ihr die sonderbare Dankesschuld ein, die sie an Tini band. Tinis verstellter Brief, der es Lola ermöglicht hatte, Pardi entgegenzureisen. ›Mein Gott, wie vieles liegt dazwischen! Und Tini opferte mir ihre große Backfischleidenschaft! Mit schweren Seufzern des Verzichtes hat das Kind mir nachgeblickt, wie ich dem Glück in die Arme eilte. Und nach drei Tagen ist sie damit fertig gewesen, mit dem großen Ereignis, woran ich den Rest meines Daseins zehren werde. Zu denken, daß ich beneidet worden bin!‹ Sie schrieb: »Und ich beneide andere nicht mehr, als sie mich beneiden. Scheint nicht jedem das wünschenswerter, was er verfehlen mußte, um zu erlangen, was ihm beschieden war?«

Der Brief ging in die Welt. Lola sann, in ihren menschenlosen Zimmern, hinter ihm her. Nun kam er an, ward Tini in die Probe getragen. Tini las ihn in der Erwartung ihres Stichwortes, steckte ihn weg und hatte ihn, bevor sie hinausmußte, schon vergessen... Nein: ihre Antwort kam, am ersten Morgen, da sie kommen konnte. Tini schrieb:

»Liebe Lola. Beneide mich lieber nicht. Damit ist nicht gesagt, daß ich nicht zufrieden bin. Aber was für mich paßt, könnte Dir doch sehr wenig erfreulich vorkommen. Man darf in meiner Lage nämlich nicht so große Ansprüche an das Glück machen, wie Du, glaube ich, tust. Dir würde es, wie ich Dich kenne, nirgends genügen. Von Leuten, die in Florenz waren, hörte ich, daß Deine Ehe nicht für besonders glücklich gilt. Ich darf Dir dies, obwohl Du versuchst, Dir nichts merken zu lassen, wohl verraten: denn, wie mir scheint, unterschätzt Du doch sehr den Preis, den es mich damals gekostet hat, Dir dies Glück zu lassen. Ich hätte nämlich selbst darum kämpfen mögen und fühlte mich ganz gut dazu imstande. Denn ich bin nicht das unbeträchtliche kleine Mädchen, von dem Du Dir damals ein bißchen Gefühl schenken ließest und an das Du sogar noch jetzt Deinen Brief richtest. Das bin ich nicht. Ich habe schwer genug gelitten Deinetwegen. Heute kann ich Dir sogar sagen, daß ich in dem See, worin Gugigl einmal bei Mondschein so schön badete, an einem nebeligen Oktobermorgen beinahe ertrunken wäre. Wozu das alles, wenn ich nicht Dich noch viel heftiger geliebt hätte, viel hingebender als ihn? Du hast darauf nicht achtgegeben, oder nur, um ein wenig mit mir zu spielen. Wir hätten uns verstanden, meinst Du? Nein, ich Dich damals auch noch nicht. Inzwischen habe ich freilich über Dich nachgedacht und mir gesagt, daß Du ein anständiger, aber liebloser Charakter bist... So, Lola, das konnte ich Dir nicht ersparen. Im übrigen wünsche ich Dir, daß Du Dich einlebst. Das dauert wohl manchmal lange. Auch ich habe Zeit gebraucht, bis ich ganz entschlossen meine Kunst allem, aber allem voranstellte. Wenn ich heute noch einen Mann liebe, nehme ich ihn doch durchaus leicht. Und sobald er meiner Kunst gefährlich wird, mache ich mich unerbittlich von ihm los. Die moderne Frau hat glücklicherweise ihr Schicksal selbst in Händen, und Klagen wären überflüssig. Möge es Dir wohlergehen. Mit Gruß.

Tini.«

Empört warf Lola den Brief hin. War ihre Annäherung nichts Besseres wert als dies? Dann erinnerte sie sich: ›Ach ja, so waren sie dort hinten! Etwas hart vor Tapferkeit und Selbständigkeit, etwas anspruchsvoll. Noch ein wenig neu in der Freiheit und darum nicht ganz sicher im Geschmack: so waren die Frauen dort all und natürlich auch Marie Gugigls kleine Schwester. Die Hiesigen haben sie mir von solchen Seiten gezeigt, daß ich die Nachteile jenes anderen Typus beinahe schon vergessen hatte... Aber sie wäre fast gestorben?‹

Lola nahm den Brief wieder auf.

›Das war also mehr als Kinderei? Sie hat mich so sehr geliebt, daß sie lieber sterben als mir mein Glück wegnehmen wollte? Als ich abreiste, lag sie krank im Bett: ich war selbst so verstört, daß es mich bloß flüchtig ergriff, daß ich darüber hinweggehen konnte. Und die Tage vorher: so fieberhaft und zerrissen war sie! Ihr Blicke, die darum rangen, mich nicht zu hassen! Wie sie sich gequält hat! Das konnte ich vergessen? Das konnte mir verschwimmen und seine Kraft verlieren?‹

Lola richtete sich im Bett auf, als träte ein Unerwarteter ins Zimmer.

›Dann bin ich also blind und undankbar! Sie hat recht: ich verlange alles; ich wundere mich, daß ich nicht von Liebe umringt bin; und ich gebe nichts. Habe ich Erneste gegeben? Habe ich Pai gegeben? Mein Gott, also lieblos? Wirklich lieblos?‹

Sie ließ sich sinken, drückte das Gesicht weg.

›Und ich habe doch so viel Liebe erträumt, für so viele! Als Kind war ich bereit, für Mai, für Erneste zu sterben. Ich ersehnte der Menschheit einen bessern Stern. Nur mir? Wer sagt das? Nicht auch jenem die Heimat suchenden Auswanderer, dessen Schicksal meinem glich, und allen, allen? Ich litt, noch voriges Jahr, mit jenen Bauern, denen mein Mann ihr Geld nahm. Auch Tini habe ich liebgehabt, lieber, als sie meint... Wen aber habe ich's je fühlen lassen? Wem ist wohler geworden durch mich? Ich bin eine Unfruchtbare! Mein Gefühl war nie mehr als selbstsüchtige Spielerei. Die wirklichen Menschen berührte ich damit nicht. Konnte ich denn zu ihnen? Ich war allein und einzig und litt, meinte ich, so viel mehr als alle! Sie waren in meiner Schuld; sie hatten mich so einsam gemacht, hatten mir die Heimat genommen.‹

Sie stand auf, riß den Vorhang von der Gartentür und spähte leidenschaftlich in die Ferne.

›Pai tat das! Er war der erste, der mir die Liebe verbitterte. Ich glaube an keinen Menschen mehr, seit er mich, sein kleines Mädchen, in einem fremden Garten heimlich verließ. Er hat mir Mißtrauen und Menschenhaß fürs Leben mitgegeben. Durch seine Schuld habe ich alle Liebe, die mir je entgegenkam, verkannt und versäumt: seine eigene und Ernestes... Erneste!‹

Das alte kleine Gesicht kehrte wieder, voll schüchterner Mütterlichkeit. Es machte sich künstlich streng, weil es in ein ablehnendes Kindergesicht sah.

›Immer habe ich mich zurückgehalten, habe die Arme steif gehalten, damit sie sich ihr nicht von selbst um den Hals legten. Warum? Oh! der Tag im Gebirge...‹

Sie fühlte sich wieder, als Herangewachsene, jenen Sommer vor der Trennung, bei ihrer alten Gefährtin. Draußen im Bergwald hatte unter Stürmen Alliebe sie geschüttelt; und vor dem menschlichen Herzen dort hinterm Tisch verstopfte sie die Ohren und las. Dennoch fielen wieder, durch Ernestes Scham getrennt, die zart werbenden Worte. Lola atmete rascher. Oh, zugreifen! ›Ich bin nicht taub, nicht fühllos!‹

Zu spät. Erneste war tot. So war Pai tot gewesen, bevor Lola ihn hatte lieben können. Die Arme trostlos erhoben, warf sie sich auf die Schwelle. Der Wind schlich ihr über den Rücken, er fingerte geisterhaft schwach in den Falten ihres Hemdes, wie Hände von ehemals.

›Und auch er, auch er ist versäumt! Arnold!‹

Sie schrak auf; Blut stieg ihr ins Gesicht; und als habe mit dem Klang seines verbannten Namens der Mann selbst an die Scheibe geklopft, bedeckte Lola sich.

Sie verlangte den Wagen, trieb zur Eile, stieg zitternd über die Treppengassen auf den Platz hinab. Nur diesen Gedanken nicht! ›Ich bin seiner zu unwürdig, ich beflecke ihn, wenn ich mich nach ihm sehne. Und mir selbst nehme ich das letzte Recht, mich zu achten.‹ Auf den Karren und »Fahr zu!« Sich betäuben mit Wind und Schnelligkeit. Aber an der Straße, hinter einer Pforte und den Hut in der Hand, stand Arnold, wie er bei ihrer letzten Begegnung hinter der Pforte gestanden hatte, die sie öffnen wollte. Sie schloß die Augen. Umsonst; sein schmerzliches, unsicheres Lächeln war hinter ihr: dies Lächeln, das zurücktrat und sie aufgab... Und den Weg, zwischen Zypressen von einem kühlen alten Landhause her, kam er, und sie stieg aus und ging ihm entgegen: denn dort wohnten sie beide, die sich gehörten.

Wie beißend in seiner Süßigkeit war dies Gesicht! Es hätte sein können! Unter Liebe, wie im Grunde ewigen Sommerlaubes, versteckt und geborgen; Tau und Gezwitscher in Augen und Ohren; und in der Melodie des frischen, lebendigen Morgens vereint, wie ein Paar sorgloser Klänge. Lola sehnte sich nach dem schönen Morgen, durch den sie fuhr. Ihr war, als erlebte sie ihn nicht und hätte ihn doch erleben können. ›Da ich eine Heimat suchte: wie begehrenswert war die, die unsere beiden Seelen uns erbauen konnten! Ich habe eine ganz äußerliche vorgezogen, weil sie üppiger schien, und habe mich in Schande und Lüge finden müssen. Wie er mich klein gesehen hat! Kein Mensch sah mich so, und ihn muß ich lieben! Er hatte recht, daß er stolz war und mir nicht nachreiste. Wozu? Wenn eine einen Pardi vorzieht, überläßt man sie ihrem albernen Schicksal. Aber mag es albern sein, dennoch schmerzt es, Lieber! Könnte ich dir manches erklären! Wüßtest du, was ich leide, und daß ich doch für mein Schicksal nicht klein genug bin! Ach! meine Sühne ist, daß du's nicht weißt und daß ich schweige...‹

Mit verzweifelnden Augen sah sie durchs Land nach Hilfe aus. Der Meilenstein, der sich näherte, machte ihr Lust, sich ihm entgegenzuwerfen. Unter dem Druck der äußersten Not stieg es in ihr auf: ›Ich will dir alles sagen, was ich bin und wodurch ich es wurde. Alles, was ich gelitten habe, warum ich dich gehen ließ, wie ich gekämpft und verloren habe, beschmutzt, krank und ganz verlassen ward. Du sollst es nicht hören, aber ich will es dir sagen. Es wird sein, als schriebe ich's auf die Mauer zwischen unseren beiden Gärten, und du wirst sie nie übersteigen. Es wird sein, als sagte ich meine Beichte dem Meer, das uns trennt und das sie überschreit. Sei ruhig, du vernimmst keinen Hauch meines Geflüsters. Ist es nicht verzeihlich, da ich sonst stürbe?‹

Zu Hause, unter Tränen, schrieb sie ihre Kinderjahre auf. Sie führte sie ihm zu, wie einen Zug kleiner dahingeschiedener Mädchen, die er noch einmal segnen und bedauern sollte. Als sie, aufatmend, in den Nachtwind trat, schien der Tag, der vorüber war, ihr voll und tröstlich.

Sie wollte weiterschreiben, ließ Wochen ohne einen Satz und glaubte doch, träumend, die dunklen und die lichten Tage an ihm vorübergeschickt zu haben: noch die schlimmsten mit unverhülltem Haupt. Er kannte sie ganz. Sie hatte, um sich ihm ganz zu entdecken, namenlose Scham bestanden. Sie hatte durch Tränen nach seinem Verständnis gebangt. Sie hatte sich, wieder wie einst, von seiner Seele durchdringen lassen und hatte zu seinen Füßen sich in Schlaf geschluchzt. Nun sah sie mit Staunen den Garten welken. Der Sommer zu Ende? Und sie war nie müßig, nie einsam gewesen! Immer war er gegenwärtig gewesen, zuerst als Geist, der ihr zweiflerisch und bitter über die Schulter sah; und endlich wie ein Hausgenosse, dessen Atem sie manchmal beim Lesen auf ihrer Schläfe spürte und dem sie die durchlaufene Seite hinhielt, damit auch er sie beende. In ihre Augen trat noch, sooft ihr Inneres ihn ansah, Demut. Ihre Schuld war um nichts kleiner. Aber sie konnte fortan mit ihm in Frieden leben. Er wollte nicht, daß sie sich um ihn ängstigen, zu seiner Versöhnung sich quälen sollte. Sie durfte Ruhe genießen. Sie fühlte sich weit gesunder, zuversichtlicher, besser gewappnet gegen die kommenden Alltage. Ihre Spaziergänge wurden lang; der Herbstregen, der schwül einsetzte, erschlaffte sie nicht. ›Vertrage ich endlich das Klima eines Landes ganz?‹ Pardi verlangte sie zurück. ›Warum nicht? Auch mit jenen Menschen wird sich leben lassen. Ich muß sehr krank gewesen sein, um dem, was ich bei ihnen erfuhr, so völlig zu erliegen. Bleibe nicht, wo ich auch sein mag, ich selbst mir? Und nun bin ich gesichert, da ich den zurückhabe, den ich liebe. Unter all den Fremden werde ich mich oft nach einem Vertrauten umwenden, den sie nicht sehen, und mich mit ihm verständigen.‹

Jeder fragte Lola:

»Contessa, was haben Sie für eine Kur gebraucht? Sie sind schöner geworden, wissen Sie. Am Ende des Winters sahen Sie nicht gut aus, jetzt aber sind Sie wieder vollkommen schön.«

Sie ging aus, soviel man wollte, gab sorglos ihre Kraft und Anmut hin. Die Triumphe im Casino Borghese kehrten wieder; sie fühlte um sich her den Wettlauf der Männer, angespannter als damals, und ihre unbedingte Sicherheit, einer werde bei ihr ans Ziel kommen. Allen schien der kritische Zeitpunkt da; in aller Augen war sie reif für den Liebhaber, auch in Pardis. Überall im Ballsaal begegnete sie seinem drohenden Blick. Sie verhielt sich gelassen weltlich, ein wenig kokett sogar, in der Empfindung, sie müsse diese armen Leute dafür entschädigen, daß sie im Herzen so weit, weit von ihnen weg sei; und auch in der Scham dessen, den eine geheime, innige Religion erquickt und der den Spöttern ringsum ihre leichten Freuden nicht verleiden möchte. Das lauteste Fest fiel, verließ sie es, ganz plötzlich hinter ihr zusammen, wie eine bunte Drahtpuppe, und Lola in ihrer Wagenecke lächelt still und schwärmerisch. Pardi sagte, als ein Laternenschein sie getroffen hatte:

»Du hast zu oft mit Valdomini getanzt.«

»So? Ich habe nicht darauf geachtet.«

»Aber andere achten darauf... Übrigens verstehe ich den guten Valdomini nicht. Er ist hinter dir her in einer für sein Alter gradezu lächerlichen Art. Weißt du, daß er ein sans-ventre-Korsett trägt? Tatsächlich; sein Bauch würde sonst hängen.«

»Ich habe ihn mir noch nicht so genau angesehen.«

»Er ist mein Freund, und ich werde niemals leugnen, daß er früher große Erfolge bei Frauen gehabt hat. Trotzdem scheint es, daß er neulich bei der Baldelli abgefallen ist.«

»Wer kann das wissen«, meinte Lola leichthin; und Pardi, gespannt bei der Sache:

»Wenn sie umhergeht und es erzählt! Schade um ihn: der Takt, rechtzeitig aufzuhören, hat ihm gefehlt. Jetzt wird keine ihn mehr wollen, da schon die Frau eines kleinen Advokaten ihn abgelehnt hat.«

»Sie ist sehr hübsch«, sagt Lola, um etwas zu sagen; aber sie spürte, wie jede ihrer Antworten ihn heftiger reizte.

Im Theater in Lolas Loge fing am Abend darauf Deneris an:

»Valdomini ist in der Klubloge. Ich weiß nicht, mir gefällt sein Frack nicht. Dabei soll er früher von allen den elegantesten gehabt haben.«

»Das war vor unserer Geburt«, sagte Nutini.

Lola erwiderte Valdominis Gruß. Er trat, die schlanken Schultern weit zurückgeschoben, die Hände in den Hosentaschen, nachlässig an die Brüstung und überflog die Bühne. Botta bemerkte, fett und phlegmatisch:

»Der Tenor ist gemacht: Valdomini hat ihm zwei Minuten lang in den Mund gesehen.«

Alle lachten, bis gezischt ward. Im Hintergrund flüsterte einer durchdringend:

»Tatsächlich hat er die Calzolai gemacht, aber nicht die kleine Lisa, sondern Tisa, ihre Mutter. Er verwechselt das; er hält sich für einen Zeitgenossen der Lisa.«

»Sein Irrtum bleibt nicht ohne Folgen«, erklärte Botta. »Die Baldelli –«

Und er erzählte von der Baldelli.

»Sie wird rechtzeitig gefühlt haben, daß er ein Korsett sans-ventre trägt«, meinte Nutini. Lola lächelte ihm in die Augen. Sie dachte an die Zeit, als er bei ihr gegen Pardi arbeitete. Jetzt, angesichts einer neuen Gefahr, verbündete er sich ihm. Sie schüttelte leise den Kopf, und indes sie das Gesicht nach der Bühne wandte, kehrte sie innerlich zu ihrem Eigensten heim. Von Klatschen und Geschrei aufgeschreckt, mußte sie sich besinnen; die Begehrlichkeiten, die Intrigen um sie her sahen sich wie Spuk an, geschahen kaum auf festem Boden.

Valdomini kam und unterhielt sie während der Pause. Er teilte in der Loge Händedrücke aus, die mit Hingabe erwidert wurden. Als er fort war, ahmte Botta ihm nach.

»Ich brauche wohl Sie und mich nicht anzustrengen und aufzuregen, Contessa. Sie wissen, wer ich bin und daß ich bereit bin.«

»Und«, fuhr Nutini fort, »meinen Bart behalte ich, wenn jetzt auch alle rasiert sind. Ich behalte ihn aus Pietät für die vielen, die ihn geliebt haben. Manche sind schon im Jenseits und lieben nur noch Gott, der ihren armen Seelen gnädig sei.«

Er bekreuzte sich, ließ in seinem ausgemergelten Gesicht den Mund stumm betend auf- und niedersteigen und schielte dabei auf seine Nasenspitze. In das Gassenjungengelächter trat Pardi; seine Augen stießen, mit bösem

Mißtrauen, nach jedem. Beim ersten Wort gegen Valdomini:

»Vergessen Sie nicht, daß er mein Freund ist!«

Er befreundete sich ihm sogar noch enger; er ließ ihn kaum mehr von seiner Seite; er begleitete ihn in die Häuser, wo er Lola treffen konnte. Und die übrige Zeit blieb er bei ihr. Er hatte wieder angefangen, ihr Blumen und Geschenke mitzubringen, ging selbst, ihr ein Band, eine Feder zu besorgen – und aus den Büchern, die er früher in die Ecke geschleudert hatte, wollte er ihr jetzt vorlesen. Er unterbrach sich, um ihr seine alten Triumphe zu erzählen. Früher hatte er davon geschwiegen. Sie war am Morgen noch nicht fertig angekleidet, und er klopfte schon, fragte, wie sie geschlafen habe, und wiederholte seine ironischen und zarten Werbungen. Endlich:

»Wir sollten wirklich wieder im selben Zimmer schlafen.«

»Wie geschmacklos, mein Herr! So alte Gatten wie wir!«

»Ich versichere dir: wenn ich am Morgen vor deine Tür gehe, ist mir zumut, als hätte ich bei dir erst noch alles zu erreichen; als wäre ich dir kaum bekannt.«

Und Lola, über die Schulter weg, vor Selbstsicherheit kokett:

»Dann betragen Sie sich auch so, bitte… Und was hat man Ihnen soeben für ein Billett gebracht? Ich rieche es bis hierher. Sie denken es nicht einmal zu lesen?«

Er errötete, erbrach trotzig das Siegel. Lola sah, es war Claudias. Sie ging dreist an ihm vorbei und hinaus. Sie fürchtete ihn nicht. Ihr war Geistesgegenwart gekommen, Ruhe und die Fähigkeit, die Lage zu überblicken und mit der Schwäche des Gegners zu rechnen. In frischer Luft fühlte sie sich und alle Organe frei zum Kampf. Früher, schien ihr, war sie traumbeschwert, unsicher von Begehren, von Grübeln, durch die Welt hier gegangen. Jetzt hatte sie die Gewißheit, sie zu beherrschen, mit keinem Schleier ihrer Seele, die immer um einen Entfernten schwebte, mehr in sie verstrickt zu sein. ›Ich gehöre nicht hinein, aber sie genießen, rasch und ohne Verpflichtung, wie eine Vorüberreisende, warum nicht?‹

Und sie nahm, stürmisch und mit Dankbarkeit, diesen Winter in sich auf, der sie der erste ganz reine deuchte, dies Land, das sich ihr verjüngt hatte. Oben auf dem Piazzale war sie aus dem Wagen gestiegen. Durchblaute Wolken zogen über ihr, und unten, durch die Stadt, unter sonnigen Brücken hervor, der Fluß, in goldblauen Strängen. Der goldene Wind warf seine Arme um den großen bronzenen David, um die von Licht bebenden Hügel ringsum – und er stürzte sich in die Stadt, in ihre wilden kleinen Gassen, auf ihre grellen Kais und ihre Plätze mit großen, von Zinnen, Giebeln, Statuen ausgezackten Schatten. Glück leuchtend, boten in schwarzen Laubmassen, auf den Hügeln, Villen sich dar... Und nun der Wind abbrach, der Himmel sich bezog und sich dämpfte, lockte jenes erloschene Haus, im Steingrau sanfter Bäume, noch dringlicher. Die Glocken klangen gehaltener; ernster; und fern, jenseits der Gartenwellen der letzten Hügel, dunkelte im grauen Horizont das starke Blau der Berge, wie Augen, die Sehnsucht verdüstert.

›Und ich habe kein Recht, mich zu sehnen. Jenes Haus, oder vielleicht das dort, gehört mir selbst; Pardi spekuliert mit dem Öl des Hügels. Er spricht zu hitzig davon, ich bin besorgt um ihn...‹

Plötzlich wandte sie sich weg und winkte dem Kutscher.

Dieser Winter schmückte sich mit einer Kette zeitloser Tage; sie waren da wie eine Spiegelung märchenhafter Küsten. Eine blaue Flut von Jugend wallte einem in Augen und Mund. Mit entzücktem Staunen horchte man auf irgend etwas Köstliches, das unverhofft zurückkehrte, leise wieder anschlug. Nun mitten im Januar der Himmel ganz weich zwischen den glitzernden Eichenkronen floß, die Statuen auf den Palästen zerschmolzen im Blau und dies Blau sich in Säulenhöfe und Hallen wie seidene Fahnen schlang: da hob eine Melodie, die geschlafen hatte, in einem die Lider auf. Lola hatte in der Luft, die sie ein wenig erstickte, vor sich die Augen Pardis. Sie waren der höchste Aufstieg dieser Melodie gewesen. Sie mußte man gefühlt haben, um dies alles zu fühlen.

Wie bei einstigen Gefährten, denen sie unverhofft nochmals begegnete, blieb sie wieder vor den Statuen stehen. Sie waren überall; die Stadt war erfüllt und beherrscht von Statuen, die sich in Hallen und auf Plätzen versammelten, wie ein Haufe schönen, sinnlichen Volkes; die von Brunnen, aus Nischen ihre lauten Gebärden ins Marktgewühl mischten; deren starken, frechen Mündern man die schleierlosen Stimmen der ganzen Menschenmenge entquellen hörte und von deren göttlicher Nacktheit all dies Leben nackt schien.

›Die Kunstwerke! Es ist wahr, sie alle sind Fleisch, sind die Verherrlichung des Fleisches. Aber nur in der Kunst ist es Herr und ist edel. Die Künstler – wir –‹, dachte sie ohne ihren Willen, ›erhöhen es über alle menschlichen Maße, über alle menschliche Kraft, und finden doch Kraft und Maß in uns selbst! Dann –‹

Mit einem Blick auf das dunkle Gewimmel, das zusammenschrumpfte.

›– kriechen wieder Menschen, klein wie je, darunter hin, und wir selbst haben die Augenblicke unserer Größe vergessen und begreifen sie nicht mehr.‹

In sich versunken die volle Straße forttreibend:

›Wie liebte ich doch Pardi! Welche schwärmerische Lust! Manchmal erlebte ich's, daß die Sinne mich auf ausgebreiteten Flügeln in den reinsten Äther trugen. Und dann gruben sie mich in Morast. Ich habe ihre Anbetung und die Kraft zu ihrer Verherrlichung in mir. Aber ich bin auch geboren, sie zu verachten. Ein ganz anderes Blut steigt mir auf einmal ins Hirn. Ich fühle anders, sehe anders, und mir schaudert vor dem, was ich gewesen bin.‹

Aufschreckend und sich zusammenziehend, wie verloren unter Feinden:

›Nicht noch einmal möchte ich solch Schaudern erleben.‹

Am Ende des Winters dann ein rätselhaft trüber Abend, voll des Gefühls von verlorenem Leben. Sie sehnte sich fort, hinauf, hinaus aus einem Schacht. ›Ich kann nicht länger—‹, sie wußte nicht, was. Ward nicht noch immer die »Tosca« gegeben? Niemand ging mehr hin; gleichviel. Und als die kleine Logentür hinter ihr dumpf zuklappte und harfend, mit verbleichenden Sternen und erster Morgenröte ein Garten von Tönen, ja plötzlich ein klingendes Paradies sie aufnahm, da stand sie, bebte, verschluckte Tränen, fühlte die Brust sich spannen und das Flügelrauschen der Erlösung über ihren zugedrückten Lidern. Das Glück! Diese Töne waren das Glück. Zwei Stimmen, zwei liebende Stimmen erhoben sich über Knechtschaft, Folter, Richtstätte, als zwei liebesbleiche, feurig gewappnete Engel. Alle Schranken fielen. Mächtig glänzend öffneten sich Himmel, die ganze Liebe waren. Lola fühlte und hatte kein Bewußtsein davon, Pardi sei eingetreten. Sie lächelte, ohne ihn anzusehen, ein Lächeln, das ihm bestimmt war. Oh! sie fand endlich zurück an die Schwelle jener Freuden mit ihm. Nichts machte ihr mehr Schaudern, denn alles war Liebe gewesen. Noch die Verirrungen: kannten nicht auch die beiden liebesbleichen Engel jener Himmel sie? Das Fleisch konnte heilig sein. Diese Musik heiligte es. ›Ich liebe dich! Ich liebe dich!‹

Da, ein Rachen, der ein einziges Mal zuschnappte,

schlang Stille alles hinab. Man hatte verloren, wo man war, man hatte den Atem verloren, mußte sich heraufkämpfen... ›Was habe ich getan? Mein Gott, er hat mich verstanden!‹ Er sprach, und seine Stimme machte ihr kalt und heiß. ›Allein, mit ihm allein im leeren Haus. Ganz ihm überantwortet. Wenn er jetzt zugreift, ist es der Tod. Er weiß, daß er's darf: wie soll ich noch leben!‹

Dabei wand sie sich unter den weichen Griffen seiner Stimme, die den Nachhall jener Musik beschwor, ihn aus der Stille zurückbannte.

»Ich bin so glücklich, mich einmal ganz allein mit dir zu finden. Du bist schöner als je, ich liebe dich mehr als je. Hast du gehört, wieviel Liebe in dieser Musik? Für uns, du Engel, für uns! Komm, ich will Dir Dinge sagen –«

Sie sprang auf; ihr Stuhl fiel um.

»Ich habe Beängstigungen, laß mich fort, ich werde wieder krank, schon wieder. Oh, wohin?«

Er folgte ihr bis in ihr Zimmer; er entwand ihr den Türgriff.

»Wozu, wozu. Sei endlich ehrlich! Du liebst mich. Und ich liebe dich.«

Sie riß sich los, sie flüchtete hinter das Bett.

»Was willst du? Ich kenne dich nicht! Sind wir nicht fertig?«

»Es scheint nicht. Und du entsinnst dich wohl noch meiner.«

»Du hast andere Frauen, nicht wahr? Laß mich gehen, ich bitte dich. Ich will fort. Alles war Irrtum, ich könnte dir's erklären. Ich verliere den Kopf. Mein Gott, ich will fort.«

Da er auf den Bettpfosten gestützt blieb, mit einem langsamen Lächeln, das seine Macht auskostete, bevor er zugriff:

»Den ganzen Winter habe ich dich von mir abgehalten, dadurch, daß ich dich habe merken lassen, ich kenne deinen Betrug. Ein Rest Scham machte, daß du mich verschontest. Behalte ihn! Laß dir nichts einfallen gegen mich! Ich bin verzweifelt!«

»Du bist verliebt: ich habe es gesehen. Ich brauche nicht auf mein Recht zu pochen; du liebst mich, das genügt. Was täte es noch, wenn ich andere gehabt hätte? Du würdest verzeihen. Übrigens ist es nicht wahr; ich liebe nur dich!«

Seine Augen flammten auf, sein Lächeln war fort; er stieß sich vom Bettpfosten ab, er setzte schon an, loszubrechen gegen sie. Da stockte er: sie stand auf der Fensterbank. Von unten kam das Klirren und Splittern der zerbrochenen Scheibe. Lola schrie:

»Nicht dich liebe ich! Ich liebe einen andern; – und rührst du mich an, spring ich hinab.«

Nochmals, gehaucht:

»Ich liebe einen andern.«

Er hielt sich knirschend zurück. Er schüttelte die Fäuste.

»Das ist nicht wahr! Ich werde dich holen, ich nehme dich!«

Aber er kam nicht. Lola hatte den Kopf im Nacken. Langsam:

»Ich bin nicht deine Gefangene. Ich kann sterben.«

Sie sah auf ihn nieder, der sich ohnmächtig abarbeitete.

»Und ihm, den ich liebe, verdanke ich meine Rettung. Du hast mich gemein und elend gemacht, weißt du das nicht? Ich war deine schmutzige Magd; er aber hat mich gereinigt und zu seiner Gefährtin erhoben. Das darfst du wissen: ich bin rein!«

Er keuchte: »Wer ist es? Ich werde ihn töten!«

»Du wirst ihn nie sehen. Auch ich sehe ihn nie.«

Er starrte sie an. Plötzlich sich abspannend, verachtungsvoll: »Du bist wahnsinnig, das ist alles. Ich habe die Pflicht, dich da herunterzuholen.«

Und er machte einen besonnenen Schritt. Aber sie hing am Fensterkreuz, schon halb draußen. Ihr Blick war irr und wild.

»Zurück, oder ich lasse mich fallen! An dem Tage, wo du mich anrührst, sterbe ich!«

Er hob Schultern und Arme, deutete sich auf die Stirn – und ging rückwärts, leise auftretend, hinaus.

Die Tür hatte sich geschlossen; Lola fühlte sich auf einmal schwach werden. Entsetzt sah sie unter sich, ins leere Dunkel. Die Knie zitterten; ihr schwindelte. Sie ließ sich, die Augen geschlossen, am Fensterkreuz hinab, tastete nach dem Boden. Zurückblickend:

›Wie bin ich dort hinaufgekommen?‹

Sie schleppte sich zur Tür, verriegelte sie. Und sie fand noch die Kraft, sich aufs Bett zu werfen.

›Noch einmal gerettet, noch einmal! Auf wie lange? Und ich glaubte mich geheilt! Ich kann mich also nicht auf mich verlassen? In allem lauert, unmerklich, die Verführung, in den Landschaften, in den Bildern, den Tönen: Alles ist geschaffen, mich schwach zu machen, mich zu erniedrigen; in allem ist der Mann, der mich erniedrigt. Die Luft selbst, diese Luft verdirbt mich. Ich habe nicht das Recht, sie zu atmen. Hätte ich vorhin mich fallen gelassen! Er, dem ich mich schulde, würde mir dann verzeihen können. Jetzt darf ich nicht zu ihm sprechen, ihm nie wieder das Gesicht zuwenden. Er weiß nun, daß ich lüge! Meine Lust nach dem andern ist Diebstahl an ihm, an ihm! Ihm bin ich verantwortlich für meine Seele, und bald wird sie nicht Kraft genug mehr haben, ihn zu lieben. Immer neue Zusammenbrüche des Fleisches werden sie abnützen. In meinem Laster wird meine Vernunft erlöschen, und ich werde mich nicht mehr hinaussehen können, mich nicht einmal mehr sehnen können.‹

Sie fuhr auf.

›Das soll nicht geschehen. Ein Gedanke noch an den anderen, und es geht da hinab!‹

Sie lief zum Fenster, sie maß die Höhe der schwarzen Quadern. Ihr schwindelte schon wieder. Das Haus deuchte sie ein düsterer Riese, der sie auf loser Hand trug, bereit, die Hand umzukehren.

›Ich werde es nicht können. Ich bin feige. Zuviel Begehren macht auch feige.‹

Im Umherirren, vor einem alten Schmuckkasten:

›Der? Vielleicht der!‹

Und sie zog den winzigen Revolver hervor: ein galantes Geschenk von einst, ein Scherz, weil damals ein Landstreicher sie frech angeblickt hatte.

›Ich habe Begierden erregt und geteilt, wo ich vorbeikam, überall. Ich mag mich nicht mehr leben fühlen.‹

Sie sank aufs Bett zurück. Lange blieb sie erschlafft. Dann, hastig an der Waffe fingernd, zu ihr flüsternd:

›Also ich schwör dir's! Da liegst du und bewachst mich. Und den ersten niedrigen Gedanken sollst du mir – hörst du's? – aus der Stirn schießen.‹

Sie warf den Revolver auf den Bettisch. Die eine der Kerzen verlosch, die andere flackerte. Lola sah an der Wand ihre Geste grotesk vergrößert.

›Bin ich ehrlich? Mein Gott, darf ich mir glauben? Wann bin ich denn ich selbst: jetzt, oder vorhin in der Loge? Kann solch Entzücken lügen? Mag sein, ich werde gequält um nichts. Das Glück der Sinne wäre dennoch das wahre; und jener Abwesende, mein böses Gewissen, ist nur dazu eingesetzt, mich zu quälen. Dies zu wissen! Wissen, wohin ich gehöre! Ich liebe doch Pardi. Noch an dem Kreuz liebe ich ihn, an das der andere mich schlägt! Sich gehenlassen können, nachgeben können: wie leicht wäre das Leben!… Klopft er?‹

Sie lauschte… Nein: sie hatte sich's nur gewünscht! Sie schlug die Hände vors Gesicht. Pardis Lippen erschienen

ihr, rot hervorstehend aus seiner Blässe. Plötzlich redete
sie Arnold an:

›Jetzt verlangst du wohl, daß ich mich töte? Ich tu's
nicht. Ich hasse dich!‹

Laut:

»Ich hasse dich!«

Von dem Schall erschrak sie, begann zu zittern, und
Tränen kamen.

›Verzeih mir! Sieh, wie ich elend bin! Es waren die
höchsten Freuden, als ich dich hatte.‹

Und sie sah sich, einsam und doch mit ihm, dem
Freund, in der reinen Ruhe des vorigen Sommers. Sie
spürte beim Lesen seinen Atem auf der Schläfe und hielt
ihm, bevor sie es wendete, das Blatt hin, damit auch er es
beende. Unvermittelt trat in dieselben Räume der andere.
Ihr Atem vermischte sich mit dem des andern, ihre Glieder verschränkten sich mit seinen. Sie atmete schwer; sie
warf das Bild der Lust von ihrer Brust hinab, sie streckte
die bittende Hand aus nach dem der Liebe.

›Oh! wärest du da. Rette mich! Komm!‹

Es tagte, und sie schluchzte noch:

›Komm!‹

III

Am Nachmittag erinnerte sie sich, daß Claudia empfange. Sie haßte Claudia nicht: fast war sie ihr ein Trost, die Gefährtin, die derselbe Mann schwachgemacht hatte und quälte. Sie fühlte sich von Claudia beneidet und mit schlechtem Gewissen geliebt. Sobald sie sie sahen, durchforschten Claudias Augen sie eifersüchtig. Dann hatte sie, in Gegenwart Fremder, diesen Ton, der um Harmlosigkeit bat; und kaum waren sie allein, ward sie fast demütig. ›Arme Claudia! Als ob du vor mir dich niedrig fühlen müßtest. Vor mir!‹

Wie Claudias Salon ihr geöffnet ward, schnellte dahinten vom Teetisch etwas Schwarzes, Gelbes, Zappelndes auf sie zu.

»Ah! Guidacci.«

Der kleine Priester trat zwischen sie und die anderen, tanzte vor Freundlichkeit, zwang seine großen kranken Hundeaugen, an den ihren festzuhalten – indes seine nervigen Hände nicht wußten, ob sie ihre Hand drücken oder durch die Luft fahren sollten, sein gelenkiger Mund alle die engen gelben Falten seines Gesichtchens auf und nieder riß und sein Atem, mit dem Geruch von Kellerluft, ihr ins Gesicht fuhr. Plötzlich:

»Wen habe ich Ihnen mitgebracht, Contessa?«

Und er machte ihr Platz. In diesem Augenblick bekam der Teetisch einen kopflosen Stoß, eine Tasse fiel über Claudia, die aufschrie – und Lola, die sich bleich werden fühlte, sah in ein Gesicht, das bleich war und zuckte. Sie fand keinen Atem, ein inneres Stammeln geschah: ›Arnold, Arnold –‹; und ihr Herz, mochte sie selbst ohne Regung stehen, beschrieb die weite, zitternde Gebärde des Armen, der nach langem Darben und Nöten des Todes an einer Straßenwendung auf seinen Wohltäter stößt. Sie dachte: ›Nun ist alles gut. Jetzt weiß ich, warum ich solche Nacht bestehen mußte. Ich habe ihn gerufen, er ist gekommen. Oh! jetzt wird sich's leben lassen.‹ Ganz hingegeben war sie der Güte des Schicksals; ihr Leben flößte ihr, wie einen neuen Atem, unverletzliches Vertrauen ein; – und wie sie wachgerufen ward, war's die eine Minute gewesen, in der Claudia sich das Kleid getrocknet hatte. Claudia umarmte sie.

»Das ist wohl eine angenehme Überraschung, Lolina?« – flüsternd, mit zaghafter Andeutung, daß sie verstehe. Die Augen des Priesters lächelten fiebrig; er preßte die Mundwinkel und fand den Platz nicht für Lolas Stuhl. Sie suchte, in plötzlicher Hast, ihr Tuch hervor und machte sich über Claudias Kleid her.

»Er hat eine Tasse umgeworfen? Ja, ich erinnere mich, er warf immer Tassen um...«

Alle lachten, erlöst und gutherzig. Unvermutet fing Lola, als entschädigte sie ihn für das Gelächter, auf deutsch an:

»Und wo waren Sie seitdem? Haben Sie kürzlich meine Verwandten gesehen? Ich hatte einen Brief von Tini: sie ist jetzt Schauspielerin... Meine kleine Kusine wollte Diakonissin werden und ist jetzt Schauspielerin«, wiederholte sie den beiden anderen; und deutsch weiter: »Was für Schicksale eigentlich! Wer alles hätte voraussehen können!«

Claudia bemerkte, tief erstaunt:

»Ich verstehe kein Wort.«

»Sie auch nicht, Herr Guidacci? Aber Sie kommen doch aus Deutschland?«

Ja, Guidacci kam aus Deutschland. Ihm gefiel das Bier.

Überhaupt das eigentümliche Leben der Länder dort oben. »Ah! reisen, etwas unternehmen. Er hatte London bei Nacht durchforscht.«

»Er kennt keine Furcht!« rief Claudia. »So allein!«

»Ich habe immer meinen Freund in der Tasche«; und er griff hin.

»Ich weiß«, sagte Lola, »Sie sind tapfer. In Prato«, erzählte sie Arnold, »vor zwei Jahren bei den Wahlen –«

Und, ein wenig leiser, auf deutsch:

»Sie wissen, in Prato sind viele Arbeiter. Herrn Guidaccis Besitzung liegt in der Nähe. Er hat sich einmal mit dem Revolver gegen den ganzen Hafen behauptet... Man spricht noch jetzt davon«, setzte sie hinzu und kehrte, mit einer keuschen Wendung, zur Sprache der anderen zurück. Der Blick des kleinen Priesters hatte, gespannt wie ein Hund bei der Fütterung, seinen Ruhm, Wort für Wort, von ihren Lippen geschnappt. Kaum schien sie fertig, zeigte er eine bescheidene Miene.

»Das ist nicht der Rede wert. Jeder gute Bürger kann jeden Tag in die Lage kommen. Da, noch gestern: bei San Lorenzo sehe ich einen Kutscher nach einem Kinde schlagen. Ich habe das Pferd zum Stehen gebracht, und der Mann wird bestraft werden.«

»Ein Pferd zum Stehen gebracht?« rief Claudia. »Er hat sich darangehängt, er ist geschleift worden, hat die Zähne zusammengebissen, und mit dem Schaum des Tieres ganz bedeckt, hat er gesiegt!«

Und mit ihren kleinen weichen Händen malte sie alles in die Luft.

»Was für ein Held Sie sind, Guidacci! Werden Sie Ihre Tat nicht in Ihre Zeitung bringen?«

Nein: in der Zeitung berichtete Guidacci nur über kirchliche Dinge; und es störte ihn nicht, wenn in einem anderen Teil des Blattes die Priester angegriffen wurden. Übrigens hatte er, als jener rohe Kutscher daherkam, gerade die Kirche San Lorenzo im Geist mit ihrer künftigen Fassade geschmückt. Er hatte die Sache in Händen, der Plan der Fassade war bei ihm zu Hause, man konnte ihn ansehen.

»Auch werde ich Ihnen sehr schöne alte Stoffe zeigen, die ich aufgetrieben habe.«

Er bestätigte Lolas Bemerkung: ja, in Tätigkeit war er immer; – und er hatte die geplagten Finger um den Sitz: nur bereit zum Aufspringen! So viel fremde Freunde, denen er Florenz zu zeigen hatte!

»Mein lieber Freund Arnold zwar kennt es besser als ich selbst. Er selbst schien, als ich ihn in Berlin wiedersah, traurig. Er werde Florenz nicht mehr betreten, sagte er; wer weiß, warum. Dann stellte sich heraus, daß ich wie er Ihre Freunde waren, Contessa... Ich hoffe, wir werden einmal alle zusammen bei Digerini die Musik anhören? Lieber würde ich Ihnen ein Theater vorschlagen, aber das Kleid, das ich trage, verbietet es mir. Auswärts bin ich frei; nur hier, wo man mich kennt – Ah! Von allem am schwersten entbehre ich das Theater.«

»Und die Frauen?« fragte Claudia begierig.

Der Priester hatte plötzlich ein tief stilles Gesicht. Aber die Finger, am Stuhl, wanden sich angstvoll.

»Den ganzen Tag ist er mit Frauen; die schönsten Fremden kennt er. Ich glaube ihm nicht, daß er das alles für nichts tut. Es wird wohl manches dahinterstecken. Ein Genie wie er ist so tief. Nicht umsonst heißt er der galante Priester.«

Er hob nachsichtig die Hand. Dann, fest:

»Man muß verzichtet haben: und man ist fertig; alles ist gut.«

Claudia seufzte.

Lola sah ihn an.

»Sie sagen das, als ob es vom Willen abhinge.«

Der Priester antwortete mit Schultern, Händen und

einem geduckten stummen Lachen, daß er nichts dafür könne, wenn die anderen sich nicht beherrschten. Er begreife sie; sich nehme er aus. Er verurteile sie nicht; einer wie er habe zu leiden.

Lola verstand ihn. Heute war sie durch eigenes Leiden geschärft genug, in ihn einzudringen. Einfachen Wesen konnte er wie ein gequältes Genie aussehen. Aber er war nur einer, der sein Blut hatte unterdrücken, seine Rasse hatte verkehren müssen. Alle diese, deren Geschlecht allzu wach war, verlangten von ihm, daß er seins abtöte. Sie brauchten ihn zu ihrer Ergänzung und Rechtfertigung. Er sollte statt ihrer fasten und rein sein. Er war's; – und da er vom Geschlecht nicht weniger erfüllt gewesen war als sie alle, war, was er erwarb, ein sehr leeres Glück. Er floh vor dem Alleinsein, vor dem Stumm- und Müßigsein. Er reiste zwecklos, brach Abenteuer vom Zaun, betäubte sich ohne Geschmack an den Mitteln: nur um sich leben zu fühlen, sich noch leben zu fühlen, nachdem das eine, größte geopfert war.

»Was ist's denn auch«, sagte er, »was ich opfere. Einmal habe ich einen Hund aufgezogen; es machte mir wahre Leidenschaft; aber ich wurde darum nicht zum Hundezüchter. Alle diese Tiere gleichen sich.«

Claudia lachte betroffen.

»Sie vergleichen uns Frauen den Hunden?«

Die Augen des Priesters funkelten, weil er sich rächte. Lola sagte schlicht:

»Sie vergessen, daß die Seelen sich nicht gleichen.«

Und er, überlegen:

»Die Seele sehnt sich fort und wird erst im Himmel ihre Flügel entfalten. Hier sind alle gleich. Der Leib ist ein Tyrann, der nicht nachgibt, der keine Konstitution gewährt und keinen Pakt eingeht. Jeder Mann will von Ihnen dasselbe.«

Lolas Blick verließ ruhig den Priester, ging zu Arnold

und fragte ihn. Er wollte sprechen; aber Claudia murmelte stürmisch:

»Es ist zu wahr, es ist zu wahr.«

»Und darum«, fuhr der Priester fort, »hat die Kirche recht, daß sie keine Scheidung zuläßt. Mögen die Seelen sich scheiden; wer will sie hindern? Aber den Körper darf nicht ihr Wille geschehn, sie müssen sich beugen. Damit das Fleisch demütig sei, darf es keine Scheidung geben.«

Claudia sagte und nickte schwer:

»Wir würden sie nicht verdienen, Reverendo.«

Erschüttert goß sie Tee ein. Wie sie Lola die Tasse gab, flüsterte sie ihr, mit erweiterten Augen, ins Gesicht:

»Er wird mich umbringen; er hat mir gesagt, daß er's tun wird. Aber er ist mein Mann.«

Guidacci fragte:

»Wollte nicht Ihr Gatte, Contessa, sich zum Abgeordneten wählen lassen, vor zwei Jahren, als man meinte, uns drohe eine Ehescheidungsvorlage? Jetzt kommt sie sicher; und er sollte sich seiner edlen Absicht erinnern.«

Bei der Erwähnung Pardis sah Lola weg und errötete. Arnolds Blick machte ihr Scham; sie fühlte sich ihm bloßgestellt.

Arnold räusperte sich, er begann mit bedeckter Stimme:

»In Italien ist die Ehescheidung wohl wirklich nicht wünschenswert. Die Leidenschaft würde hier, trotz der Möglichkeit, sich zu scheiden, Verbrechen zeitigen; vielleicht mehr als vorher. Diese Frauen wären der unverhofften Freiheit möglicherweise nicht gewachsen...«

»Sie haben recht!« sagte Claudia stürmisch. »Schlecht würde es uns ergehen.«

Der Priester nickte wissend. Lola sagte, ernst lächelnd, zu Arnold:

»Auch Sie?«

Er verwirrte sich.

»Sie, Contessa, vertreten in diesen Fragen natürlich das

Land Ihrer Erziehung und den Fortschritt Ihres Geschlechtes. Bedenken Sie nur, bitte, daß dem Fortschritt sein Weg von der Rasse gewiesen wird. Ein Teil der italienischen Frauen wird vielleicht, lange vor den deutschen, das politische Wahlrecht erlangt haben; und im Hause werden noch immer alle Odalisken sein.«

Claudia verwahrte sich. Nicht alles müsse die Frau erdulden. Führe der Mann eine Geliebte unter ihr Dach ein, dürfe sie's verlassen.

»Das ist doch viel, Lolina«, setzte sie hinzu, »daß wir das dürfen?«

»Zu viel«, erklärte spöttisch der Priester. Er konnte nicht länger stillhalten. Er schürzte sein enges Kleid, ließ sich vor dem Kamin nieder und blies hinein.

»Gleichviel«, meinte Arnold, »in dieser geselligen, vor allem öffentlich empfindenden Rasse bleibt die öffentliche Freiheit immer wichtiger als die private. Wir Deutschen reden uns, wenn wir an politischen Rechten ärmer sind als irgendein anderes Volk Europas, gern auf unsere innere Freiheit hinaus. Was tut's uns, daß wir in der rohen Welt der Erscheinungen Herren haben, da wir ja innerlich über alles hinaus sind und jeder für sich, im Kämmerlein, ein kleiner König, wohl gar ein großer, sind. Diese hier aber sind selten im Kämmerlein. Sie steigen auf die Plätze hinab, reden durcheinander, denken nur gemeinsam und durch Ansteckung und kennen, als rechte Jünglinge, die noch mit Vernunft und Auge leben, keinen Unterschied zwischen Gefühltem und Sichtbarem.«

Claudia sah, fassungslos, auf Lola.

»Wie diese Deutschen klug sind!«

Guidacci kehrte mit tränenden Augen vom Kamin zurück und wiegte, Kennerschaft heuchelnd, den Kopf.

»Denn sie sind Jünglinge«, wiederholte Arnold mit Liebe; »ewige Jünglinge.«

Lola lehnte sich zurück, sah irgendwohin, wo kein

Blick den ihren kreuzen konnte, und lauschte seiner Stimme, die sich befreite.

»Geblüht haben sie ein für alle Mal zur Zeit der Renaissance, als es galt, jung zu sein, für Freiheit, Schönheit und Liebe zu schwärmen. Darüber kamen sie nie hinaus. Nie konnten sie sich moralisch spalten und vertiefen. Von unserer neuen Kultur geht nur die Technik sie an, nicht das Sittliche. Skepsis erlernt sich nicht unter dem Hochdruck des Geschlechts. Sie macht Leidenschaft hart; und macht sie hochherzig und romantisch. Voll jugendlicher Widersprüche sind sie, die uns rühren. Sie, denen auf ein Leben so wenig ankommt, haben die Todesstrafe abgeschafft.«

»Spricht dieser Herr gegen uns?« fragte Claudia.

»Im Gegenteil«, sagte Lola, »er gibt euch so viel Gutes, daß ich's nicht verantworten könnte.«

Guidacci erklärte:

»Diese Deutschen sind alle Philosophen und wissen stets zu beweisen, daß sie die Ersten sind. Hat mir nicht in Berlin einer klargelegt, daß von jeher nur die Völker Erfolg gehabt haben, die tüchtig tranken?«

Und Arnold:

»Sie irren, mein Lieber: nicht uns wollte ich herausstreichen. Das Wünschenswerte ist, jung zu sein, und ihr seid es. Ich habe euch zu danken, denn der Aufenthalt unter euch erleichtert und erfrischt mich. Und ich bin überzeugt, euch steht die Aufgabe bevor, unsern übermüdeten Erdteil zu erleichtern und zu erfrischen. Er wird genug bekommen von Innerlichkeit und von Tiefe. Im Begriffe, am Geist zugrunde zu gehen, wird die Menschheit des Nordens sich erneuern müssen durch die des Südens: durch ihre gesündere Animalität, die sie vor den Verführungen und Lastern des Geistes bewahrt hat. Es ist nicht wahr, daß ihr nur eine Blüte gehabt haben sollt. Ihr werdet nochmals blühen, sobald die Zeit euch nochmals braucht. Und die Menschheit wird glücklich sein, wenn ihr repräsentativer Typus wieder der Jüngling ist!«

Claudia gähnte. Sie entschuldigte sich.

»Es ist so heiß, daß man müde wird. Was haben Sie denn für einen Holzstoß errichtet, Reverendo? Bei dieser Frühlingsluft! Gleich zerstören Sie ihn!«

Guidacci schürzte schon wieder sein Kleid.

»Ich wollte nur zwei Scheite anzünden«, erklärte Claudia, »zum Anblick für meine Besucher. Nun scheinen wir heute allein zu bleiben.«

Aber da meldeten jugendliche Stimmen sich, und mit Botta an der Spitze brachen vier junge Leute herein. Claudia erwachte und begann, mit der Kuchenschüssel von einem zum andern, zu zwitschern und kleine weiche Mienen zu rollen.

»Und Sie, Cipriani, wann malen Sie mich?«

Und aufs Fenster gestützt, nahm sie eine Pose ein. Im schief gelegten Köpfchen gab zum Gefunkel der Augen, die ihres eigenen Schmachtens spotteten, der große mürbe Mund kindischen neapolitanischen Singsang von sich, den Cipriani nachahmte. Seine fleischige Nase rückte dabei hin und her. Zwei leichte, ungeduldige Vögel hüpften und girrten, eine halbe Minute lang, auf demselben Zweig.

»Cipriani ist noch bei der Lippi«, sagte Botta; »er malt gern reiche Konditorsfrauen; das Bild wird dann süß und verschafft ihm Aufträge.«

»Ich bin nicht Landrini«, sagte Cipriani, und er machte den süßen, zitterigen Mund des alten Malers und seine gezierte Jünglingsmanier.

»Sie kennen ihn doch, Contessa? ...Was er am besten malt? Sich selbst: aber in Natur... Oh, er war in London, hat alle Engländerinnen porträtiert und viel Geld mitgebracht.«

Botta schob ein, Landrini sei geizig. Er spare die

Droschken und wische sich, bevor er ein Haus betrete, mit einem Lappen die Schuhe ab. »Neulich, bei Valdomini, kam ich mit zwei anderen darüber zu, und, mein Wort, er war so gefällig, auch uns die Schuhe abzuwischen. Ich ermahnte ihn, er solle nur nicht drinnen statt seines Taschentuches den Lappen hervorziehen.«

»Und kennen Sie Musso?«

Lola erfuhr, Musso sei ein Eisenbahnbeamter mit Leidenschaft für Gesellichkeit. Jeden Unbekannten fragte er nach der Adresse und gab noch am Abend seine Karte ab. Alle verschwanden, wenn er kam.

»Aber auch vor Ihnen, Herr Cipriani«, sagte Lola, »läuft man davon. Die Principessa Dora hat mir erklärt, wo Sie seien, werde sie keine Gedichte mehr lesen.«

»Und seitdem werde ich zu jeder Gesellschaft geladen.«

»Merluzzo, lesen Sie uns Ihre neueste Novelle vor!« verlangte Claudia, hinterhältig. »Sie haben sie nicht da? Daß Sie auch nie Ihre Sachen bei sich haben!«

Cipriani raunte:

»Aber gleich wird seine Mama kommen und die Novelle zufällig bei sich haben.«

Guidacci fing von seinem Freunde an, dem Leutnant Cavà. Er schreibe trostlose Briefe aus Sizilien. Allmählich müsse er ganz verwildert sein, meinte Cipriani.

»Gewiß geht er mit einem langen Hirtenstab vor seinen Soldaten her.«

Lola spottete lustig mit. ›Sie sind eigentlich sympathisch‹, dachte sie. ›Sobald man sich nicht dazu zu rechnen braucht…‹ Diese flüchtige kleine Menschheit umflatterte sie wie ein leichter, raschelnder Schleier. Dahinter war sie mit Arnold allein. ›Seltsam‹, dachte sie, ›wir sitzen unter lauter Fremden, im Lärm, sehen einander nicht an, und uns ist so heimlich zu Sinn… Aber was ich jetzt fühle, kann doch nur sein Blick sein?‹ Rasch sah sie hin. Nein: er suchte unruhig und verlegen am Boden; er sann darauf,

wie er fortkäme. Erschrocken schlug sie die Augen nieder.
›Ich werde ihm vieles zu erklären haben!‹

Guidacci nahm Abschied; Arnold schloß sich ihm hastig an. Claudia wollte Arnold nicht weglassen vor Herzlichkeit. Dann kam sie zu Lola; und als sie Lola umarmte, sagten ihr Auge, ihr ganzer Körper, wie demütig froh sie sei, daß sie Lolas Nachsicht vergelten dürfe. Sie drückte noch, ganz rasch und heimlich, Lolas Hand sich aufs Herz und auf den Mund. Wie Mund und Herz verschwiegen sein sollten!

Arnold stand vor Lola. Sie schluckte hinunter und brachte es nicht fertig, ihn zu sich zu bitten, in das Haus des andern... Unschlüssig ging sie mit Guidacci zur Tür.

»Ich werde Sie besuchen, wissen Sie, und mir den Plan der Fassade ansehen, und Ihre alten Stoffe. Wann paßt es Ihnen?«

»Zu jeder Stunde, Contessa, bei Tage und bei Nacht. Sie wissen, ich schlafe nicht.«

»Ach, Sie können nicht schlafen?« – und weil sie dadurch Arnold noch hielt: damit er nicht ohne ein Zeichen, ein Wort der Hoffnung verschwinde, ließ sie sich ausführlich Guidaccis nervöse Erscheinungen berichten. Plötzlich:

»Ich habe nachgedacht. Um halb fünf bin ich morgen bei Ihnen.«

Schnell, mit einem vollen, ganz offenen Blick, reichte sie Arnold die Hand.

›Nun weiß er, daß ich ihn liebe!‹

Sie erstaunte, zu Hause und allein, wie sehr sie ihn liebte. Sie hatte das nicht gewußt. Ihre Liebe war wie ein Gebet gewesen zu einem Gott, an dessen Dasein man nicht fest glaubt. Die Wirklichkeit ihrer Liebe überwältigte sie. Arnold war gekommen! Ihr Rufen in der Nacht, ihr »Komm!« – ein Wort nur in die Luft, ein qualvolles Wort in dunkle Luft: und er war gekommen; das Wunder war geschehen. Viel größer war's als auf den ersten Blick! Welten mußten verlassen und gefunden werden, damit sie beide sich treffen konnten. Er kam aus solcher Weite, daß er wohl durch luftlosen Raum kam. ›Wie ganz verloren war ich schon!‹ Und dennoch: da er nun da war, war's also bestimmt? War zuletzt ganz selbstverständlich? – ›und indes ich so vieles litt, in denselben Stunden, ward in ihm der Gedanke an mich immer größer, immer größer – bis er kommen mußte? ... Alles war gut? Die Qualen waren gut? Es ist zum Weinen und zum Lachen! Nein: zum Staunen ... Und jetzt weiß er, daß ich ihn liebe. Und ich sitze hier in Sicherheit und Ruhe.‹

An Guidaccis Tür war die kleine Pierina. Ihr Bruder müsse gleich kommen. Aber sie zögerte, sein Arbeitszimmer für Lola zu öffnen.

»Ein Herr ist drin.«

»Es tut nichts«, sagte Lola, und:

»Ah! Sie!«

Sie reichten sich die Hände und blieben einander gegenüber, ohne ein Wort. Lola fühlte, daß Pierinas schwermütig spöttischer Blick schon begriffen habe. Sie wandte sich zu ihr, um nach ihren neuesten Zeichnungen zu fragen, und sah in ein rasch verschlossenes Gesicht. Die schwarzen Brauen unter dem harten schwarzen Haarkamm zogen sich zusammen, finster und einsam; der schwere Mund stand fühllos etwas offen; in der grobkörnigen Haut sah eine kleine weiße Narbe aus wie die Verletzung eines Steines. Das Mädchen neigte fragend das Ohr hin. Endlich, beglückt, sich aufschließend: ihre Zeichnungen – o ja! Und sie ging, sie zu holen.

Sie saßen zu beiden Seiten des Schreibtisches, eines geistlos geschnitzten Möbels mit vielen Frauenbildnissen darauf. Die Photographien warfen sich in einer Garbe die Wand hinan; unter dem Porträt des Papstes hing eine weit ausgeschnittene und lächelte, wie er. Hellgrüne, schmalblätterige Gerten stiegen aus Töpfen lustig durch den engen Raum; und zwischen ihnen am Boden lagen leere Strohflaschen übereinandergestürzt. ›Ist es nicht ein reizendes Zimmer?‹ dachte Lola. ›Darin sitzen nun wir beide, ganz allein. Die Sonne scheint herein. So ist es gekommen.‹ Sie sah nichts mehr; die Augen standen ihr voll Tränen. Rasch verließ sie den Stuhl und kehrte sich nach dem Fenster.

»Warum so stumm?« fragte sie, ohne ihr Lächeln ihm zuzuwenden.

»Contessa –«, mit ungefälliger Stimme.

»Lassen Sie den albernen Titel!«

Sie sah ihn an. Auch er war aufgestanden; er verneigte sich und wich ihrem Blick aus.

»Ich bin froh, Sie unter Freunden, so glücklich zu finden.«

Sie schluckte angstvoll hinunter. Dann lächelte sie stärker. Natürlich! er glaubte ihr noch nicht. Zweifelmütig und unsicher war er, wie je. ›Ich werde ihn zur Vernunft bringen müssen. Diesmal ist's meine Sache allein.‹

Da kam die Kleine mit den Zeichnungen; dann Guidacci. Er entschuldigte sich inständig, zählte seine Beschäftigungen her, kehrte immer zu einer österreichischen Baronin zurück, die ihn Florenz erst kennen lehre. »Besser als aus den Büchern.« – »Ach ja« – und Lola fiel es auf, daß in diesem priesterlichen Arbeitszimmer kaum ein Buch lag. Guidacci schickte seine Schwester mit Aufträgen fort; er sprach mit ihr nicht lauter, sie mußte ihm auf den Mund sehen und verstehen. Dann holte er den Plan der Kirchenfassade hervor und, mitten in den Erklärungen, die alten Stoffe. Dazwischen: er war seit heute ganz gesund; er nahm Brom, und alles war gut.

»Etwas Wunderbares! Wenn ich's früher gekannt hätte!«

Man mußte die Stoffe über seinem Bett sehen.

»Warum lassen Sie keine Decke daraus machen?«

Das ging nun wieder nicht.

»Das Kleid, das ich trage –«

Und er führte seine Gäste in den Salon. Pierina hatte das Tischchen hergerichtet.

»Wie? Der Vino Santo! Ja, ich bereite ihn selbst, er ist von Monte Turno. Sie müssen mich dort besuchen, wir fahren eines Tages zusammen hin, alle vier. Versprechen Sie's mir? Beide?«

Da Lola das Gebäck mit erhobener Stimme lobte, lächelte er unzufrieden, und Lola verstand. Niemand hatte zu merken, daß Pierina nicht gut hörte. Es war ungesellig, taub zu sein, und darum schändete es fast... Und zwischen den weltlichen, hellblumigen Möbeln sprang die schlanke Soutane hin und her, öffnete ein Fenster, zeigte im grauen Hof den Rosenschleier, pries das Haus, seine Wärme im Winter, seine sommerliche Kühle, und trieb die Besucher durch die Räume. Aus einem sah man das schmale Gäßchen, aus dem nächsten in einen Mauerwinkel von San Lorenzo. Kellerig frisch lagen ein paar stille Zimmer am Rande des Rosenhofes. Sie waren zu vermieten: der Priester rühmte sie Arnold, der ihm recht gab. Wie so wohl diese klösterliche Ruhe tue, sagte er zu Lola. Sie empfand Eifersucht. Nicht dazu sollte er hergekommen sein! Sollte nicht im Bereich von Menschen wohnen, die ihn ihr nehmen würden! Sie lenkte ihn auf die kleinen, sonnenleeren Fenster, auf die Feuchtigkeit des Steinbodens; – und sie lächelte für sich: jetzt fürchtete er Krankheit.

Guidacci hatte keine Zeit, enttäuscht zu sein; er tummelte sich zwischen den Rosen. Für Lola brach er einen Strauß und steckte Arnold eine ins Knopfloch. Dann führte er sie in das Eßzimmer, vor seinen Heiligen, den Lorenzo des Donatello, aus der Sakristei seiner Kirche.

»Würde man glauben, daß es eine Kopie ist?«

Arnold neben Lola, standen sie vor dem Heiligen. Von seiner Truhe herab sah sein menschlich gefärbtes Gesicht, etwas höher als ihre beiden, sie an. Es war schön: frei und mild, mit braunen Augen, die einen erkannten. Rosen an der Brust, waren sie vor ihn hingetreten; – und würde nun nicht die Büste ihre verlorenen Arme, ihre Hände, die fest und gut sein mußten, aus dem Leeren heben und sie segnen? …Lola ward zu Guidacci zurückgenötigt. Seine fiebrig lächelnden Augen hielten die Andacht keine Minute länger aus. Er hatte seine altjüngferlichen Herrlichkeiten zu zeigen, seine Ansichtskarten, seine Sammlung künstlicher Blumen. Und immer spürte Lola, zwischen sich und Arnold, den schwermütig spottenden Blick Pierinas.

Als Lola aufbrach, reichte sie Arnold als letztem die Hand.

»Wie kommt es eigentlich, daß Sie mir, Ihrer ältesten Freundin, noch keinen Besuch gemacht haben? …Sie sind erst seit gestern da? Mag sein. Aber ich muß Ihnen doch mein Haus zeigen, mein Mann wird sich freuen. Übrigens – wieviel ist die Uhr? In diesem Augenblick treffen wir ihn. Wenn Sie gleich mitkämen?«

Sie stiegen in den Wagen; ihr klopfte das Herz; die Minute vorher hatte sie nicht gewußt, daß sie so viel wagen werde.

»Was haben Sie seitdem getan?« fragte sie, kaum daß der Schlag geschlossen war, in Angst vor einem Schweigen. Er sagte mühsam:

»Ich bin gereist…«

Und plötzlich begann er zu erzählen, irgend etwas, als schlüge er ein Buch bei einer zufälligen Seite auf.

Sie kamen an.

»Mein Mann nicht zu Hause? Das wundert mich. Eine

Stunde vor dem Essen ist er immer in seinem Zimmer zu finden.«

Seit jenem Auftritt aß er nicht mehr zu Hause. Lola war rot von ihrer Lüge. Wie Arnold noch immer in der Haltung eines Fremden durch die Zimmer mitging, empörte sie sich. ›Er sollte doch fühlen, daß ich's hier sehr schwer gehabt habe! Denkt er nicht daran? Wozu ist er gekommen?‹ Sie hatte Lust, die Tür zum Schlafzimmer aufzureißen: ›Aus dem Fenster dort wäre ich, zwei Nächte sind's her, fast hinausgesprungen: um deinetwillen!‹ Er begann wieder von dem großen Bildwerk, draußen am Hause. Sie mußte ruhig antworten, mußte ihm von dieser Jungfrau, diesem Engel sprechen, als ob sie ihr nicht furchtbar gewesen wäre, als habe sie unter der Botschaft, die jene brachten und empfingen, wie unter einer Drohung und einem Hohn, nicht bitter geweint. Sie fragte schroff:

»Wollen Sie hin, sie aus der Nähe sehen?«

In der raschen Dämmerung ging sie ihm voran, hinab in den Saal, öffnete die Fenstertür und blieb wortlos stehen. Er trat hinaus, kehrte zurück, sprach Abbrechendes, schwieg ganz und wendete ihr, mit einem Ruck, die Augen zu. Sie sahen sich in die verschlossenen Gesichter. Lola dachte: ›Es war Irrtum; wir haben uns zu viel vorzuwerfen. Zu spät. Das Leben ist nicht anders… Sagte ich ihm das nicht schon einmal? Damals?‹

»Auch von den Porträts sind manche sehenswert. Ich werde Licht bringen lassen.«

»Aber diese Beleuchtung ist sehr interessant, sehr eindrucksvoll. Noch den Kopf dort werde ich ansehen und dann gehen.«

Wieder fiel, wie in ihrer ersten Abendstunde bei diesen Bildern, von drüben der weiße Schein auf die Wand, und wieder sahen jenes vergangenen Knaben braune gewölbte Augen herüber, die sein Fleisch betrauerten. Die Stirn, die sanfte Wange neigten sich dem Schatten zu, als wollten sie sich ganz von ihm überziehen lassen. Lola war ihm einst begegnet, dort draußen, zwischen den Hügeln im letzten schwachen Glanz, auf Steinen. Er hatte sich ihr geneigt, die arm, häßlich und fremd war; hatte sich zu ihr gelegt… Sie senkte die Stirn. Ungesehen im Dunkel errötete sie. Da stand er vor seinem Bilde, vor dem Bild seiner Seele! Noch stand er, und gleich wendete er sich. Sie hatte ihn erträumt. Sie hatte von ihm die äußerste Freude erträumt: ein Kind. Das war geschehen: so sehr gehörte er ihr. Und er würde gehen, nichts wissen, wortlos sollte alles vorüber sein. Die Angst vor dem ewigen Dunkel packte sie. Sie erzwang sich Atem. Fast stimmlos:

»Ich bin nicht glücklich. Sie hatten recht, mir abzuraten.«

Er machte einen Schritt, hielt an.

»Ich fürchtete es«, sagte er gepreßt.

»Konnte ich anders? Vielleicht, ja. Ich bekenne; ich mußte die bessere Liebe wählen. Nun bin ich unrein geworden und büße.«

Sie beugte sich tief über sich selbst. Die Tränen brachen brennend aus. Er ließ sie in den Sessel nieder und stammelte, vor ihren Knien, Bitten um Verzeihung.

»Ich bin schuldig, daß wir uns versäumten. Ich mußte stärker sein. Wie Sie gelitten haben! Ich schmecke Ihre Tränen. Alles Eitle ist hinter mir. Ich war eitel; aber nun habe ich in mir nur Ihre Tränen. Was ich selbst litt, ist nichts mehr. Wie ich Ihre Tränen stillen kann, ist alles. Vertrauen Sie mir denn noch? Verachten Sie mich nicht?«

»Verachten, Sie? Glauben Sie mir also meine Reue nicht? Wie soll ich sie Ihnen beweisen? Soll ich Ihnen die Hände küssen?«

Er entriß sie ihr und schlug sie vor sein Gesicht. Er neigte den Kopf, und sie neigte ihn; ihre Stirnen berührten sich zitternd; sie weinten.

…»Daß ich dich wiederhabe!« sagte sie, die Hände mit

Leidenschaft um seine Schläfen. »Nur wissen will ich, daß du an mich denkst. In deiner Hut sein. Sage mir, ob du mich nie vergessen hast. Oh! du konntest es nicht. Du warst bei mir, ich fühlte es!«

»Ja. Denn ich bin gar nicht gereist, es waren Lügen. Die weite Welt, die Sie mir vorgezogen hatten, schien mir hassenswert. Sie waren meine letzte Enttäuschung, und meine tiefste. Das einzige Geschöpf, das meine Sprache verstanden hatte, verschmähte es, mir in ihr zu antworten. Ich war allein wie nie vorher. Die Einsamkeit war auszuschlürfen, wie ein eisiger Bergsee. So wollte ich's. Ich wollte nicht reisen, mich nicht zerstreuen. Ich hatte doch nur Wert, meinte ich, wenn ich bei mir blieb, den Schmerz und die Sehnsucht, die ich von Ihnen hatte, gesammelt ließ. Die feenhafte Pracht des einsamen Leidens, die Eisgrotten und Schneefelder, durch die Sie mich schickten, waren zu erproben, zu genießen. Sie sehen, daß ich eitel war. Mich ekelt's, gedenke ich dieser Selbstsucht. Ich war nur darauf aus, von Ihnen, vor der ich demütig gewesen war, den Nutzen großer Gefühle zu ziehen und nun Sie zu demütigen vor meiner Seele. Ich dachte mich an Ihnen zu rächen. Meine Kunstgebilde waren allzuoft Rache... Aber ich konnte nicht; was mich rettet, mich Ihrer Verzeihung würdig macht, ist nur dies: daß ich nicht konnte, weil ich Sie liebte. Denn ich liebe dich!«

Sie erriet diese Worte; er sprach sie mit versagender Stimme, bewegte den Kehlkopf, als sei er ausgetrocknet; und in seinen Augen stand Angst.

»Mit Ihnen zum erstenmal ward ich nicht fertig, ich habe aus Ihnen meine Sache, mein Werk nicht machen können. Sie erfüllten mich zu sehr und machten meine Hand zittern. Mein Blick ward verdunkelt von Ihrem Schatten. Sie waren in mir, faßten mein Herz an, und der Arm, der bilden sollte, sank mir. Ich konnte nur zu Ihnen sprechen, in meine Tiefe hinabsprechen, mit Ihnen kämpfen, Ihnen erliegen, Sie um Gnade bitten und endlich, gebrochen, mich Ihnen hingeben und Sie lieben. Dich nur lieben.«

»Und ich! Grade so, grade so habe ich dich in mir gefunden und habe zu dir gesprochen. Gefürchtet habe ich dich, einmal gehaßt. Und doch, ohne dich, der mir verzieh, mit seinem Hauch mich umgab, auf seinen Gedanken mich trug, wäre ich verdorben und untergegangen. Lieber! weißt du nicht, daß ich viele Monate allein mit dir gelebt habe? Du mußt es wissen.«

»Vielleicht war's die Zeit, da ich dir so viele Briefe schrieb. Schrieb ich sie? Oder erträumte sie nur mit wachen Augen?«

»Wie ich deine! So empfingst du sie doch! Hast mich nie verlassen! Wie ich dir danken muß! Was wäre ich jetzt ohne dich? Nie werde ich dir alles sagen können. Ich bin deiner nicht würdig.«

Sie neigte das Gesicht in die Hände. Hastig, mit Beben richtete er sie auf.

»Ich habe mich zu beugen, ich, und allen Stolz gutzumachen. Denn ich war stolz auf meine Einsamkeit, die doch nur Schwäche war. Nicht aus Stärke stehen wir allein, ohne über ein anderes Wesen unsere Hand auszustrecken. Jetzt bin ich gebrochen und dennoch erstarkt. Sehnsucht tat es. Ich bin dein. Mache aus mir, was du willst!«

Unter seinem zitternden Geflüster zog sie sich weiter in den Sessel zurück, machte sich steif und drückte die Lider zu, als erleide sie Gewalt. Sein Kopf sank auf ihre Knie.

…Aufschreckend trennten sie sich. Er tat ein paar Schritte, blieb stehen und sah umher.

»Seltsam!«

»Ist nicht das Damals seltsamer?« fragte Lola. »Damals, als wir uns trafen? Wie seltsam ist alles, was war! Die alten Bilder dort, bedenken Sie, waren Menschen, lebten und hatten eine Welt, die von uns nichts wußte. Und so wenig wußten wir, wußten die, die damals wir waren, von uns, von dem, was wir nun doch sind. Ist es zu glauben, wie blind, wie fremd uns selbst wir waren? Oh! die unwissende, die grauenhaft kindische Vergangenheit.«

Aufatmend:

»Sagen Sie mir noch einmal, daß ich Sie nie verlieren werde!«

Er kam und nahm ihre Hand. Lange hielten sie ganz still.

»Jetzt müssen Sie gehen«, sagte Lola, ohne sich zu bewegen.

Als er fort war, schloß sie die Augen. Ihre Hand fühlte noch immer seine. Sie lächelte furchtsam: ›Ist das möglich? War es wirklich?‹ und wünschte sich, nie mehr die Lider zu heben.

»Haben Sie gewußt, wie es mit mir stehe?« fragte Lola tags darauf. »Wußten Sie, daß ich Sie erwartete? Oh, ich wagte wohl nicht zu hoffen; – aber daß ich Sie doch erwartete?«

Er wehrte ab.

»So stark fühlte ich mich nicht. Ich nahm nicht an, daß mir über Sie noch Macht zustände. Ich glaubte mich von Ihnen verurteilt und unterwarf mich. Habe ich Ihnen nicht gesagt, daß ich niemandem zumute, mich sehr lange zu ertragen? Schon längst ertrage ich selbst mich bloß noch, weil ich muß. Und ich verstehe nur schwer, wie andere sich nicht satt, in Jahrzehnten nicht satt bekommen, wie sie sich herumführen, sich immer wieder den Leuten anbieten, ihre seelischen Gebärden immer wieder abspielen mögen vor Menschen, denen sie schon bekannt, von denen sie einmal durchschaut und erledigt sind. Was hatten Sie noch in mir zu entdecken?«

»Daß Sie mein sind«, sagte Lola.

Er atmete auf.

»Ja. Daß ich nicht mehr mir gehöre: nicht mehr diesem nie abgelösten Tyrannen, den man endlich nicht ohne Empörung sehen kann. In Qual und Kampf hat man ihm gedient, mit dieser Kunst, die Verherrlichung ist des Ichs; – und nun, welche Erlösung, wird man des Herren Herr. Er dankt ab; frei wählt man einen andern. Man liebt.«

Von Scham verwirrt, sah sie zu Boden.

»Ich verdiene es nicht.«

»Aber Hoffnung?« – und er lächelte erstaunt. »Hatten Sie mich nicht schwach gesehen? Und – andere so viel stärker?«

Sie sah, mit ihrem hastig bittenden Blick, daß er errötet war. ›Wie ich ihn liebe für diese Scham!‹

»Ich glaubte, Sie hätten nun bei anderen die Heimat gefunden, die Sie suchten. Ohne die sinnlose Dringlichkeit Guidaccis hätte ich Sie schwerlich wiedergesehen.«

Sie erschrak.

»Sie konnten glauben, ich sei hier zu Hause? Sehen Sie mich doch an: sitze ich nicht wie in der Halle eines Hotels? Sitze ich nicht auf meinem Koffer? Sie wußten doch, daß –«

Auch sie hielt jenen Namen zurück.

»– diese anderen mir innerlich nichts zu geben hatten.«

Den Kopf gesenkt:

»Nichts als Schande.«

Und aufgerichtet, blaß vor Zorn über sich, vor Drang, zu offenbaren, sich preiszugeben:

»Sich bei Menschen, die nur das Betastbare, nur Körper kennen, zur Sklavin, zu einer Sache zu machen –!«

Sie sahen sich in die Augen; Arnold zuerst schlug sie nieder.

»Und in Nachteil zu kommen gegen alle«, sagte Lola bitter, »weil alle weniger Gewissen haben. Mein Mann betrügt mich, aber kann ich's ihm erwidern? Ich wußte voraus, was ich tat, mein Trieb zu ihm war nicht blind, wie seiner zu mir. Was diese hier nicht bindet, mich bindet es. Und ich habe den Sinnen ein für alle Mal das Ihre gewährt; ich verachte sie. Mir ist oftmals, als verachtete ich das Glück selbst; als wünschte ich mir auch von Ihnen nur Leiden.«

Er sagte mit wankender Stimme:

»Sie sind krank; könnte ich Sie heilen!«

Sie schwiegen. Ein Glockenton sprang munter herbei; barsch holte ein anderer ihn ein; und singend und drohend stürmten viele durcheinander. In den englischen Gruß hinein sprach Lola, leise und klar:

»Wir wissen beide, nicht wahr, daß wir uns nie gehören werden.«

Das Getümmel der Klänge lichtete sich; der letzte ging dröhnend unter. Beide bleich, saßen Lola und Arnold, aus ihren Sesseln ein wenig vorgeneigt, in einer schneidenden Stille sich gegenüber.

Da, Lola zuckte leicht auf, stand im Türvorhang Pardi und sah ihnen zu. Er trat heraus, den Blick noch immer vom Spähen fest. Bei seinem Lächeln, sah Lola, hatte er die Zähne hart geschlossen; – und dann sagte er, als bedächte er's nicht, und dennoch höhnisch:

»Ein alter Bekannter! Sie haben den Weg zu uns gefunden, mein Herr?

Und wie geht es meinem Freunde Gugigl? Ich bedaure noch immer, daß aus unserm Duell nichts geworden ist.«

Er lachte.

»Nächst ihm erinnere ich mich am liebsten eines schönen Mädchens im Dorf. Wie leicht man diese deutschen Weiber bekommt!«

Er klopfte Arnold aufs Knie.

»Sie müßten sehr ungeschickt sein, mein Lieber, wenn Sie jemals mit einer lange vergeblich beisammen säßen.«

Arnold stand auf; er verbeugte sich vor Lola, die starr dasaß.

»Sie gehen?« fragte Pardi. »Ich begleite Sie. Ich erzähle Ihnen eine ganz frische Skandalgeschichte. Der Leichnam des Liebhabers ist noch warm: Sie sind gerade rechtzeitig zu uns gekommen...«

Bei Arnolds nächstem Besuch trat Pardi laut und rasch dazwischen.

»Hier sprach man von Napoleon? Ah! Napoleon, welch großer Mann!« Und die Hand am Kragen, der ihm zu eng ward: »Wäre diese Zeit nicht so klein!«

Arnold sagte prüfend:

»Ich bewundere den Kaiser nicht. Viel eher den General Bonaparte, da er, ein strenger Befreier, durch entzückt erwachende Länder stürmte. Damals krönte ihn ein Ideal. Später, als verfetteter Schauspieler der eigenen Größe, hatte er nur mehr sich selbst. Das ist wenig, sei das Ich noch so groß. Man muß den Helden hinter sich haben und verstehen, daß er wichtig erst durch Liebe wird.«

Arnold saß sinnend. Pardi überflog ihn mißtrauisch; dann legte er sich, die Hände in den Taschen, im Stuhl hintüber und summte zur Decke. Lola fand Arnold beleidigt durch des andern Haltung, durch seine Gedanken; sie fühlte sich schambeschwert, weil beide vor ihr beisammen waren. Sie wagte Arnold nicht anzusehen; der andere war die greifbare Mahnung ihres Unwertes. Und alles, was in Arnold entstand, war Liebe! Seine Worte hatten nicht sich und sie gemeint: und doch war jedes gefärbt von seinem Gefühl. Pardi spürte es heraus; er ahnte sich dunkel gefährdet, fand nichts, worauf er die Hand hätte fallen lassen dürfen, und rächte sich durch kindische Unart. Er fing von Leuten an, die Arnold nicht kannte, griff zu Angelegenheiten des Hauses und verlangte eine Rechnung zu sehen. Wie Arnold ging, tat Pardi erstaunt, als habe er ihn längst fort geglaubt.

Mehrmals überwachte er ihr Zusammensein und zerstörte es. Lola vermutete, er habe Spione im Hause; sonst hätte er nicht so pünktlich dasein können. Sie sah ihn gähnen bei diesen Dingen, zu denen er keine Beziehung hatte, sein Auge argwöhnisch aufschrecken – und dann mischte er sich plump ein. Er wurde fast plump in seiner falschen Rolle. Lola rief ihn sich zurück, wie er gewesen war, als er ihr glänzend schien, fand ihn nicht wieder und bemitleidete ihn: wie man ein Tier bemitleidet, weil es nicht weiß, wahllos, ohne Widerstand gegen sich selbst ist, unter seinem Blute leidet und keine Seele hat. Aber helfen konnte sie ihm nicht, konnte ihn nicht lehren, daß er für das, was sein war, ihren Körper, nichts zu fürchten hatte. Sie wandte ihm ein kaltes Gesicht zu: er mußte dulden, denn sie war ihm treu. Und sie ließ ihn unterbrechen, das Gespräch an sich reißen, ohne daß ihr Ungeduld kam. Es war genug, daß dort, gleich vor ihren Knien, Arnold saß. Er wußte von ihr! Ohne nur mit dem Blick sich zu berühren, waren sie tief ineinander versenkt – indes der andere sich abarbeitete, sie getrennt zu halten.

Eines Tages war er früher da als Arnold und verlangte, daß sie sich für ein Konzert fertigmache.

»Ich gehe nicht, ich erwarte Arnold.«

»Als ob das ein Grund wäre! Vielmehr ist's einer, auszugehen. Seine Besuche fangen an aufzufallen. Du tust, als könntest du dir das gar nicht denken.«

»Bist du nicht der Mann, eine falsche Meinung zu beseitigen? So tapfer, und einer Meinung gegenüber feige? Denn du weißt, was ist, und daß ich ihn nur unter deinen Augen sehe.«

»Weiß ich's?«

Sie trat heftig vor.

»Wage nicht, diese Sache zu verdächtigen! Er ist zu gut, als daß ich ihn –«

Sie maß den Mann. Sie hatte sagen wollen: ›– als daß ich ihn dir zum Nachfolger geben möchte.‹

»Du kannst das nicht verstehen«, sagte sie kühl; »aber sei ruhig: du darfst es sein.«

»Ich werde euch zeigen, wie ich ruhig bin!«

Er keuchte; seine niedergestoßene Faust zitterte. Auf einmal spaltete und krümmte sich sein Mund, vor Wut leidend, wie das Maul einer fauchenden Katze; den Augen entwich die Besinnung; alles zu lange Verhaltene brach aus den plötzlich zerrissenen Zügen.

»Ich werde so ruhig sein, daß ich euch beiden den Hals umdrehe!«

Er nahm vom Tisch eine Tonfigur, schloß die Faust – und zu Boden rann Staub.

»Ah! Du hast geglaubt, das gehe mit mir? Sie hat es geglaubt! Ich bin dir nicht recht, du magst nicht mit mir schlafen: deine Sache, ich tröste mich. Aber wehe, nimmst du einen Liebhaber! Er ist einer; sage nicht, daß er's nicht werden soll! Oh, ich weiß, du bist eine verlogene Fremde. Eine Frau meiner Rasse würde wohl mir, aber nicht sich selbst vorlügen, daß dieser nicht ihr Liebhaber werden soll. Wenigstens wäre sie eine grade Dirne, und du bist eine krumme. Ich, ein Ehrenmann, verachte dich! Was nicht hindert, daß ich meinen guten Ruf verteidige und mit euch beiden, treffe ich euch das nächstemal beisammen, ein Ende mache!«

Er war hinaus. Lola zitterte und wußte sich bleich. Er tötete sie und ihn! Sein Gesicht war furchtbar gewesen. Wie sollten sie ihm entgehen. Welche Worte konnten ihn beschwichtigen. Sie fühlte sich feige. Sterben? Jetzt, da Arnold gekommen war, sterben? Ihn nur wieder gefunden haben, um ihn und das Leben zu verlieren? ›Ich kann nicht! Ich kann nicht ein Leben lassen, in dem er ist! Hin zu ihm! Fliehen!

Vergesse ich? Ich bin gebunden. Es wäre vergeblich, zu fliehen; ich würde nicht ertragen, feige gewesen zu sein und verraten zu haben. Und ich habe kein Recht, keins.

Er, der uns töten will, hat Rechte: ich nicht. Es ist nicht genug, daß ich treu bin; ich darf ihm nicht den Verdacht auferlegen, ich sei schuldig. Nicht einmal fälschlich darf ich ihn entehren. Ich muß leben, wie die unreine Beschränktheit um mich her es will; denn ich habe mich ihr verkauft für Lüste; und ich darf Arnold nicht wiedersehen.‹

Sie rang.

›Aber ich leide tödlich. Arnold wird mir nicht glauben, wird mich für falsch und wankelmütig halten und mich verachten. Ich selbst soll mich ihm verleumden? Das ist mehr, als jener von mir fordern darf. Ich nehme ihm einen Ruf, den er nicht verdient; er aber nimmt mir das Leben, wenn er mir Arnold nimmt!‹

Aber sie wußte, unerbittlich:

›Ich darf ihn nicht wiedersehen.‹

Sie schrieb es ihm; – und unfähig, den Tag zu sehen, in den er nicht treten sollte, schluchzte sie in ihrem verdunkelten Zimmer. Angst, lebendig begraben zu sein, erstickte sie.

›Und ich hielt es für ein Glück, als er kam! Hierher führte das Glück! Wäre er nicht gekommen, ich wäre gesunken, hätte vergessen und litte nicht mehr. Wäre er nicht gekommen!‹

Claudia war da und ließ sich nicht abweisen. Sie sah hinter alle Türen; dann, leise und wichtig:

»Ich habe einen Brief.«

Lola stieg steif im Bett auf.

»Du scherzest? Tue es nicht!«

»Lolina! Kleine! Sieh her!«

Die Hand, die Lola hinstreckte, griff daneben; beim Lesen mußte sie die Zähne zusammenbeißen, damit sie nicht klapperten. Plötzlich ließ sie sich, aufseufzend, zurückfallen.

»Du lächelst wie ein kleines Mädchen«, sagte Claudia. »Er liebt dich wohl sehr?«

»Oh, sehr.«

Die Augen geschlossen:

»Willst du mich für heute allein lassen, liebe Claudia? Ich bin von der Aufregung noch schwach.«

Er glaubte ihr! Er verstand, daß sie jenem andern gehorchen konnte und dennoch ihn lieben, nur ihn. Und er war bereit, sie zu lieben: von fern, ohne Hoffnung auf einen Druck, einen Blick, ohne noch in die Welt hinauszugehen, deren Bild er nicht in ihrem Auge auffangen durfte – eingeschlossen für den Rest seines Lebens mit dem Gedanken an sie! Sie sollte, war auch sein Leib verschwunden, für immer mit seinem Worte leben. Schon hatte sein Wort ihr Licht und Atem zurückgegeben.

Seine Briefe zu holen, ging sie zu Claudia.

»Er schreibt und schreibt«, sagte Claudia. »Was bleibt euch noch zu sprechen, wenn ihr euch seht?«

»Ich sagte dir doch, daß wir uns niemals sehen.«

»Aber seine Briefe kommen aus der Stadt!«

»Und doch sehen wir uns nie, nie. Wenn du seine Sprache verständest, könntest du's in seinen Briefen lesen.«

Claudia ließ die Lippe fallen; sie sah aus wie ein zurückgesetztes Kind. Plötzlich warf sie Lola die Arme um den Hals.

»Also, ich glaube es!«

Wenn sie das Vertrauen der Freundin nicht genießen sollte: sie fügte sich! Sie diente ihr dennoch! Das kam ihr zu, und Vertrauen war sie nicht wert, sie, die der Freundin den Gatten genommen hatte! Lola verstand; sie umarmte Claudia schweigend, wie ein unschuldiges Tier, das einen liebt und dem man sich nicht erklären kann.

»Es ist sehr gut«, sagte Claudia, »daß du deine Briefe nicht bei dir aufbewahrst.«

»Da ich täglich meinen Schreibtisch durchsucht finde! Da Pardi sogar auf der Post nach Briefen fragt, die für mich lagern! Da meine Jungfer das Futter meiner Kleider auftrennt und ich mich nicht ausziehen kann ohne das Auge eines Spions am Schlüsselloch!«

»So sind sie«, bestätigte Claudia; »so ist auch meiner. Und darum, Lola, sind deine Briefe auch bei mir nicht sicher. Mein Mann wird mich töten, ich weiß es. Sieh hier meinen Hals: das Rote, Geschwollene ist die Spur seiner Finger. Es war nur ein Verdacht, ich habe ihn noch besänftigt. Aber einmal wird er nicht wieder loslassen...«

Claudias Gesicht war von Schicksal steinern.

»Und wenn dann nicht er das Versteck mit deinen Briefen findet, finden's die anderen, die nach solchem Unglücksfall in ein Haus kommen... Lolina, du mußt die Briefe verbrennen.«

Lola senkte klagend die Stirn.

Aber als das Opfer vollzogen war, ward ihr, inmitten des Schmerzes, fast heiter. Das letzte Sichtbare, den Fremden Greifbare war aufgelöst. In diesem täglich verbrannten Stück Papier, auf dem seine Hand gelegen hatte, ward täglich der Körper überwunden. Was blieb, war Geheimnis und Seele. Von einem Entrückten wußte Lola Worte, die seine Stimme nicht gesprochen hatte und die kein Auge erspähen konnte. Wieder floß eine Geisterwelt lautlos durch die wirkliche. Im Park der Cascine kreuzten sich die Wagen, immer dieselben, immer der Vitali, zwischen seine zwei Damen eingeklemmt, zwei im Vorüberjagen aufwehende, leichtfarbige Gebilde aus Federn und Spitzen; immer die reichgewordenen Ladenbesitzer mit ihren dicken Frauen auf ihren Karren und die jungen Leute auf den ihren, mit ihren Kokotten; immer in den stattlichsten Karossen ein safrangelbes Gesicht, böse aus Pelz heraus. Und immer Lola, dunkel gegen den perlgrauen steilen Fond, den leidenden Glanz des Blickes unbeteiligt vor sich hin, auf die Rücken ihrer schwarzen Livreen. Nie mischte ihr Blick sich in das Durcheinander der Fußgänger. Der eine, wußte sie, war nicht darunter. Unter alten

Bäumen, in einem verlassenen Gartenhause am Ende des ödesten der bröckelnden Plätze dort überm Fluß: in einer Welt, zu der kein Steg führte, die Lola nie betreten würde und aus der sie dennoch ihren Atem herleitete, weilte er und wußte von ihr. Nun hinter seinen Bäumen die Sonne zerfloß, erblickte sie ihn auf seiner Schwelle. Sein Kopf, die breiten Schläfen vorgeneigt, sank tiefer in die Hand, die ihn hielt. Sein Körper erschlaffte; sein Blick schwamm am Boden. Aber da zitterte über der Spitze der Zypresse der erste Stern; blaue Pfade entlang tänzelten Mondfüße; – und er hob die Augen, und in weißem Mondlicht zeigten sie ihr Bild. Er sah in Lolas Gesicht und sagte: ›Auch du? Leidest auch du?‹ – ›Ich leide; aber ich bin stolz darauf. Schreibe mir nicht mehr, du Lieber! Ich will dir nicht mehr schreiben; will nicht mehr die Hand auf ein Stück Papier legen, das du küssen kannst, und deine Schriftzüge nicht mehr an Augen und Lippen führen. Es ist zuviel, es ist Sünde. War nicht reiner, unser würdiger, jener geisterhafte Sommer, als wir, die Seelen voll voneinander, uns sogar der Hoffnung auf ein Zeichen enthielten?‹

Musik schreckte sie auf. Auf dem runden Platz hielten alle Wagen. Junge Leute traten an ihren Schlag.

»Contessa, man sieht Sie wenig. Wieder die Nerven? Sonderbar, daß Sie unser Klima nicht vertragen... Aber Sie wissen doch, daß Ihr Gatte dem Brocca hunderttausend Franken abgewonnen hat? Gestern nacht. Und dem alten Geizhals geschieht recht. Jetzt ist's an ihm, die Taschen aufzuknöpfen. Vor kaum acht Tagen hat er Ihren Gatten wegen lumpiger fünftausend auf offener Straße bedrängt. Er soll unhöfliche Ausdrücke gebraucht haben – und Pardi sah die Damen Vitali kommen. Ein Glück, daß er Geistesgegenwart hat, Ihr Gatte. Wenn der Alte schrie: ›Das ist nicht ehrenhaft!‹, fragte Pardi: ›Sagten Sie ihm?‹ – ›Spielschulden zahlt man oder man wird ausgestoßen.‹ – ›Sagten Sie ihm?‹ So haben die Damen geglaubt, man spreche von einem Dritten. Ah! Ihr Gatte, Contessa: der erste Herr von Florenz!«

Sie fingen an, ihr Winke zu geben. Solange sie Valdomini bevorzugt glaubten, hatten sie Pardi geschont. Jetzt, da wieder jeder sich Hoffnungen machte, gaben sie ihr zu verstehen, daß sie einen Liebhaber brauchen, ihn bald schon wegen ihrer Modistin und ihres Blumenhändlers brauchen werde. Lola erfuhr von jedem Pachthof, den Pardi verkaufte. Sie ward darüber aufgeklärt, daß das Schloß San Gregorio, als sie den vorigen Sommer darin gewohnt habe, nicht mehr Eigentum ihres Mannes gewesen sei; er habe es ihr gemietet; – und sie mußte es glauben, wenn sie sich die Vorbereitungen zurückrief, die er damals nötig gehabt hatte. Sein Untergang kündigte sich ihr manchmal greifbar an. Eines Abends fehlte, als sie ihn bestellte, ihr Wagen. Er sei zerbrochen. Tags darauf erschien der junge Vitali und pries sich glücklich, ihr den Wagen zurückzubringen; Pardi habe ihn verloren und wiedergewonnen.

Ein Augenblick völligen Geldmangels. Aber wäre sein Spiel selbst immer glücklich gewesen: gleich hinter ihm stand die Sarrida und verlangte mehr. Man hatte dafür gesorgt, daß Lola auch sie sehe. Auf der Bühne der Alhambra, unter dem Licht tausend begehrlicher Augen wendete das götterähnliche Tier sein nur mit Juwelen bekleidetes Fleisch langsam hin und her, gab ihm alle Stellungen der Wollust, zeigte es Begierde dünstend, wie eine Himmlische, die zu den Männern der Erde herabsteigt, und Sattheit atmend, wie eine lagernde Kuh. Abseits saß Pardi; seine drohenden Augen beherrschten die Sarrida und den Saal. Diese Juwelen hatte er zu beschaffen, dies Fleisch zu bewachen. Lola hörte, daß er Duelle habe und Wucherern zufalle. Man sprach von seiner Prügelei mit einem Amerikaner, in der Wohnung der Sarrida. Lola war, sah sie ihn bleich von wütendem Gram, versucht, an ihn hinzutreten

394

und ihm zu sagen, sie wisse wohl, er liebe die Sarrida nicht mehr als jede andere: aber sein Ehrgeiz und seine Phantasie hielten ihn besessen, zwängen ihn, sich zu behaupten gegen Jüngere und Reichere, legten ihm wieder einmal ein sinnloses, verkommenes Heldentum auf. ›Sei sicher‹, hätte sie gern gesagt, ›von allen bin noch ich es, die dich am besten zu würdigen weiß.‹ Von der Höhe ihres entfleischten, hoffnungslosen Leidens bemitleidete sie sein einfach sinnliches, das ein hoher Haufen Metall hätte stillen können. Sie verhandelte mit den Gläubigern, die hereindrängten, half an den lautesten Forderungen mit ihrem Gelde vorbei, suchte aus der Wildnis von Zetteln auf seinem Schreibtisch seine Lage zu verstehen.

Paolo schickte etwas; und sie betrat Pardis Arbeitszimmer, hob eine Handvoll Papiere auf und mischte einige Banknoten darunter: er würde vielleicht glauben, sie hier vergessen zu haben. Da blieb ein Blatt ihr zwischen den Fingern, ein Brief – mit einer Schrift, die sie im Leben drei- oder viermal gesehen hatte und doch in jedem Zuge kannte: Mais Schrift. Am Schluß die Adresse eines Hotels in Genua. Lola hatte von Mai seit ihrer Abreise nach Amerika keine Zeile bekommen; und was hatte sie Pardi zu schreiben gehabt? Die vierte Seite enthielt Danksagungen für ein empfangenes Glück. Für welches? Dann Lolas Namen.

»Sei gut mit ihr, so werde ich nicht bereuen, was ich für Dich getan habe!«

›Und sie nennt ihn du?‹

Lola wandte den Bogen; oben trug er: »Mein Geliebter!«

Alles in ihr stand still. Sie war vor sich selbst erschrocken, vor der, deren Geist die beiden Worte wiederholt hatte. Zögernd weiter: – sie warf den Brief hin und sagte laut:

»Er war ihr Geliebter.«

Sie fiel auf einen Stuhl und hielt sich die Ohren zu.

›Ich will es nicht glauben! Es ist nicht wahr; ich bin krankhaft mißtrauisch!‹

Aber da lag der Brief. Mai schwur ihrem Geliebten, daß von diesem einzigen, so kurzen Glück den ganzen Rest ihres Lebens ihr Herz sich nähren sollte. Und plötzlich warf Lola die Arme in die Luft, haltlos, zwischen Abgründen, mit einem Schauder vor dem Schicksal, das stumm gewesen war und auf einmal mit verfaultem Atem ein scheußliches Wort ausstieß.

›Sie hat mich verkauft: schlimmer, sie hat mich mit in den Kauf gegeben, bei dem sie ihn bekam! Er wollte uns beide! Ich wußte das und war so blind? Immer noch gibt es Schleier wegzuziehen? Mein Gott! was wird noch kommen… Bin ich denn ganz anders als alle? Auf den Gedanken, der der erste jeder Frau wäre, verfalle ich nie… Und sie hat mir, nun sehe ich's, den Verdacht fast aufgedrängt: gleich vor meiner Hochzeit, als sie ein letztes Mal um ihn kämpfte. Wie hat sie mich gehaßt! Als sie verlangte, ich solle ihn lassen! Natürlich: ihren Geliebten! Eine Mutter ist das, eine Mutter!‹

Neuaufwallend:

›Und ich hätte ihn ihr lassen können! Ein Wort von ihr, und alles war unnötig, alles seither Erlittene! Das Glück wäre möglich gewesen. Ja, ganz frei lag es da!‹

Sie drückte die Fäuste vor die Augen und schluchzte aus Zorn.

›Ich wäre entronnen. Ein kurzer, verächtlicher Schmerz, und es war hinter mir. Alles Elend umsonst, eine gräßliche Posse. Da: sie dankt ihm auch dafür, daß er sie auf ihrer Bootfahrt geliebt hat, obwohl sie so krank war. Man liebt und erbricht sich, durcheinander. Um solches Lebens willen sitze ich hier.‹

Wild sprang sie auf.

›Nein! Nicht länger. Zu lange war ich schwach. Auch

ich will endlich rücksichtslos glücklich sein. Dahinten ist Arnold, den ich liebe. Ich weiß das Haus und den Weg, kenne sein Herz und meins – und was dazwischen stand, ist alles gesprengt. Ich erkenne nichts mehr an, will nichts mehr wissen. Ich gehöre wieder mir und gebe mich ihm. Ich will zu ihm!‹

Der Weg war weit; sie schwankte vor Erschöpfung und dachte doch nicht daran, in einen der vorüberfahrenden Wagen zu steigen. Die Häuserreihen ringelten sich fahl dahin im erlöschenden Blau. Alles hastete bestürzt durcheinander, und man kam nicht weiter, wie in einem Traum. Die Welt war in Verwirrung und suchte einen Retter. ›Zu ihm, der handeln wird, handeln und mich retten wird!‹ Sie erkannte die Straßen nicht wieder, fragte einen Menschen – sein Gesicht deuchte ihr unheilvoll – und hörte sich sprechen, wie eine andere. ›Ich bin krank‹, dachte sie deutlich; ›ich weiß es wohl. Aber was kommt darauf an. Vorwärts!‹

Über der Mauer schwebten Baumkronen: die Kronen seiner Bäume. Das Tor erwartete sie, unverschlossen. Er saß dort hinten, vor der Schwelle seines niedrigen Hauses, die Schläfe in der Hand, zu Boden sinnend. Dies alles gab es nicht nur in ihren Gesichten? Die Sonne schmolz hinter jenen Zypressen, wie in alten, süßen Erinnerungen. In Lolas Kopf klopfte es wirr und heiß. Bemooste Gartengötter streiften sie, den Gang entlang, mit schiefen Blikken. ›Seht nur zu!‹ – und sie schlug den Mantel zurück, als würfe sie alles von sich und böte sich ihm. Der Kies spritzte von ihren gehetzten Füßen. Arnold sah auf, bewegte eine ungläubige Hand und erstarrte. Sie lag vor ihm.

»Es ist aus. Wir sind frei. Ich bin dein. O ja, nimm mich nur in deine Arme, frage mich nur! Du sollst alles wissen, du bist der, den ich habe. Einen Menschen muß man doch haben, einen. Ich war immer allein. Ich weiß noch, wie mein Vater mich in dem fremden Garten zurückließ. Kei-

397

nen verstand ich. Nie habe ich eine Sprache ganz erlernt. Die Mädchen dort beschimpften mich einst, weil ich nirgends hingehörte. Als ich groß war, hielt man mich für eine Abenteurerin. Und behandelte mich wie eine Fremde in allen Ländern, Feinde. Weißt du, daß sie hier mich kaufen wollen, mich zu ihrer Dirne machen wollen? Kein Volk, dem ich zugehöre, keine Sprache, die mich ganz ausdrückt – und kein Mensch, an dessen Herzen ich daheim bin? Du! Oh, du!«

»Meine Lola. Meine liebe kleine Lola.«

»Sag mir das! Sag es mir oft. Ich habe es so lange entbehrt. Ich bin schlimm daran. Du weißt nicht: hier ist's so still, aber draußen geht alles drunter und drüber. Du mußt mich retten.«

»Meine arme Lola, du fieberst.«

»Es ist möglich, ich verliere den Kopf. Aber bedenke, was sie mir getan haben und daß meine Mutter seine Geliebte war. Ja: seine, meines Mannes. Ist das nicht mehr als alles, was ich zu tragen verpflichtet war. Soll ich so viel Buße zahlen? Oh! ich ersticke. Es soll endlich aus sein. Hörst du? ich will, daß es aus sei!«

»Gib mir deine Hände, lege den Kopf hierher, an meine Schulter. Halte still, höre zu. Ich habe dich so lieb, daß ich wollte, an deinem Leid stürben wir augenblicklich, alle beide. Wir sind arm, und ich denke schon längst an den Tod mit dir, als an das Beste. Vielleicht, daß wir nachher uns haben würden?«

»Sterben? Ja, mag sein, daß es das war, was ich wollte. Ich wußte nicht... Gib vorher deinen Mund!«

... da schrak sie aus der Umarmung.

»Nein! Nicht das. Ich kann es nicht.«

»Wenn du mich liebst? Ich weiß nicht, wie es kam – aber liebst du mich dafür denn nicht genug?«

»Sei nicht traurig! Ich schwöre dir –«

»Du liebst mich also nicht genug. Ich wußte es.«

Ganz voneinander gelöst, standen sie da. Lola führte die Hand zwischen die Augen. ›Warum kann ich es nicht? Warum bereue ich fast, daß ich ihn liebe? Was erwartete ich denn anderes von ihm! Sollte er mich fortreißen aus den Feinden und um sich schlagen? Heldentaten? – Ich bin kindisch. Ein Held ist der andere, ich kenne den Helden. Dieser ist ein Mensch – und zu fein, zu sehr mir gleich, um es mit dem Leben aufzunehmen, das lügt und vergewaltigt. Bei ihm ruhen. Nur ruhen. Den Hals nicht wenden; nicht zurückdenken.‹

»Kannst du mich nicht so lieben? So? Ohne das andere?«

Und sie lehnte sich an ihn, ohne die Arme zu erheben.

»Ich werde trotzdem nur dir gehören. Wir werden uns immer sehen, ich verspreche es dir. Gern will ich mein Leben wagen, für wenige Minuten mit dir! Aber das andere – siehst du, wir können's nicht. Auch dir wäre gleich wieder eingefallen, daß wir's nicht können. Lügen und betrügen: wir! Lieber das Schlimmste erleiden. Im Grunde, was ist geschehen. Er und meine Mutter sind wie alle. Auch das hab ich verschuldet und muß es tragen. Warum verlor ich mich? … Siehst du, nun senkst du die Stirn und siehst wieder alles ein. Du bist gut, du bist mein Trost. Alle Not will ich vergessen, wenn ich bei dir bin. Versprichst du, daß dir das genügen wird?«

Er hob ihre Hand an seine Lippen. Sie standen lange im Dunkeln. Mehrmals, nach verträumten Pausen, fragte Lola:

»Wirst du mich immer lieben?«

Und er hob ihre Hand an seine Lippen.

Ganz erwachend, unter einem Seufzer, sagte sie:

»Ja, es ist schön. Aber –«

Mit einer kleinen gefrorenen Stimme, an deren Decke ein leiser Spott pochte:

»– wir werden uns nie gehören.«

IV

Sehr früh war Claudia bei ihr.

»Schon in vollem Anzug und unterwegs?« fragte Lola. Es sei solch schöner Morgen, sie habe ihr Veilchen bringen wollen; – aber Claudia schien besorgt. Endlich, ganz leise, erschloß sie sich. Im Vorbeigehen habe sie Pardis Zimmer weit offen gesehen. Die Schiebfächer seien herausgezogen. Vieles liege am Boden, wie nach einer Abreise. Lola war erstaunt.

»Vielleicht ist er wirklich fort?« fragte Claudia, und ihr Blick bat um Nachsicht.

»Wir stehen uns grade sehr schlecht, er und ich: drum hat er mir wohl nichts gesagt. Solltest du nicht mehr wissen als ich, Claudia?«

Claudia errötete. Allerdings hatte sie den aufräumenden Diener gefragt. Er konnte keine Auskunft geben – das heißt, ja – ihr Mund zuckte. »Er ist fort. Und ich wußte es schon! Mit der Sarrida ist er fort.«

Lola dachte: ›Welch Glück!‹

Claudia sprach starr weiter. Er begleitete die Sarrida und hatte acht Fechter mit, acht Händelsucher wie er selbst, um der Sarrida Erfolg zu erzwingen. Denn die eintönige Ausstellung ihres Fleisches langweilte vom dritten Abend ab.

Befremdet fühlte Lola eine Regung von Eifersucht: oh, nicht auf Pardis Liebe, aber vielleicht auf die acht Fechter, mit denen er seine Geliebte beschützte? Hier ward gehandelt. Man schickte sich nicht in etwas, das bestimmt schien; man verzichtete nicht: man handelte.

»Woran denkst du?« fragte Claudia.

»Daß wir dann nach Monte Turno könnten: du, Arnold, ich. Da du schon unterwegs bist: willst du mit Guidacci sprechen?«

Mittags trafen sich alle bei der Trambahn nach Prato. Der kleine Priester frohlockte; er faßte das schöne Wetter als persönlichen Erfolg auf. »Jetzt werden Sie mein Landhäuschen sehen!« wiederholte er.

Dem groben, schwermütigen Gesicht Pierinas standen die Veilchen. Lola steckte sie ihr an: Arnold hatte welche für Claudia. Alle lachten aufgeregt durcheinander, man wußte nicht, warum: weil es in den Frühling hinausging, weil die Frauen bunte Schleier und Blumen trugen, weil man sich abenteuerlich frei fühlte, in der schmutzigen, lärmenden kleinen Dampfbahn durch das weite, sonnig durchwogte Land hin. Es war braun; die Glockentürme mit dem Umriß alter Zeiten, alten seltsamen Menschensinnes sanken grau darin ein; rosig und weiß überspülten es Obstblüten; und der Himmel öffnete sich immer weiter, immer mächtiger, bereit, einen Hineinstarrenden zu verschlingen.

Lola stand allein auf der Plattform und sah in den Himmel. Arnold trat neben sie. Nach einer Weile zeigte sie ihm die Pappeln, die zurückblieben.

»Wie sie fein und durchblaut sind! Hören Sie's nicht, als ob sie sängen? ... Auf der Großen Insel, bei meinen Großeltern waren welche. Es ist mein Lieblingsbaum.«

Guidacci kam heraus. Sie sprachen beide so herzlich zu ihm, daß er sie ganz beglückt ansah.

Es ward heiß. An den Halteplätzen holten Arnold und Guidacci Erfrischungen unter den Zeltdächern der Cafés hervor, aus den schwarzgelben Reihen der Bauern mit kühn zerdrückten Hüten. Die Kutscher burlesker Landwagen spaßten und knallten. Wild schnaubend riß einen die Lokomotive – noch warf ein Mädchen eine Rose nach – aus dem sonnigen kleinen Haufen Leben.

Und man bestaunte in Prato, wie ein Kind, die Kanzel am Dom, mit dem geheimen Wunsch, da hinaufzuklettern, zu spielen. Und man atmete, im Stellwagen, die Luft vom Gebirge, erstieg Hügel, die sich, weinlaubüberzogen, um helle Häuser schmiegten, verlor sich in Laub, Quellenfrische, Duft verjüngter Erde... Das letzte Stück Weges ging's steil. Guidacci lief es, die Soutane gerafft, zu Fuß hinauf. Wie sie oben abstiegen, sprang aus einer Pforte ein gelbes, mageres Männchen in einer Pumphose, fuchtelnd aus seiner zu weiten Jacke. Man bewunderte den Priester: Claudia tat es nicht ohne Bedenken. Er wollte ihnen seinen Garten zeigen; nein, das Haus; nein, vor allem sollten sie seinen Wein kosten: er wußte selbst nicht, was er am wenigsten erwarten konnte. Und er erklärte, daß er in zwei Jahren, vielleicht in einem, sich hierher zurückziehen, seine Rosen pflegen und seinen Wein keltern wolle. Er sagte es stolz, als vermesse er sich einer Heldentat.

»Das Alleinsein fürchte ich nicht« – und er tat, mit gespreizten Fingern, einen entschlossenen Streich durch die Luft. »Übrigens habe ich hier meinen alten Lehrer. Sie müssen ihn sehen.«

Er führte sie um das Dorf und durch den verwilderten Pfarrgarten in die Sakristei der Kirche. Ein großer, gebückter Greis empfing sie. Das Chorhemd, das er eben ablegen wollte, ließ er auf die Schultern zurückgleiten, lud mit einer weichen Bewegung die Damen in das altersschwarze Wandgestühl und begann sogleich, als habe er sie erwartet, mit ihrer Unterhaltung.

»Hier vernehmen Sie mehr, als in Guidaccis Hause, vom Geräusch unseres Festes.«

Ein Schuß, der Schrei eines Verkäufers drangen über den stillen Garten her.

»Es ist das jährliche Fest unseres Heiligen. Ich will Ihnen seine Geschichte erzählen.«

Er rief hinaus nach der Magd, die süßen Wein brachte. Guidacci verhieß eifersüchtig, sein eigener Vino Santo, den er ihnen vorsetzen werde, sei besser. Oh, der Alte höre nicht!

Der alte Priester erzählte, auf seine Knie gestützt, Sachlichkeit und Ruhe im langen, blutleeren Gesicht, seine Wunderlegende. Claudias Augen, sah Lola, erweiterte leidenschaftliche Sehnsucht. Die kleine Pierina sah mit schwermütigem Spott von einem zum anderen. Guidacci, unfähig, stillzuhalten, sagte zu Lola:

»Wie frisch er ist, nicht? Und er wird achtzig. Aber er hat auch seit fünfzig Jahren dies Dorf nicht verlassen.«

Lola traf die Augen Arnolds. Im Drang, wohlzutun, glücklich zu machen, antwortete sie Guidacci:

»Sie werden denselben Frieden finden: ich glaube es.«

Und sie betrachtete die dunkeln Möbel: wie viele Hände, die nacheinander gelebt und daran hingetastet hatten, mochten diese Ecken abgerundet haben! Die Türfüllung war ausgebuchtet, wie von den hundert Rücken vergangener Priester, die sich plaudernd hineingelehnt hatten. Der Frühlingswind eilte nur wie ein fremder junger Gast durch den alten Raum, unvermischt mit seiner eigenen Luft, dem stillen Greisenatem der Wände, der schwarzen Bilder, der Stoffe, die, mit verjährtem Weihrauch gesättigt, auf den Schultern des Achtzigjährigen und in den leisen Schränken ruhten.

›Wir aber dürfen hinaus‹, dachte Lola: ›er und ich! Wie weit und hell es dahinten ist!‹

Schon im Garten, sahen sie drinnen den Alten die kleine Pierina an der Hand halten. Er berührte ihr Ohr und seins.

»Nicht undankbar sein«, sagte er. »Das ist ein Glück. Wir beide hören nichts Böses, und fern davon, uns in uns selbst zu verschließen, wollen wir den Menschen viel Gutes sagen.«

Pierina kam mit betretener Miene heraus. Lola nahm sie

zwischen sich und Arnold, und plötzlich fand sie ihr eine
Menge zu sagen, fühlte sich bei einer Freundin, die Zeugin
ihrer glücklichsten Augenblicke gewesen war und der sie
sie dankte, wie Geschenke. Das Mädchen erhellte sich,
vergaß zu beobachten, plauderte... Aber Lola bemerkte
Claudias gequältes Gesicht. Sie zog sie fort.

»Oh, wenn ich jenem alten Priester beichten könnte!«
sagte Claudia; und Lola:

»Beichte mir!«

Claudia erhob große, schuldige Augen zu ihr.

»Dir möchte ich zu Füßen fallen, Lolina«, sagte sie,
leise und wild. »Wie! ich habe dir deinen Mann genommen: ich zuerst – und du magst mich noch ansehen, ohne
mir ins Gesicht zu schlagen? Du hörst meine Stimme und
erwürgst mich nicht? Ich begreife dich nicht, aber ich will
dich lieben, wie ein Hund!«

»Du hast mir nichts genommen, arme Claudia. Er
machte mich nicht glücklich: er zog mich in Schmutz. Daß
ich ihn, der mich mit allen betrügt, einst geliebt habe,
demütigt mich.«

»Demütigen! Schmutz! Weißt du, daß ich im Straßen-
kot, zwischen den Rädern aller Familien von Florenz, ihm
nachkriechen würde? Er soll mir zurückkehren von der
Sarrida; von der letzten Dirne soll er mir zurückkehren!
Weniger als das, er soll mich zu ihr rufen, an ihr Bett: hier
bin ich! Demütigen? Ich werde um ihn in Schande kommen, ganz tief, und für ihn sterben: hast du neulich im
Palazzo Pozzi die Blicke meines Mannes gesehen? – werde
für ihn sterben, und das macht mich stolz. Oh! ich weiß
alles voraus; ich habe meine Zukunft da –«

Mit ihrer kleinen behandschuhten Hand schlug sie sich
auf die Spitzen vor der Brust, auf den Leib...

»– und da, und da: überall, wo Blut fließt! Weißt du das
nicht? Dann weißt du wenig von Liebe!«

Sie schüttelte den Kopf, daß an ihrem Hut die Straußenfeder aufflog. Plötzlich lachte sie laut Guidacci entgegen, ergriff Pierina am Arm und lief mit den Geschwistern die Straße hinab. Arnold und Lola stießen zueinander und folgten, langsam und allein.

»Was ist Ihnen?« fragte er. »Sie sehen erschreckt aus.«

»Haben Sie nicht gehört, was sie sagte? ...Lassen wir's! Das ist das eine Schicksal – und das andere gehört dem Alten in seiner Sakristei. Mit uns aber ist's nun so geworden, daß wir diese schöne Waldstraße dahingehen und uns haben. Du darfst meine Hand nehmen. Stelle dir vor, daß wir nie aufhören, zu wandern. Hat dich schon einmal eine Ebene so verlockt wie die dort, worin wir Pistoja sehen? Vor dem Tor ist ein Garten: immer, wenn ich vorbeifuhr, dachte ich an dich.«

»Bei vielen Dingen dachte ich an dich – und noch immer glaub ich's nicht, daß ich nun dich selbst sehe. Werden wir uns immer lieben?«

»Wenn du zweifeln kannst, liebst du mich nicht.«

»Ich liebe dich so sehr, daß ich für immer auf dich verzichtet habe. Keine Schwäche soll mich mehr überraschen.«

»Sie war meine Schuld. Ich klage mich an! Als ich gestern zu dir lief, wollte ich mich rächen; ich nahm, was ich nun erfahren hatte, zum Vorwand, mich loszureißen. Aber der Vorwand war schlecht, und die Rache war schlecht. Sie hätte uns beide entwürdigt. Ist unsere Liebe nicht weit fort von allem?«

Sie standen und sahen, die Finger lose verschränkt, ins Tal.

»Ich glaube«, sagte Arnold langsam, »daß deine Mutter sehr gelitten hat.«

Lola wendete ihm ein verklärtes Lächeln zu.

»Oh! du mußt mich wohl lieben – da du so tief blickst.«

»Sie erscheint mir, wenn ich sie mir zurückrufe, als

armes, unwissendes kleines Wesen, gelockert und nicht befreit, ein ratloses, entflogenes Vögelchen.«

»War sie nicht eigentlich achtbar, daß sie erst dann unterlag, als sie es dringlich fand, mich zu verheiraten? Er hätte mich anders nicht genommen: er wollte uns beide… Liebte sie ihn? Aber um meinetwillen gab sie sich ihm! Um seinet- und um meinetwillen hat sie einem anderen, der es schon hatte, ihr Wort zurückgenommen und ist allein fortgezogen in Langeweile und Gefangenschaft. Denn nun ist sie wieder im Käfig; mein Bruder Paolo hält ihn jetzt so gut verschlossen wie früher Pai. Und sie sieht sich ungenützt altern. Was ich für Verrat hielt, war Opfer!«

»Muß man sich dir nicht opfern? Muß nicht deine Mutter gut sein?«

»Wie viele Augenblicke mit ihr kehren mir nun wieder, wie viele ihrer Worte! Gestern kamen nur die, in denen sie mich haßte. Heute höre ich sie, wenn ihr Kampf sich zum Guten wendete. Ich möchte sie um Verzeihung bitten für meine Kälte! Das Schicksal der anderen kommt mir so oft nicht nahe genug. Ich muß besser werden.«

Arnold wiederholte:

»Wir müssen besser werden.«

Sie hörten die anderen zurückkommen und sahen sie nicht: geblendet von der Abendsonne, in die sie so tief ihre Blicke geschickt hatten.

Man ging ins Haus. Das kleine Zimmer, wo sie sich zwischen leeren Mauern an den gedeckten Tisch setzten, schien Lola das gastlichste, das sie je aufgenommen hatte. Claudia, Guidacci, Pierina: Jedem hörte sie mit Entzükken zu. ›Im Grunde wußte ich's immer‹, dachte sie, ›daß jeder Mensch sein Interessantes und seine Schönheit hat und daß ich einmal lernen werde, es zu finden. Jetzt kann ich's. Alle Menschen würde ich verstehen und lieben.‹ Dennoch pries sie sich glücklich, grade mit diesen zu sein.

Ihr Wohlwollen strahlte ihr aus aller Augen zurück, ihr Glück machte alle fröhlich. Manchmal, rasch den Kopf gewendet, ein neckendes Wort zu Arnold; – und in jedem Ja und Nein jubelte es, und sie fühlte es jubeln: ›Ich bin nicht mehr allein!‹ Guidacci hatte neben sie Arnold gesetzt; als er seine Ansichtskarten hervorholte, machte Pierina, daß Arnolds Name zusammenkam mit Lolas; und beim Fortgehen, dem Wagen entgegen, ließ Claudia sie allein.

»Wie ich dich liebe!« sagte Arnold und stützte sie. »Jetzt im Dunkeln zieht sich der ganze Geist zusammen auf den einen Gedanken. Man weiß erst jetzt; man begreift erst jetzt.«

»Wie ich dich liebe!« sagte Lola. »Ich denke mich in eine Stunde des Elends und der Einsamkeit zurück und sehe von dort aus uns beide, jetzt im Dunkeln, und staune.«

Am Morgen kam, durch Vermittelung Claudias, ein Brief von ihm.

»Noch lange war ich auf; es regnete; ich ging unter den tropfenden Bäumen meines Gartens und war glücklich, zu atmen. Sonst, wenn ich in Regennächten allein saß, in mich selbst verbannt, ohne Ausweg aus mir, fühlte ich oft die Welt zu Schatten werden und fürchtete mich, wie vor dem Erlöschen einer Flamme, die kein Stoff mehr nährt, vor dem Einschlafen meines vereinsamten Geistes. Wie gut ist's jetzt! Nicht mehr an einem Fleck festzusitzen, wie eine Spinne immer nur im eigenen Netz. Sich hinwegdenken zu dürfen über Räume, an einen Ort, wo man liebt und geliebt wird, also wichtiger ist und höher lebt, als hier am Aufenthalte des Körpers!

... Ich habe noch keiner geglaubt, die mich halten wollte. Ich traute meinem Gesicht nicht zu, es könne geliebt werden, und der Frau nicht, sie durchschaue und verstehe es. Du erst hast das dichterische Auge der höchsten Frauen, die nach dem Bilde der Seele, die sie geschaut haben, ein Gesicht erkennen und es lieben können, weil es die Form dieser Seele ist. Ihr seid wenige – aber welcher Mann vermöchte dies? Wer kann von dem, was seinen Sinnen genehm ist, absehen, einer Seele zuliebe?

…Haben wir uns aber in jedem Augenblick lieb genug gehabt, gestern, in jedem? Sobald ich Dich nicht mehr sehe, fallen mir versäumte Minuten aufs Herz, zerstreute, matte. Das Glück müßte fortwährend neu die Augen aufschlagen. Das Leben ist ungewiß, und es vergeht. Dich lieben!«

Lola hatte ihm vieles zu antworten.

»Ich habe selbst als junges Kind nie ganz im Ernst an einen Gott geglaubt und später die Frage nach ihm immer nur für zweiten Ranges gehalten. Ich sah, und ich erlebte in mir, die himmlische Liebe diene allzusehr als Entschuldigung dafür, daß wir uns auf Erden nicht lieb genug haben… Auch hatte ich nie ein Vaterland. Du und ich: wir sind allein. Das legt uns vielleicht die Bestimmung auf, uns der Menschheit zu erinnern, die über den Vaterländern vergessen wird?

Seit gestern verzehrt es mich, die Güte zu äußern, zu der ich nun gekommen bin. Durch eine Tat das Opfer seiner selbst alle umarmen zu können! Aber ich weiß keinen Weg zu ihnen; ich schäme mich, ihnen Dankbarkeit aufzuerlegen, mich an sie zu drängen. Was soll ich tun? Meine Alliebe vereinigen auf einen. Dich lieben!

Du wirst es mir nicht vergelten können. So viele Wesen hast Du zu lieben, die Du schaffst, um die Du Sorge trägst, denen Du von Deiner Seele gibst. Ich bin eifersüchtig. Du darfst nicht müde sein, weißt Du, wenn Du zu mir kommst!«

Und Arnold:

»Du irrst: ich habe geschrieben, um mich leben zu fühlen. Aber lebe ich jetzt nicht durch Dich? Ich habe geschrieben, um groß zu werden: aber welche Macht hätte
ich nicht von Dir! Einem Dichter erschließt Liebe alle
Schicksale. Früher trieb starre Herrschsucht die Welt
durch meine Visionen. Jetzt ist, was sie in Bewegung
setzt, Liebe. Das große Getriebe meiner Geschichte hat
einen innigeren Gang. Plötzlich steht alles still: steht und
neigt sich vor Dir.«

Nach diesen Sätzen öffnete Lola, zum erstenmal seit
zwei Jahren, das Klavier, stellte ihre alten Lieder darauf
und sang. Saß die Stimme nicht mehr am Fleck? War sie
schwächer geworden? Fehlte ihr der frühere Glanz? Lola
hörte eins nur sicher: daß ein Klang darin war, der ihm
gefallen mußte, weil er ihr von ihm kam; ein Klang, der ihr
betäubend aus der Brust quoll, daß sie die Augen schloß;
ein Klang, mit dem sie nicht allein bleiben konnte, den sie
ihm bringen mußte.

Sie eilte hin; er war nicht zu Hause; aber sie ließ es sich
öffnen, setzte sich in seinen Stuhl, schlug sein Buch an der
Stelle auf, wo er es verlassen hatte, stützte den Kopf,
führte ihr entzücktes Lächeln über die Wände, in den Garten und dachte sich daheim. Dann fand sie das Klavier und
sang. Auf einmal kam ihr Kraft. Woher? wenn nicht er
hinter ihr stand. Auf diesen Tönen stieg sie über sich hinaus... Als sie sich wiederfand, hielt sie ihn in den Armen.

»Wie ist es gekommen? Mir war schwindlig; ich muß
mich setzen... Aber du hast geweint?«

»Nie hast du so gesungen. Du bist eine große Künstlerin geworden.«

»Nein; aber ich liebe dich!«

»Weißt du noch deine ehrgeizigen Träume? Jetzt könntest du dich berühmt machen.«

»Nur einer soll mich hören. Wir lieben uns. Was könnte
unsere Kunst anderes sein als unsere Verklärung.«

»Ich wußte, daß du kommen würdest! Wie lange, lange haben wir uns nicht gesehen!«

»Endlos lange. Warte: einen Tag erst?«

»Und warum?« fragte er. »Warum haben wir gestern versäumt?«

»Versäumt? Findest du? Hatten wir nicht genug Glück für einen Tag? Ich war voll davon; es stieg mir jeden Augenblick blendend in Stirn und Augen. Vielleicht mußte ich allein sein? Du hättest mich getötet.«

Sie schwiegen, hielten sich umschlungen und atmeten kaum. Plötzlich: »Aber jetzt haben wir uns wieder, haben uns, und die Sonne scheint, und wir können gehen, wohin wir mögen!«

Sie staunten heimlich, daß Pardi nicht zurückkomme; daß keiner von ihnen erkranke; daß der Himmel ihnen das Glück noch lasse.

Jeder allein, fuhren sie bis vor die Stadt, trafen zusammen und erstiegen die alte Straße nach Fiesole.

»Wie leicht sich's steigt! Wie merkwürdig hell der Kopf sich anfühlt! Ich war lange nicht so.«

»Ich habe lange nicht diese Blütenfarbe gesehen. Sah ich sie je?... Die immergrünen Eichen schieben solche hohen, schimmernden Dächer über unsern Weg; hinter dem Gitter – oh, wie neu es drinnen duftet! – geht der Laubgang so groß gewölbt zu Dornröschens Schloß; Rosen, ja Rosen schlagen um die Halle: wo sah ich das alles? Vielleicht als Kind? Wenn ich in die Ferne sann?«

»Vielleicht sind wir wieder sehr jung?«

»Nun sieh hinab! Aus dem Dunst der Stadt hebt sich kaum noch die Kuppel. Wir sind darüber und allein.«

Sie richteten sich auf und faßten sich bei den Händen. Welt und Sinne sollten sie nicht hinabziehen; sie gingen hoch durch reine Luft. Stolz lächelten sie sich zu. Ein Vergnügen trug sie, über die Triebe aller erhöht zu sein, ein künstlerhafter Genuß ihrer Keuschheit.

Auf der Terrasse des Hotels Aurora mischten sie sich unter die Fremden, traten, wie jene, in den Dom und besuchten die Ruinen. Unter einem Baum, vor einem Bauernhause, vergaßen sie die Stunde und brachen erst auf, als aus dem erbleichten Blau leise ein erster Stern hervorbebte. Sie fuhren hinab durch Nachtwind, mit Angst in der Kehle, weil dort im Himmel schon die weite Pinie lag, bei der Arnold aussteigen sollte.

»Bald wieder! Morgen: warum nicht morgen!«

Sie verweilten in Landwirtshäusern und Klostergärten. Sie erfanden, wenn es regnete, Verstecke in der Stadt: den Hof eines entlegenen Hauses, eine unbesuchte kleine Kirche. Und sie machten, da es schön ward, den einsamen Weg von Settignano nach Fiesole, mit dem rauhen Profil jenes Schlosses, den Tälern ohne Herden und, auf der Lohe des Sonnenunterganges, dem schwarz verkohlenden Walde. Die Kräuter, in denen sie geruht hatten, dufteten noch aus ihren Händen. Sie sagten sich, es sei schade, daß dieser Duft verfliegen solle; und sie hielten dabei einer des andern Schulter umfaßt, vor der Wendung in die Dorfgasse, in der äußersten Minute ihres Alleinseins. Lola konnte Arnolds Augen nicht loslassen.

»Daß ich mich jeden Abend von dir trennen muß! Du weißt nicht, welche Angst ich davor habe, schon stundenlang vorher, und wie ich mich des Nachts nach dir sehne! Könnten wir immer beisammen sein! Uns nie trennen! Sich trennen ist furchtbar! Du fühlst es nicht wie ich. Oh! du liebst mich nicht wie ich dich. Sehnst du dich nach mir?«

Sie gingen ein Stück Weges zurück, damit er es ihr beteuern konnte. Sie überlegten das Wagnis, aufs Land zu fahren, einige Tage sich ganz zu haben, sich keine Minute zu lassen.

»Keine Minute! Ich werde keine verlieren, ich werde nicht schlafen!«

Sie besprachen es täglich, nannten immer neue Winkel im Lande, die sie verbergen konnten, berieten über die

Wahrscheinlichkeit, entdeckt zu werden. Lolas Jungfer mußte wohl an Pardi berichten; er hatte geschrieben und Andeutungen gemacht, als ob er etwas wisse. Vielleicht drohte er aufs Geratewohl? Er verhieß auch längst sein Kommen, und kam nicht. Ende Juni fand sie ihn plötzlich, wie er im Zimmer auf und ab ging. Die Dienstboten hatten sie heimkehren gesehen und geschwiegen; sie erschrak heftig. Er erklärte auffahrend, einmal Ordnung schaffen zu wollen. Eine Frau, die nachts ausgehe, sei nicht auf guten Wegen. Lola erwiderte, noch mit Herzklopfen, sie sei keine dieser Frauen hier; ihre Freiheit, sich zu bewegen, habe sie seit der Heirat nicht aufgegeben. Er hatte plötzlich die Fäuste an den Schläfen; er krümmte sich und pfauchte.

»Wenn ich wüßte! Wenn ihr nicht so schlau, so kalt und schlau wäret! Jemand fassen! Ich weiß wohl, wen. Zweifle nicht! Aber du bist eine Fremde: du versteckst die Deinen gut. Immer greift man bei ihr in Luft! Immer ist sie gewappnet!«

Er ließ sie zwei Tage nicht aus den Augen, durchwühlte alles, verhieß ihr den Tod, wenn er je Beweise finde; und mitten aus wütender Wachsamkeit heraus war er wieder verschwunden. Die Sarrida gab ihm wohl noch zuviel zu tun; seine eheliche Ehre hatte nur nebenbei und in Eile ein wenig befestigt werden können.

Lola eilte sofort zu Arnold: nun wollten sie reisen! Pardis Dazwischenkunft hatte ihr erst gezeigt, was sie versäumt haben würden. Er hatte sie empört und verwegen gemacht.

»Was kommt, ist alles gleich; aber diese Tage in Abetone wollen wir haben!«

Am Morgen folgte sie Arnold, der in Pracchia übernachtet hatte. Sie stieg aus, bevor er sie sehen konnte, und im Vorbeistreifen flüsterte sie ihm zu:

»Keine Bewegung! Ein Bekannter ist in der Bahn!«

Sie fühlte sich sicher in aller Erregung; erhöht, über alles hinaus, und dennoch dankbar und ihm hingegeben bis zu Tränen. Im kühlen Saal des Gasthauses, hinter ihrem gefärbten Eiswasser, bewegte sie leise den Kopf.

»Daß ich dich wiedersehe!«

Lachend mit feuchten Augen:

»Seit gestern abend nicht! Die ganze Stadt ohne dich!«

In den Korbsesseln der Halle fächelten sich feucht beperlte Frauen, und weißgekleidete junge Leute versahen sie, bei aller Hitze, mit Komplimenten, als entschlüpfte ihnen das Herz. Draußen auf den Bänken lungerten andere, in der weißen Sonne, dem Bahnhof gegenüber, am Fuß des grünen Apennins, den sie unbestiegen ließen.

Lola und Arnold fuhren hinauf. Ihre Straße umschlang weite Täler mit Dörfern, laubversunken, beschrieb den Rand rauschender Mühltäler, ließ Täler zurück, die kahl zu Füßen eines Trümmerschlosses schmachteten. Die leichten Schritte der Esel erstiegen, zum Geschrei derer, die sie trugen, drüben den Schlangenpfad; Staub fegte auf vor grellen Wirtshäusern; und am stumpfen Grün der Waldzinnen brach sich die heiße Himmelflut. »Dort oben werden wir glücklich sein!« Von der Höhe rieselte manchmal, mitten durch die Mittagsluft, ein dünner, kalter Hauch. Dann schlossen sich Fichtenmauern, hoch, still. Von den Hufen klappte ein Echo nach.

»Im Hotel lassen wir nur unsere Sachen; noch sind wenige Leute hier; nun haben wir den großen Wald: wir wollen ganz bis in die Tiefe... Oh! die Quelle! Wir wollen uns hinlegen: deinen Kopf in meinen Schoß. Hast du mich lieb? Nun sind wir hier. Heute abend brauchen wir uns nicht zu trennen. Dieser Tag hat kein Ende.

...Ich mag nicht essen: wollen wir weitergehen? Ich habe solche Unruhe; mir ist immer, keine Minute sei so lang, wie sie sein müßte. Bleib stehen, sieh mir in die Augen! Oh! wohin sind wir gelangt? Dies ist der Apennin aus den Geschichten, dies ist das Räubergebirge. Schleicht es nicht durch die Schlucht? Farren und Fichten: ein Drunter und Drüber. So war es hier auch vor tausend Jahren. Laufen wir hinab? Lauf! Oh, du läufst schlecht! Hol mir die rote Blume, willst du? Die einzige kleine rote Blume am Abhang. Nein, du kannst es nicht. Laß! Verzeih, daß ich so dumm gebeten habe!

Kehren wir um? Schon dämmert es... Da ist eine Bank: erzählst du mir etwas?... Du quälst dich, glaube ich, recht sehr, um etwas für mich zu finden. Ich höre nicht zu? Ja, diese Unruhe. Ist es die hohe Luft? Dort bei den Obelisken steht es geschrieben, wie hoch wir sind. Denke dir den kleinen Florentiner Tyrannen, der seinen Namen auf die Obelisken gesetzt hat, der in Perücke und gesticktem Frack hier auf dem wilden grünen Rücken gestanden und ihn eingeweiht hat. Da lies! Die Straße führt in die Lombardei. Es dunkelt, und wir gehen nun in die Lombardei. Wie das klingt! Nach ganz alten, merkwürdigen Gefahren und Abenteuern. Und wir haben kein Geld, kein Dach, sind allein auf der Welt und müssen uns durchbetteln. Möchtest du's? Sag! Für mich?«

»Alles möchte ich für dich tragen: ohne dich zu besitzen. Ich liebe dich zu sehr, um dich besitzen zu wollen.«

Lola ließ seinen Arm los; sie senkte die Stirn. Nach einer Weile:

»...Nun ist's Nacht. Wohin nun mit uns?«

»Lausche, Lola! Lausche auf das Wogen der Schatten im Tal, und auf das leise, mondleise Geläut der Gipfel, die fern daraus aufschweben! Wir hören's, weil wir uns lieben. Und hebe das Gesicht zum Himmel, zu diesem Bekken voll weißen Sternenfeuers, woraus Funken spritzen! Vergehen wir nicht darin, wir, die vom selben Feuer sind? Fühlst du dich nicht aufgelöst? Schwinden dir nicht Sinne und Kraft?«

»Mir ist bange. Wie wird's sein, wenn wir uns nicht mehr lieben?«

»Kannst du dir's denken?«

»Dann müssen wir uns doch trennen? Wir wollen aufrichtig sein, hörst du?«

»Lieben wir uns denn nicht? Du weichst zurück? Besinne dich! Lola!«

»Ist das Liebe? Die geschwisterliche Zusammengehörigkeit, die wir fühlen? Warum liebst du mich? Was willst du?... Ach nein, ich quäle dich. Komm lieber hier hinab, wo das Wasser rauscht. Da hört man seine Gedanken nicht. Mitten in den Bach: die Steine sind schlüpfrig, wir können stürzen und fortgerissen werden. Sage: würdest du für mich sterben? Ja? Ganz sicher? Ach ja, du würdest dich vielleicht fallen lassen, dich vom Wasser ergreifen lassen. Aber würdest du dich erschießen? Sage auch das! Die Waffen liebst du nicht, wie?... Oder würdest du...?«

Sie schüttelte sich; neugierig und böse, überschlichen lauter Bilder seines Sterbens sie. Hilfesuchend drängte sie sich an ihn.

»Lieber! Ach, verzeih! Ich will keinen Helden. Du brauchst nicht, wenn einmal unser Pferd scheut, den Wagen umzuwerfen, damit ich auf dich falle und gerettet bin. Ich verachte den Helden! Ich verachte den Mann, der an meinen Körper denkt und an das Kind aus meinem Körper. Wir wollen keins. Wir haben beide in der Liebe nicht die Einfachheit derer, die eine Rasse fortzusetzen haben.«

»Lola, ich liebe dich.«

»Mir ist auf einmal das Wort so fremd. Worauf soll ich mich verlassen? Wäre die Welt nicht so weit und treulos. Was heißt's, daß wir uns lieben? Sieh, jenen blauen Berg umkränzen weißliche, und steigen wir hinüber, erwartet uns das Meer. Vorgebirge entschleiern sich, eins ums andere, dem, der wandert; den Küsten folgen Küsten; die Vogelschwärme ziehen, und die Städte liegen versammelt unter Wolken, die sich auflösen, wie die Schwärme sich auflösen werden, wie die Städte sich auflösen werden... Warum liebst du mich, und nicht eine Fremde, dort hinten?«

»Lola, welch kläglich einsames Lächeln! Du tust mir sehr weh. Deine Augen zucken so voll Angst hin und her, als grüben sie sich, leise und stumm, durch meine hinab. Dringst du endlich bis zu meinem Herzen vor? Öffnet es sich dir? Nein? Du seufzest? Es ist unmöglich?... Was murmelst du?«

»Ich liebe zu sehr. Wie solltest du so lieben können? Diese Welt, in der ich keine Heimat habe, kennt solche Liebe nicht. Ich verstehe, daß Frauen meinesgleichen sich Christus verlobten. Nur ihm durften sie trauen. Ich, die nicht gläubig bin, sollte ein Bild, eine abwesende Seele lieben... Sieh, grade unter uns, mitten im Hasten des Baches, schließen große Steine einen Spiegel ein. Wie still er ist! Das Mondlicht zaudert an seinem Rande. Unsere aneinandergelehnten Gesichter haben in ihm keine Augen mehr: nur Schatten, die verfließen. So war neben dem Schiff, das mich vor langer Zeit herüberfuhr, in den Wellen ein Gesicht: ja, und manchmal schleifte bläulich ein Mantel heraus. Die Gottesmutter, sagten die Matrosen; sie begleite uns. Fast wünschte ich, du wärest nur ein Bild, das im Meer neben mir herzieht.«

Sie stiegen zur Straße zurück, wanderten schweigend weiter. Da hielt Lola an und legte ihm, schweigend, die Arme um den Hals.

»Was ist dir, meine Lola? Weinst du? Lachst du?«

»Alles war nicht wahr. Du hast es doch nicht geglaubt? Wir lieben uns: das ist immer der Schluß.«

»Der Schluß des Schicksals. Denn in der weiten, weiten Welt hat es mich planvoll auf dich zugeführt, Lola. Mein Leben war Vorbereitung auf dich; mit allem, was mein war, hingst du von je zusammen, warst mein Gedanke und

416

mein Werk. Ich denke daran, daß einmal eine Idee in mir sich klärte gemeinsam mit dem Bild einer Wiese. Viele Blumen trug die Wiese; keine von ihnen hatte ich zuvor gesehen; aber ich wußte: diese da, nur diese ist verbunden mit dem, was jetzt mein Hirn gebiert, kommt aus verwandtem Stoff und liebt mich. Lola, deinen Mund?«

Die Straße hatte sich gesenkt, sie stiegen sie wieder hinan. Lola ließ sich von ihm stützen. Sie ließ ihn seinen Mantel auch um sie breiten. Der Mond war fort, und schon strich der Bergwind her. Sie setzten sich jenem Ausschnitt im Gebirge gegenüber, worin ein Schein empordämmerte; und unter dem Mantel, der unbewegt blieb, drängten sie sich fester zusammen.

»Meine Lola.«

»Ja, ganz dein«; – inbrünstig. Aber seltsam hoch und süß, wie mit entrücktem Spott:

»Nein: doch nicht ganz.«

Nun sickerte Röte in die tiefsten Wolken. Vogelstimmen versuchten sich. Lola und Arnold streiften ihre in Glück und Gram ermüdeten Hände durch betautes Gras. An den Stämmen des Waldes züngelten die ersten roten Tagesflammen: sie traten ein, betteten sich aufs Moos und sagten einander, die Augen geschlossen, daß sie daheim seien.

Sie erwachten; und wirklich, sie sahen sich daheim im Walde: in seinen Verstecken, vor dem Ungewissen seiner langen Schattenlauben, in seiner grünen Tiefe, zu der hier und da Sonne hereinglitzerte, als flackere sie auf allen Seiten und verbrenne den Wald und die in ihm sich liebten. Hier genossen sie etwas wie Ruhe auf der Flucht, blickten bedächtig ihren seltsamen Gefühlen in die unerforschlichen Augen und hofften fast, zu vergessen und dahinzuschwinden… Sie traten hinaus: und da hatten die Berge schon sich aufgelöst ins Licht und beugte schon die Welt sich unter einem blau brennenden Himmel.

»Ein neuer Tag!«

Sie merkten erst jetzt, daß sie eine Nacht beieinander gewesen waren: die erste. Und sie lachten, fielen sich in die Arme und küßten sich Tränen von den Wangen.

»Wir haben uns nicht getrennt, noch lange nicht trennen wir uns, noch lange nicht. Wir genießen doch viel Gutes!«

Sie suchten das Gasthaus auf; und da, allein im Zimmer und indes sie ihr Haar kämmte, mußte Lola denken:

›Wie Pardi ihn jetzt verachten würde!‹

Die ganze Nacht unter seinem Mantel, und er hatte sie nicht genommen. Sie hörte Pardis Auflachen und kämmte, die Zähne zusammengebissen. Der Kopf schmerzte ihr; sie schrak auf; und im Spiegel sah sie sich rot von Scham.

›Wie? Ich habe mich seiner geschämt? Arnolds? Meines Geliebten? Weil ein Mensch von niedrigerer Gattung ihn nicht verstehen würde? Versteht er denn mich? Oh!‹

Nicht schnell genug ließ sich das gutmachen. Hinunter – er wartete am Tisch – und noch ehe sie sich setzte, ihm die Hand geben und unter den Blicken des Saales ihm leise und stolz in die Augen sprechen:

»Mein Geliebter!«

Nach fünf solcher Tage, schon im Wagen, der sie forttrug:

»Ach! sieh noch einmal das Haus an – und die Obelisken! Werden wir je wieder diese Straße gehen? Zusammen gewiß nicht. Die Straße in die Lombardei. Das ist nun aus. Was wird kommen? Mir ahnt nur Trübes.«

»Warum, Lola? Da wir uns lieben?«

Sie senkte den Kopf. Verstand er denn nicht? ›Wir haben nun doch gesehen, daß unsere Liebe uns nicht wohltut, mitten im Glück nicht wohltut.‹ Aber sie schwieg. Wie er sie drunten in Pracchia zur Bahn brachte, war sie unaufmerksam und reizbar. Endlich, noch aus dem Fenster:

»Lieber, komme mir nicht nach! Fahre nach Deutschland! Es ist besser, wir trennen uns.«

Aber da sie ihn fassungslos erschreckt sah, stieß sie die Tür auf und war bei ihm.

»Nein! nein! Wie könnte ich's ertragen! Du glaubst doch nicht? Ich sagte das, weil ich hier so glücklich war. Nimm meinen Fächer! Und daß du ihn mir morgen zurückbringst! Nicht später als morgen!«

Von ganz fern winkte sie nochmals. Er erwartete es nicht mehr, stand versunken und atmete das Parfüm ihres Fächers. Lola ließ sich auf den Sitz fallen und schloß die Augen. Die schwere Luft des Tunnels ängstete sie. Ihr war's, sie führe dem Verfall entgegen: ihrem und seinem.

Aber sie trafen sich, wie früher, in Vorstädten, bei entlegenen Landwirtshäusern; schlenderten Hand in Hand durch Schafherden, kleine Abendbäche entlang und lasen im Schatten von Klostermauern, vor gewellten Olivenfeldern, in Dichtern. Manchmal überschlug Lola eine Seite und wartete, daß Arnold nach Pardi fragte. ›Hat er ihn vergessen? Er nimmt unsere Freiheit hin, als sei sie verdient. Aber wem verdanken wir sie? Wenn Pardi zurückkäme – Wenn er mich zu sich riefe –‹ Und etwas Zorniges hob sich auf in ihr gegen diesen Träumer und sein über dem Buch gesammeltes Gesicht.

Der Herbsthimmel hatte sich weich und trübe um die Stadt geschlossen: da kam Pardi.

»Wie wir es nun wieder schwer haben«, klagte Arnold. Nach ihrem unzufriedenen Schweigen sagte Lola:

»Wir wenigstens machen es ihm nicht schwer. Er darf sich trösten, wie er mag, für die Sarrida.«

Arnold merkte nichts.

»Ich bin ihm begegnet; mir klopft, ich gestehe es, immer ein wenig das Herz: als ob ich nahe an einen Raubtierkäfig hinträte. Dennoch sehe ich ihm gern zu, gestatte mir bei seinem Anblick oft auch eine leichte Sehnsucht – wenn er sich so bewegt und spielen läßt, immer ein Ziel vor Augen, immer gespannt und bereit. Ich erkenne dann in ihm den Mars von der Treppe der Uffizien.«

»Das ist wohl interessant?« – ganz leise; und ausbrechend:

»Aber daß er mein Leben zerstört hat, vergessen Sie! Sie sind kalt! Lassen Sie mich allein!«

»Ich bitte dich!« Er stammelte, und er lief mit durch den Nebel, wie ein Hündchen. »Wie magst du auf einmal alles verkennen? Haben wir uns nicht? Sind wir nicht eigentlich besser daran, unser sicherer, als der, der sich mit einem unverstandenen Schicksal herumschlägt? Ich liebe dich nicht weniger, weil ich ihn nicht hassen kann.«

»Doch.«

»Weil ich ihn ansehe wie ein böses Bild.«

»Sagen Sie das ihm! Sie werden erfahren, daß er kein Bild ist. Kann sein, daß er Sie tötet. Er wäre durchaus nicht zu fein und bedenklich, Sie zu töten – und auch mich. Ach! haben Sie denn kein Blut? Ist es denn nicht möglich, Sie zum Äußersten zu treiben? Nie könnten Sie etwas tun, was Sie bei kalter Vernunft nicht billigen würden: etwas Abschließendes, etwas Gewaltsames?«

»Wenn ich es vorauswüßte, würde ich es nicht tun.«

»Sie haben recht. Sie sind immer klar und vernünftig. Wie sollten Sie etwas Dummes tun. Gewalt ist natürlich dumm.«

»Ich bin so sehr dein, daß ich auch etwas tun würde, das mich Ehre und Leben kosten würde und das ich ohne Überzeugung, nur in deinem Namen täte. Ich verachte die Gewalt; ich glaube, daß sie uns schlecht macht und die Dinge nicht bessert. Durch das Tragen einer Waffe fühlte ich mich einst schlechter werden – und lächerlich. Denn alles Schlechte, Rückständige ist lächerlich. Der Gewaltmensch, der Krieger ist eine Karikatur...

»Vorhin begeistertest du dich für den Mars.«

Seine Erregung, seine Widersprüche und seine trotzige Übertreibung versöhnten sie. Nun seine Stirn zornig gerunzelt war, zerging zwischen ihren Brauen die Falte. Sie atmete ruhiger, fast glücklich, weil sie ihn hatte reizen können. Nur nicht immer dieses nüchterne Gleichgewicht, diese künstliche Ruhe des Schwachen!

Da haschte sie nach seinem Arm.

»Um Gottes willen, wir müssen ausweichen. Siehst du ihn nicht kommen? Drüben, hinter dem Wagen?«

Aber er stieß hervor:

»Nun geschieht, was geschehen will. Mein Weg geht hier.«

»Du bist kindisch«; und zitternd, die Augen gradaus, folgte sie. Der Nebel zog sich noch dichter zusammen; sie kamen vorbei.

Lange nachher:

»Du wünschtest den Zusammenstoß?«

»Ja.«

»Wünschest du ihn noch?«

»Nein.«

»Das ist gut. Wir müssen vernünftig sein.«

»Du findest?« fragte er mit einem langen, bitteren Blick. Sie senkte die Stirn. Ja: was er sagen wollte, war wahr; sie schwächte ihn, wie er sie. Sie glichen sich, konnten einander nicht helfen und schleppten einander nach.

Und zu Hause beweinte sie sich und ihn.

›So redlich er seine Liebe meint: wie lange wird's dauern, und alles ist nur gewesen, damit er ein Werk daraus macht. Er ist nicht, wie ich, dazu geboren, von der Liebe sein Schicksal hinzunehmen: sondern damit er innere Spiele aus ihr gestalte. Er kann nichts im Leben ganz und für immer ernst nehmen. Noch im äußersten Elend der Seele bleibt er ein spielender Knabe. Vielleicht, daß eine Tat, eine große Schuld ihn reifen und ernst machen würde?... Aber weiß ich, ob ich sie ihm verzeihen würde?... Keine Hilfe. Ich bin noch immer allein.‹

Was tun? Dies hatte schon wieder an eine Stelle geführt, wo es nicht vorwärts noch zurück ging. Wie oft im Leben hatte sie solche Aussichtslosigkeit erlitten! Überdruß machte einem alles zweifelhaft: jede Zukunft, die Liebe selbst. Wozu diente das eine? Warum nicht ebensogut das andere tun? Lola ward krankhaft unentschlossen, versäumte Zusammenkünfte, weil sie das Kleid nicht fand, das zum Wetter paßte, und grübelte gramvoll durch den Tag hin:

›Was ist's: er fühlt diesen Dichter nicht, den ich doch fühle? Dies haben wir also nicht gemein. Was eigentlich haben wir gemein?‹

Rastlos durchforschte sie sich: ›Kann ich ihm nicht entkommen? – Nein: denn ich liebe ihn; trotz allem muß ich ihn lieben.

Wollte er mich doch betrügen! Ich würde zu stolz sein, ihn noch zu lieben. Und auch ihm wäre besser, wir wären uns los. Denn auch er fängt an, mich zu hassen.‹

Er sagte ihr jetzt:

»Du hast wenig an mir, ich weiß es. Du bist sinnlich. Wäre auch nicht deine Vergangenheit, ich spüre doch immer deine Verachtung, weil du mir nicht gehörst. Die Verachtung des Weibes für jeden, der sie nicht umwirft und nimmt. Welche Selbstverachtung.«

Seine Härte erleichterte sie; sie haschte demütig nach einem Blick des Grams und des Zorns; sie antwortete zart:

»Ich quäle dich, Lieber.«

Und sie verziehen einander.

»Daß wir uns zanken müssen! Als ich dich wiederfand, glaubte ich, nun wäre auf immer Friede. Du Lieber, wir verstehen uns nicht, selbst wir nicht. Noch lieben wir uns; jetzt sollten wir uns trennen. Noch würden wir einander nur Gutes hinterlassen.«

Sie hielten einer des andern beide Handgelenke, und sie sahen sich bleich und bebend in die Gesichter.

»Ich will nicht, daß du noch länger leidest. Ich will, daß du mich liebbehältst. Wir wollen uns trennen.«

Mit Wildheit sagten sie sich, wie glücklich sie einander wissen würden, fern voneinander. Und endlich mußte jeder an des Gefährten Schulter seine Tränen verstecken.

»Ich habe keine Geistesgegenwart«, sagte Arnold, »und mißverstehe dich oft. Nachher, allein, sehe ich eine deiner Gebärden wieder und weiß, was sie, trotz deinen Worten, sagten.«

Lola erwiderte: »Ich bin ein schwieriger Charakter; ich werde dich sehr unglücklich machen.«

Und er:

»Gleichviel: du brauchst Liebe; und ich will lieber für einen andern leiden als durch und für mich selbst.«

Seufzend sahen sie auf. Der Sonnenuntergang türmte sich als geröteter Rauch wild über den Hügeln. Sie wandten sich und fanden drüben, in monddurchträumten Nebel, andere, müde und gütige. Hinter den leisen Lichtern dort war wohl Friede. »Wir werden Frieden haben. Wir müssen ihn finden, denn wir werden voneinander nie loskommen.«

Das Schicksal, das sie verband, hatten sie immer neu zu begreifen, mußten einander durch schlimme Wetter schleppen, vor allen Blicken ihre Liebe bergen und dabei an ihr zweifeln und am Grunde der Glücksstunde schon die Tränen rinnen hören.

Manchmal versuchten sie es, einander auszuweichen. Lola betrat tagelang nicht die Straße. In einer Dämmerstunde vor Weihnacht fand sie ihn neben ihrer Tür.

»Verzeih mir, daß ich mich an dein Haus gelehnt habe. Es ist schon dunkel genug; und ich war so müde. Aber ich wäre bis morgen auf deiner Schwelle geblieben; bis du gekommen wärest. Warum kommst du nicht mehr?«

Sie vergaß alles; sie zog ihn hinter das Tor und faltete die Hände um seinen Hals. Geräusch auf der Treppe scheuchte sie von seiner Brust auf; sie entwichen.

Unter den starken, schwarzen Häuserfesten der hallenden Straße schlichen sie hin, trennten sich, bevor das Gewimmel der Alten Brücke sie über den Fluß trug, und führten jenseits einander durch ein Kreuz und Quer von Gäßchen, die Plätze zu umschreiben, den Hauptwegen auszuweichen. Sie gingen einsam und mitten auf dem engen Pflaster, das kein Trottoir säumte. Im Licht armer Läden streifte manchmal eine, verlangend und traurig, das Gesicht des andern. Die Tür einer Kneipe flog auf, und sie hielten den Schirm zwischen sich und jene Augen... Unter dem Schwebebogen der Via della Morte:

»Sollen wir nicht ein wenig ausruhen dürfen? Wir sind durchnäßt.« Sie wagten sich in ein dürftiges Café. Die Glastür wankte klirrend; drei Kartenspieler sahen ihnen gespannt entgegen; und sie drückten sich hinter den Pfeiler.

»Wir haben Ruhe, wir sind geborgen. Draußen ist's schlimm für uns.«

Er trocknete ihr Gesicht und Haar – und er erzählte ihr, daß eine andere Frau vor langen Jahrhunderten eben hier durch solche schlimme Nacht, wie sie, gegangen sei: Ginevra degli Amieri, die im Dom auf einer Bahre erwachte, in ihrem Totenhemd zu den Menschen zurückwollte, aber nicht bei Gatte und Eltern Einlaß fand, nur bei ihrem Geliebten.

»Sie hatte sich ihm immer versagt?« wiederholte Lola.» Auch ihnen also fehlte der Mut? Aber nach ihrem Tode war er ihre Zuflucht. Oh! du würdest mich lieben, wenn ich tot wäre.«

Er sagte zitternd, wie sehr er sie liebe, und sie lächelte trübe an ihm vorbei.

»Wir haben das Gute gehabt, das uns bestimmt war.

Denke an unsern Frühling, an den Tag in Monte Turno. Mein Gott, daß das Leben einmal so süß und rein war! Wären wir damals gestorben! Wie nun alles sich unheilvoll anfühlt! Ist jemand an der Tür? Ach, mein Herz klopft bei jedem Windstoß.«

Und Arnold, tonlos:

»Es ist wohl wahr, wir haben ein gehetztes Dasein.«

Räderrollen ward lauter; sie unterschieden den Hufschlag zweier Pferde. Der Wagen hielt vor der Tür; Wirt und Kellner sprangen auf der Straße umher. Aus dem Wagen kam undeutlich eine Stimme, man solle dem Kutscher ein Glas Punsch bringen. Er bekam ihn; und draußen – die feuchte Luft strich herein – blieb es still, stockende Minuten still. Lola hatte die Hand auf dem Herzen. Die andere hielt Arnolds Arm gepackt, und Lola beugte sich, hinter dem Pfeiler hervor, langsam und bebend, bis in die Tür.

»Ich kann nicht mehr, ich muß sehen –«

Da riß sie sich zurück; er fand ihre Augen wie Geister blaß und irr; – und dann sah auch er: dort stand der Wagen des Hauses Pardi.

Lola hob sich, zagend, vom Sitz; Arnold legte ein Geldstück hin; und ohne einander loszulassen, glitten sie hinaus. Das Fenster des Wagens war verhängt. Der Kutscher schlürfte und sah gradaus. Sie hatten den Wagen umgangen, sie konnten fliehen... Das Fenster war verhängt? Lola stand und zauderte, halb gewendet. Dann sagte ihrem Genossen ihr krank herbeischleichender Blick, daß sie sich ergebe. Jener dort solle zuschlagen, endlich zuschlagen. Die Neugier des Opfers war über sie gekommen, die Lust nach dem Opfer. Er sah sie an und erbleichte.

Sie setzte den Fuß an; sie erreichten drüben das Fenster: es stand offen: lautlos neigten ihre beiden Gesichter sich darauf. Und ihre beiden Gesichter empfingen die Atemstöße derer, die dort innen umkrampft lagen, sich wanden und zuckten. Lola bewegte die Wimpern nicht. Ohne Eile richtete sie sich auf; Claudias von Lust gebrochene Augen waren noch immer, ohne zu verstehen, an ihr; – und Lola und Arnold gingen ungedämpften Schrittes von dannen, hinaus in Regen, zeitlose Stille und totes Menschengewühl, durch Vorstädte mit elendem Lichtflimmern im Pflaster und endlos weiter auf einer braunen, müden Landstraße ohne Lampe, ohne Stern... Arnold tastete nach Lolas Arm und stützte ihn. Ihre Schultern sanken im Gehen zueinander. Sie empfingen mit ihren Schläfen den Regen, stießen fremd an Steine und gaben ihre willenlosen Stimmen der leeren Weite hin, die sie trank.

»Meine arme Geliebte!«

»Mein armer Geliebter!«

V

Lola fieberte, schon die zweite Nacht. Sie fühlte sich als Kind und auf der Großen Insel. Feenlicht in stiller Runde, über Meer und Garten; und hielt man ihm nur das Gesicht hin, war's einem, man lächele. Weite Blumenkelche schwankten bedächtig, und Lola gab ihnen Namen: jedem einen längst befreundeten Menschennamen. Da tat aber ihr Herz einen Sprung, die schöne Luft ward schwer; Lola wollte laufen, laufen, und blieb stecken in der Luft; wollte schreien und hörte sich nicht. Sie atmete auf: dort saßen um ihren Suppenkessel die Schwarzen. Alles war gut, die Boa war verschwunden, Lola war ihr entronnen. Ein starker Schwarzer hob sie den Kessel hinan, sie tauchte ihren Löffel ein und sah stolz umher, wie alle ihre blonden Locken bewunderten. Und nun schlug eine Stimme an: oh, jene Stimme, bei der man vor Liebe zitterte und sprang; und aus den Bäumen trat die große, ernste Gestalt. ›Pai! Pai!‹

Sie erwachte, die Hände hingestreckt und auf den Lippen ein Lächeln. Aber ein fremdes Gesicht bewegte sich auf ihres zu; sie schrak zurück: »Claudia!« – und sie bedeckte die Augen und stöhnte.

»Ich erschrecke dich wohl, Lolina? Ach, sieh mich an, ich flehe darum! Wirklich? Ich mache dir Grauen. O du hast recht, ich bin grauenhaft, und ich will gehen.«

Alles war wieder da; nichts half es, die Lider zuzudrücken. Dahinter schimmerte dennoch, wie aus dem Dunkel eines Wagens, Claudias Gesicht, mit den von Lust gebrochenen Augen. Und auch er war zurückgekehrt, der unfruchtbar Geliebte. Das Schicksal war zurückgekehrt.

»Du bringst mir Nachricht von ihm?«

Claudia blieb scheu dort hinten gegen die Wand gedrängt, als wollte sie hindurch. Sie stammelte:

»Warum bist du krank geworden? Oh, ich bin eine Verbrecherin. Wollte doch Tullio mich umbringen, mich endlich umbringen! Ich habe dich gesehen, Lola als eine Erscheinung: ich darf dir nicht sagen, wann, du erscheinst mir oft: ich darf dir nicht sagen, wann.«

»Bin ich dir erschienen, Claudia? Ach, laß das! Es wird nicht wahr sein; denn ich glaube nicht, daß meine Seele von mir fortschweifen kann. Sie sitzt immer über sich selbst gebeugt. Du verstehst das nicht. Hat er dir Aufträge gegeben?«

»Nur, daß er sich sehr um dich ängstet. Er hat es nicht gesagt: ich sah es. Aber nun wirst du genesen, Lolina. Ich will ihm sagen, wie gut du aussiehst.«

»Tu es nicht! Sage ihm, ich werde sterben…«

Sie sann müde. ›Er verdient es. Wenn ich tot bin, wird er bereuen. Dann wird er mir alles geben wollen, als lebte ich. Jetzt liebt er mich nur so, wie man eine Tote liebt. Vielleicht gibt es ein Jenseits? Dort sehe ich seiner Liebe zu und freue mich meines Todes.‹

»Ja«, sagte sie, »ich wünsche mir sehr, zu sterben. Niemand weiß, wie gut das wäre.«

Claudia kauerte am Boden und haschte mit den Lippen nach Lolas Hand.

»Du bist weich und unschuldig, meine Claudia; ich habe dich gern. Aber geh nun, ich bitte dich – und sei unbesorgt. Ich werde wohl nicht sterben: es wäre zu viel Glück. Nur träumen darf ich. Vorhin träumte ich, und da war's, als sei noch nichts geschehen, von allem Schlimmen noch nichts.«

Noch wachte sie, und fühlte sich doch ganz deutlich aus dem Meer steigen: über große flache Steine und auf den Strand. Er war nun leer; und das schwarze Laubdach, unter dem sie hinging, blitzte oben weiß vom Mond. Sie wußte sich allein auf der Großen Insel; die Blumen im Mondlicht sahen aus wie Seelen – und da erinnerte Lola sich, sie sei gestorben. Dies war das Jenseits; und doch lag es auf Erden, und wer sie sehr liebte, konnte sie einholen und es ihr sagen. Sie vermochte nicht zu sprechen, aber sie erriet, was drüben geschah: erriet seine Sehnsucht und lauschte lächelnd übers Meer hin… Nun war er da. Noch fand er sie nicht, sie aber spähte schon bis in sein Herz und sah es bereit, mit ihrem auch den Tod zu teilen. Sie dachte: ›Hier bin ich! Komm!‹ – und da war er unter ihrer Palme; ihre Hände streiften sich, seine Wärme rann ihr ins Herz und erweckte sie. Ein Schrei: sie schrak auf.

Er liebte sie! Das Glück dehnte in ihr seine großen Flügel. Weich ward sie gehoben, schloß wieder die Augen und ließ sich tragen. ›Nun bin ich seiner gewiß – da er mir bis hierher gefolgt ist. Nun liebt er mich mehr als sein Leben.‹

Träume mußten es ihr beweisen; – und sie erhielt sich im Traum von ihm, fand es süß, seiner zu denken und ihn nicht zu sehen. Längst ging sie wieder umher und wollte doch den Brief, den Claudia für ihn verlangte, nicht schreiben. Ihr Traumgespinst wäre durch Worte zerrissen worden. Er hätte sie enttäuscht. Als sie ihn wiedersah, war's Zufall, und sie erschrak. Er begegnete ihr sanft und reuevoll – und in ihr wallten Tränen auf. Warum schalt er sie nicht? Er mußte wissen, daß sie gestern große Gesellschaft bei sich gehabt hatte. Sie sah alle Welt, nur ihn nicht; er aber blieb gütig.

»Mein Mann ließ mir keine Ruhe«, sagte sie, und da sah sie ihn aufzucken. Also brauchte jetzt nur Pardis Name zu fallen, und er war getroffen und sank in eifersüchtiges Grübeln?

»Er ist ruiniert«, sagte Lola mit Herzklopfen; »um sich zu halten, bleibt ihm nur, daß er sich wählen läßt. Und da die Kammer aufgelöst ist – Aber du hörst nicht zu?«

Er stammelte. Nein: sein Zorn, sein Haß waren wieder ausgewichen. Die Eifersucht machte ihn nur noch verlegen. Lola sagte gereizt:

»Warum schiltst du nicht? Ich bin schlecht.«

»Du warst krank. Ich habe dich zu lieb...«

Immer diese Gerechtigkeit. Hätte er den Herrn gezeigt – wie der andere! In ihrem Zimmer träumte sie davon: auch davon. Er befahl ihr, und sie arbeitete für ihn. Denn sie waren arm, waren entflohen und lebten in einer Hütte: sie seine Magd. ›Wie ich dich liebe! Schlage mich!‹ Sie saß, in ihrem Sinn, zu seinen Füßen; und wie sie zu ihm aufsah, schob seinem Gesicht sich, und sie wußte es kaum, Pardis unter. Als sie es merkte, vertrieb sie's. Noch oft kehrte es wieder, statt des gerufenen. Und mehrmals erwachte sie und bebte noch davon, daß sie in Armen gelegen hatte, die der Geliebte ihr geöffnet und der Gehaßte um sie geschlossen hatte.

›Warum suche ich nach allem Leiden, das jener mir auferlegt hat, in Arnold doch wieder den anderen? Bin ich denn wirklich unheilbar? Ach, wollte mein Geliebter mich erlösen! Eine Tat! Ein Zugreifen!‹ Sie wußte nicht, wie, wollte es nicht wissen. Es war seine, des Mannes, Sache. Er hätte handeln sollen trotz ihr, und wenn sie selbst ihm auch die Hände festhielt. Sie irrte durchs Zimmer. Vielleicht lag alles daran, daß er sie nicht nahm? Er verstand sie nicht, er war ein schlechter Seelenkenner. Sie sträubte sich, sie hatte Bedenken: welche Frau hatte sie nicht. ›Ich bin eine gewöhnliche Frau!‹ Er ließ sich täuschen, er war lächerlich vor Zartgefühl. Wäre er einen Augenblick ganz Mann gewesen! Es blieb wider die Natur, daß sie, die sich alles gegeben hatten, einander die Körper versagten. Daraus kam diese Sucht, einander zu quälen, diese Feindseligkeit im Sehnen, diese Träume, die ins Irre und Verderbte schweiften. Sie legte Claudia eine zornige Beichte ab.

»Wir Frauen erfinden Gott weiß was zu unserer Verteidigung. Du weißt selbst, daß wir's übelnehmen, wenn man es gelten läßt. Er aber läßt alles gelten. Ich bin noch immer nicht seine Geliebte. Du hast es mir früher nie geglaubt und wirst es auch jetzt nicht glauben: wie könntest du. Aber es ist so.«

Claudia spähte in Lolas Augen, ob dies die Wahrheit sei. Sie war sprachlos. Dann schob sie den Mund vor; die anstürmenden Worte blähten ihn; und plötzlich erbrachen sie ihn. Arnold war ein elender Feigling; er sollte eine Schürze vorbekommen; Lola konnte sich von ihm ihr Schlafzimmer aufräumen lassen. »Ah! auch dies laß ihn tun –«, und Claudia machte eine Gebärde. Vor Entrüstung ward sie unanständig. Übrigens beteuerte sie, sie habe Arnold nie getraut. Er sei kein Mann. Seine Augen mißfielen ihr. Erschreckt griff Lola ein, erklärte und suchte gutzumachen.

»Ich wußte wohl«, gab Claudia zu, »daß ihr anders seid als wir: du eine andere Frau, er ein Mann, nicht wie die unseren. Ich verstehe eure Sachen nicht, ihr müßt selbst zusehen.«

Aber ihre Phantasie war nun umgelenkt. Claudia bewegte langsam ihren kleinen Kopf und verdrehte, vor schmerzlicher Bewunderung, die großen bräunlichweißen Tieraugen.

»Ihr seid Engel. Wir gewöhnlichen Menschen können euch nicht nachahmen, ihr aber seid Engel. Tröste dich, Lola: deine Leiden werden dir mit himmlischen Freuden vergolten werden, für meine aber bin ich verdammt. Ach! weine nicht, Lolina. Was soll dann ich tun?«

Lola wandte sich ab. Sie erkannte das Leiden anderer nicht mehr: ihr eigenes hatte alles verdunkelt. ›Und wenn es ein Jenseits gäbe‹, dachte sie, ›es wäre dennoch leichter, sich mit allen anderen verdammen zu lassen, als ganz einsam selig zu werden.‹

Sie forderte von Arnold:

»Sei ein einziges Mal leichtsinnig! Bist du mir nie untreu gewesen? Hast du dich je geschlagen? Ach nein – aber so verschwende doch irgend etwas!«

Er war gar zu sparsam: mit dem Seinen und mit sich. Sie warf ihm, wenn sie grübelte, vor, daß er ihr nie ein Geschenk gemacht habe. Pardi hatte für die Sarrida Hunderttausende fortgeworfen – ›aber auch für mich war er immer bereit: ich brauchte nur Launen zu zeigen. Ein Gericht zuviel machte ihn wütend; aber er hätte mir eine Yacht gekauft. Wem eine Frau nicht das Geld wert ist, dem ist sie schwerlich das Leben wert. Arnold ist mäßig und vernünftig; seine Tugenden sind sehr bürgerlich…‹

Und hingen nicht ebenso bürgerliche Untugenden mit ihnen zusammen? ›Seine Kälte und seine Art, Menschen anzusehen! Ach! er wird niemandem unrecht tun: nicht durch blindes Lob und nicht durch Verleumdung. Er zerlegt und begreift. Er kennt nicht Freund noch Feind: nur das kleine selbstsüchtige Vergnügen des Durchschauens. In dem Gerechtigkeitssinn dieser Schwachen, wieviel kleinliche Bosheit! Pardi: oh, dem wird's heiß, der liebt und haßt; und wen er nicht ersticht, den hält er gradaus für einen Ehrenmann. Bei dem würde man selbst wissen, wer man ist, würde seiner selbst sicher und geborgen sein…‹

Und sie dachte der Zeit, da sie's war. ›Das einzige Gute war doch das Sinnenglück: damals, wie ich jung war.‹ Das schien Jahrzehnte her. Sie saß in wehmütigen Erinnerungen, wie eine Greisin. Plötzlich eine Wallung, daß die Luft zu flimmern schien – und sie bebte vom Gefühl abenteuernder Jugend, vom Gefühl des Lebens von damals. Noch immer war's da, ging aus und ein mit dem Mann, und war toller als je. Ein Schritt nur! Das andere vergessen können! Pardis Untergang mitmachen! Sein ganz und für immer verwirrtes Schicksal teilen, dies von jeder Verantwortung, allem Denken befreite; lieben und betrügen, sich durchschlagen, Hunger haben wie ein Tier und tafeln wie die Götter, gehetzt werden und atemlos lachen. ›War ich nicht schon früher etwas wie eine Abenteurerin? Ich gehöre zu ihm. Was er mir zu bieten hat, kommt mir zu.‹

Dann fing sie einen Männerblick ab, der sich auf eine Frau niederließ, und ihr ward kalt. Die unkeusche Wirkung dieser Frau, die Unkeuschheit unter ihren Kleidern, hinter ihren Augen, die Unkeuschheit, die ihr Gedanke, ihr Zweck, ihre Funktion war, machte Lola erstarren vor Ekel und Grauen. Sie selbst war, in ihrem Bewußtsein und Willen, diese Frau gewesen! Sie fühlte sich nackt unter allen Menschen und verlor den Kopf.

Der Spalt, der von jeher durch ihr Leben schritt, war weit aufgerissen, und Flammen schlugen heraus. Ihr verstörtes Innere warf, durcheinander, alle Triebe empor, brachte alle Bilder zurück. Sie hätte auf einem kalten Meer mit Arnold Schiffbruch erleiden mögen. Aber das Polster eines Wagens erschien ihr und zwei Gestalten, die sich umkrampft hielten und zuckten. Sie töten! Ach! dies erlösende Wort. Wie kam es denn, daß diese Claudia noch lebte, daß Lola ihr die Hand reichte, ihr ihren Namen gab – »Claudia« –, als dürfe sie leben? Beide töten! Gereinigt war dann alles und still.

Wie sie sich im Qualm ihres blutigen Traumes betraf, fielen ihre Züge zusammen, und sie schloß, sich zu fliehen, die Augen. Sie verachtete ihr Wüten, das Wüten der Ohnmacht, und verachtete die Stunden der Sehnsucht, rein zu sein; denn immer schlugen tierische Dämpfe hinein. Sie litt Abscheu vor jeder ihrer Regungen; alle deuchten ihr uralt, verbraucht und vorauszusehen; die Gedanken abgespielt, die Empfindungen schal und verderbt. Sich los sein! ›Da ich nie wissen werde, wozu ich geboren bin: lieber nichts mehr wissen!‹

Ein Ausweg: sich beschränken, Ansprüche und Gedanken abwerfen, ihre Kraft nur mehr gebrauchen, um zu erhalten, was im Zusammensturz aller Dinge, ihrer Liebe und ihres bürgerlichen Daseins, noch stand. Sie machte sich an eine genaue Beaufsichtigung des Haushaltes, wollte sparen, kleinlich sparen. Was half's, da Pardi die letzte Habe zu Geld machte und es verstreute. Ein Fremder kam ins Haus und verhandelte über den Preis der Verkündigung, draußen an der Fassade. Lola sprach lachend davon zur Tochter des Präfekten und fühlte sich gerettet, als am Abend drunten eine Wache stand. Pardi deklamierte vor den Freunden, die hereinströmten. Ob die Verkündigung sein sei oder der Nation. Warum die Nation, anstatt nur den Verkauf zu verbieten, ihm das Kunstwerk nicht lieber gleich wegnehme. Lola mischte sich heiter ein.

»Was er für Einfälle hat, wie, meine Herren? Wenn du das Bild nicht sehen magst – auch ich habe es satt –: warum muß dieser Amerikaner es haben? Warum nicht das Museum?«

»Einfalt! Weil es nur die Hälfte dafür gibt. Und meinst du, eine Wahl sei umsonst? Zehntausend Wähler wollen bezahlt sein, jeder mit fünf Lire, und die großen kosten mehr. Aber ich mache es; wir haben gewettet: wie, Marco, Carlino? Ihr sollt sehen, ob ich noch der alte bin.«

Er verbreitete sich, lockeren Herzens, nach allen Seiten, feuerte Sympathien an, zauberte einen ganzen Garten von Leichtsinn und guter Laune aus all diesen Gesichtern. Musik näherte sich, und eine Schar Volkes, vom Fürsten Valdomini geführt, schrie zu den Fenstern herauf, daß Pardi leben soll und daß seine Feinde sterben sollten. Und sie machten sich über die beiden Carabinieri her, die die Verkündigung bewachten. Pardi war schon unten und fiel den Angreifern in den Arm. Er sprang auf die Stufen zum Tor und redete: etwas wesenlos Begeisterndes, wovon die Augen ringsum zu blitzen begannen. Dann, die Hand nach der Hausecke gestreckt:

»Dort in meinem Keller wird euch mein Wein für fünf

Soldi verkauft. Ihr wißt, daß das wenig ist. Von heute ab aber sollt ihr ihn für drei haben.«

Er war auf einmal in einem Sturm von Händerücken, ward auf Schultern gehoben und zum Weinkeller getragen. Das Gelage dauerte lange; Lola sah, allein zurückgeblieben, daß auch die Wächter sich hinziehen ließen. Und am Morgen gafften Bürger die nackte Hauswand hinan. Die Verkündigung war fort.

Pardi stand inmitten aller Diener und lachte, daß es ihn bis auf die Knie beugte.

»Ah! Geld wollt ihr?« rief er den aufgeregten Eindringlingen zu. »Ich habe keins: weniger als gestern. Denn meine Madonna hat man mir gestohlen.«

Er hatte keins. Längst waren die Summen, die er noch erraffte, nutzlos dahin, bevor sie eingingen. Pardi focht nur noch, um zu fechten, und mit dem Bewußtsein, auch den Fußbreit Boden, worauf er sein Florett führte, werde er aufgeben müssen. Er scheute nicht mehr Ungesetzlichkeiten noch Unzartheiten: blieb ihm nur die furchterregende Gebärde, die große Maske, der alles erschütternde Abgang. Er war dabei, seinen Rest bürgerlicher Ehre abzustreifen, und behauptete um so wuchtiger die des Helden. Wegen eines Hemdes, das er einem Freunde aus der Kommode genommen und sich angezogen hatte, kämpfte er ein Duell. Und am Abend vorher war er bei erhöhter Laune, versprach Lola eine Reise nach Paris und lobte sein Leben. »Wieviel Tätigkeit! Wieviel Bewegung!« Indes er in Versammlungen auftrat, mit dem Waffenkasten vors Tor fuhr und täglich Frauen kraft seines ganzen Feuers, als brenne es nur dafür, in allen Winkeln der Stadt Frauen im Dahinstürzen mit sich riß, hatte er durch Laufen, Lungern, Kartenspiel und Drohungen den Sturz seines Hauses hinzufristen, zwölf Stunden noch, und noch zwölf.

Lola kam, wie sie ihm zusah, in zitternde Bewegung. Sie konnte nicht schlafen, dachte sie an das feurige Leben, das er Tag und Nacht unterhielt. In welchem trüben Grau schlich man mit Arnold dahin! Pardi war bewundernswert. Mit einer todverachtenden Freude sah sie ihn alles, was er war, wie ein Feuerwerk in die Luft schicken. Gleich war das letzte abgebrannt; der Rest war Pulverdampf und Nacht. Inzwischen aber genoß man einen berauschenden Jubel, einen glänzenden Leichtsinn. Und man empfand sich vergrößert und stärker beleuchtet, wie auf einer Bühne. Aus Lola lösten sich, indes sie dies miterlebte, Akzente und Gebärden, die sie in sich nicht gekannt hatte.

»Sie, Botta, unser alter Freund, unterstützen die Kandidatur meines Mannes. Ich habe es nicht anders erwartet, aber werden Sie ihn durchbringen?«

Botta schmatzte; und die Tischnachbarn wandten sich her nach Lolas lauten Worten.

»Contessa, wir haben viel für uns, vor allem seine Gläubiger. Jawohl, das Konsortium seiner Gläubiger, denen wir klargemacht haben, daß nur seine Wahl ihnen zu ihrem Gelde helfen kann. Sie sind von Eifer erfüllt.«

»Warum nicht«, sagte Lola. »Auch niedrige Interessen müssen dienen, damit Hohes erreicht wird.«

Gegenüber begann Nutini:

»Jeder tut das Seine, damit die gute Sache siegt. Wissen Sie schon das von der Linda Vitali? Also, der Vitali hatte, vom Klub her, eine Forderung an Ihren Gatten, Contessa, und bekommt sie durch Scheck vom Juwelier Spontelli. Er geht der Sache nach und entdeckt – niemals raten Sie, was er entdeckt: daß er mit den Juwelen der Linda bezahlt ist, mit den Kolliers seiner eigenen Frau.«

Links und rechts lachte es diskret. Nutini schielte auf seine Nase.

»Und der Vitali schweigt. Was opfert man, als Gatte der Linda, nicht alles, um einen Kandidaten in die Kammer zu bringen, der die Ehescheidung verhindert. Auch

Sie, Contessa, werden schwerlich einen größeren Wunsch haben.«

Die anderen wiederholten:

»Jeder tut das Seine, um Pardi durchzubringen.«

Lola hob die Tafel auf; und im Aufstehen, mit großartiger Handbewegung:

»Ich mache kein Hehl daraus, daß ich Geldopfer gering anschlage und das Geld verachte. Die Geschichte hat erhabene Bettler gekannt. Niemand kann dem Conte Pardi ein Opfer bringen, das er ihm nicht im voraus hundertfach bezahlt hätte: als er sich für Italien in Afrika schlug.«

Sie stand aufgerichtet und den Kopf im Nacken, im glitzernden Fluß ihrer Schleppe. Die Gestalten um sie her bückten sich unbewußt ein wenig, die Blicke wurden verehrend. Lola sah, daß es alle antreibe, ihr »Brava!« zuzurufen. Sie biß sich auf die Lippe, und sie fürchtete zu erröten. Gleich darauf war sie um so glücklicher: ganz Heldin, diesem allen gewachsen und verbündet mit Pardi. Er kam herbei. Von drüben hatte er bemerkt, daß sie Wirkung übte: noch eine Wirkung, die sich mitnehmen ließ. Lola sagte »Mein Freund –«, und sie gaben sich die Hand, beide stolz und bewundert.

Sie wußten kaum noch, wie sie es miteinander meinten. Was sie der Öffentlichkeit vorführten, spielten sie nun auch unter vier Augen. Erst wenn er fort war, erschrak Lola. ›Habe ich denn keine eigenen Gefühle mehr? Was soll diese Komödie: zwei Schritte vom Abgrund? Ich wollte uns doch aufhalten, ihn aufhalten; – und jetzt treibe ich ihn vorwärts. Mein Gott, welche Angst! Ich muß etwas tun, ich muß ihn warnen.‹

Sein Schritt war, als er heimkam, schwerer als sonst; sie hörte ihn auf den Sitz fallen. Sie legte die Hand ans Herz, das klopfte; dann trat sie ein.

»Guten Abend, mein Lieber. Stehen unsere Sachen nicht gut?«

»Unsere Sachen?«

»Nicht die Stirn falten!«

Sie berührte sie mit dem Finger.

»Wir haben doch, trotz allem, dieselben Interessen. Laß mich ein wenig für dich denken. Der Trubel, in dem du lebst, erlaubt es dir nicht. Aber wie soll dies alles enden? Magst du gewählt werden oder nicht – ein Spiel ist auch dies dir nur: nicht wahr, ich kenn dich? Und was bleibt dir vom Gewinn? Vielleicht ist alles Geld, das in den Spielsälen von Florenz umläuft, schon durch deine Hände geflossen; was aber hast du nun? Und wenn die letzte Frau dir gehört hat, was wirst du noch haben? Werde ruhiger, Freund, widerstehe deinen Wünschen.« Und leiser, mit Zittern: »Wir sind nicht geboren, um glücklich zu sein: gewöhne auch du dich an den Gedanken.«

Er schüttelte ihre Hand von seiner Schulter; er sah sie knirschend an. Erschreckt murmelte sie noch:

»Ich sage es aus Sorge um dich, um mich selbst. Wir haben doch dieselben Interessen.«

Und er brach aus.

»Die Erkenntnis kommt dir also? Sie kommt nicht zu früh! Andern Frauen kommt sie vielleicht ein wenig früher. Ich habe gehört, daß der Untergang eines Hauses durch die Frau verhindert worden ist. Aber wahrscheinlich sah sie etwas anders aus als du. Die Cupola hat ihrem Mann das Trinken und die Weiber abgewöhnt: alles beides. Sie hat ihn sich zurückgeholt, sie hat ihn mit ihren Umschlingungen erweicht, sie hat sich, für ihn, so lasterhaft gemacht, daß sie ihm zwei Laster ersetzte. Vernunft brauchte sie ihm nicht zu predigen: ihre Vernunft war in ihrer Liebe. Aber die hast du nicht. Das ist es: du hast keine Liebe!«

Sie wendete ihm die Flächen ihrer gesenkten Hände zu und hielt seinen von Verachtung schweren Blick aus.

»Ah! jetzt findet sie Tränen: jetzt, da es auch ihr an den

Hals geht. Und doch schien dir an diesem Hause nie viel gelegen. Ich sah dich in diesen Zimmern immer sitzen wie eine Gefangene; wie eine Reisende, die in einem Hafenhotel warten muß, weil der Dampfer beschädigt ist. Als ob du auf deinem Koffer saßest. Wir alle waren dir unheimlich – und du uns. Nie hast du aufgehört, in einer fremden Sprache zu denken; und was du dachtest, war uns fremd: fremd und nicht befreundet. Du warst unsere Feindin: ja, ich hatte eine Feindin im Haus. Was Wunder, wenn ich nicht darin blieb?«

Lolas Brust ging rascher, ihr Blick ward hart; sie stieß hervor:

»Du warst mit allen verbündet gegen mich. Ich war allein – und wäre es überall. Was ich gelitten habe, gibt mir am Ende mehr Recht, darauf stolz zu sein.«

»Ach ja – und selbstgerecht. Du warst immer die Überlegene, weil du die Kalte warst. Ich bin so unbesonnen gewesen, hier eine Fremde einzuführen, die uns in aller Ruhe ausspionieren durfte.«

»Wir waren beide unbesonnen. Aber ich habe nicht spioniert; ich habe vor manchem, was ihr mich sehen ließt, die Augen geschlossen.«

»Mit jenem andern Fremden, deinem Freunde, mußt du sehr geistreich über uns philosophiert haben. Du hast einen Freund, einen Liebhaber gehabt. Du hast ihn vielleicht noch. Ich sehe ihn nicht, aber was beweist das bei euch. Sieht man euch und eure Taten? Ihr treibt gewiß aus der Ferne mit euren Gedanken mehr Unzucht als wir, wenn wir zusammen im Bett liegen. Ich mußte es zulassen. In deinen Kopf hineingreifen zu können, dafür hätte ich manchmal mein Leben gegeben. Man greift nicht in einen Kopf wie den deinen, man kommt dir nicht bei. Da: wenn ich so um dich kreise, gibt es immer einen Strich, über den ich nicht hinweg kann: nicht hinein zu dir und dich totschlagen. Ach! hätte ich dich damals aus dem Fenster fallen lassen! Du wagtest mir ins Gesicht zu sagen, daß du den andern liebtest; du drohtest mir, wenn ich dich anrühre, und du hingst halb hinaus: wie kam's, daß ich dich nicht ganz hinabwarf? Ich begreife es nicht.«

»Ja: warum nicht. Du hättest es tun sollen!«

Sie nickten beide wild. Sie standen einander entgegengeworfen und hielten sich keuchend ihre Wunden vor. Pardi schrie auf, als seien alle seine Verbände fortgerissen.

»Denke ich an dein geheimes Leben mit dem andern, dann entschuldige ich jeden Verrat, den je eine Frau beging: sehne mich nach jedem. Es gibt Frauen, die im Verrat groß waren. Die Cupola hat, um ihren Mann zu retten, auch das getan; sie hat sich verkauft. Ah! dir hätte deine hohe Selbstachtung das verboten: ich weiß. Wie solltest du dienen? Bist du eine Frau wie die unseren? Ich aber schwöre dir: du hättest, wie die unseren, zehn Liebhaber haben können und mein Weib sein; ich hätte dich gejagt und erlegt; dann aber hätte ich geweint auf deinem Sarg vor Liebe. Und jetzt werde ich darauf speien.«

»Töte mich!«

Sie warf die Hände empor.

»So töte mich doch!«

»Damit ich Mörder bin und durch dich vollends verderbe? Hoffe das nicht! Wir werden zusammen weiterleben. Mein Haus scheint mir nicht mehr meins. Kein Kind ist darin. Du hast mein Geschlecht getötet; wo ist Giovannino? Nun am Haus die Verkündigung fehlt, kommt er nie mehr hinein. Ich fühle mich daraus vertrieben, ich bin wie in Reisehast. Du, eine Heimatlose, hast mich heimatlos gemacht! Und jetzt möchtest du mich allein lassen? Das Schiff räumen, da es sinkt? Hoffe das nicht! Wir sind untrennbar. Weißt du nicht, warum ich gewählt werden will? Aus Haß auf dich! Damit ich das Gesetz der Scheidung verhindern kann! Damit unsere Hölle ewig ist!«

Lola stand, Kopf und Schultern gebeugt. Er wütete.

»Vielleicht wirst du mit mir in einem Ministerpalast wohnen, wirst zusehen, wie ich mir die Banken dienstbar mache, Gold in Barren verdiene, gefürchtet und gefeiert, von den Frauen begehrt werde, und wirst, von meiner Übermacht erdrückt, dahinleben. Vielleicht auch werde ich mich, ausgepfiffen und als Bettler, in meine letzte schmutzige Kate werfen, nach scharfem Käse stinken, ein Schwein züchten, das ich am nächsten Markt verhandele, und mit der Magd schlafen. Du wirst niedriger sein als sie! Denn du bist dabei: zweifle nicht. Das Gesetz zwingt dich zu mir, wohin ich auch gehe; und ich denke es auszunützen. Nur darauf noch werde ich aus sein, dich, meine Verderberin, zu erniedrigen und mit Schande zu beladen…«

Stimme und Atem blieben ihm aus; er stand, verzerrt, und würgte. Lola flüsterte:

»Tu's! Ich nehme es hin!«

Er fuchtelte haltlos; er krümmte sich.

»Die Heuchlerin! Die schmutzige Heuchlerin! Wie soll man sie fassen? Könnte ich dich nackt durch die Straßen jagen! Eine solche Schande erfinden, daß du endlich einen Seufzer tätest, der nicht lügt: und wäre es dein letzter!«

Die Faust an der Stirn, taumelte er hinaus. Lola ließ sich mit dem Arm, der die Augen bedeckte, gegen die Wand fallen. Sie dachte, von Schrecken dumpf: ›Es ist, wie er sagt: ich bin schuld. Ich wollte nur mein eigenes Elend fühlen, aber auch seins fällt mir zur Last – und unter ihrer Wucht werde ich nicht mehr aufstehen: Liegenbleiben und abbüßen! Er sah fahl und alt aus: zum erstenmal; und ich habe das gemacht, ich selbst. O räche dich! Daß du mich leben läßt, ist zuwenig!‹

Am Morgen erfuhr sie, daß eine Geliebte ihres Mannes im Hause sei. Die Kammerfrau wußte von Cesco, daß der Herr Graf sie nachts in seinem Zimmer gehabt habe. Jetzt war sie fort; – aber am Nachmittag flog Clotilde, von

Neuigkeiten außer Atem, ins Boudoir. Ob die Frau Gräfin nichts höre; das Haus sei in Aufruhr, die Treppe verstellt mit Möbeln. Man schaffe Möbel ins untere Stockwerk; der Herr Graf und jene Frau seien drunten; es scheine, sie solle dort wohnen... Die Kammerfrau war hinaus und wieder zurück. Cesco hole Stühle aus dem Speisezimmer. Ob das nicht eine Schande sei, der Frau Gräfin ihre Sachen wegzunehmen und sie einer solchen Person zu geben.

»Die Möbel gehören dem Herrn«, sagte Lola.

»Aber wenn die gnädige Frau hinunterginge und jene davonjagte; es wäre nur Ihr Recht; der Herr Graf könnte es nicht hindern. Das Gesetz ist für die Frau Gräfin: der Koch weiß es bestimmt.«

Lola dachte daran, daß einst Claudia sie belehrt hatte, die Konkubine im Hause sei ein Trennungsgrund. Vielleicht war's der einzige. Er brachte sogar die Dienstboten auf ihre Seite, sie, die Pardis Spione gewesen waren. Sie sagte:

»Laß! Der Herr bleibt der Herr.«

Clotilde behielt den Mund offen.

»Die Frau Gräfin ist eine Heilige«, schloß sie dann. Lola fuhr auf.

»Daß du das nie wieder sagst! Mir geschieht recht. An dem, was der Herr jetzt tut, bin ich schuld. Sage das den andern: ich will, daß sie es wissen.«

Die Kammerfrau antwortete nicht; rückwärts und ohne ihre starren, ängstlichen Augen von denen der Herrin zu trennen, ging sie durch die Tür. Am Abend, wie sie Lola das Haar löste, hatte sie die Lippen fest aufeinander, eine streng behutsame Miene und die Art, als bediene sie eine Kranke. Im Spiegel warf sie nach Lola manchmal den traurig überlegenen Blick der Wärterin. Lola hielt die Augen gesenkt und zog unter den Kammstrichen des Mädchens den Kopf in die Schultern. Endlich, leise bittend:

»Sprich doch!«

Clotilde zauderte; dann begann sie im Ton eines schonenden Vorwurfs. Der Herr Graf hatte eine seltsame Frau ins Haus gebracht, eine, die seiner augenscheinlich nicht würdig war. Es sollte eine Französin sein, nun ja. Aber Carlotta hatte ihre Kleider gesehen: und wenn sie seidenes Futter hatten, war doch keins heil und keins recht sauber. Und die Wäsche! Es gab Dinge, die man der Frau Gräfin nicht sagen konnte... Den Morgen darauf fing Clotilde von selbst an. Inzwischen hatte Leopoldo, der Kutscher, die Frau zu Gesicht bekommen, und alles war erklärt. Sie war eine von jenen, die des Abends auf den Straßen umhergehen. Leopoldo kannte sie; erst vor vierzehn Tagen war er selbst bei ihr gewesen. Cesco, der ihm übelwollte, hatte dies sofort dem Herrn Grafen berichtet, während er ihn rasierte; aber der Herr Graf – es war unbegreiflich – hatte nur gelacht.

»Es ist eine rechte Schande, in ein Haus wie dieses eine solche Frau einzuquartieren. Wer will ihr das Bett machen? Noch ist es nicht gemacht, und es ist in einem schönen Zustand. Der Herr Graf sollte bedenken, daß auch Dienstboten anständige Leute sind – wenn er schon nicht an die Frau Gräfin denkt. Wir haben in der Küche beraten, ob wir alle sofort kündigen wollten. Cesco wollte es: aber mehr, weil er den Kutscher haßt. Wir anderen haben ihn beredet, dazubleiben, aus Liebe zur Frau Gräfin.«

»Wer gehen will, soll gehen«, sagte Lola.

Und am Abend ließ sie die Fenster offen, um besser den Lärm des Festes zu hören, das Pardi drunten seinen Freunden gab. Sie waren gekommen; sie hatten sich eine Treppe erspart und waren zu der Dirne gekommen anstatt zu der Hausherrin. Lola unterschied Stimmen. Sie lehnte sich hinaus, horchte, und ihr rauschendes Blut formte aus dem Gelächter der Männer schmutzige Worte, die ihr galten. Schon einmal, in dem Sommer vor

443

ihrer Verlobung, war sie von oben Zeuge gewesen, wie jene sie mit Worten auszogen. Pardi hatte ihnen damals nicht ins Gesicht geschlagen, und jetzt überbot er sie: er war's, der die Dirne zu diesem gellenden Lachen brachte. Er gab seine Frau einer Dirne preis. Zwischen dieser Schändung und jener lag Lolas Ehe. ›Und es ist gut so. Nur weiter! Ganz mit ihm zugrunde gehen und im Elend seine Magd sein! Ich wäre Arnolds Magd gewesen, wenn er gewollt hätte. Aber er läßt mich allein. Dieser hält die Hand auf mir, ihm entrinne ich nicht. So sei es! Ich kenne nun mein Schicksal; und so schlimm es immer werden mag, ich lobe es, darum, daß ich's kenne.‹

Sie hatte die Furcht, die Dirne möchte sich von ihr verachtet glauben. Jene hätte erfahren sollen, daß Lola ihre Anwesenheit guthieß, sich ihr unterwarf und nicht Dame noch Märtyrerin sein wollte. Immer, wenn Clotilde um sie war, drängten sich Lola Worte auf die Lippen, die das Mädchen der andern hätte bestellen sollen; und immer riß Lola, im Schrecken, das Geständnis zurück. Zehnmal am Tag trieb es sie, auszugehen, nur um drunten die offene Tür zu streifen und hineinzuspähen. Schon zitterte auf ihrem Gesicht das Lächeln, mit dem sie vor der Dirne den Kopf geneigt hätte... Da sprang eine Tür auf; Lola drängte sich in den Winkel beim Schrank; und eine Frau mit gelben Haaren lief im Halbdunkel vorbei, drehte sich plötzlich um und fing Nutini auf, der sie küßte. Lola dachte zornig: ›Er hätte mich ihm wegnehmen wollen, und jetzt nimmt er ihm diese!‹ Sie schlich, wie die beiden fort waren, zurück, voll Reue, daß sie gesehen hatte, was Pardi vor ihr demütigte.

Ein einziges Opfer brachte sie zaudernd: das Bild drunten im Saal, das Bild jenes Knaben in alter Tracht, mit dem weichen, traurigen Goldgeriesel des Haars; aus dessen weißem Gesicht der Mund feuchtrot hervorstand und fleischig. Aber dies Fleisch, das vom Blute Pardis war, schien zu seufzen über sich selbst. Die braunen, gewölbten Augen betrauerten es, untröstlich. Und die Stirn, die sanfte Wange neigten sich dem Schatten zu, als wollten sie sich ganz von ihm überziehen lassen. Die Augen Pardis in ihn selbst zurückschauend, in eine Seele, die nicht seine, sondern Arnolds war; seine Stirn durch Arnolds Güte und Sehnsucht gereinigt: Das war jener Tote, der Lola ihre mildesten Träume geschenkt hatte. ›In ihm konnte ich beide lieben. Nur bei ihm war ich gestillt. Es ist sehr schwer, zu denken, auf welche Dinge jetzt seine Augen blicken, die zuletzt mich sahen. Pardi weiß nicht, wie gut er sich rächt. Er zerreißt in meinem Herzen den letzten Wohllaut!.‹

Oft fuhr sie auf und wollte das Bild fordern. Andere Stunden weinte sie darum. Und jedesmal neu hatte sie sich der darzubringen, die ihr als Henkerin bestimmt war. Sie stellte sich die Dirne kalt und frech vor, voll der Sucht, die Frau, deren Mann sie besaß, mit Füßen zu treten, ihre Erinnerungen zu schänden. Auf der einsamen Folter ihrer Gedanken fühlte Lola dort unter sich einen schmutzentsteigenden Dämon, der erst aus den Trümmern dieses Hauses, gell auflachend, entflattern würde. Und eines Tages traf dies Lachen sie so nahe, daß sie sich verloren glaubte. Sie wollte ihren Wagen besteigen: hinter ihr im Hause rief es, herbeilaufend: »Schön! Der Wagen für mich«; – und plötzlich standen sie voreinander. Lola hatte im Schrecken nur grelle Flecken vor Augen: die gelben Haare, das kreidige Gesicht. Da hörte sie stammeln:

»Ich habe mich wohl geirrt, der Wagen ist wohl nicht für mich?«

Lola brachte hervor:

»Ich bitte, bedienen Sie sich!«

Aber die andere tat einen tastenden Schritt rückwärts.

»Ich möchte doch nicht die gnädige Frau –«

Lolas Blick klärte sich; sie entdeckte große blaue Augen, die vor ihr erschrocken waren.

»Ich werde zu Fuß gehen« – und das Mädchen verneigte sich scheu.

»Nein!« sagte Lola. »Fahren Sie mit mir!«

Jene zögerte, senkte die Stirn und gehorchte. Der Kutscher sah sich empört nach ihr um. Lola fiel es ein, daß die beiden sich kannten. Sobald sie das Mädchen neben sich hatte, sagte sie dringend:

»Glauben Sie nicht, ich wolle Sie demütigen!...«

Sie fürchtete, zu schluchzen, und schwieg. Leopoldo peitschte aus Zorn; sie jagten über die Brücke. Männer starrten zu ihnen herein; die Dirne sah willenlos hin; und dann zuckte sie zurück und tat, mit geducktem Blick, bei Lola Abbitte. Lola roch das unelegante Parfüm, bemerkte unter dem Spitzensaum einen rauhen Schuh und fühlte sich nüchtern und übel werden. Diese Arme hätte nichts verstanden von allem, was vorging; empfand nichts und wollte nichts. Lola hatte den dürftigen Dingen Geist und Phantasie geliehen, hatte Schicksalsgötter gegen sich am Werk geglaubt. ›Das Schwerste ist immer wieder, durch das Unglück nicht hochmütig zu werden. Kein Schicksal, auch meins nicht, darf uns glauben machen, wir seien einzig und erlitten Ungeheueres. Sich bücken unters Gewöhnliche!‹ Sie grüßte die alte Marchesa Triborghi, und der Gruß blieb unerwidert. ›Was tue ich auch? Ich weiß nicht mehr, in welcher Welt ich lebe. Nur mir, scheint es, geschehen solche Vergeßlichkeiten.‹ Sie fragte das Mädchen, wo es abzusteigen wünsche. Es hatte, in der Fassungslosigkeit, all sein Italienisch vergessen.

Denselben Abend mußte sie im Palazzo Valdomini sein und Anspielungen hören.

»Sie haben Ihr unteres Stockwerk vermietet, meine Liebe?«

»Es werden Verwandte sein?«

»Denn Sie verbringen dort, scheint es, Ihre Abende. Ich

fuhr vorbei; und dort war's hell; bei Ihnen droben sah man kein Licht.«

»Ach! die Belfatti will Sie mit einer noch unbekannten Kusine im Wagen gesehen haben...«

Die Männer lächelten und sahen weg. Claudia entfernte sich.

»Du weichst mir aus, Claudia?«

»Wozu brauchst du noch mich? Hast du nicht eine neue Freundin? Ich muß dir sagen, Lola, daß du entsetzlich taktlos bist. Es scheint, ihr Fremden seid es nun einmal. Aber ein Kind kann wissen, daß uns die Mätressen unserer Männer nichts angehen.«

Noch beim Sprechen fiel ihr ein, was sie selbst sei; und sie ward rot. Immer zorniger, stieß sie hervor:

»Aber du bist schlecht und willst ihm schaden. Vielleicht hast du jetzt erreicht, daß er nicht gewählt wird.«

Lola murmelte erblaßt:

»Ich hatte nur den Kopf verloren.«

Aber Claudia ließ sie stehen. Lola sah sich nach Hilfe um; sie ertrug diese Vereinsamung nicht. Unvermittelt zeigte sie sich gegen die Männer liebenswürdig, ließ sich umringen, erweckte Hoffnungen. Dabei dachte sie krampfhaft: ›Ich bin feige: er darf nicht wissen, was geschehen ist.‹

Das letzte fühlte sie dahingehen: ihre Selbstachtung. Nichts blieb als ein Tumult von Stimmungen und Gedanken, ganz unnütz, ganz machtlos im Wirrwarr der Ereignisse, der Gesichter, der offenen Türen. Der Wahltag war da; das Haus gehörte jedem, der eine Stimme hatte. Sie standen, kauend und mit schaukelnden Weingläsern, bis in Lolas Zimmer hinein. Pardi drückte alle Hände. Seine Augen, seine Gesten beherrschten die Menschenflut, schienen sie zu beherrschen, bis ans Ende der Stadt. Lola sah ihn bleich – aber jung und gefährlich, wie einst. Sie zeigte sich zuvorkommend, schmeichelte denen, die er bevorzugt hatte, erriet demütig seinen Willen. Gegen Mittag lichteten sich die Haufen. Mit dem letzten entfernte Pardi sich selbst.

Lola stand einen Augenblick und atmete schwer. Plötzlich schmeckte sie den Dunst und den Qualm, die von der Menge übriggeblieben waren; sah den Schmutz und das Drunter und Drüber. Sie fürchtete zur Besinnung zu kommen. Nur nicht denken, nicht voraussehen! Heute war ein guter Tag, ein leichter Tag: man trieb so fort in Gedränge und Lärm; man trug nicht mehr an sich, fühlte sich nicht mehr. Zurück in die Menge! Hinaus: gleichviel, wohin!

An den Mauern klebten riesige Zettel, weiße, rote und gelbe; dahinten auf dem Platz vor der Brücke drängte es sich, unter Fahnen, bei einer Schenke; und wie vor Lola die Gasse sich öffnete, deuchten Brücke und Ufer ihr munterer, weiter und heller als sonst: als sei der erste Frühlingstag aufgegangen.

Die bei der Schenke fuchtelten vor roten Plakaten und schrien jedem, der kam, den Namen des Sozialisten Ricchetti ins Gesicht. Zwei Arbeiter sahen Lola entgegen, und wie sie vorbeiging, seufzte der eine:

»Ah! die Frauen.«

Sie war erkannt; Rufe stiegen aus dem Haufen:

»Nieder mit Pardi!«

»Aber es lebe die Contessa!« schrie der Arbeiter.

Die Brücke entlang dufteten Veilchenkörbe in der Sonne. Drüben am Fluß hin, zwischen den Wagen und den Plakaten, über den Köpfen derer, die, Zeitungsblätter in den Händen, aufeinander einredeten, schwankten die Veilchen. Mädchen mit Veilchen am Hals störten im Vorbeigehen mit ihrem Duft aus Frau und Blume ganze Rotten Politisierender auseinander, und der Eifer der Gesichter zerteilte sich zum Lächeln.

Die lange offene Säulenhalle der Uffizien toste von Volk. Es spritzte seine Wellen die Säulen hinan: auf den

Sockeln, den Schranken wiegten sich stürmisch junge
Leute, streckten die Arme über die heraufgewendeten Gesichter aus und redeten. Andere Studenten, Kokarden an
den Hüten und die Taschen voll Zeitungen, legten Hand
an die Wähler, hängten sich in den Arm ländlicher Bürger,
die noch abwarteten, setzten mit dem Feuer ihrer Mienen
endlich auch die der Männer in Bewegung – und die weißen Hände lagen in den braunen. Plötzlich flogen alle auf,
um zu klatschen. Von da vorn stürmte Händeklatschen
beflügelt herbei. Hinten klatschte man im Galopp und
strebte hervor: was es sei, das man beklatschte. Der Alte
Palast der Republik schob seinen Turm ins Blaue hinaus,
als reckte sich der Hals eines großen alten Wächters voll
drohender Ruhe; und auf seinem greisen Profil erblaßte
die Sonne. Gegenüber, unter dem Bogen der Bilderhalle,
sah Judith, klein und furchtbar, auf den Kopf dessen, an
dem sie ihr Volk gerächt hatte. Und zwischen dem Wächter und der Heldin leuchteten auf einmal drei rote Mützen
auf. »Garibaldiner!« Die Menge schlug ihnen entgegen,
eine einzige Woge. Man führte die drei Alten ihr zu, ihren
tausend Armen zu, ihren tausend zum Jubeln offenen Gesichtern. An allen Festtagen begegnete man ihnen: heute
aber wollte jeder das rote Wollhemd dieser armen Leute
berühren, als gäbe es Kraft; und ihre altersbleichen, alters-
ernsten Mienen waren umsprüht von Liebesblicken. Eine
Frau küßte den einen. Das Volk klatschte. Es klatschte, als
die drei vor ihm ihre Köpfe entblößten. Man sah sich an,
man sah einander weinen.

Lola spürte Tränen; – und da traf sie die Augen eines
berußten Menschen und fand sie voll Stolz. Welche Feier!
Ein Volk rief sich, irgendwie dazu eingeladen, die Größe
seiner Väter zurück, besann sich, beim Anblick der Größe
von Niederen, auf sich selbst. Bis in die ältesten Tage erkannte es an den Wahrzeichen sich selbst, und seine eigene
Unendlichkeit erschütterte es. Lola atmete tiefer in dieser

bewegten Luft: bewegt von der ungeheuren Güte der Demokratie, der Kraft, Würde zu wecken, Menschlichkeit zu reifen, Frieden zu verbreiten. Sie fühlte es wie eine Hand, die sie befreien wollte: auch sie. Allem Volk sollte sie gleich werden, sollte erlöst sein. Ringsum sahen alle sie frei und derb an, ohne Vorbehalt, ohne jene höfliche Fremdheit. Sie war keine Fremde; sie war eine Frau wie die andern; wie die Mädchen mit den Veilchen unter der Wange konnte jeder sie begehren.

Da erinnerte sie sich, wie einst, vor Jahren, Arnold in seiner Einsamkeit und auszehrenden Geistigkeit ihr von Menschennähe, vom warmen und tätigen Bündnis mit Menschen vorgeschwärmt hatte; – und ihr innerer Flug brach ab, und sie fühlte sich zu Boden geschlagen. Was er erlebt hatte, erlebte auch sie. Nur ihm glich sie, und sie konnten einander nicht helfen, und sie schleppten einander nach. Stand er nicht dort im Hintergrunde der Halle? Eine Sekunde hatte sich der Wald von Köpfen vor seinem Gesicht geöffnet. Dort schwärmte er nun wohl, wie sie geschwärmt hatte. Aber er ließ sie des andern willenlose Sache sein und mit dem andern untergehen. Sie sah bitter fort. Er konnte nichts für sie tun; denn er sah zu tief – gleich ihr selbst. Sie kannten einander: so sehr, daß sie sich fast schon verloren hatten. ›Habe ich diese ganze letzte Zeit je an ihn gedacht? Wir lebten zusammen immer nur wie auf einem andern Stern, und ich stecke jetzt so angstvoll tief im Irdischen. Habe ich neulich seinen Brief gelesen? Vielleicht; aber ich weiß nicht mehr, was er schrieb. Es war keine Zeit dafür...‹

Der volle Platz machte ihr Widerwillen; sie schob sich bis in die Gasse nach dem Neuen Markt. Ein Wagen hielt festgerannt im Gedränge.

»Lola!«

Claudia stieg aus.

»Ich gehe mit dir. Bist du mir noch böse, Lolina? Ich

war so unglücklich, als ich dich wegen der Französin schalt. Es war Eifersucht. Vergiß es! Nimm diese Veilchen und vergiß es! Willst du?«

Sie drängte sich kindlich an Lolas Arm.

»Du verzeihst mir? Auch das noch? Ach, du bist unbegreiflich gut, Lolina. Ich zweifle nicht, daß uns drüben die Madonna erwartet; denn von dir bis zu ihr ist's nicht mehr weit.«

»Wohin gehst du, Claudia?«

»Ich weiß nicht.«

Ihre Tränen blinkten noch, und schon lachte sie.

»Es ist gleich. Welch schöner, schöner Tag! Nun ist's Frühling: darum steigen alle auf die Straße hinab. Sieh, die Nase dort! Sieh, jene Frau: sie hat einen Liebhaber, man sieht es ihr an... Aber hier sind schrecklich viel Leute: was haben sie?«

»Sie wählen!«

»Ach ja! Ich dachte nicht daran. Er läßt sich wählen: grade heute. Und doch, und doch –«

Sie jauchzte leise; – und plötzlich nachdenklich und spöttisch:

»Da sieh, wie sie diese Papiere anstarren, die Männer! Es scheint, daß sie das interessiert, was darauf steht. Sind diese beiden aufgeregt! Ach nein, man darf sie nicht beachten: gleich fangen sie an, sich mit uns zu beschäftigen.«

Und sie sah unbeteiligt gradaus. Auf dem Domplatz trieben Gruppen umher. Die beiden Frauen steuerten hindurch. Manchmal folgte ihnen ein Blick. Wohin gingen sie? An was dachten sie – da alles Feuer, das die Welt der Männer hervorwarf, ihnen nicht wärmer machte, an der ruhigen Blässe ihrer Gesichter nichts änderte?

»Dorthinein müssen wir«, sagte Claudia, und sie nickte hinüber nach der engsten der Straßen. Plötzlich zuckte sie zurück.

»Was hast du?« – aber Lola hatte schon den fiebrig Lauernden bemerkt, dort an der Hausecke. Er war bleich; die eine Hälfte seines Gesichts verzerrte sich jede Sekunde. Er fingerte am Kragen, am Bart, tat zwei Schritte vorwärts und zwei zurück. Eine Hand hielt er in der Tasche; und sein Blick brannte unauslöschlich auf Claudia.

»Dein Mann«, murmelte Lola.

»Ja, er« – und Claudia sah ihn unverwandt an. »Er ist schlimm heute, er hat, glaube ich, einen Brief bekommen.«

»Laß uns in ein Café treten, Claudia?«

Claudia atmete auf.

»Siehst du? Er ist weg, zurück in die Gasse, verschwunden in der Menge. Ich wußte es.«

Sie lachte erregt.

»Er wird nichts tun. Warum heute? Da er noch nie etwas getan hat…«

Sie mußte stehenbleiben, um ihre Lustigkeit zu dämpfen.

»Ah! der kleine Konditor. Er macht die süßesten Kuchen von allen. Ich möchte wieder von seinen Kuchen essen.«

Und drinnen:

»Du bist so ernst, Lolina. Bist du besorgt um mich? Dann liebst du mich also wirklich? Ja, du liebst mich.«

Claudia seufzte schwer auf. Sie kaute; dann, mit Flüstern, tief feierlich:

»Dich hätte ich gehaßt, wärst du eine der unseren gewesen. Ich weiß es gewiß, ich hätte dich getötet. Nun aber sind wir Freundinnen gewesen. Denn du bist so edel, daß man dich nicht fürchtet. Ach! und dennoch liebt er nur dich. Er hat mir's gesagt: nicht länger als acht Tage ist's her, und ich war in Wut gegen ihn wegen der Französin. Er hob nur die Schultern; und dann sagte er, dich allein liebe er. Mich aber verachtet er so sehr, daß er mir das sagt.«

»Aber du bist durch ihn glücklich gewesen und ich unglücklich.«

»Er sagte auch, nur du könntest ihn retten.«

»Mit ihm zugrunde gehen kann ich: sonst nichts.«

Draußen strich Claudia sich mit dem Finger über die Stirn.

»Was reden wir da? Was gestehe ich dir alles? Oh, ich schäme mich! Aber mir ist, als sei es das letzte, das ich zu dir spreche. Warum? Ich bin abergläubisch; und mir scheint irgend etwas Großes bevorzustehen. Ich werde ihn verlieren! Er hat mir gesagt, wenn er nicht gewählt werde, wolle er sich mit dir auf dem Lande vergraben. Lolina, sei gut mit ihm! Du, die du so gut bist!... Gott! da ist wieder jener.«

»Laß uns umkehren!«

»Nein, nein! Er würde uns nachlaufen.«

Sie mußte die Augen, die sich vergrößerten, auf ihm haben, mußte ihm entgegengehen. Er stand jetzt vor dem Café Bottegone, war noch bleicher, noch fratzenhafter, öffnete und schloß unaufhörlich über der Brust die Knöpfe und schien zu keuchen, als sei er gelaufen.

»Ich habe Angst, ich habe furchtbare Angst«, jammerte Claudia. »Warum hält er die Hand in der Tasche?... Und nun wir näher kommen, sieht er weg. Er müßte uns doch begrüßen...

»Kein Wagen hier: es ist Wahltag. Fürchte dich nicht, arme Claudia! Ich bin bei dir. Er wendet sich zur Ecke; er ist nicht mehr zu sehen. Machen wir, daß wir fortkommen!«

Sie hasteten die breite Straße hinauf: fast liefen sie. Junge Leute zogen daher und wechselten, angeregt lächelnd, ihre Meinung über diese beiden eleganten und hübschen Frauen, die inmitten des Männergetriebes auf ihren klappenden hohen Absätzen irgendeinem süßen Ziel zustrebten.

»Die Kleine ist die Schönste«, sagte einer und lächelte dringlicher in Claudias Augen. Sie streiften ihn, mit ihren schweren, feuchten Pupillen im bräunlichen Weiß – und glitten weiter. ›Du kannst mir nicht helfen.‹ Er wendete sich noch, um die von ihr durchschrittene Luft einzuatmen, die nach Veilchen roch.

»Soll ich sie ansprechen?« fragte Lola, ratlos, und blieb stehen.

Da erhob sich Geschrei und Singen; aus der Seitengasse vor ihnen brachen Laufende; geballt wälzte sich's hinterher; und die Pferde der Gendarmen stiegen und sanken über der Menge, wie Schiffe im Sturm. Er brauste gegen die beiden Frauen heran; sie sahen in schwarz geöffnete Münder, in Gesichter, die von nichts wußten, als von dem Schrei, den sie ausstießen. Sie schrien:

»Es lebe Ricchetti!«

Und Claudia, in ein Tor gedrückt, mit ihrer kleinen gellen Vogelstimme:

»Nein! Es lebe Pardi!«

Vorüber. Betäubt kehrten die Frauen auf die Straße zurück: sie lag breit und leer, mit dem Dreimaster eines Carabiniere mitten auf dem Pflaster.

»Ich höre einen Wagen«, sagte Lola. »Komm rasch!«

Aber Claudia entgegnete starr:

»Es ist unnötig. Dort steht er.«

Und Lola stammelte:

»Wie ist er dort hingekommen? Ich begreife nicht...«

»Es soll sein«, sagte Claudia. »Heute früh sind sechs Haarnadeln von meinem Tisch gefallen, und alle lagen kreuzweise. Also hier.«

»Halte doch an, Claudia! Wer weiß, was er vorhat.«

»Ich weiß es. Sein Gesicht hat nie so gezuckt; es ist schrecklich, wie das Zucken ihm die Zähne entblößt, auf der einen Seite nur...«

»Du sprichst, als schliefst du. Empöre dich doch! Was

wir immer getan haben, wir sind Menschen. Darf man uns jagen, wie ein Tier? Oh, ich hasse sie alle, ich will nicht dabeisein. Du kommst mit mir, Claudia: oder ich lasse dich allein.«

»Adieu, Lola. Und sage ihm – du weißt wem –, ich wäre so gern, so gern noch – Oh! der dort zieht die Hand aus der Tasche.«

»Er sieht aus wie ein Verrückter. Warum sind wir ihm so nahe gekommen? Hilfe! Kutscher! Hilfe!«

Da krachte schon der Schuß, und Claudia taumelte gegen das Haus.

»Ich bin getroffen. Noch lebe ich. Aber er ist nicht zufrieden; er kommt, er will's fertigmachen. Seine Zähne!«

Aufschreiend:

»Nein! ich will nicht sterben. Rette mich, Lola! Ich muß zu ihm: du weißt, zu wem. Er hat mich bestellt, er wartet schon. Wenn ich zurückkomme, will ich sterben: nicht jetzt… Gib mir doch Zeit!«

Sie krümmte sich, und sie spreizte die Hand gegen den, der mit ausgestrecktem Arm und schwankend herbeikam. Lola stürzte vor, sie packte die Waffe. Er drückte wild zu; Lola sah ihre Hand voll Blut und sah Claudia sinken. Claudia wand sich empor und lief, ohne einen Laut, davon. Sie lief mitten auf der Straße, mit ungleichmäßigen Schritten und mit Händen, die durch die Luft tasteten: als liefe sie über Wurzeln und Steine, in einem halbdunkeln Wald. Drei Schüsse noch folgten ihr. Aus den Seitengassen links und rechts rannten gleichzeitig vier Sicherheitswächter, versperrten die Straße und griffen Claudia auf. Sie wies hinter sich; darauf ließen alle sie los, daß sie hinfiel, und warfen sich auf den Mann. Er lehnte an der Mauer; neben seinem Fuß lag der Revolver; und er hatte die Augen geschlossen.

Lola kniete, über Claudia gebeugt.

»Sage etwas, Claudia, nur ein Wort: ich bitte dich, ich bitte dich!«

Claudias kleine weißbekleidete Hand regte sich leise in dem Kot, in den sie gegriffen hatte.

»Ach! du weinst. Nicht wahr, du weinst noch?« – und Lola haschte mit den Lippen nach der Träne an Claudias Lid. Aber die Träne war kühl, und Claudias Augen erstarrten schon.

»Contessa! Was ist geschehen? Atmet sie noch?... Lassen Sie doch mich, Contessa!«

Lola erkannte Guidaccis kellerigen Atem und richtete sich auf. Der kleine Priester war aufs äußerste belebt. Seine Hundeaugen fieberten von dem Hochgefühl, an einem Ereignis teilzunehmen.

»Eine furchtbare Sache! Ich trete aus San Lorenzo und höre schießen. Ich laufe; nur durch jene Straße brauche ich zu laufen, und da bin ich. Laßt mich machen!« – er wehrte den Polizisten mit seinem erregten gelben Händchen –, »ich kenne die Dame.«

Und er raffte die Soutane, kniete hin und legte das Ohr an Claudias Herz. Alle bückten sich; die Herbeigelaufenen ringsum hielten den Atem an.

»Tot«, entschied der Priester, mit einer abschneidenden Geste. Lola bedeckte mit der Linken die Augen. Die Rechte stieß sie unsicher ins Leere.

»Ich will fort. Den Wagen!«

Man hatte darin den Mörder fortgeschafft. Guidacci schickte nach einem andern. Inzwischen nahten Eilschritte; und wie Lola die Hand von den Augen nahm, schrak sie zusammen vor den Vermummten der Misericordia. Sie hoben die Tote geräuschlos auf ihren federnden Karren, und schon machten die beiden hohen gelben Räder die erste Drehung. Lola wollte sich nachstürzen, aber Guidacci hielt sie nervig zurück.

»Nur einmal unter das Verdeck sehen! Waren denn ihre Augen geschlossen? Sicher?«

Sie hatte vor sich immer Claudias erstarrtes Auge und

an seinem Rande die letzte Träne, die es hatte weinen dürfen.

Ein Wagen war da. Guidacci setzte sich zu ihr. Er zappelte noch und sah und hörte nur sich.

»Wäre ich bei Ihnen gewesen: ah! Contessa, Ihre unglückliche Freundin lebte noch. Mein Freund hier« – und er griff in die Tasche – »hätte sie beschützt. Und zu denken, daß es hätte sein können. Denn ich ging ernstlich mit der Absicht um, heute die Kirche schon um halb ein Uhr zu verlassen! Fragen Sie Bussoletti, unsern dicken Erzpriester!«

»Lassen Sie sehen!« sagte Lola und nahm den Revolver in die Hand. Sie spielte mit der Sicherung, sah nach den Patronen.

»Den also muß man gebrauchen – damit nicht der andere ihn gebraucht.«

Erst kurz vor der Ankunft gab sie, aufschreckend, die Waffe zurück.

»Bleiben Sie hier! Danke: ich brauche keine Hilfe. Das Blut an meiner Hand? Es ist nicht der Rede wert. Aber ich möchte ruhen.«

Sie verband sich selbst; nur niemanden sehen! – und fand nun, ausgestreckt, hinter ihren Lidern alles wieder, und ihre Adern pochten unaufhörlich die Worte: ›Den also muß man gebrauchen, damit nicht der andere ihn gebraucht.‹

Sie warf sich auf dem Polster umher.

›Claudia hat ihm gehört, wie seine Sache; und weil sie sich widersetzte, hat er sie zerbrochen. Er durfte es; er geht dafür mit ihr unter. Und so werde auch ich mit dem untergehen, dessen Sache ich bin... Ich will nicht! Wer hat auf mich ein Recht? Alles ist Lüge. Ich bin als mein eigen geboren, und kein Mensch konnte je auf mich ein Recht erwerben. Ich bin in seiner Schuld? Ich habe ge-

wußt, was mir mit ihm bevorstand? Ich habe ihn unglücklich gemacht? Ach! das alles zählt nicht, wenn es um mich
selbst geht. Ich will nicht so gerecht sein! Mag er zusehen!
Er hat mir schlimme Jahre gemacht, wir sind quitt. Ich
will nicht in die Tiefe denken, wo seine Schuld aufhört
und alles Schicksal wird, das man stumm weiterschleppt.
Ich will leben! Ich habe Claudias Tod gesehen: er war
schimpflich. Ich will leben!‹

Ihr war schwindlig von dem ungeheuren Flügelrauschen in ihr. Plötzlich fuhr sie empor; und aufgestützt, die
Lippen geöffnet, mit einem irren Lächeln lauschte sie.

Nein. Schwer seufzend sank sie zurück. Es war Pardi.

Er trat ein; sein Schritt war lastend; und er ging, ohne
sie anzusehen, zum Fenster. Mit dem Rücken nach dem
Zimmer:

»Es steht schlecht: ich fühle, daß ich heute kein Glück
habe. Bereite dich auf das Landleben vor.«

Er wanderte umher und murmelte zwischen den Zähnen. Anhaltend, mit einem scharfen Blick:

»War Claudia nicht hier?«

Lola schwieg. Er kam unruhig näher. Sie richtete sich
auf; sie sagte ihm in die Augen, langsam und stark:

»Claudia ist tot. Um deinetwillen ist sie umgekommen,
und auf dem Wege zu dir.«

Er schwankte, er griff sich ins Haar.

»Es ist nicht wahr!«

Da ihre Wimpern sich nicht bewegten, schlug er die Augen nieder. Er sah plötzlich kleiner aus, und alt, zerzaust,
übernächtig: fahl von zahllosen Nächten.

Und er wanderte weiter: den Kopf auf der Brust, mit
stammelnden Bewegungen der Lippen und, von Zeit zu
Zeit, einem unfreiwilligen Stöhnen. Lola wendete das Gesicht, wohin immer er ging. Sie fühlte ihren Mund ge-
krampft vom Haß. Sie haßte ihn! Er hatte Claudia dort
hinten in irgendein Rendezvouszimmer bestellt. Claudia

war durch die Stadt gegangen, in der an jeder Ecke der Tod lauerte: durch eine Hecke von Mördern. Er hatte sie kommen lassen: denn die Umarmung einer Frau konnte ihm Glück bringen zur Wahl. Ganz Florenz schrie seinen Namen, kämpfte um ihn: und er pfiff darauf und umarmte, abseits vom Lärm, eine Frau. Das war reizvoll; es war eine starke, verachtende Geste. Für sie war Claudia gestorben. Und ihr Tod traf ihn peinlich, denn er brachte vielleicht Unglück. ›Oh! ich hasse ihn, ich hasse ihn! Da schleicht er hin, weiß sich verloren und wird nie mehr aufkommen. Ich freue mich. Ich will es nie bereuen, mich jetzt gefreut zu haben. Zu allem wäre ich in diesem Augenblick stark genug: zu allem.‹ Sie suchte seufzend. ›Eine Waffe! In diesem Augenblick eine Waffe!‹

Aber der Augenblick verstrich! Das leblose Schweigen des Hauses machte ihr Fieber. Pardi richtete sich auf. Er sprach rauh.

»Also retten, was zu retten ist. Auf die Quästur. Den Zeitungen muß gedroht werden, falls sie in den Bericht meinen Namen mischen.«

Er nahm seinen Hut.

»Wie lange ist's her? Ist ihr Mann verhaftet?«

Nach einer Stille.

»Wirst du antworten, Hündin?«

Lola lag da, und die Wange in der Hand, sah sie ihn an, mit Augen, die, leise hin und her rückend, im Haß grübelten. Sein Blick irrte ab; er zerdrückte den Hut, er machte kehrt... Ein stürmender Schritt kam über die Treppe und durch den Vorsaal; die Tür flog auf; Lola verhielt ihren Schrei: da stand Arnold. Er atmete rasch; sein Blick traf sicher, erst Pardi, dann sie; und mit wachem, festem Schritt trat er vor ihr Lager.

»Sie sind verwundet?«

Er bemerkte ihre Hand und zuckte auf. Halb gewendet:

»Sie haben sie töten wollen: ich verlange Ihr Leben.«

Pardi setzte die Fäuste an die Brust.

»Sie sind verrückt; aber da Sie sich endlich zeigen, da Sie endlich aus dem Nebel tauchen, sollen Sie haben, was Sie sich wünschen.«

Er lachte auf. Arnold machte zwei schlanke, kühne Schritte. Lola sah ihn jung und gespannt, wie einen Knaben, der zum erstenmal aus dem Jugendgehege und vor den ersten Feind hintritt; der die Spiele hinter sich gelassen hat und vor Ernst bebt. Er sagte hell:

»Sie haben die Waffe zu wählen; aber wählen Sie nicht die Pistole, sind Sie ein Feigling. Und bestehen Sie nicht mit mir darauf, daß einer von uns am Platze bleibt, sind Sie ein Feigling.«

»Sie hoffen, mich dazu zu machen?« sagte Pardi, die Zähne entblößend.

Arnold verbeugte sich vor Lola und ging.

»Erwarten Sie mich!« sagte sie laut, und sie stand auf. Ihr Hut, ihr Jackett lagen noch da; sie machte sich fertig. Arnold öffnete ihr die Tür.

»Träume ich?« sagte Pardi. Lola kam zurück. Dicht vor ihm:

»Claudia hat dir Sieg gewünscht: es war ihr letzter Ausruf. Aber sie ist nicht die Tote, die dir Glück bringt.«

Und sie wandte sich langsam.

»Soll ich dem Kutscher winken?« fragte Arnold.

»Nein.«

»Wozu auch: da wir nicht fliehen, sondern frei dahingehen.«

Lola sah vor sich nieder.

»Nicht er hat mich verwundet. Claudias Mann tat es, als er sie tötete.«

Da er schwieg:

»Ändert das deinen Sinn?«

»Nein.«

Sie hob die Stirn; beglückt sah sie ihn an.

»O nein!« wiederholte er. »Hat er's nicht getan? So hätte er's doch tun können. Ich habe dein Blut gesehen. Man sprach mir von deiner Verwundung; Guidacci sprach – ich weiß nicht, was. Kaum hörte ich, dein Blut sei geflossen, da betäubte meins mich mit seiner Wallung. Ich fühlte, daß der, der dich anrühren könne, nicht länger leben dürfe. Du bist mein. Ich habe genug um dich gelitten.«

»Wir haben genug umeinander gelitten«; und sie nahm seinen Arm.

»Laß uns langsam gehen: jetzt, da wir immer, immer denselben Weg gehen werden.«

Diese armen Straßen links vom Fluß waren voll Volks, das wimmelnd, zur Harmonika, Gitarre und dem Fettgeruch aus den Pfannen der Gassenköche, das Fest der Wahl beging. Ihr Kandidat war so gut wie gewählt; in den engen Schaufenstern stand sein Bild; sie stellten Kerzen davor; die Schenkwirte hängten Lampions hinaus. Die Glocken läuteten das Ave, als feierten sie den Sieg der Armen.

»Wie?« sagte Arnold. »Längst ist mein ganzesLeben auf dich zusammengezogen. Alles hab ich an dich gewendet, alles Denken, alles Leiden, dessen ich fähig bin. Das soll irgendeiner mir wegtragen, es aus dem Leben schaffen dürfen? Wozu habe ich gelebt, wenn du verschwunden bist? Alles konnten Geschick und Menschen uns auferlegen, jeden Verzicht, das ganze gehetzte Dasein, das wir gehabt haben: aber wir müssen leben. Zusammen leben oder zusammen sterben.«

»Zusammen leben«, sagte Lola, mit rascher Zuversicht.

»Durch mein Herz fließt längst nur noch dein Blut. Mit deinen Stimmungen, die mich unbewußt mitergreifen, deiner Unruhe, die auch mich verzehrt, und deiner süßen Liebe, an der ich trage, fließt mir stündlich dein Blut zum Herzen. Wer dich trifft, trifft mich; und ich will leben. Heute hab ich erfahren, daß ich's will.«

»Auch ich. Wärst du nicht gekommen, ich hätte ihn getötet!… Aber du bist gekommen. Zum zweitenmal hast
du mich aus der Ferne gehört, als ich dich beschwor. Und
diesmal brachtest du die Tat mit!«

Sie sann: ›Die Tat, an die ich nicht glaubte, die ich von
mir wies und nach der mich im Grunde immer verlangt
hat. Die verachtete Tat, die alles löst.‹

Da sagte er:

»Mir ist es nun, als hätte ich mich längst nach dieser Tat
gesehnt.«

…Sie langten an. Der leere Platz mit seinen kleinen alten Häusern, um den riesigen, bröckelnden Kirchengiebel
geschart, stand fahlblau in Dämmerung. Sie gingen die ge-
schweifte Mauer zu Ende; schon neigten sich über Lola
die stillen Bäume ihres Geliebten. Arnold schob die Pforte
zurück: – da entstürzte der Gasse drüben eine schreiende
Fratze.

»Gewählt ist Pardi!«

Der Schreier wütete an den schläfrigen Häuschen hin,
zwang ihnen, mit Läuten und Stampfen, seine Zeitungsblätter auf, zog aus den letzten Winkeln alles, was lebte,
an sich, um sich her und teilte seine Kunde aus.

»Gewählt ist Pardi!«

Sie schlossen hinter sich die Pforte. Zwischen den Stein-
bildern in ihren schwarzen Laubnischen gingen sie auf das
Haus zu. Es lag am Ende dieses Schattenganges rosig in
Abendluft und umstanden von seiner Wache steiler blauer
Schwertlilien. Lola brach das Schweigen.

»Er wird das Parlament nicht betreten. Oh! ich habe
den Mut, es zu wollen und auszusprechen. Er soll sterben,
damit wir leben können. Wir wollen nicht länger schlecht,
als seine Knechte leben. Denn das waren wir. Denken und
Zweifeln hatten uns rechtlos gemacht. Durch Verstehen
waren wir unfähig geworden, eine Hand zu erheben, sei es
nur, um uns vor Schmutz zu behüten. Wir glaubten uns

462

edel kraft unserer Reinheit: und wurden doch von ihr durch Verwirrung in Niedrigkeit geführt. Allzu gerecht, wird man Sklave. Ein Volk von Würde und Menschlichkeit ist ungerecht gegen seine Herren und befreit sich.«

Der Blick jenes berußten Menschen erschien ihr, der in der Säulenhalle der Uffizien, stolz auf sein Volk, ihr in die Augen gesehen hatte. In ihr zitterte sein Stolz. Sie sah ein Aufleuchten von tausend Gesichtern, die Geste der Denkmäler, die klatschenden Hände, den Ruhm eines Volkes. Und plötzlich ein anderes Auge: bräunlichweiß, schon starr, und an seinem Rande die tote Träne.

»Was erschreckt dich, Lola? Du bist bleich. Dir wird schwach?«

»Claudia ist tot. Ich hatte sie lieb: warum mußte sie schimpflich sterben?«

»Lehne dich an mich! Nimm einen tiefen Atemzug aus dieser Luft; der Abend hat so viel Ruhe und Kraft. Sieh, wie stark um uns her die Schwertlilien stehen!«

»Du bist stark! Ich breche nachträglich zusammen. Ja, stütze mich! Ich weiß nicht, was mich mehr ängstigt von allem Erlebten: der Freiheitsstolz so vieler oder der Tod einer armen kleinen Sklavin.«

»Laß dich über die Stufen heben, meine Lola. Wir sind frei und ruhig. Bleibe in Ruhe auf dieser Terrasse, die uns lieb ist, stütze deinen schönen Kopf an das Haus, das uns kennt, und warte, bis ich zurück bin.«

»Du gehst?«

Da er schwieg:

»Nun weiß ich's wieder.«

Tränen entstürzten ihr.

»Das Schwerste steht noch bevor, und ich versage schon.«

Er sah zu Boden.

»Wenn ich ausbleibe –«

Da sprang sie auf.

»Du kannst zweifeln? Nein! Du weißt: in derselben Stunde stürbe auch ich.«

Sie sanken, die Augen geschlossen, gegeneinander.

Lola schob ihn sanft zurück.

»Laß, ich habe meine Kraft wieder. Du wirst siegen!«

»Deine Augen entzünden so meinen Geist und mein Blut, daß ich alles glaube, allem vertraue.«

»Du wirst siegen, weil er gerichtet ist. Er hat es gefühlt: hätte er mich sonst gehen lassen?«

»Welch Leben, Lola! Wir sind gemeinsam wiedergeboren.«

Sie reckte sich, breitete die Arme aus. Den Kopf im Nacken:

»Nimm mich! Ich bin frei... Nein: warte! Du bist zu stürmisch: ganz Held. Ich bewundere dich; auch das habe ich von dir gewollt. Aber ich will auch das andere nicht verlieren, das du warst.«

Er kniete hin. Sie lehnte auf seinem Kopf ihre Hände aneinander und beugte sich sanft, bis ihr Mund seine Stirn traf. Mit kleiner, süßer Traumstimme redete sie.

»So bleibe noch! Ich sehe über dich hinweg in das Dunkel, das heranschwillt. Die Steige waren blau und sind nun schwarz. Das Leuchten der Gartengötter ist vergangen, zugleich mit den Vogelstimmen. Das Leben ist tief, fühlst du's? Ich höre Schattenfüße auf dem Rasen. Ein letzter Strahl biegt sich um deinen Kopf. Du gehst nun und kämpfst um mich. So brauche ich dich; denn ich bin nur eine Frau. Dann kehrt mein Held heim zu mir, legt seine Stirn in meine Hände und ist sanft und mein Gefährte. So brauche ich dich; denn ich bin nur eine Frau... Wirst du Geduld mit mir haben, Lieber?«

Er flüsterte:

»Die Prüfung liegt hinter uns. Jeder von uns weiß, was er sagt, wenn er sagt: Ich liebe dich.«

»Ich liebe dich«, sagte Lola.

Nachwort
von Elke Emrich

Lola Gabriel – Cesare Augusto Pardi – Arnold Acton: eine Deutschbrasilianerin »zwischen den Rassen« in ihr, zwischen dem »Temperament« ihrer »mütterlichen Rasse« und der »deutschen Tiefe«, die beide, offenbar unintegrierbar, die Widersprüchlichkeit, die Komplexität ihrer Identität ausmachen und sich aufspalten in Zuneigung zu Arnold Acton, dem deutschen Träumer, Dichter, »Waldmenschen« [S. 124, 163], und in Leidenschaft für Pardi, den italienischen Fechter- und Eroberertypus, den »Tatmenschen« [S. 176]. Sich selbst stets kritisch reflektierend und daher unfähig, »ein einziges Mal ganz unvernünftig glücklich [zu] sein« [S. 96], analysiert sie sich, ihre innere Zerrissenheit und ihren Gegensatz zu jenen, die »in der Ordnung« sind und »es leicht« haben: »Aber zu einem Manne hingezogen sein und ihn dabei höhnisch durchschauen! Aber seinem Gegner sich so nahe fühlen als ihm! Aber nie wissen, ob man für die Liebe gemacht ist, die doch bereit wäre, in einem aufzustehen! Sich selbst nicht trauen dürfen! Geteilt sein! Nirgends ganz zu Hause, seines Eigensten nicht habhaft, fragwürdig und der Antwort auf immer unmächtig!« [S. 204]

Ihr ausgeprägtes Rechtsbewußtsein führt sie in die Antinomie, daß sie – da sich der schüchterne Grübler Arnold nicht entschieden um sie bemüht – »ihm kein Recht auf sich« einräumen kann, umgekehrt aber auch und gerade darin seinen Wert, »vielleicht mehr als Mann« zu sein, erkennt und »ihm selbst das Recht, sie zu verachten«, zubilligen muß [S. 211]. Diese sie quälende Konfliktsituation

scheint nur lösbar, wenn sie innerlich über ihre Leidenschaft für Pardi hinauswächst, sich von seiner erotischen
Macht über sie freimacht, und wenn Arnold, seine Unfähigkeit zum Handeln überwindend, sie durch »die verachtete Tat« [S. 462], das Duell, von diesem befreit: wenn er
die geistig-seelische Macht, die er über sie besitzt, auch in
der Tat ergreift.

Dieser ungewöhnliche Entwicklungsroman des beginnenden 20. Jahrhunderts [vollendet 1907], in dem Kindheit, Jugend, Ehe und ihr Scheitern, die Stationen der
Selbstfindung einer jungen Frau mit großem dichterischen
Einfühlungsvermögen gestaltet sind, wirkt um so erstaun-
licher, wenn wir uns die Frauengestalten und -schicksale
in der Literatur des 19. Jahrhunderts und des Fin de siècle
vergegenwärtigen: Anna Karenina und Madame Bovary,
Effi Briest und Tony Buddenbrook, Lulu und die Herzogin von Assy. Wird die bürgerliche Ehemoral von Effi und
Tony trotz persönlichen Leidens keineswegs in Frage gestellt, so beginnt hier eine Frau ihre Ehe im Bewußtsein
der Schuld, mit »schlechtem Gewissen« [S. 284], da sie
Versündigung gegen ihr besseres Selbst, gegen ihre intellektuelle Identität und Niederlage vor des Mannes »beschämend sinnlicher Macht« [S. 188] über sie sei: »Ich
gehe sehend in alles hinein. Ich habe mein Blut zu büßen.«
[S. 282]

Die Ehe von Lola und Pardi spricht allen bürgerlich sitt-
lichen Normvorstellungen hohn, und ist doch in der
krassen Herrschsucht Pardis – die »Herrschaft« des Mannes über die Frau muß »nicht lockerer, sondern noch fester werden« [S. 247]; »Ich bin der Herr« [S. 315] – ein
prägnantes Abbild der Herrschaftsstruktur in der Ehe, gegen die eine Effi Briest verstößt. Empfindet Lola ihre Ehe-
schließung als Selbstverrat »an das Fleisch« [S. 319], so ist
ihr Ausstieg aus der Ehe nicht Ehebruch, sondern Absage
an ihre Sinnlichkeit, Wiedergewinnung ihrer geistigen

Identität in der Zurückgezogenheit von San Gregorio. Resümee dieses Aufenthalts: »Bleibe nicht, wo ich auch sein mag, ich selbst mir?« [S. 353]. Mit neuer Selbst-Bewußtheit Arnold Acton begegnend, erlebt sie eine Liebe jenseits des physisch-sinnlichen Besitzerdrangs. Lola und Arnold gehören zueinander ohne einander zu »besitzen« [S. 414], ohne einander zur »Sache« [S. 382; vgl. S. 450] zu werden.

Die Trennung von Ehe und Liebe, die sich im Ehebrecherinnenmotiv zahlreicher Romane und Schauspiele des 19. Jahrhunderts abzeichnet, vollzieht sich hier nicht als Befreiung aus einer domestizierenden Ehe in eine triebgesteuerte freie Liebe, sondern als Ausgang aus einer selbstverschuldeten Unmündigkeit, als Selbstbefreiung der Frau von den patriarchalischen Machtprivilegien des Mannes. Ihr Standpunkt lautet zum Schluß des Romans: »Ich bin als mein eigen geboren, und kein Mensch konnte je auf mich ein Recht erwerben.« [S. 457]

Cesare Augusto Pardi, von Heinrich Mann später als frühe Gestaltung des Typus des italienischen Faschisten erkannt, ist der Herr und Gebieter, das personalisierte Patriarchat, Vertreter des Typus, dem Lola »unterliegen soll« [S. 96], »der Typus auf der Höhe des Lebens, [...] gereift und vollendet: aber nicht gesättigt.« – »Daß er von ›Emanzipation‹ schon gehört hatte, wunderte sie.« [S. 188]

Emanzipation und Unterwerfung, freie Selbstbestimmung und Versklavung der Frau durch den Mann – diese Polarität ist Gegenstand des »intimen, analytischen Romans«, als den ihn Heinrich Mann in einem Brief an seinen Jugendfreund Ludwig Ewers am 15. September 1905 bezeichnete [vgl. Materialien, Nr. 8]. Vorangegangen war das Thema: Beherrschung des Mannes durch die Frau [*Professor Unrat*, 1905]; vorangegangen war Heinrich Manns Verlobung [1905] mit der deutsch-argentinischen Sängerin Inés Schmied, der Versuch, das Reiseleben, das Gefühl der Einsamkeit und der Heimatlosigkeit, der Fragwürdigkeit im Norden wie im Süden dauerhaft zu überwinden; vorangegangen war die intensive Beschäftigung mit Gustave Flaubert und George Sand, mit dem Ästheten und mit der gefühlvollen Revolutionärin und Romanautorin: Ihnen widmete er 1905 den Essay *Eine Freundschaft: Gustave Flaubert und George Sand.* George Sand war emanzipiert kraft ihrer starken Persönlichkeit, ihres Durchsetzungswillens auch und gerade in ihrem Liebesleben. Wie Lola war sie »für die freie Liebe eingenommen« [vgl. Lola, S. 91]; in Konsequenz des Empfindens, »ein verfehlter Mann« [so Lola, S. 248], »eigentlich ein verkleideter Mann« zu sein, trug sie vorzugsweise Männerkleider [vgl. Lola, S. 79 und 85 ff.]; im Laufe ihres wechselvollen Lebens transformierte sie ihre Leidenschaften in die einer vom Gefühl gelenkten Revolution [vgl. hierzu: André Maurois, *Das Leben der George Sand*, München 1985 = dtv 10439]: Sie stand – neben den Kindheitserinnerungen von Heinrich Manns Mutter Julia da Silva-Bruhns [*Aus Dodos Kindheit*, niedergeschrieben 1903] – Modell für die Romangestalt Lola Gabriel. Auch für Lola erwächst aus dem Ehekonflikt das Engagement gegen Ungerechtigkeit und Unterdrückung der Armen, gegen Ausbeutung und Erniedrigung. Mit dem Freiheitsstreben der rechtlosen »Sache« Frau [S. 385, 457] geht das Freiheitsstreben der »Armen« einher. Die »arme kleine Sklavin« Claudia [S. 463] wird inmitten der auf Wahlsieg setzenden, begeisterten garibaldinischen Volksmenge von ihrem eifersüchtigen Gatten erschossen.

Die Ehen in diesem Roman sind Beispiele für die Domestizierung der Frau durch die Institution Ehe, durch die sie »unter Vormundschaft steht« [S. 281], durch die sie ihren einzigen »Zweck auf der Welt« erfüllt [S. 314],

die als ihre »Zwingburg« [S. 295] und »Gefangenschaft«,
als ihr »Käfig« [S. 406], ja ihr »Vogelbauer« bezeichnet
wird und worin sie als des Mannes »Sache«, als seine
»Hündin« [S. 459] behandelt wird. Von ihrer Mutter wird
Lola belehrt, daß die Ehe »ein genaues Geschäft ist, bei
dem der Mann sein Vergnügen von uns möglichst billig zu
bekommen sucht. Dein Vater hat mich um das Meinige
betrogen. Ich hätte von ihm viel, viel mehr Diamanten
und Pariser Hüte verlangen sollen.« [S. 283] Die inten-
dierte Ausbeutung, der Nießnutz ist wechselseitig. Miß-
lingt es einer Frau, den Schein ehelicher Treue aufrechtzu-
erhalten, so wird sie – wie die Bernabei – verstoßen: nicht
ihres Fehltritts wegen, sondern weil sie das Pech hatte,
ertappt zu werden. Setzt Lola sich »für den Schutz der
unverheirateten Mütter« ein, so stößt sie an eine »dumpfe
Mauer des Vorurteils«, »kompromittiert« sich und verletzt, was Pardi unter der »Ehre« seines Hauses versteht
[S. 315 f.]. Er betont: »Mulier subiecta viro.« [S. 194] Die
»Amerikanerin« Lola, die Güte und Menschlichkeit um
sich verbreiten möchte und dabei auf den erbitterten Widerstand, die »Herrschsucht«, den »Geiz«, die »geistlose
Härte« ihres »hartherzigen Mannes« sowie auf die »allgemeine Heuchelei« der Gesellschaft stößt [S. 315 ff.],
durchschaut, noch unverheiratet, daß Pardi nicht anders
als der Durchschnitt der sie umgebenden Gesellschaft,
sein zum Typus gesteigerter Repräsentant ist: »Was für
eine Gesellschaft! Sie sind schlaff und unmenschlich zugleich; frivol und philisterhaft, alles beides. Pardi ist das
alles auch: nur heftiger als die anderen. Ich kenne ihn: sich
würde er alle Freiheiten nehmen und seine Frau würde er
einsperren. Draußen würde er wie ein wildes Tier herumstreichen oder wie ein Narr, und in seinem Hause würde er
alles abgezirkelt und niedlich wie in einem Vogelbauer
wollen. Kann man so abscheulich ungerecht sein!«
[S. 248 f.]

Da sie sich nirgends heimisch, keiner Gemeinschaft zugehörig fühlt und dabei von starkem Gerechtigkeitswillen durchdrungen ist, analysiert sie stets als die Unzugehörige die Stellung der Frau in der sie umgebenden Gesellschaft. Sie »erklärte die Stellung der Frau in Italien für unwürdig und vollkommen veraltet« [S. 243]; und zuvor in Deutschland: »Von allen Frauen, die ich kenne, haben es die deutschen am schwersten. Frau Gugigls Übermut und Selbsttäuschung [ihren Mann zu beherrschen] ändert nichts. Sie sind noch immer rechtlos und müssen dabei arbeiten. Verdient nicht meine Kusine für den Haushalt – den sie besorgt? Immer noch lieber in Brasilien verheiratet zu sein. Auch dort ist man Untertanin; aber man liegt in der Hängematte, wird vom Mann und Herrn bedient, und nach dem Gesetz gehört die Hälfte von allem, was er einnimmt, seiner Frau.« [S. 316]

Entsprechend tritt sie für die Einführung eines Ehescheidungsgesetzes in Italien ein und stößt bei Pardi auf unversöhnliche Gegnerschaft; er will ins Parlament gewählt werden, um die Scheidung zu verhindern, denn: »Auf diese oder jene, vielleicht vorschnell geschlossene Ehe kann nicht Rücksicht genommen werden, wo es sich um die Ehe als Grundstein des gesamten gesellschaftlichen Gebäudes handelt. [...] In der Ehe befiehlt der Staat. [...] Menschen [...] haben sich zu opfern.« [S. 246]

Da die Opfer dieses Grundsteins der Gesellschaft in aller Regel die Frauen sind – »Die Ehe ist das Grab der Liebe« [S. 245] – , eröffnet sich ihnen die Alternative, ein Liebesleben voller Gefahr der Entdeckung und Erniedrigung oder ein Leben jenseits der Liebeserfüllung zu führen. Ergibt sich Lolas italienische Freundin Claudia schlechten Gewissens und geschüttelt von Angst vor der Rache ihres Gatten ihrer Leidenschaft für Pardi – nicht ohne Lola zu bekennen, sie sei »eine Sünderin: ja. Aber bedenke auch, wie furchtbar das Frauenleben ist! Welche

470

Schrecken uns drohen, jeden Tag!« [S. 335] –, so hat sich ihre deutsche Freundin Tini entsagungsvoll der Kunst geweiht: »Auch ich habe Zeit gebraucht, bis ich ganz entschlossen meine Kunst allem, aber allem voranstellte. Wenn ich heute noch einen Mann liebe, nehme ich ihn doch durchaus leicht. Und sobald er meiner Kunst gefährlich wird, mache ich mich unerbittlich von ihm los. Die moderne Frau hat glücklicherweise ihr Schicksal selbst in Händen, und Klagen wären überflüssig.« [S. 348]

Die Polarität zwischen freier Selbstbestimmung und Versklavung, wie sie sich im Gegensatz zwischen Tini und Claudia spiegelt, berührt sich in ihnen zugleich mit dem Spannungsverhältnis zwischen Kunst und Liebe, zwischen Geist und Leben. Tinis Lebenserfahrung, ihre Kunst sei nur realisierbar unter Ausschluß der Liebe, ihre Lebensentscheidung entspricht der der Schauspielerin Ute Ende in *Die Jagd nach Liebe* [1903]. Auch Lola möchte Unabhängigkeit durch Kunst erlangen. Ihr unstetes Reiseleben mit Mai gilt der Stimmbildung, der Ausbildung durch die ruhelose Sängerin Branzilla, die Lehrerin des Belcanto. »Aber man lockte sie daraus fort [...] Dann trat der Mann auf: [...] – und die Kunst lag unbegreiflich dahinten«. [S. 106] Wird bei Lola die Kunst, die ihr Welten eröffnen sollte, die sie sich als ihre »Wahlheimat« [S. 104] erobern und durch die sie innerlich und äußerlich frei werden wollte, durch den Mann – den Brasilianer Da Silva, den Italiener Pardi – verdrängt, so entsagt Tini –, vergleichbar der Sängerin Flora Garlinda in dem späteren Roman *Die kleine Stadt* [1909] – der Liebe um ihrer Kunst, ihrer Autonomie willen. Stets erneut scheint in den Romanen und Novellen Heinrich Manns Kunst – Schauspiel, Gesang oder bildende Kunst – der Frau ein Reich der Freiheit, Autonomie zu eröffnen. Der Versuch der Synthese von Kunst und Leben, von Kunst und Liebe wird entweder von vornherein als aussichtslos verworfen oder aber die

471

Frau [wie Lea Terra in *Der Kopf*, 1925] scheitert. Liebe und Kunst, autonome Selbstverwirklichung und Selbstverwirklichung der Frau in der Liebe scheinen unvereinbar.

Denn nicht nur der Eros, das »Blut«, auch der »Geist«, die Kunst ist ein Instrument der Herrschaft über Menschen. Ute Ende kämpft in *Die Jagd nach Liebe* »um Herrschaft« über »Seelen«. Ihre Theaterleidenschaft ist vom Willen zur Macht diktiert. Sie will Macht über Massen erringen, und der Gedanke, sie »sollte schließlich das alles erarbeitet haben zugunsten eines einzigen – damit ein einzelner Bürger mich heiratet«, erscheint ihr als »Verrat an jeder von meinen Schminkbüchsen« [*Die Jagd nach Liebe*, S. 10]

Den Gegensatz und zugleich Heinrich Manns Umdenken markiert *Zwischen den Rassen*. Arnold Acton, wie Lola Identifikationsfigur des Autors, erklärt bei seiner ersten Begegnung mit Lola in Bayern, er dichte, um die Menschen »zu übertreiben und so über sie zu herrschen« [S. 123]. Nachdem sie ihn und Bayern verlassen hatte, wollte er aus seiner Liebe »Nutzen [...] ziehen« für sein Werk: »Ich war nur darauf aus, von Ihnen, vor der ich demütig gewesen war, den Nutzen großer Gefühle zu ziehen und nun Sie zu demütigen vor meiner Seele. Ich dachte mich an Ihnen zu rächen. Meine Kunstgebilde waren allzuoft Rache... Aber ich konnte nicht; was mich rettet, mich Ihrer Verzeihung würdig macht, ist nur dies: daß ich nicht konnte, weil ich Sie liebte.« Arnold Actons Liebe ist – im Gegensatz zu der Mario Malvoltos in der Novelle *Pippo Spano* [1903] – stärker als sein Wille, sie zum Gegenstand seines dichterischen Werks zu machen, sie zu »nutzen« und abzutun. »Mit Ihnen zum erstenmal ward ich nicht fertig, ich habe aus Ihnen meine Sache, mein Werk nicht machen können.« [S. 382] Auffällig ist die Parallelität der Verwendung des Wortes »Sache«: Lola empfindet sich als Pardis »willenlose Sache«, mit dem sie untergehen werde, sie beklagt, daß Claudia ihrem Gatten »gehört, wie seine Sache«, und Arnold Acton hatte vergeblich versucht, aus Lola »meine Sache« zu machen. Daß er es jedoch nicht konnte, bedeutet die Rettung ihrer Liebe *und* seiner Kunst: »Ich habe geschrieben, um mich leben zu fühlen. Aber lebe ich jetzt nicht durch Dich? Ich habe geschrieben, um groß zu werden: aber welche Macht hätte ich nicht von Dir! Einem Dichter erschließt Liebe alle Schicksale. Früher trieb starre Herrschsucht die Welt durch meine Visionen. Jetzt ist, was sie in Bewegung setzt, Liebe.« [S. 409]

Lola ist der Gedanke einer Herrschaft über Menschen durch Kunst fremd. Sie hofft, ihre Kunst werde ihr »eine Menge Anhänger und Verehrer« zuführen, »sie würde der Freiheit froh werden, kraft ihres Gesanges; würde über allen Ärmlichkeiten schweben und [...] Kunst und Leben, beides im Triumph« [S. 142 f.] genießen. Sie will »mit ihrem Gesang [...] Herzen werben [...] In Herzen Liebe entdecken und in einem Stück Erde eine Heimat: mit ihrer Stimme, wie mit einer Wünschelrute« [S. 145]. Ihre Verirrung: Daß sie für »Liebe«, für ihr »Leben« hält, was sie zu Pardi hinzieht; im Abschied von Arnold meint sie: »Das Leben ist nicht anders.« [S. 216] Es ist ein Leben ohne Kunst; Lesen, gar deutsche Bücher zu lesen, erzeugt Mißtrauen, ja Haß. Pardi schleudert ein Buch in den brennenden Kamin [vgl. S. 311]. Erst nachdem sie Arnolds Liebe wiedergefunden hat, »öffnete Lola, zum erstenmal seit zwei Jahren, das Klavier«, und sie entdeckt einen Klang in ihrer Stimme, der »ihr von ihm kam, [...] den sie ihm bringen mußte«.

Durch ihre Liebe zur »großen Künstlerin« gereift, will sie – im Gegensatz zu Ute Ende – nicht für die große Menge, sondern nur noch für Arnold singen: »Nur einer soll mich hören. Wir lieben uns. Was könnte unsere Kunst anderes sein als unsere Verklärung.« [S. 409]

In dieser Liebe hat die schwärmerische Alliebe, die in Lolas Pubertät im Gebirge die Lektüre von Lamartines Versen auslöste, ihre Bestimmung gefunden. Sie impliziert zugleich die Hinwendung zur »Menschheit«. Hatte Lola »in Gemeinschaft einer seelenhaften Menschheit durch die Unendlichkeiten der Poesie« [S. 94] zu schweben geglaubt, so meint sie nun, ihre Liebe erlege Arnold und ihr »vielleicht die Bestimmung auf, uns der Menschheit zu erinnern, die über den Vaterländern vergessen wird«. [S. 408]

Die Menschheit aber, die durch Feudalstrukturen Entrechteten, sind durch »Liebe«, »Güte« allein schwerlich zu befreien. Ihre Befreiung bedarf der Tat. Der Zweikampf, zu dem Arnold zum Schluß des Romans entschlossen ist, hat nicht nur den Sinn, Lola von Pardi, sondern zugleich, das Volk vom Herrenmenschen zu befreien: »Er wird das Parlament nicht betreten. [...] Denken und Zweifeln hatten uns rechtlos gemacht. Durch Verstehen waren wir unfähig geworden, eine Hand zu erheben, sei es nur, um uns vor Schmutz zu behüten. [...] Allzu gerecht, wird man Sklave. Ein Volk von Würde und Menschlichkeit ist ungerecht gegen seine Herren und befreit sich.« [S. 462 f.] So fragwürdig dieser Romanschluß heute erscheint – Scheidung auf italienisch; Scheidung durch Tötung des Gatten mit dem Nebensinn einer Befreiung der Unterdrückten von ihrem Idol und Ausbeuter –, so liegt ihm doch ein Denkmodell zugrunde, das für die Werke Heinrich Manns bestimmend bleibt: Das scheinbar privat Individuelle steht als Paradigma für Allgemeines; die Diskussion um die »Ehe als Grundstein des gesamten gesellschaftlichen Gebäudes« markiert die Anfangsphase der wechselvollen Beziehung zwischen Lola und Pardi, den sie bereits in Bayern als den »Typus« des Gewaltmenschen erkennt, an dem es nichts »Persönliches« zu lieben gebe. Der Typus des Herrenmenschen, des Untertanen, des Spießers und

Faschisten wird in den Werken Heinrich Manns personalisiert, in seinen sozialpsychologischen Grundlagen durchschaubar, »verstehbar« gemacht und als überwindbar dargestellt. Die »Tat« bleibt ausgespart. Denn nicht um sie geht es dem Autor in erster Linie, sondern vor allem um den Entwicklungsprozeß, der den Affekt, den Willen zur Tat reifen läßt. In Bayern über seinen Standpunkt zum Zweikampf befragt, meint Arnold, »aus eigenem Drang würde ich mich vielleicht schlagen, nie um der Welt willen. Es muß jemand dasein, der nicht mehr leben darf: dann ja... Aber wer hat so starke Affekte?« [S. 192] Der Fall, daß nach Arnolds Überzeugung Pardi nicht mehr leben darf, ist schließlich eingetreten, zugleich aber wird er ihn seiner politischen Ambitionen wegen, »um der Welt willen« töten.

Denn »gewählt ist Pardi«, verkündet eine »schreiende Fratze«. [S. 462] Gewählt hat das Volk einen Spieler, der sich nicht scheut, »seinen Rest bürgerlicher Ehre abzustreifen«, einen Verführer, der »in allen Winkeln der Stadt Frauen im Dahinstürzen mit sich riß«, einen Demagogen, der die Massen durch Geldgeschenke und verbilligten Weinausschank enthusiasmiert und dabei »redete: etwas wesenlos Begeisterndes, wovon die Augen ringsum zu blitzen begannen«. [S. 434 f.]

Das Faszinosum, das der Typus, der Gewaltmensch Cesare Augusto Pardi – sein Name spielt auf Cesare Borgia an, den Principe des Macchiavelli, der in Nietzsches Philosophie erneut Berühmtheit erlangte – für Lola, für die Frauen (auch für Tini) und das Volk ausstrahlt, das Faszinosum, das auch auf Arnold Acton seine Wirkung nicht verfehlt – »Ich bin ihm begegnet; mir klopft, ich gestehe es, immer ein wenig das Herz: als ob ich nahe an einen Raubtierkäfig hinträte. Dennoch sehe ich ihm gern zu, gestatte mir bei seinem Anblick oft auch eine leichte Sehnsucht«; Arnold sieht Pardi an »wie ein böses Bild«, wie ein Idol, das ihn emotional fesselt, das er aber »nicht hassen kann« [S. 419 f.] –, das Faszinosum des Idols und Machtmenschen, seine Wirkung auf die Massen und seine Wirkung auf Intellektuelle ist ein zentrales Thema in Heinrich Manns Werk. Es akzentuiert die Schlußszenen der Gesellschaftssatire *Im Schlaraffenland* [1900] und ist integraler Bestandteil der machtorientierten Untertanenmentalität eines Diederich Heßling. In *Zwischen den Rassen* steigert es sich in Lolas, Claudias und der Massen Begeisterung für »das feurige Leben, das er Tag und Nacht unterhielt«, in »todverachtende Freude«, mit der Lola beobachtet, wie er »alles, was er war, wie ein Feuerwerk in die Luft« schickt – »der Rest war Pulverdampf und Nacht« –, und wird es entlarvt als die »furcherregende Gebärde, die große Maske« eines sich massenwirksam in Heldenpose aufspielenden Verbrechertums, das mit einem »alles erschütternden Abgang« endet. [S. 435 f.]

Der Opfertod der »armen kleinen Sklavin« Claudia, die um »einer starken, verachtenden Geste« Pardis willen auf offener Straße ermordet wird, führt zur Entlarvung des Idols zur Kenntlichkeit: Aus dem Herrenmenschen wird ein Verbrecher mit schlechtem Gewissen. Das »böse Bild« Pardi, abergläubisch und in Angst vor der Presse, vor Demaskierung, läßt bei der Nachricht des Gattenmordes die Maske seines Herrenmenschentums fallen: »Er sah plötzlich kleiner aus, und alt, zerzaust, übernächtig: fahl von zahllosen Nächten.« [S. 458] Lola erkennt, daß er vor seinem Gewissen »gerichtet« ist, daß sie ihn nun, in dem Augenblick seiner persönlich empfundenen Niederlage töten könnte und daß Arnold nunmehr der Überlegene geworden ist, daß er daher als Sieger aus dem Zweikampf hervorgehen wird: »Du wirst siegen, weil er gerichtet ist. Er hat es gefühlt.« [S. 464]

Der Sieg des Geistes über die Macht besteht hier in ihrer Demaskierung als mythische (Ver-)Blendung der Massen, der Frauen, der Intellektuellen durch ein bedenkenlos verbrecherisches, ruhmrediges, theatralisch vorgetäuschtes Herrenmenschen- und Heldentum, und er besteht in der Entlarvung des Machtmenschen, des Idols, vor seinem Gewissen. Sie bedingt den Sieg der Waffe in der Hand des Befreiers. Analog erklärt ein Oberst, der zum Attentat auf den Faschisten entschlossen ist, in *Lidice*, dem antifaschistischen Roman aus dem Jahre 1943: »Er ist verloren. Aus meiner militärischen Erfahrung kann ich Ihnen etwas mitteilen. Man hat sie immer erst, wenn sie sich selbst schon verloren geben.« [*Lidice*, Düsseldorf 1985, S. 211]

Arnold Actons geistige Grundlage ist »Rousseaus Rat: ›Menschen, seid menschlich!‹« Seine Vision einer »irdischen Vervollkommnung des Menschengeschlechtes« ist der der Aufklärer, der geistigen Wegbereiter der Französischen Revolution verpflichtet. Sie ist Heinrich Manns hier erstmals in einem Romanwerk explizit ausformulierte und dichterisch gestaltete Antithese zur »Vorliebe für die nackte Macht«, zur »Herrenmoral«, die sich als Umsetzung von Nietzsches »Umwertung aller Werte« ausgibt. Die Philosophie der Aufklärung, Voltaire, Rousseau, Kant sollten in Heinrich Manns für einen demokratischen, sozialen Rechtsstaat engagiertem Schriftstellertum bis zuletzt bestimmend bleiben. Arnold Actons im Romanschluß angekündigte »Tat« steht – im Sinne der Romankomposition – in deutlicher Parallele zum »Ausbruch des Besseren im Menschen«, der Französischen Revolution, bei der, wie Arnold betont, »der Geist« es war, »der die Folterkammern sprengte« [S. 152ff.]. Mit seiner »Tat« soll zugleich der Sieg der Garibaldiner, der Sozialisten und Demokraten, der »Sieg der Armen« [S. 416] erzwungen werden.

In Arnolds und Lolas Entwicklung aus individualer Selbstverstrickung und außer-, überirdischer, ästhetizistisch fundierter Alliebe zu personaler Liebe, die sich auch und gerade als Hinwendung zum Mitmenschen, genauer: als dem (Natur-) Rechts- und Verantwortungsbewußtsein verpflichtete Menschlichkeit – und damit als gedachte Basis jedweden menschlichen Zusammenlebens – realisiert, gestaltete Heinrich Mann seine Lebensentscheidung, seine Absage an skeptizistisches, ästhetisierendes Außenseitertum und sein Engagement für die Ermöglichung von herrschaftsfreien, sozialen und gerechten Lebensformen.

Zur Entstehungs- und
Überlieferungsgeschichte

Als Thomas Mann den Bruder am 5. Dezember 1905 in einem Brief fragte: »Was treibst Du? Ich höre von Mama, daß Dich ein neuer Roman beschäftigt, dessen Anfang aus Mama's Memoiren gemacht ist. Darf ich wissen, um was es sich handelt?«[1], arbeitete Heinrich Mann schon fast ein halbes Jahr an der Niederschrift seines »sehr intimen, analytischen Roman[s]« [vgl. Materialien, Nr. 8]. Im Juli 1905 begann er damit in Roßholzen in Oberbayern, während die Idee zum Romanstoff wohl bereits aus dem Jahr zuvor stammte [vgl. Materialien, Nr. 1]. Besonders in den Briefen an seine damalige Verlobte Inés (Nena) Schmied und an den Lübecker Schulfreund Ludwig Ewers läßt sich das Wachsen des Romans mitverfolgen [vgl. Materialien, Nr. 1–3, 8, 10–12]. Heinrich Mann hat bis kurz vor Erscheinen des Romans daran gearbeitet, denn am 23. Februar 1907 noch gesteht er seiner Mutter: »[...] der Roman muß fertig werden. Der Anfang wird jetzt schon gedruckt.«[2]

Die innere Entstehungsgeschichte des Romans *Zwischen den Rassen* dokumentieren zwei Notizbücher, die

1 Thomas Mann/Heinrich Mann: *Briefwechsel 1900–1949*. Hg. von Hans Wysling. Erweiterte Neuausgabe. Frankfurt am Main: S. Fischer 1984, S. 65.
2 Zit. nach: Sigrid Anger: *Nachbemerkung*. In: Heinrich Mann: *Zwischen den Rassen*. Roman. Berlin und Weimar: Aufbau-Verlag 1974 (= Heinrich Mann: Gesammelte Werke. Hg. von der Akademie der Künste der DDR. Redaktion: Sigrid Anger. Band 5), S. 432.

sich in Heinrich Manns Nachlaß erhalten haben[1] und die einen anschaulichen Einblick in seine Arbeitsweise gewähren. Sigrid Anger, die Bearbeiterin der Ausgabe des Romans innerhalb der *Gesammelten Werke*, schreibt dazu in ihrer Nachbemerkung:

In den Notizen ist wenig zur Gliederung und zum Handlungsablauf des Romans aufgezeichnet; Heinrich Mann skizzierte hauptsächlich die Charaktere der Figuren, ihr Verhältnis zueinander und zur Gesellschaft. Besonders Lolas Konflikte, ihr Hinundhergerissensein »zwischen den Rassen« und ihre Beziehung zu Arnold nehmen breiten Raum ein. »Lola und Arnold« heißt es immer wieder. Einige Dialoge sind in den Notizen bereits ausgeführt und fast wörtlich in das Manuskript eingegangen.

Das erste Notizbuch enthält 87 eng mit Bleistift beschriebene Seiten. (Etwa in der Mitte, von Seite 48 bis 50, werden die Aufzeichnungen zu *Zwischen den Rassen* von Notizen zur Novelle *Abdankung* unterbrochen, die Heinrich Mann vom 6. bis 11. November 1905 niederschrieb.) Auf Seite 1 steht: »Mittwoch, 5. Juli, in Pracchia, Fahrt nach Abetone. Donnerstag, 6., bis Montag, den 10., in Abetone. Dienstag, den 11., Rückkreise nach Florenz.« Wenig später notierte Heinrich Mann seine ersten Eintragungen zum Roman, die Einsicht in den ursprünglichen Plan vermitteln.[2]

Die tatsächliche Ausführung weicht von diesem »ursprünglichen Plan« des Romans ab [vgl. Materialien, Nr. 6], doch ist in diesem ersten Entwurf und besonders

1 Vgl. *Vorläufiges Findbuch der Werkmanuskripte von Heinrich Mann*. Bearbeitet von Rosemarie Eggert. Berlin(Ost) 1963 (= Deutsche Akademie der Künste zu Berlin, Schriftenreihe der Literatur-Archive, Heft 11) (hektographiertes Typoskript), Nr. 467 und 468.
2 Sigrid Anger [s. Anm. 2, S. 479], S. 432.

an den weiteren Notizen [vgl. Materialien, Nr. 7] gut zu beobachten, wie Heinrich Mann sich an die Charaktere der Romanfiguren und deren Gestaltung geradezu herantastet, welche Mühen und Schwierigkeiten sich dabei dem Romancier beim Zusammenführen der Handlungsstränge, beim Umsetzen der Einfälle und Bilder wie bei der Verarbeitung von eigenen Erlebnissen und literarischen Traditionen stellen.

Materialien zur Druckgeschichte des Romans *Zwischen den Rassen* hat ebenfalls Sigrid Anger im einzelnen zusammengestellt, die hier wiedergegeben und ergänzt werden:

Zwischen den Rassen erschien, wie die früheren Romane, zuerst im Albert Langen Verlag München. Im März 1907 verhandelte Heinrich Mann mit dem Verlag über die Gestaltung des Schutzumschlags: »...nachträglich überlege ich, ob der Umschlag in ganz schwarzer Farbe nicht doch zu düster wirken würde. Läßt sich dieselbe Zeichnung nicht in Gold auf Dunkelblau, Schwarzblau, Ultramarin ausführen?« (6. März 1907) Im Mai veranlaßte er den Verlag, *Zwischen den Rassen* an die Kölnische Zeitung zu schicken, die Interesse für den Roman gezeigt hatte. Er sagte zu, daß er »alles Anstößige herausnehmen werde« (3. Mai 1907), wünschte aber eine Entscheidung innerhalb von acht Tagen. Nach Ablauf einer Woche verlangte er vom Verlag, den Roman zurückzufordern: »Mir scheint, wir dürfen keine Zeit mehr verlieren.« (12. Mai 1907) Wenige Tage später, am 15. Mai, schrieb ihm Albert Langen: »Das Werk ist angezeigt und dürfte wohl in der nächsten Woche erscheinen. Fertige Exemplare kann ich Ihnen heute noch nicht zur Verfügung stellen, da der Golddruck auf dem Umschlag viel Mühe macht und zum Trocknen Zeit erfordert...«

Heinrich Mann antwortete auf diese Ankündigung voll Ungeduld: »...daß die Kölnische Ztg. ablehnen würde, hatte ich natürlich angenommen und nur, da das Buch noch immer nicht erschien, die Wartezeit mit dem Versuch ausfüllen wollen. Es dauert, offen gestanden, schrecklich lange. Herr Holm hatte mir versprochen, daß der Roman noch im *April* erscheinen solle. Am 9. war er fertig gesetzt. Schon früher war der Umschlag gewählt und konnte gedruckt werden. Jetzt, nach fast 6 Wochen, heißt es, die Farben müssen trocknen. – Und die neue Auflage von *Stürmische Morgen*? Und die billige Ausgabe der *Göttinnen*? Diese waren schon vor Weihnacht im Buchhandel nicht mehr zu haben. Maupassant soll gegen seinen Verleger prozessiert und gewonnen haben, weil eines seiner Bücher 8 Tage lang vergriffen war. Ich verkenne nicht den Unterschied und weiß wohl, daß für den Verkauf der meinen 8 Tage kaum etwas bedeuten. Wenn aber eins von ihnen ein halbes Jahr lang vom Markt verschwunden bleibt, darf immerhin auch ich mich für erheblich geschädigt halten. […] Ich bitte, jetzt wirklich alle drei Bücher sofort herauszubringen. Geht es nicht sofort, dann scheint es mir, daß wenigstens für das neue Buch die gute Zeit verpaßt ist und daß wir besser bis zum Herbst warten.« (17. Mai 1907)

Albert Langen begegnete diesen Vorwürfen gelassen: »Auf Ihr Schreiben vom 17. Mai möchte ich Ihnen erwidern, daß Ihr Roman fertig und erschienen ist. […] Daß übrigens, da der Roman erst jetzt erscheint, die günstigste Zeit versäumt worden wäre, bestreite ich entschieden. Die Erscheinungszeit jetzt ist so günstig wie möglich, und ich habe eigentlich in jedem Jahr bis Ende Juni noch Bücher erscheinen lassen, ohne die Erfahrung zu machen, daß dieser Erscheinungstermin dem Absatz irgend etwas geschadet hätte. – Was Sie von Maupassant gegen seinen Verleger erwähnen, so kann er diesen Prozeß nur dadurch gewonnen haben, daß sich in seinem Kontrakt eine entsprechende Bestimmung befand, die dem Verleger eine derartige Verpflichtung auferlegte. Bei unsrem Kontrakt ist das, wie Sie wissen, nicht der Fall. Außerdem wird diese Sache von Maupassant doch als eine Anekdote aus seinem Leben erzählt, und daraus geht doch klar hervor, daß die Erzähler dieses Vorgehen Maupassant[s] doch einigermaßen auffällig gefunden haben, sonst würden sie es kaum als besonders charakteristischen Zug des Dichters der Wiedererzählung für wert halten.« (25. Mai 1907) Heinrich Mann erwiderte am 4. Juni, daß diese Mitteilungen »freilich nicht den erlittenen Zeitverlust« erklären, »aber ich will zufrieden sein, wenn Sie recht haben und das Buch noch rechtzeitig erschienen ist«.

Die Erstausgabe hatte zunächst eine Auflage von 2000 Exemplaren. Am 28. Juni 1907 teilte der Schriftsteller Korfiz Holm als Prokurist des Verlages mit, daß er am selben Tage das dritte Tausend in Druck gegeben habe: »Das Buch ist gut bestellt worden, allerdings zum sehr großen Teil auch in Kommission. Über den Absatz kann ich mir heute gar kein Bild machen. Ich möchte aber im Interesse des Buches die in Kommission verschickten Exemplare so bald nach Erscheinen nicht zurückrufen und riskiere, um nur ja den Absatz des Werkes nicht aufzuhalten, gerne die neue Auflage.« Heinrich Mann, für den Augenblick anscheinend zufrieden mit dem Erfolg, schrieb seiner Mutter am 9. Juli: »*Zwischen den Rassen* hat schon das 3. Tausend und bringt mir bisher 3000 Mk ein.«

Ein halbes Jahr danach fragte er beim Verlag an, ob nicht bald das 4. Tausend zu erreichen sei. (17. Januar 1908) Albert Langen kam diesem Wunsche entgegen: »Ich habe die Freude, Ihnen mitteilen zu können, daß ich von Ihrem Roman *Zwischen den Rassen* soeben das vierte Tausend in Druck geben konnte [...].« (23. April 1908) Es trat jedoch eine Verzögerung ein. Korfiz Holm bemerkte am 3. Juli: »Was die vierte Auflage von *Zwischen den Rassen* betrifft, so erhielt ich in diesen Tagen von der Druckerei die Aushängebogen. Jetzt hat die Buchbinderei die neue Auflage in Arbeit. In acht bis zehn Tagen dürfte sie erscheinen, und ich werde das Honorar dafür dann Ihrer Bank überweisen.«[1]

Daß damit der Verlag, um den Autor zufriedenzustellen, am tatsächlichen Bedarf vorbeiproduziert hatte, geht aus einer Aufstellung des Langen-Verlags vom Juni 1910 über die Vorräte an Exemplaren der Werke Heinrich Manns hervor. Am 7. Februar 1910 hatte der Verlag bereits dem Autor über die in den Verlag genommenen Bücher geschrieben, daß »von keinem einzigen in absehbarer Zeit Neuauflagen zu erwarten (sind), weil wir eben immer sehr reichlich von Ihren Büchern gedruckt haben. [...] Die bei uns erschienenen Romane werden schließlich in jedem Jahre in 2–300 Exemplare[n] abgesetzt, dagegen ist das Resultat bei den Novellenbänden außerordentlich traurig.«[2]

Die Vorräte und Absatzschwierigkeiten des Romans dürften auch der Grund dafür gewesen sein, daß Paul Cassirer für die *Gesammelten Werke* Heinrich Manns innerhalb seines Verlags lediglich *Die Göttinnen* und *Im Schlaraffenland* von Albert Langen übernahm, obwohl er sich in dem Verlagsvertrag mit Heinrich Mann vom 14. Juni 1910 vorbehalten hatte, alle »im Verlag von Albert Langen befindlichen Werke des Herrn Mann zu erwerben«[3]. So wurde *Zwischen den Rassen* erst wieder 1916 in der Ausgabe der *Gesammelten Romane und Novellen* des Kurt Wolff-Verlags als Band 7 in insgesamt vier Auflagen (5.–9., 10.–14., 15.–25., 26.–35. Tsd.) gedruckt und erreichte 1925 als Band 5 der *Gesammelten Werke* Heinrich Manns,

1 Sigrid Anger [s. Anm. 2, S. 479], S. 448–451.
2 Zit. nach: Sigrid Anger [s. Anm. 2, S. 479], S. 453.
3 Deutsches Literaturarchiv/Schiller-Nationalmuseum, Marbach am Neckar (A: Heinrich Mann; 58.1318).

die im Paul Zsolnay-Verlag erschienen, mit weiteren 5000 Exemplaren das vermutlich 40. Tausend. [1]

In der hier als Textvorlage zugrundeliegenden Ausgabe des Romans hat Sigrid Anger zur Textkonstitution folgendes ausgeführt:

Für die Textrevision der vorliegenden Ausgabe konnte neben den Ausgaben von Langen, Wolff und Zsolnay auch die Handschrift herangezogen werden. Dieses Manuskript, vom Heinrich-Mann-Archiv bewahrt, ist sorgfältig mit Tinte geschrieben und enthält viele Korrekturen Heinrich Manns. Der Albert Langen Verlag benutzte es als Satzvorlage.

Der Vergleich von Handschrift und Erstausgabe ergab, daß Heinrich Mann in den Korrekturfahnen noch einmal zahlreiche kleinere stilistische Verbesserungen vorgenommen hat. Im zweiten Teil des Romans, Kapitel III, strich er zehn Textstellen, die sich auf Arnold bezogen.

Die Ausgaben von Langen und Wolff sind identisch. Bei den Textänderungen der Zsolnay-Ausgabe gegenüber Langen und Wolff konnte auf Grund verschiedener grober Sinnentstellungen nicht auf neue Korrekturen Heinrich Manns geschlossen werden; auch die übrigen Fälle deuten, wie die teilweise veränderte Interpunktion, auf Verlagseingriffe hin.

Als Textvorlage wählten wir die Erstausgabe von Albert Langen, und zwar wurde das 4. Tausend (1908) benutzt, da das 1.–3. Tausend [1907] nicht mehr greifbar ist. Druckfehler wurden berichtigt. In einigen Fällen, wo die Textabweichungen zwischen Handschrift und Erstaus-

---

[1] Obwohl die Zsolnay-Ausgabe des Romans den Auflagenvermerk »33. bis 37. Tausend, dieser Ausgabe 1.–5. Tausend« trägt, sind die angeführten vier Auflagen der Ausgabe im Kurt Wolff-Verlag lückenlos nachweisbar.

gabe offenbar nicht auf Korrekturen Heinrich Manns, sondern auf Lesefehler der Setzer zurückzuführen sind, ist auf die Textvariante der Handschrift zurückgegriffen worden. Auch die in der Handschrift durchgängig verwendete verkürzte Form ›grade‹ wurde gegenüber den nur zum Teil ausgeführten Korrekturen der Erstausgabe zu ›gerade‹ bevorzugt. Analog wurde in Fällen wie andere / andre und eines / eins immer die Variante der Handschrift in den Text übernommen, da hier offensichtlich Verlagseingriffe vorlagen.

Orthographie und Interpunktion stimmen im allgemeinen mit dem heutigen Stand überein. Die Schreibung fremdsprachiger Ausdrücke folgt – zur Wahrung des sprachlichen Kolorits – der Textvorlage. Die Interpunktion ist nur in wenigen Fällen, ohne den Sprachrhythmus anzutasten, behutsam modernisiert worden.[1]

1 Sigrid Anger [s. Anm. 2, S. 479], S. 454 f. – Zur Original-Handschrift von *Zwischen den Rassen* vgl. *Vorläufiges Findbuch* [s. Anm. 1, S. 480]; Nr. 118 und die Abbildung der ersten Manuskript-Seite auf S. 10.

Materialien

Heinrich Mann an Ludwig Ewers,   1
Riva, 23. Dezember 1904 [Auszug]:

Zur Zeit beende ich die Übersetzung der *Liaisons dange-
reuses*, des raffinierten Romans aus dem 18. Jahrhundert.
Dann will ich ein paar Artikel und kleine Novellen schreiben und dann Material zusammenbringen für meinen
neuen Roman. Das Seelische habe ich; fehlt nur das Welt-
liche, die praktischen Tatsachen; und es ist ein rechtes
Elend, wenn einen die behindern, dadurch, daß sie sich
einem entziehen!

> In: Heinrich Mann: *Briefe an Ludwig Ewers 1889–1913*. Hg.
> von Ulrich Dietzel und Rosemarie Eggert. Berlin und Wei-
> mar: Aufbau-Verlag 1980, S. 411 (Nr. 107).
> [Im folgenden zit.: *Ewers-Briefe*]

Heinrich Mann an Inés (Nena) Schmied,   2
Roßholzen, 25. Juli 1905:

Meine kleine entzückende Nena!
Nein, das weiß ich wohl, daß Du nicht einfach ablehnst,
was Du nicht goutirst oder nicht durchschaust: Du bist ein
zu ernstes und gediegenes Wesen. Aber es thut mir weh,
daß es jetzt in Dir unklarer und unzufriedener aussieht als
früher. Bin daran ich schuld, mit meinen Romanen? Du
kanntest doch schon vorher in der Litteratur recht
schlimme Sachen. Denke an die Geschichte von dem Bau-

ern und seiner Mutter. Aber dort richtete man sich wohl auf an der großen Kraft des Werkes. Das kann man nicht in der *Herzogin von Assy*. Ich will Dir sagen, woher, meines Erachtens, das Unbefriedigende des Buches kommt. Daher, daß die große, heidnische Sinnlichkeit, die darin gefeiert wird, doch eigentlich hier garnicht das Ideal ist. Sie ist nur Ersatz für etwas Höheres, woran man aber nicht glaubt. Du mußt Dich erinnern: es war mir keine Liebe begegnet und Nichts, was mir geliebt zu werden, werth schien. Aus Mangel an Nahrung für meine Zärtlichkeit behauptete ich, nur auf Sinnlichkeit komme es an; und behauptete es umso lauter, je weniger ich es innerlich glaubte. Ich log nicht grade; man kann sich ja Vieles suggerieren. Dazu kommt, daß ich mich doch wirklich auch mit meiner Jugend-Sinnlichkeit auseinanderzusetzen hatte. Aber thatsächlich wurde das Bedürfniß nach wirklicher Liebe immer stärker; und nur dieses giebt, meine ich, der *Jagd nach Liebe* den leidenschaftlichen Zug. (Dieses Buch ist gänzlich mißverstanden worden. Man hat es auch nur für einen Erguß der Sinnlichkeit gehalten: es ist mehr.) Es ist mir nun sehr begreiflich, daß Du *Unrat* höher schätzt als die *Herzogin*. Das, was *Deinem* Zeitpunkt, dem Zeitpunkt, da ich Dich fand, näher liegt, muß auch Dir selbst näher liegen; ich reifte ja allmählich innerlich heran für Dich. (Als ich die *Herzogin* schrieb, hätten wir uns vielleicht noch nicht so viel zu sagen gehabt. Sich zur rechten Zeit begegnen, ist Alles. Und Alles ist sehr merkwürdig und voll Schicksal.) *Unrat*, dieses lächerliche alte Scheusal, fühlt doch wenigstens Liebe zur Künstlerin Fröhlich, vertheidigt sie gegen die ganze Welt, überhäuft sie mit all seiner wunden Zärtlichkeit. Darum ist er menschlicher als die *Herzogin*, und darum verstehst Du ihn besser. Er hat doch einige Ähnlichkeit (erschrick nicht!) mit mir: mit Dem, der Dich liebt; während ich mit Allem, was in den *Göttinnen* steht, heute kaum noch Ähnlichkeit fühle.

Inés Schmied während der Entstehungszeit
von *Zwischen den Rassen*
(Aufnahmen vom September 1907; HMA)

Werden Dir die Zusammenhänge ein wenig klarer? Bist Du ein weniges besser befriedigt? Ich möchte es so gern!

Was ich jetzt zu schreiben vorhabe, resümirt die ganze Geschichte. Ich übersetze mich darin ins Weibliche (als Künstler hat man beide Geschlechter); und der Diener, der schließlich 50000 Mk verlangt, vertritt die Periode der Sinnlichkeit. Zum Schluß darf doch noch die Zärtlichkeit ausbrechen; und man wird glücklich. Man ist nicht mehr ganz neu, nicht mehr sehr jung; aber mit ein wenig Wehmuth und ziemlich viel Wissen im Herzen, wird man glücklich. Gefällt Dir der Gedanke, meine liebe, liebe Nena?

Jetzt regnet es hier; ich sitze und grübele; aber es ist eher ein wohlthätiges Grübeln. Und ich möchte, daß auch Du, wenn Du grübelst, auf nichts Unliebes stößt. Denn zwischen Dir und mir, was doch die Hauptsache ist, steht, glaube ich, Alles gut und zukunftsfroh. Du weißt nicht, wie mich der Gedanke an Dich rührt und entzückt. Ich brauche nur Deinen Namen auszusprechen, und Alles in mir erhebt sich.

Die letzte halbe Seite Deines Briefes weiß ich auswendig.

In Deinem Fächer ist noch ein wenig von Deinem Parfum. Ich fächele mich und habe dann, scheint mir, noch die Luft von Abetone im Gesicht.

Mit Carla habe ich mich in München wieder gut und freundschaftlich unterhalten. Wir waren über die neue Familie meines Bruders derselben Meinung. Ich möchte Carla weiter nach Kräften unterstützen.

Schreibe mir bald! Ich küsse Dich, meine Nena   H.

Original: Heinrich Mann-Archiv [= HMA] der Akademie der Künste der DDR, Berlin/DDR (= HMA 738). – Druck: *Heinrich Mann 1871–1950. Werk und Leben in Dokumenten und Bildern*. Mit unveröffentlichten Manuskripten und Brie-

fen aus dem Nachlaß. Hg. von der Akademie der Künste zu
Berlin anläßlich der Ausstellung zu seinem 100. Geburtstag.
Ausstellung und Katalog: Sigrid Anger unter Mitarbeit von
Rosemarie Eggert und Gerda Weißenfels. Berlin und Weimar:
Aufbau-Verlag 1971, S. 106f.
[Im folgenden zit.: *Dok.*]

Heinrich Mann an Inés (Nena) Schmied,   3
ohne Datum [Sommer 1905] [Auszug]:

[...] ich bereite jetzt eine langwierige Sache vor: den Re-
naissanceroman. Ob ich Dir im September schon das erste
Kapitel vorlesen kann? [...] der Stoff geht mich persönlich
an, ich beseele ihn mit dem, was ich jetzt erlebe und wozu
mir meine Nena verhilft. Du weißt, daß auch das Gefühl
in meiner vorigen Novelle [*Der Unbekannte*] von Dir
kam!

    Zit. nach: Sigrid Anger, *Nachbemerkung*. In: Heinrich Mann:
    Zwischen den Rassen. Roman. Berlin und Weimar: Aufbau-
    Verlag 1974 (= Heinrich Mann: Gesammelte Werke. Hg. von
    der Akademie der Künste der DDR. Redaktion: Sigrid Anger.
    Band 5), S. 431.
    [Im folgenden zit.: *GW 5*]

Julia Mann [Heinrich Manns Mutter] an Ludwig Ewers,   4
20. April 1908 [Auszug]:

Heinrich, der Sonderling, der er ist, hat sich vor 1 ½ Jahren
in Florenz verlobt ohne uns es mitzuteilen, er stellte mir in
München vor ca. 3 Wochen plötzlich seine Braut, Inés
Schmied aus Buenos Aires vor, mittelgroß, zierlich, gold-
blond, goldbraune Augen, Teint wie Milch u. Blut, liebenswürdig, wie eine gute Fee. Vor kurzem fuhren sie
nach Meran Hotel-Pension Windsor. In nicht langer Zeit

werden sie ebenso geräuschlos heiraten, wie sie sich gefunden haben!

Zit. nach: Thomas Mann / Heinrich Mann: *Briefwechsel
1900–1949*. Hg. von Hans Wysling. Erweiterte Neuausgabe.
Frankfurt am Main: S. Fischer 1984, S. 364.
[Im folgenden zit.: *TM/HM*]

5   Viktor Mann [Heinrich Manns jüngster Bruder]
     über Inés Schmied:

Wenn Heinrich in jenen Jahren nach München kam, was
nicht oft geschah, wohnte er in einer Pension an der Tür-
kenstraße, und wir sahen uns meist nur bei Mama. Einmal
aber traf ich ihn im Foyer eines Varietés und wurde einer
Frau von solcher Schönheit vorgestellt, daß sie geradezu
als Schock wirkte. Ich mußte sofort an die Senhoras da
Silva und an die Lola aus *Zwischen den Rassen* denken.
Tatsächlich erfuhr ich, die Dame stammte aus Südamerika. Leider bin ich ihr später nie mehr begegnet.

In: Viktor Mann: *Wir waren fünf. Bildnis der Familie Mann*.
Konstanz: Südverlag 1949, S. 291 f.
Inés Schmied wurde 1883 in Buenos Aires als Tochter eines
deutschstämmigen Plantagenbesitzers geboren. Sie reiste mit
ihrer Mutter durch Europa und ließ in Italien ihre Altstimme
ausbilden, um Sängerin zu werden. Heinrich Mann lernte sie
und ihren Bruder, den Schriftsteller Rudolf Johannes Schmied
(1876–1935), im Frühjahr 1905 kennen; 1909 wurde das Ver-
löbnis gelöst.

6   Heinrich Mann: Erster Entwurf zum Handlungsverlauf
     von *Zwischen den Rassen*, 1905:

Zwischen den Rassen. Lola, [Übereinandergeschriebene
Fassungen: Clarissa/Dina/Lola] aus Südamerika, von in-

ternat. Abkunft; haßt ihre Mutter, die Courtisane; will intellektuell sein; Menschenhaß. Häßlich, liebt einen Mann ähnlicher Rasse; bis er sie brutalisieren will: da haßt sie ihn. Hat aber vor ihrem Blut keine Ruhe mehr, gibt ihm seufzend nach. Er heiratet sie: er ist sehr reich, hat aber schon viel verbraucht. Vorwiegend Spieler. Von seinen Liebesleidenschaften war Cl. die größte: er vergißt das nie; wird halb wahnsinnig, als sie einen jungen Zärtlichen herankommen läßt. (Anfangs ironisierend.)

Geheimes, platonisches Zusammenleben mit dem Liebenden. Gehetztes Umher. Nerven. Abetone. Der Diener immer dabei. »Wenn er wüßte, wie es mit uns steht, würde er mich verachten«, sagt *er*. Sie: »Er ist so fein empfindend.« Sie sucht Menschen. Will Güte. Will Liebe als Güte und höchste Menschlichkeit. Leidenschaft etwas Niedriges.

Sie besitzt sich noch, will nicht betrügen, schickt ihn weg. Erklärung Settign.[ano] – Fiesole, mit Vorbehalt.

Einsamkeit, und besiegt durch das Mitleid des Dieners. Hat ihr den Wagen ausgeliehen. Sie erzieht ihn unbewußt. Er wird anständig, sieht sich nicht mehr als Sklave. Sieht sie nicht mehr unnütz, sondern im Leiden und in der Liebe einen Zweck. Nimmt keine Prozente vom Pferdehändler. Errötet über seine Vergangenheit. Er ist fast gereinigt, als sie sich ihm gibt. Ertappt sich *dabei* auf einem Lakaiengedanken: wieviel sich da herausschlagen lasse. Schämt sich.

Ihr Mann fällt im Duell wegen einer Dutzenddame. Der junge Zärtliche kommt zurück. Die Gesellschaft, in die sie zurückkehrt, bringt ihr das Tête-à-tête mit dem Diener in beschämendes Licht. »Er ist doch so fein empfindend. Ich will doch nur Zärtlichkeit.« Sucht nach brutalen Zügen bei ihm. Wird wieder intellektuell, um Distanz zu schaffen. Vermeidung der Familiarität.

Geheimes platonisches Zusammenleben mit dem Liebhaber. Gehetztes Umher. Nerven. Abetone.

(Dann war er egoistisch.)

(Ich verlange alles von denen, die ich liebe.)

Unter der Brücke. (Wirst du mich tyrannisieren?) Nächte, eng aneinander, und doch unberührt.

Sie sagt: »Wenn mein Diener wüßte, wie es mit uns steht« – »würde er mich verachten«, setzt er hinzu.

Krisen des Dieners. Seine Zurückentwickelung, Verzweiflung; seine Drohung, dem Liebhaber alles zu sagen; oder sie solle 50000 Mark zahlen. Sie zahlt und gesteht alles dem Geliebten.

Er ist nicht milde, nicht altruistisch genug, um zu verstehen. Sieht nur einen Gauner, den [der?] sie blind geliebt hat. Steht vor dem Typus »Weib«, des Liebhabers der Brutalen, Verbrecher, ist angeekelt.

Wer ist besser? Beide hätten sie geliebt, wenn –. Beide wären in gewissen Augenblicken bereit gewesen, ihr Leben für sie zu geben. Keiner liebte sie *ganz* und bedingungslos.

Sie reist einsam ab. Versuchung, den Diener *samt* den 50000 wiederzunehmen. Dann würde er der Herr sein. Höchste Bitterkeit. Elend aller Dinge.

Als ihr Mann sie vor Gästen roh behandelt (wegen des Liebhabers): »Moritz (der Diener) empfindet feiner als du!« Der Diener hat ihre Armut cachiert, fehlende Leckereien vom Seinigen gekauft (von dem, was er zusammengestohlen hatte.) Das Solidaritäts-Gefühl des Armen regt das Armen-Mitleid. Unvermerktes Sichnäherkommen. Sie muß sich zwingen, ihn als Untergeordneten zu behandeln.

Dann, auf dem Lande, sieht er das im Haushalt Zusammengeraubte als für sie Erspartes an. Erhält sie, mit Bauern-Sparsamkeit.

Der Zärtliche: hat sich aufgespart, für das Vollkommene. Die Cocotten haben seine Zärtlichkeit exasperiert. Weltunkundig mit 30 Jahren, weil er sein Gefühl nicht

494

gemein gemacht hat. Nirgends Wurzel gefaßt. Immer wieder überrascht durch die Motive um ihn her: versteht nicht, daß man sich vor einem Beamten nicht über den Staat lustig machen darf. Vor Leuten ist es so schwer zum Menschen zu kommen! Ein Wesen rückhaltlos lieben: so, daß es keine Grenzen gibt, daß man ihm nichts zu verschweigen braucht und von ihm alles wissen darf. Generös und herzlich.

Er: Matte Augen, der Ausdruck durch den neudeutschen Schnurrbart umgelogen. Skepsis, geheimer Enthusiasmus: Glaube an die Perfektibilität. Republikaner. Menschheitsfreund, unter dem Pessimisten. Versteckt sich unter Ruhe und *Geduld*. Bei einer *Partie* schlechte Unterkunft: »wie gleichgültig, wo und wie man ein paar Stunden seines Lebens verbringt.« – Sie: »Ich bin doch froh, daß grade wir zusammen sind.« Er kann nicht glauben, daß sie *ihn* meint. Will Gesellschaft wechseln, damit sie sich nicht langweilt. Er sei zu bescheiden. Etc. (Alhambra) Fassungslos erstaunt, als seine Zeichnung gelobt wird: obwohl er seinen Wert kennt. Aber er glaubt nicht an die Fähigkeit, Interesse zu erregen, hält den Abstand zwischen Menschen um so größer, je näher er sie wünscht.

Sie mit dem Diener. Was sie abstößt, ihr Pein macht: Seine Härte in Geldsachen, sein accoquinement avec tout le monde. Er kommt betrunken, fällt über sie her. Im Ekel ist noch Reiz: Demütigung. Aber der Drang nach Gemeinschaft überwindet alles. – Besuch ihres Mannes und seiner Genossen, vor denen er aufdreht. Sie muß sich schmücken, es muß alles auf der Höhe sein. Moritz gibt sein Geld. Sie ahnt dies. Er hat auch eine Frau ernährt, die die Gemeinde nicht aufnehmen will. (Tut es aus Herrenbewußtsein, um sich zu zeigen, wer er ist.) Er serviert. Sie ist bange, er möge Einverständnis markieren: er ist impassible. Ihr Mann, der einem Amerikaner schmeichelt, ihm seine Frau *rühmt*, erscheint ihr viel niedriger. Erleichterung: Moritz ist dennoch *feiner*.

Ihre Sinne waren von ihrem Manne erregt. Der Diener hat sie befriedigt. Sie schämt sich, *bei Arnold*, dieses ganzen Sinnenlebens, das sie von jeher gehaßt hat (wegen ihrer Mutter). *Tiefe Scham, sooft* Moritz und Arnold beisammen sind. A. öffnet das Fenster, nachdem M. hinausgeg. ist. Sie bebt. – Begreift nicht mehr, wie sie ohne geistige Gemeinschaft hat lieben können. Verflucht ihre Sinnlichkeit; erzählt von ihren *Namen*, Sensation, als liege darin das Schicksal einer Cocotte.

Als sie (Letztes Kap.) getrennt sind, ist er, in s. Briefen, in Sorge, ob sie auch immer das volle Bewußtsein ihres Glückes gehabt haben; ob er ihr u. seinem Schicksal in jedem Augenblicke dankbar genug war u. keinen gleichgültig hat hingehen lassen.

Notizbuch, um 1905 – Januar 1906, S. 1–6. Original: HMA 467. – Druck: *GW 5*, S. 433–436.

7　Heinrich Mann: Weitere Notizen zu *Zwischen den Rassen*, 1905–1906 [Zusammengestellt und kommentiert von Sigrid Anger] [Auszüge]:

Dieser Entwurf [= Materialien, Nr. 6] weicht von der endgültigen Fassung noch ab.

Der Diener zum Beispiel, der zuerst anstelle Pardis das sinnliche Element vertrat, erscheint im Roman nicht mehr; Conte und Diener verschmelzen zu einer Figur. Inés Schmied hatte in einem Brief vom 29. August 1905 angefragt: »Gehört, was Du mir erzählt hast, noch zu dem Diener mit den 20 000?« Die Notizen erwähnen den Diener – er heißt zunächst Moritz, später Benedetto – noch einige Male.

Für den Conte, der erst in der zweiten Hälfte des

Notizbuches ausführlich behandelt wird, hielt Heinrich Mann anfangs den Namen Pietro Pieruzzi, dann Piero Pisani fest. Den Namen Pardi führte er im Zusammenhang mit den ersten detaillierten Aufzeichnungen über den Conte ein. Pardi ist »ein hochmütiger, dummer Rassemensch, ohne Verständnis für irgend etwas, das nicht sein kleines überlebtes Herrenrecht ist«. Heinrich Mann kennzeichnete den Typus als »ausgerutscht«: »Die zusammengewachsenen Brauen, die niedrige Stirn, der Marmorteint ist noch da; aber auch Pockennarben, eine hängende Nase; und der dicke Mund krümmt sich unruhig. P. ist immer geplagt, trägt immer an seinem Innern, hat sichtlich so viel mit sich zu tun, daß man seine Unhöflichkeit, Zerstreutheit, Schroffheit achtet, wie sonst Wahnsinnige und wunderliche Heilige geachtet wurden. Sein Leben geht scheinbar in Nichtigkeiten auf: Jeder aber fühlt: dies ist nur vorläufig, er macht sich Luft in Vergnügungscomités, weil er sonst platzen müßte, bevor noch seine wirklichen, großen Aufgaben ihn rufen. Innerlich gehört er nicht in diese Eintagswelt [...].« Pardi wirkt nicht kleinlich, »weil er für die Nichtigkeiten, für die er lebt, mit ganzer Persönlichkeit eintritt: immer bereit zur Verantwortung, immer im Begriff, sich zu verfinstern, sich mit dem Kritiker zu messen«.

Die Notizen über den Conte gehen auf seinen Aufenthalt in Bayern, sein Verhältnis zu Lola und Arnold sowie seine »letzte Zeit« ein, als er den Boden unter den Füßen verliert und sich nur noch durch »Witz, Frechheit und Fechtkunst« halten kann. »Das Knabenhafte, Kindische, bloß Instinktmäßige, das durch nichts als einen pedantisch blutigen Ehrenkodex niedergehalten war, bricht aus; er fängt an, sich gehetzt und fragwürdig zu fühlen; gibt es auf, den Abenteurer länger zu verheimlichen (den er immer in sich fühlte).« Pardi »treibt den National-Typus auf die Spitze, mit volkstüml. Energie. Ungebrochen. Bankerott des Renaissancemenschen. Ende im Kitsch; Unfähigkeit, neu zu beginnen. Was einst gesund war, ist jetzt kümmerlich süßlich.«

Im zweiten Notizbuch (das vor allem durch die frühesten Notizen zum »Untertan« von 1906 bemerkenswert ist) stehen Aufzeichnungen, die die Beschreibung Pardis zu einem Urteil »über die Italiener« verallgemeinern; sie werden den »Rassen des Nordens« entgegengesetzt. Arnold nennt die Italiener ewige Jünglinge, die ein für alle Male geblüht haben »in der Renaissance, als es galt, jung zu sein, für Freiheit, Schönheit und Liebe zu schwärmen. Darüber kamen sie nie hinaus; heute sind sie verdünnte Renaissancemenschen. Unfähig, die Persönlichkeit zu entdecken, sich zu verinnerlichen; von der modernen Kultur geht nur die Technik sie an, nicht das Geistige. Sie können nicht skeptisch, nicht besonnen, nicht gerecht werden, denn sie sind immer unter dem Hochdruck des Geschlechts. Kochen immer, können von ihren Trieben keinen Augenblick wegdenken. Vor Leidenschaft hart, aber noch generös und romantisch: voll jugendlicher Widersprüche.« Später sah Heinrich Mann den Typus, den er hier gestaltet hatte, unter einem schärferen, politischen Aspekt: Der Roman zeige, schrieb er in autobiographischen Notizen vom März 1943, schon den Faschisten – »ohne daß ich es wußte; ich hatte nur Fühlung für die Erscheinungen«.

Die italienische Gesellschaft charakterisierte Heinrich Mann als »kitschig, schwächlich, unwissend, hoffnungslos zurück«. Das »Kleinstädtische« erkannte er in der »lächerlich engen Gesellschaft in den paar Salons und Theatern«, die »Ärmlichkeit hinter dem Luxus«. »Wehe aber der, die offen und ehrlich einer Leidenschaft folgen würde. [...] Wer verurteilt ist, schweige! Das Buch der Murri ist undelikat; es stört die schäbige, muffige Einmütigkeit dieser seichten Demokratie. Wehe hier dem moralisch Einsamen! ›Wenn P. stürbe, würde man sagen, daß ich ihn vergiftet habe.‹ – Das Volk nicht vom Sozialismus bearbeitet, aufgerührt und von Grund aus gereinigt; daher stagniert es unheilvoll, produziert, wie Pestgeruch, Skandalsucht und Grausamkeit (Prozesse) – wie die stagnierende Bourgeoisie unter sich, im stillen, so das Volk laut auf der Gasse. Alles Früchte der Geistlosigkeit.«

Der Name Murri taucht mehrfach in den Notizen auf. Heinrich Mann schrieb 1906 zwei Aufsätze über den ›Fall Murri‹, der Italien jahrelang in Atem hielt. Der italienische Advokat Tullio Murri hatte 1902 den Mann seiner Schwester, der Gräfin Linda Bonmartini-Murri, getötet, um sie von dessen unerträglicher Tyrannei zu befreien. Linda Murri wurde ohne hinreichende Beweise wegen Anstiftung zum Mord angeklagt und verurteilt. Den Prozeß begleitete eine massive Aufhetzung der Öffentlichkeit gegen Linda Murri und ihre Familie. Heinrich Mann besaß und verwendete die Memoiren der Linda Murri (1905) für seinen Roman.

Am intensivsten beschäftigte Heinrich Mann sich in seinen Notizen mit Lola und Arnold, mit ihrer Einsamkeit und ihrem Versuch, den Individualismus in einer neuen menschlichen Gemeinschaft zu überwinden.

Lola fühlt sich nirgendwo zugehörig, daher ist sie sowohl stolz als auch unsicher. Sie »sieht entweder scheu weg, oder mustert die Begegnenden unverschämt, wie eine ganz Fremde, mit der Gewißheit: Ihr werdet mich nie etwas angehen. Mit euch komme ich nie in Berührung, nie brauche ich mich vor euch zu verantworten«, heißt es im ersten Notizbuch. Sie ist in Deutschland nicht heimisch geworden, und das, was ihre Heimat war, hat sie vergessen. »Wohin gehöre ich dann?« Sie sucht einen Weg aus der Vereinsamung – schon in der deutschen Pension: Ihre Überzeugung, vom Vater die Erlaubnis zur Rückkehr nach Brasilien erlangen zu können, macht sie »entschieden und selbstbewußt«. Aber Triumph, Hochgefühl und Macht weichen Mißtrauen und Empfindlichkeit, Stolz und Verbitterung, als die Absage kommt. Sie fühlt sich »haltlos und eine Feindin aller«. Lola kehrt sich ab von der Wirklichkeit, sie ist »nur einsam glücklich; fühlt sich verwandelt, ihrer Hülle entschlüpft, sieht sich, wie sie als Seele ist, und lebt unter Seelen –«. Die Verse Lamartines erwecken in ihr den Glauben, daß man die Menschheit lieben könne – »nur ist es eine unbestimmte Menschheit, seelenartig, die vielleicht überall, nur nicht gerade dort zu finden ist, wo man selbst lebt«.

Lola wie Arnold sind in Deutschland abgestoßen »durch den gewollten Materialismus; die laute Anbetung der Kraft, die Unterworfenheit unter Ungerechtigkeiten, längst durchschaute Rückständigkeiten; das prahlerische Verleugnen von Güte und Menschlichkeit als von geschichtlichen Beweggründen; das wilde Pochen auf materielle Interessen als Hohn auf Träumereien: – Alles dies um so gewaltsamer, je weniger es angeboren. Sich den Schnurrbart katerhaft drohend hinaufzubinden und schreien: ›Macht geht vor Recht!‹ – Das klingt grundfalsch. Ein Volk, das für diesen Grundsatz geboren ist, spricht ihn nicht aus; trägt auch keinen solchen Schnurrbart. Es muß eine ungesunde Entwickelung sein, die das Volk, dem Klopstock sagte: Seid nicht allzu gerecht – innerhalb weniger Jahrzehnte in der Kunst wie in der Politik zu dem am lautesten bramarbasierenden Chauvinismus bringt, der je in Europa erhört ward.«

Lola bevorzugt »aus Widerspruch gegen das Deutsche« und um ihrer Sinnlichkeit willen den italienischen Conte. Das Abenteuer wählt sie »aus Sucht, etwas zu erleben, sich für etwas zu entscheiden; unter häufigem Zurückweichen, Erschrecken; und schließlich war doch der Rückweg abgeschnitten: nun heißt es, sich bis ans andere Ende durchfechten. Sie versucht, in ihrer Lage aufzugehen,

ganz zu sein, was er will: seine Sache, ein Weib, ein Werkzeug der Wollust. [...] Sie *verehrt* ihren Mann, weil er nur
Affekt ist. Sie ist Renegatin, führt das alleritalienischste
Dasein (wäscht ihm die Füße). Aber die Sinnlichkeit nutzt
sich ab; er zeigt sich als zu unfähiger Herr (Schulden), als
zu klein (Geiz mit den Leuten), zu unkultiviert. Sie hat
Lust, dies Leben abzulegen wie ein Kleid, das sie genug
getragen hat.« In tiefere Einsamkeit zurückgestoßen als je,
sucht sie den Gefährten in Arnold.

Lolas Konflikte liegen begründet in der Geschichte ihrer Kindheit: Brasilianische Herkunft und Erziehung in
Deutschland ergaben keine Synthese. »Intelligent und
sinnlich«, ist sie erbittert »auf das mütterliche Blut« und
sehnt sich zugleich, »ganz so zu sein: einfacher«. Für Lolas Kindheit schöpfte Heinrich Mann farbige, exotische
Details aus den Kindheitserinnerungen seiner Mutter –
1903 unter dem Titel ›Aus Dodos Kindheit‹ niedergeschrieben. (Das Manuskript befindet sich im Heinrich-
Mann-Archiv.) Julia da Silva-Bruhns wurde von ihrem
Vater, der als junger Kaufmann nach Südamerika ausge-
wandert war, als Siebenjährige von Brasilien nach Lübeck
gebracht. Sie sollte zusammen mit ihren Geschwistern in
Deutschland erzogen werden, nachdem die Mutter, Brasilianerin portugiesischer Abkunft, gestorben war. Heinrich
Mann erwähnte noch zwei Jahrzehnte nach *Zwischen den
Rassen* das Bedeutungsvolle dieser Herkunft für sein Werk:
In einem Lebenslauf von 1926 äußerte er, der »Mut zu einigen geistigen Wagnissen und Abenteuern« sei ihm zweifellos auch daher gekommen, daß seine Mutter aus einem ihm
»immer unbekannt gebliebenen Lande stammte«.

Arnold hat, wie Heinrich Mann notierte, ein »Temperament à la Rousseau«. (Randnotizen und Anstreichungen
in Heinrich Manns Handexemplar von *Emile ou de l'édu-
cation* sowie zwei im ersten Notizbuch festgehaltene
Rousseau-Zitate deuten auf die Beschäftigung mit dem

Autor hin.) Er ist der Gesellschaft immer fremd, oft von ihr beleidigt, »fern von ihr aber ist er dennoch überraschend voll Illusionen für das Menschengeschlecht«. Er sehnt sich nach dem Knabenalter, »nach den frischen Eindrücken von damals, bei einem Buch, einer Quelle«; gleich Lola aber strebt er im Innersten nach Gemeinschaft: »Ich habe seit 10 Jahren an Form alles gewonnen, an Skepsis nichts: im Gegenteil. Ich glaube an Ideen, an Ideale: glaube unabhängig von meinen Erfahrungen. Die anständigen Menschen meiner Bekanntschaft kann ich an den Fingern herzählen; das Wort ›Menschheit‹ aber feuchtet mir, denke ich mich tief hinein, die Augen. *Welche Berechtigung hat der ›Held‹, der an kein Volk denkt?* Die nackte Pflege der eigenen Persönlichkeit macht mir peinliche Gefühle. Ich weiß auch, daß dieser Egoismus, wie bei Goethe, zu Niedrigkeiten führt. (Goethe u. Beethoven in Karlsbad. Goethe unterbricht das Gespräch mit Beethoven, um vor einem Fürsten Front zu machen. *Das* ist die Gleichgiltigkeit gegen Ideen.) Vielleicht ist mein romanischer Einschlag zu stark, als daß ich diesen auf den Gipfel getriebenen Kultus der Individualität billigen könnte. Vielleicht auch habe ich, allein und zwischen den Rassen stehend, *an meinem Schicksal schon zuviel gelitten, um es noch preisen zu mögen.* Ich sehne mich nach dem Gegenteil: nach Gemeinschaftsgefühl.«

Der Begriff »Rasse« – damals noch nicht herabgewürdigt von faschistischem Sprachgebrauch – wurde von Heinrich Mann recht vieldeutig, und zwar im Sinne von Blut, Geschlecht, Art und Nation, gebraucht. [Vgl. dazu Heinrich Manns Brief an René Schickele vom 7. Februar 1910; Materialien, Nr. 20]

Arnolds Selbstverständigung hat autobiographische Züge. [Vgl. Heinrich Manns Brief an Ludwig Ewers vom 15. September 1905; Materialien, Nr. 8] Noch zugespitzter formulierte er die Gegensätze in persönlichen Aufzeichnungen des ersten Notizbuchs, die von Beobachtungen in italienischen Theatern ausgehen: »Immer fühle ich zwei Widersacher in mir, die einander verachten, wie Nord- und Südländer einander verachten. Die ital. Musik ist nicht originell, man muß sie, weiß ich, verachten. Mein Instinkt ist bei ihr. Neben mir, im Theater, machen gebildete Deutsche kluge und spöttische Einwände gegen die *Tosca*. Von dem sinnlichen Elan, der sie ein für alle Mal rechtfertigt, spüren sie nichts; sitzen, so aufgeweckt ihr Kopf ist, mit toten Augen und Ohren dabei. Sie entrüsten sich über das Klatschen, das Hohnlächeln bei dem Herauskommen der Toten. Sie halten dies für Sache der Erziehung. Und ihre eigene Zurückhaltung für die höhere Kultur. Sie ahnen nicht, daß es hier ein für alle Mal anders liegt, daß hier Volk und Künstler zusammen leben, Kunstwerk und Leben ineinander verlaufen; daß auf dieser Bühne alles unmittelbar und wie auf der Straße zugeht: nicht entrückt und bloß als Symbol für die großen Schicksale eines einzelnen, eines leidenden Genies, in die er das Volk doch nie hineinführen kann. Die italienischen Komponisten sind mittelmäßige Menschen, ich weiß; und ihre beste Musik banal gegen die deutsche. Dafür aber pfeift sie jeder Gipsfigurenjunge; und wer kennt eigentlich Wagner und Beethoven auswendig? In ihnen steckt so viel Gedanke, so viel Außerordentlichkeit, daß sie die Menschheit im ganzen nicht angehen; denn die Menschheit denkt ungern und hat Abneigung gegen Ausnahmen; auch zur Kunst gehört kein Denken, und Kunst braucht sichere Durchschnittsinstinkte, nur energischer als im Durchschnitt. Der nordische Mensch hat für nichts mehr einen richtigen Instinkt: aus allem macht er eine Frage: aus der Kleidung, aus dem Trinken. Ich halte dafür, daß der Schrei eines Straßenverkäufers zu Rom echtere Kunst ist als die letzte Offenbarung eines großen Kranken in einem mit Ofenluft erfüllten deutschen Zimmer.«

In diese Polarität von Individuum und Volk, Nord und Süd, Geist und Sinnlichkeit werden auch Kunst und Liebe einbezogen. Kunst bedeutet Arnold geheime Macht, »geheimes Prunken mit dem Ich«, und Lola will singen, »um unabhängig zu werden«. Arnold hat aus Lola »Kunst machen wollen; aber sie ist ihm nicht in Kunst aufgegangen. Er hat sie nicht bewältigt, zu seiner Sache gemacht, ist nicht mit ihr fertig geworden. Sein Ansturm ist zurückgeschlagen. Er hat sich (wie er immer tut) an ihr rächen wollen: und ist nur noch tiefer verwundet. Zum ersten Mal versagt seine Kunst. Er muß sich vor ihr beugen, er braucht sie. Er kommt und will nichts mehr aus ihr machen, sondern sich ihr weihen. Besser, einem Geschöpf leben, als durch Kunst sich viele unterwerfen.«

Durch die Liebe befreien sich Lola und Arnold aus den Qualen und Kämpfen um »das Ich – diesen nie abgelösten Tyrannen, den man endlich nicht mehr ohne Empörung sehen kann«; dabei wandelt sich auch ihr Verhältnis zur Kunst. Arnold begreift, »daß Einsamkeit unfruchtbar ist. Der Stolz auf das Ich ist wenig. Das Aufgehen in andere Schicksale erst macht große Dichter, das Ablegen des eigenen: die Liebe. Erst mit Lieben beginnt Dichten.« Lola hat gelernt, »daß ein künstlerisches Gefühl des Lebens (ihre Kinderzüge) noch nicht zu der nonnenhaften Strenge eines Künstlerinnenlebens führen muß. ›Ich bin Frau; ich liebe die Kunst nur als Mittel zum Leben, zur Liebe; und tiefer und schicksalvoller als von glänzenden Bühnen herab wird mein Gesang in das Ohr eines einzigen klingen, dessen Hand ich halte.‹«

Zwischen Lola und Arnold bestehen, wie Heinrich Mann in seinen Notizen vermerkte, von Anfang an »Übereinstimmungen«:

»1) Sie würden keinen von einfacher Rasse heiraten.

2) Schwäche und Güte; die erste wollen um der zweiten willen. [...]

3) Geringes Selbstvertrauen gegenüber Menschen, sehr großes im geheimen. Empfindlichkeit. Einsamkeit und Menschenhaß.
4) Unterdrückter Enthusiasmus. Im Zweifel zwischen Menschenhaß und Menschenliebe.«

Sie quälen sich »mit Kleinlichem«, die Liebe geht bei ihnen »ins Detail, ist verzweigt und grüblerisch-mißtrauisch«.

Beide fühlen sich in der Natur geborgen, »*im Walde:* in seinen Verstecken, vor dem Ungewissen seiner langen dunklen Lauben, in seiner grünen Tiefe«. Beide hatten sie nie ein Vaterland. »Du und ich, wir sind allein: Das legt uns vielleicht die Bestimmung auf, uns der Menschheit zu erinnern, die über den Vaterländern vergessen wird?« [vgl. S. 408]

Lola und Arnold erhoffen alles voneinander, aber solange sie einer des andern nicht sicher sind, üben sie die »Taktik, sich alles Gute, was man voneinander erwartet, ins Gesicht zu sagen, damit der andere dies nicht dementieren mag«. In Lola erwächst Mißtrauen gegen Arnold gerade aus der Übereinstimmung. »Was will er? Geliebt werden? Ist er krank und bedürftig? Sucht er Sensationen? (Wie sie mit dem Amerikaner?) Ist sie ihm nur *eine*? Furcht, sich vorschnell *seelisch hinzugeben*. Fragt und zweifelt. Je harmloser er sich herausstellt, desto weniger aufregend wird er, desto weniger Respekt flößt er ein. Er wird ihr zu ähnlich; er ist ebenso viel Frau, als sie Mann ist. Eine männliche Tat wird nötig.« Lola »leidet unter Arnolds Unmännlichkeit. P. zieht sie noch immer an, sie kann nicht mit ihm fertig werden, solange ihr Geliebter es nicht mit ihm aufnimmt, sich vor ihm versteckt, sie nicht von ihm erlöst.« Sie ist gereizt, »bis zu Mordgedanken, durch das ruhige Sinnenglück ihres Mannes; während sie mit A. fruchtlose Erregungen durchmacht. Wütet immer sinnloser, kopfloser, wilder gegen ihn und sich.« Sie quält ihn: »Wenn wir uns aber einmal nicht mehr lieben, müssen wir uns doch trennen«; sie sagt dies auch aus »Angst und Selbstquälerei«.

Das Mißtrauen gegen Arnold schwindet erst, als er sich zur Tat durchringt und Pardi fordert. Lola hat im Grunde immer eine Tat von ihm verlangt, die verachtete Tat, die alles löste. »Zum ersten Mal liebt sie ihn nun ganz ohne Mißtrauen. Er hat für sie gehandelt, wäre für sie gestorben. Das Duell ihres Mannes damals bewies nichts; er schlug sich für ein Frauenzimmer und wegen eines betrunkenen Scheltwortes. Dies aber gilt ihr und ist die unzweifelhafte Bestätigung, daß sie einzig ist und über alles geliebt wird. Sie ist Weib, er Mann. Sie haben endlich den Mut zu sich und zueinander. ›Wir haben uns sehr lieb, und nie werden wir voneinander lassen.‹«

Die Auseinandersetzung Arnolds mit Pardi hat Heinrich Mann in zwei Varianten aufgezeichnet.

Arnold und Lola hören »in einem Nachtcafé, wie ihr Mann sie beschimpft. *Sie sind im Seitenraum.* ›Was geht es uns an.‹ A. ist bleich. Am Morgen kommt er: ihr Mann werde gleich hereingebracht werden. Ihr Jubel: Arnold ist ein Mann. Das Weibchen ist gestillt. Er hat umsonst darauf verzichten wollen. Sie breitet die Arme aus. ›Flieh! Ich folge dir!‹ *Arnold* hat sie durchschaut; im Augenblick der Beleidigung sieht er: sie liebt den Mann noch (erinnert sich seiner eigenen sinnlichen Fesseln von einst). Unmittelbare naive Wut, Lust, aufzuspringen und den andern zu schlagen. Schwindlig. Bestürzt, wortkarg. *Muß* den andern fordern! Suggestion. Hält sich vor: was diese sinnliche Neigung Lolas ihm mache; auch er selbst gerät manchmal durch ein schönes Stück Weib in Unruhe. Was an dieser allzu menschlichen Anlage, diesem natürl. Bedürfnis seiner Geliebten die Tatsache ändern könne, daß er mit einer Pistole auf einen andern Mann losgehe, auf einen von den sinnlich Reizenden, auf eine männliche Cocotte. Unwürdig; gedankenlos; unnütz. Trotzdem: er kann nicht anders. Kehrt ins Café zurück und fordert den Conte. Entladung seiner Nerven, und er schläft. In der Früh Furcht. Hilft sich mit der Leugnung der Möglichkeit des Glücks; mit dem Vorhalten, wie unschön es ist, Gewicht auf sein Selbst zu legen. Die ganze Natur in Aufruhr, und der Punkt im All, der Mensch heißt, fürchtet für sich. Zu unbedeutend. Bescheidenheit vor dem Schicksal. Verzicht die einzig vornehme Geste. – Aber er kommt hin; und mit naiver Wut dringt er auf den Mann ein, den Lola liebt.«

An späterer Stelle des ersten Notizbuchs heißt es:

»*Arnold* kommt mit Lola an dem Café vorbei, worin Pardi mit Cocotten sitzt. Er geht hinein und ohrfeigt ihn. Man wirft sich zwischen sie. Arnold verweigert die Genugtuung. Pardi droht mit Klage. Er solle es wagen: seine ganze verkrachte Existenz, die nur auf Duldung, auf Einschüchterung beruhe, solle ans Licht. *Hier gäbe es keine Einschüchterung* mehr. Und P., der noch einmal vorstürzen wollte, *sieht*: dies ist wahr. Arnold ist hinaus über Skepsis, über Bedenken.«

Den entscheidenen Zusammenstoß zwischen Arnold und Pardi gestaltete Heinrich Mann schließlich anders als in diesen Entwürfen. Das Duell wird stattfinden, ist in die Romanhandlung aber nicht mehr einbezogen, denn den Sieg über Pardi hat Arnold im Grunde schon vorher errungen.

Die letzten Notizen, die Heinrich Mann im zweiten Notizbuch für *Zwischen den Rassen* aufschrieb, skizzieren bruchstückhaft den Schluß: »*Szene.* Wahltag. Mit Claudia unterwegs. Cl. nervös glücklich. Lola zweifelt, schwankt, ob sie A. noch sehen solle. Wünscht P.'s Wahlsieg; streift durch die erregte Stadt. – Cl.'s Wagen! – Weiter! Cl.'s Mann! Nach Hause: Arnold; Szene mit ihm. Dann P. und Schluß. – Da er sich für sie schlägt, weiß sie endlich, daß er

alles, sogar sein Leben, ihr geben will, naht mehr seinem
Werk.«

Notizbuch, um 1905 – Januar 1906, und: Notizbuch, 1905/
1906.
Originale: HMA 467 und 468. – Druck: *GW 5*, S. 436–447.

8   Heinrich Mann an Ludwig Ewers,
     Augsburg, 15. September 1905 [Auszug]:

Mir selbst wird, wenn ich den ganzen Vormittag über meinem Manuskript gesessen habe, das Anrühren einer Feder
nicht leicht. Momentan ist es etwas anderes: Ich habe den
ersten Teil eines Romans in Roßholzen beendet, dann auf
Bestellung eine Novelle geschrieben (für den ›Weg‹, eine
neue Wiener Zeitschrift) und habe nun einige Tage Ruhe.
[…] Mir wird ganz fröhlich zumut, wenn ich denke, wir
säßen mal wieder beim Wein und schwatzten: es hat sich
doch eine Masse Stoff angesammelt; und mein Leben, das
nicht so geheimnisvoll ist, wie Du meinst, könnte ich Dir
dann auch enthüllen. Heiraten ist allerdings das einfachste, um sich verständlich zu machen. Wer weiß, ob's auch
mir noch zustößt. Was mich zu einer Ausnahme macht,
ist, daß ich zwischen zwei Ländern hin und her pendele,
von beiden Kulturen etwas habe und weder im einen noch
im andern völlig zu Hause bin. Ich kenne in Florenz vielleicht ebenso viele Menschen wie in München; meine
Interessen dort sind mindestens ebensogroß; und eine gewisse Fremdheit, eine nicht vollkommene Zugehörigkeit
spüre ich dort wie hier […]

An einem sehr intimen, analytischen Roman arbeite ich
mit Bedacht; er erscheint, wenn es gut geht, im nächsten
Frühling.

In: *Ewers-Briefe*, S. 414, 415, 416 (Nr. 108).

Mit der Novelle, die Heinrich Mann »auf Bestellung« schrieb, ist *Heldin* gemeint, deren Handschrift den Entstehungsvermerk »München, 6.–11.September 1905« trägt. Die Veröffentlichung kam aber erst in der Beilage ›Die Oster-Zeit‹ der Wiener Tageszeitung ›Die Zeit‹ (Jg. 5, Nr. 1227) vom 15.April 1906 zustande.

Heinrich Mann: Notiz, Florenz, ca. 1905 [Auszug]:   9

Der Gedanke der *persönl. Unsterblichkeit* ist so recht der Traum des national und familiär eingepferchten Menschen. Sich dort oben mit »seinen Lieben« wiedertreffen. Aber in der Unendlichkeit wenigstens wird auch für *uns* gesorgt sein, die wir uns zu keinem Volke, keiner Sippe schlagen können. Wir werden, ich vertraue darauf, in die Natur eingehen, in ihrer Umarmung verschwinden. Der Baum, jener Hügel wird von uns nicht mehr verschönt sein. Welchen Egoismus, welche Theilnahmlosigkeit am All setzt der Wille zur persönl. Unsterblichkeit voraus! Selbst nach dem Tode als ruheloses Einzelwesen fremd und selbstsüchtig dem Ganzen gegenüberstehen zu wollen! Das ist widerwärtig.

[...] Und dann hat unser Einer im Leben schon schwer genug an sich zu tragen; ich bedanke mich für weitere Abentheuer nach dem Ausathmen.

Notizbuch, um 1905 – Januar 1906, S. 52. Original: HMA 467. – Druck: *Dok.*, S. 109.

Heinrich Mann an Ludwig Ewers,   10
München, 1.Oktober 1905 [Auszug]:

Für diesmal nehme ich wieder Abschied von München. Ungefähr die Hälfte meines Romans ist fertig; in Riva und Florenz folgt hoffentlich der Rest. Die Abrechnung mit

Langen zeigte mir, daß der Absatz meiner Bücher sich etwas hebt; der Artikel in der ›Zukunft‹ über mich war ja nicht schön (obwohl Harden dies »mich protegieren« nennt); aber hoffentlich drückt er meinen Absatz nicht herab.

In: *Ewers-Briefe*, S. 418 (Nr. 109).
Der Artikel stammte von Julie Speyer, der Frau von Jakob Wassermann (»Heinrich Mann«, In: ›Die Zukunft‹. Hg. von Maximilian Harden. Berlin. 52. Bd., Nr. 53 vom 30. September 1905, S. 515–519).

11 Heinrich Mann an Ludwig Ewers,
Florenz, 4. Februar 1906 [Auszug]:

Ich bin übrigens ziemlich abgearbeitet.

Du glaubst nicht, oder man glaubt nicht, welche organisatorische Arbeit ein großer Roman verlangt, welchen Überblick, fortwährende Beherrschung aller Teile und Geistesgegenwart und Sicherheit im Treffen von Entscheidungen. Wenn mich das Wetter hindert, dieser Schirokko, der regenbringende Südwind, der hier schon etwas Afrikanisches hat, sitze ich oft vor meinem Manuskript, wie ein Feldherr, dessen ganze Artillerie im Dreck steckt. Dann, wie soeben, ein Spaziergang im Garten Boboli; zwischen Hecken, Brunnen, Statuen, mit Profilen von Palästen oder Toren hoch auf Wiesen im Blauen: und ich bringe ein paar gute Notizen mit heim. Ich glaube einiges erreicht zu haben in diesem Buch, und verspreche mir noch mehr. Aus dem Stoff konnte, glaube ich, nur ich dies herausholen, weil von den jetzt Schreibenden möglichenfalls nur ich diese Erlebnisse habe. Du wirst hoffentlich sehen. Zum Sommer hoffe ich fertig zu werden und möchte den Roman sehr gern zuerst in eine Zeitung bringen.

In: *Ewers-Briefe*, S. 419 (Nr. 110).

Lieber Ewers,
seit langer Zeit denke ich Deiner nur noch mit schlechtem
Gewissen. Ich hätte Dir zweifellos schon längst schreiben
müssen und habe auch oftmals das Bedürfnis gehabt. Nur
daß ich schon seit Mitte des Sommers meine letzte Ner-
venkraft hernehmen mußte, um meinen Roman noch zu
fördern. Eines Tages versagte die Maschine dann wieder
mal ganz, und ich schreibe seitdem höchstens noch Ge-
schäftsbriefe. An meinem Berliner Vortragsabend mußte
ich in der Pause auf der Chaiselongue liegen und war im
Zweifel, ob es weitergehen werde. Es ist nicht immer ein
leichtes Leben, das ich führe. Körperliche Erleichterung
fühle ich nur, wenn ich nicht arbeite. Dann ist aber das
Seelische gar nicht in Ordnung; ich fühle mich dann verkommen und gründlich überflüssig. Richtiges Lebensgefühl habe ich nur, solange ich schreibe. Drum will ich
das Kreuz auch schon in den nächsten Tagen wieder aufnehmen. Von meinem Roman fehlt das letzte Kapitel. Er
erregt, seit ich mehrfach Proben vorlas, günstige Erwartungen. Ich bin darin ruhiger geworden; vielleicht etwas
gereifter, vollkommener; aber manchmal habe ich eine
Abnahme meiner plastischen Kraft, meines künstlerischen Temperamentes befürchtet. Nun, wenn es fort
wäre, könnte ich's nicht zurückholen. Vielleicht wird es
kompensiert. Man muß sich wohl gehen lassen, wohin
man treibt. Mein Ehrgeiz wird immer mehr rein geistiger
Art: ich möchte Helden hinstellen, wirkliche Helden, also
generöse, helle und menschenliebende Menschen, als Gegensatz zu dem menschenfeindlichen, der Reaktion erge-
benen Geschlecht von heute. Seit ich in Berlin bin, lebe ich
unter dem Druck dieser sklavischen Masse ohne Ideale.
Zu dem alten menschenverachtenden preußischen Unter-

offiziersgeist ist hier die maschinenmäßige Massenhaftigkeit der Weltstadt gekommen, und das Ergebnis ist ein Sinken der Menschenwürde unter jedes bekannte Maß. Ich mache Studien.

In: *Ewers-Briefe*, S. 421 f. (Nr. 111).

13   Thomas Mann an Heinrich Mann,
     München, 27. Mai 1907 [Auszug]:

Ich habe auf der Reise mit *Zwischen den Rassen* begonnen, das Langen mir schickte, und habe gestern fast den ganzen Tag gelesen, sodaß ich schon zu zwei Dritteln fertig bin. Das Schönste war bisjetzt die Gugigl-Episode, mit Arnold. Wenn ich fertig bin, Näheres. Mein Gott, wenn ich *vergleiche** mit dem, was sonst heute bei uns an Romanen gemacht wird! – so fühlt sich mein Familien-Ehrgeiz sehr befriedigt. Was nun die Busse, Hesse und Simpel wohl wieder sagen werden!

(* und nicht nur dann! Aber will man sich seines Werthes freuen, so muß man schließlich vergleichen.)

In: *TM/HM*, S. 81.

14   Thomas Mann an Heinrich Mann,
     München, 7. Juni 1907 [Auszug]:

Lieber Heinrich:
Großer Gott, Du hast wieder etwas fertig, – und ich bin noch nicht einmal mit Deinem Letzten fertig, – das heißt, ich habe es längst zu Ende gelesen, aber es hat darum nicht aufgehört, mich zu beschäftigen und wächst mit der Distanz – als Kunstwerk, denn gelesen habe ich es entschuldbarer Weise vorwiegend als persönliches Dokument und Bekenntnis, – reißend schnell gelesen oder besser gesagt:

hingerissen schnell und oft in tiefer Bewegung. Ich kann nicht sehr essayistisch sein (unser Haushalt löst sich auf, stellt eigentlich nur noch einen Haufen Holzwolle dar, und ich schreibe mit einer noch ungewohnten Füllfeder). Aber ich möchte Dir doch kurz meine Eindrücke mittheilen. Sie lassen sich dahin zusammenfassen, daß *Zwischen den Rassen* mir – wenigstens im Augenblick – das liebste und nächste Deiner Werke ist – warum? Zunächst, wie gesagt, als Bekenntnis. Du hast nie soviel Hingabe *gezeigt*, und bei aller Strenge seiner Schönheit hat dies Buch dadurch etwas Weiches, Menschliches, Hingegebenes, das mich ganze Abschnitte lang in einer unwiderstehlichen Rührung festgehalten hat. Aber der eigentliche Grund seiner besonderen Wirkung liegt doch wohl tiefer. Sie beruht, meine ich, darin, daß dies Buch das gerechteste, erfahrenste, mildeste, *freieste* Deiner Werke ist. Hier ist keine Tendenz, keine Beschränktheit, keine Verherrlichung und Verhöhnung, kein Trumpfen auf irgend etwas und keine Verachtung, keine Parteinahme in geistigen, moralischen, aesthetischen Dingen, – sondern Allseitigkeit, Erkenntnis und Kunst. Das liegt im Stoff; aber der Stoff warst Du. »Zwischen den Rassen«, das ist soviel wie »*Über* den Rassen«, und da die »Rasse« schließlich nur ein Symbol und Darstellungsmittel ist, so läuft es hinaus auf ein »Über der *Welt*«. In diesem Sinne, scheint mir, ist dies Buch, – Dein menschlichstes, weichstes Buch, – zugleich Dein souveränstes und künstlerischstes, und dieses Zugleich ist gewiß der Ursprung meiner großen Ergriffenheit.

In: *TM/HM*, S. 81 f.

15 Heinrich Mann an Ludwig Ewers,
    Nussdorf, 12. Juni 1907 [Auszug]:

Hast Du *Zwischen den Rassen*, das Langen doch hoffentlich geschickt hat, schon bewältigt? Vielleicht ist's meine
beste Leistung? Aber das scheint mir jedesmal, solange ein
Buch noch neu ist. Allmählich wird dann meine Meinung
darüber immer skeptischer. Auch hab ich mir einmal die
Überzeugung gebildet, daß diese Zeit, wenigstens in
Deutschland, nicht angetan ist, etwas wirklich Großes
hervorbringen. In Kleinigkeiten kann man vollkommen
sein: das ist alles. Immerhin – ich will Dich als meinen
Kritiker auch nicht gar zu ungünstig beeinflussen – halte
ich *Zwischen den Rassen* für einen recht schönen Roman.

    In: *Ewers-Briefe*, S. 431 (Nr. 119).

16 Carla Mann [H. Manns Schwester] an Heinrich Mann,
    Metz, 20. Juni 1907 [Auszug]:

Also es ist natürlich außerordentlich gut, Lola und Mai
sind prächtig, ebenso die bayrische Gesellschaft, Claudia
und viele andere. Für Arnold kann ich wenig Sympathie
aufbringen, kaum mehr als für Pardi. Statt alle beide zu
lieben, könnte Lola ebensogut keinen von beiden lieben. –
Nun, dies ist Unsinn. – Fürs erste liebe ich am meisten den
ganzen ersten Teil, das Kapitel in Bayern und Claudias
Tod. – Immer wieder fällt mir auf, wie es in Deinen Büchern, besonders aber in diesem, von Personen wimmelt,
die man wiedererkennt, und von erlebten Einzelheiten.
Ich glaube, kein Schriftsteller auf der Welt macht sich so
viele Notizen wie Du.

    Original: HMA 1736. – Druck: (Auszug): *GW* 5, S. 451.

Carla Mann
(Aufnahme von 1902/1903; HMA)

17 Thomas Mann an Heinrich Mann,
    Seeshaupt, 22. Juni 1907 [Auszug]:

Ich habe *Zw[ischen] d[en] Rassen* in drei, vier Sitzungen
gelesen: für meine Verhältnisse rapide. Und dabei lang-
weilen mich jetzt alle neuen Romane, – allerdings wohl
nicht wegen ihrer »Schwere«. Ich finde das Buch, unter
anderem, so unterhaltend wie nur eins von Dir.

    In: *TM/HM*, S. 83f.

18 Carla Mann an Theodor Lessing,
    25. September 1907 [Auszug]:

Zwischen den Rassen liebe ich nicht sehr, abgesehn von
einigen Stellen. Direkt unangenehm ist mir Arnold. Ich
würde an Lolas Stelle sicher weder ihn noch Pardi lieben.
Dies teilte ich Heinrich auch mit; aber er antwortete, daß
ja dann der Roman unmöglich sei. Dies ist so richtig, daß
man verstummen muß.

    Zit. nach: *GW 5*, S. 451f.

19 Heinrich Mann an Maximilian Brantl,
    Riva, 23. Oktober 1907 [Auszug]:

Ihr Brief – und noch mehr die Erregung darin – giebt mir
Genugthuung. Grade erst hatte ich, verspätet und durch
einen unglücklichen Zufall, den Artikel zu sehen bekommen. So etwas überschlägt man immerhin lieber (besonders da es nicht neu ist). Wäre ich zwei Tage länger in Mai-
land geblieben! Dort schwamm ich in der Volksbewegung
des Generalstreiks mit. Denn ich bin kein Aesthet und
habe mit dem großen Leben doch vielleicht mehr zu thun
gehabt, als der Michel der Neuesten Nachrichten.

Was den betrifft, mag es sein, daß das berufsmäßige Kritisiren überhaupt korrumpirt. Aber ich fühle deutlich, daß er vor allem darum gegen mich auftritt, weil er ein Nationalist, also ein Reaktionär ist. Was nun mich im heutigen Deutschland zu einer Ausnahme macht, ist mein Radikalismus; ich bin radikal im Geistigen, Seelischen, Formalen. Dieser Recensent hat es schlau gefunden, sich an das Sprachliche zu halten; aber seien Sie überzeugt: das eigentlich ihm Feindliche ist die Welt meines Buches, sind seine Leidenschaften und seine Tendenzen. Das Tempo des Sprechens ist bedingt durch das des Fühlens: Das kann er wissen. Aber diese armen Leute müssen sehr viel lügen, um heute, beim Heraufkommen der europäischen Demokratie, da der Geist mit so Vielem schon aufgeräumt hat, Heimathskünstler und nationale Blockpolitiker sein zu können.

In: Ulrich Dietzel, *Heinrich Manns Briefe an Maximilian Brantl*. In: ›Weimarer Beiträge‹. 14, 1968, Heft 2, S. 393–422, Zitat S. 398f. (Nr. 1).
Heinrich Mann bezieht sich hier auf eine Rezension von Wilhelm Michel, die unter dem Titel *Literarisches Virtuosentum* in den ›Münchner Neuesten Nachrichten‹ erschienen war [vgl. Zeitgenössische Rezensionen, S. 520].

Heinrich Mann an René Schickele,   20
Nizza, 7. Februar 1910 [Auszug]:

Zwischen den Rassen benutzt die Rasse nur als Symbol für diese beiden Tendenzen: Einsamkeit und Liebe, und für ihren Kampf und für ihre Vermischungen.

Original: Deutsches Literaturarchiv / Schiller-Nationalmuseum, Marbach am Neckar (A: Schickele; 60.667 / 13) – Druck: *Dok.*, S. 119.

Meine Bildungsmittel waren französische Bücher, Krankheit, das Leben in Italien, und zwei Frauen. Jetzt bin ich 39 Jahre alt und sehe hinter mir den Weg, der, durch sechs Romane hindurch, von der Behauptung des Individualismus zur Verehrung der Demokratie geführt hat. In meiner *Herzogin von Assy* habe ich einen Tempel errichtet für drei Göttinnen, für die dreieinige, freie, schöne und genießende Persönlichkeit. Meine *Kleine Stadt* aber habe ich dem Volk erbaut, dem Menschenthum.

Original: HMA 471. – Druck: *Dok.*, S. 122.
Zum erstenmal gedruckt als autobiographische Vorbemerkung zu: *Frankreich. Aus einem Essay* [später: *Voltaire – Goethe*]. In: *Freiheit und Arbeit. Kunst und Literatur*. Sammlung. Hg. vom Internationalen Komitee zur Unterstützung der Arbeitslosen. Leipzig: (Xenien-Verlag) 1910, S. 3.

Zeitgenössische Rezensionen
(Auswahlbibliographie)

B[ulle], O[skar]: Die Arbeitslosen im Roman.
In: ›Beilage zur Allgemeinen Zeitung‹. München.
Jg. 1907, Nr. 119 vom 21.Juni 1907, S. 353–355.
[Vergleich zwischen Heinrich Manns Roman *Zwischen den Rassen* und Otto Leitgebs *Sonnensplitter*.]

P., J. E.: Heinrich Mann. *Zwischen den Rassen*.
In: ›Berliner Tageblatt‹. 36.Jg., Nr. 331 vom 3.Juli 1907, Morgen-Ausgabe, 2. Beiblatt: ›Literarische Rundschau‹.

Ewers, Ludwig: Heinrich Mann und sein jüngstes Werk.
In: ›Königsberger Blätter für Literatur und Kunst‹. Beilage der ›Königsberger Allgemeinen Zeitung‹. Nr. 19 vom 13.September 1907, S. (1 f.).
Ebenso in: ›Bonner Zeitung‹. 16.Jg., Nr. 255 vom 15.September 1907, S. 1.

Brod, Max: *Zwischen den Rassen*. Roman von Heinrich Mann.
In: ›Die Gegenwart. Wochenschrift für Literatur, Kunst und öffentliches Leben‹. Berlin. 36.Jg., Bd. 72, Nr. 37 vom 14.September 1907, S. 174, ›Notizen‹.

Bonsels, Waldemar: Heinrich Mann.
In: ›Die Zukunft‹. Berlin. 15.Jg., Bd. 60, Nr. 50 vom 14.September 1907, S. 391–394.

Busse, Carl: Neues vom Büchertisch.
In: ›Velhagen & Klasings Monatshefte‹. Berlin, Bielefeld, Leipzig, Wien. 22.Jg., 1907/08, Bd. 1, Heft 1, September 1907, S. 147–151 [Sammelbesprechung]: zu *Zwischen den Rassen*, S. 149 f.

Michel, Wilhelm: Literarisches Virtuosentum.

   In: ›Münchner Neueste Nachrichten‹. 60. Jg., Nr. 490 vom 19. Oktober 1907, Vorabendblatt, S. 1 f.

Schultze, K.: Eheprobleme in neueren Romanen.

   In: ›Der Kunstwart‹. München. 21. Jg., Heft 7, 1. Januarheft 1908, S. 71–74, ›Mann und Weib‹; zu *Zwischen den Rassen*: S. 73 f.

Behrend, Walter: Heinrich Mann, ein Künstlerproblem.

   In: ›Neue Revue. Halbmonatschrift für das öffentliche Leben‹. Berlin. 1. Jg., 1907/08, Heft 6, 2. Januarheft 1908, S. 448–454.

   [Über: *Die Göttinnen, Professor Unrat, Zwischen den Rassen, Flöten und Dolche, Pippo Spano*.]

Ranke, Friedrich: Heinrich Mann: *Zwischen den Rassen*.

   In: ›Eckart. Ein deutsches Literaturblatt‹. Berlin. 2. Jg., Nr. 6, März 1908, S. 396–400.

Korn, C.: Heinrich Mann, *Zwischen den Rassen*.

   In: ›Die Neue Zeit. Wochenschrift der Deutschen Sozialdemokratie‹. Stuttgart. 26. Jg., Bd. 2, Nr. 27 vom 3. April 1908, S. 44 f., ›Feuilleton: Bücherschau‹.

Frapan-Akunian, Ilse: *Zwischen den Rassen*. Roman. Von Heinrich Mann.

   In: ›Das literarische Echo‹. Berlin. 10. Jg., Heft 14 vom 15. April 1908, Sp. 1025 f., ›Kurze Anzeigen‹.

Wentzel, Albert Julius: Heinrich Mann, *Zwischen den Rassen*.

   In: ›Die Schöne Literatur‹. Leipzig. 9. Jg., Nr. 11 vom 23. Mai 1908, Sp. 186–189 [Sammelbesprechung]; zu *Zwischen den Rassen*: Sp. 187 f.

Martens, Kurt: *Zwischen den Rassen*. Roman.

   In: Kurt Martens, *Literatur in Deutschland. Studien und Eindrücke*. Berlin: Fleischel u. Co 1910, S. 131–133.

Sandmeier-Goettersberg, J.: Heinrich Mann: *Zwischen den Rassen*.

In: ›Allgemeine Zeitung‹. München. 119.Jg., Nr. 34
vom 19. August 1916, S. 410f., ›Bücher-Anzeigen‹.
[Zur Ausgabe des Romans *Zwischen den Rassen* im
Kurt Wolff-Verlag.]

Zeittafel

1870/1871	Deutsch-Französischer Krieg. Gründung des Deutschen Reiches unter preußischer Vorherrschaft (18.1.1871)
1871	Luiz Heinrich Mann am 27. März als erster Sohn des Senators Thomas Johann Heinrich Mann und seiner Ehefrau Julia, geb. da Silva-Bruhns, in Lübeck geboren.
1875	Geburt des Bruders Thomas
1877	Wahl des Vaters zum Senator von Lübeck
1878–1890	Sozialistengesetz
1884	Reise nach St. Petersburg
Seit 1885	Erste erzählerische, seit 1887 erste poetische Versuche
1889	Abgang vom Gymnasium aus Unterprima. Buchhandlungslehrling in Dresden
1890	Erste Veröffentlichung einer Erzählung in der ›Lübecker Zeitung‹
1890–1892	Volontär im S. Fischer Verlag, Berlin. Studien an der Friedrich-Wilhelms-Universität
1891	Tod des Vaters (geb. 1840). Liquidierung der Firma Johann Siegmund Mann. Erste Rezensionen in ›Die Gesellschaft‹
1892	Sanatoriumsaufenthalt nach Lungenblutung in Berlin; danach Kuraufenthalte in Wiesbaden und Lausanne. Rezensionen in ›Die Gegenwart‹
1893	Übersiedlung der Familie nach München Reisen nach Paris, Italien

1910	*Voltaire – Goethe; Geist und Tat*, kulturpolitische Essays
	Das Herz, Novellen
	Freitod der Schwester Carla (geb. 1881)
	Kuraufenthalte in Riva und Meran
	Variété, Einakter
1911	*Die Rückkehr vom Hades*, Novellen
	Schauspielerin, Drama
1912	Bekanntschaft mit der Prager Schauspielerin Maria (Mimi) Kanová während der Proben zu *Die große Liebe* im Deutschen Theater, Berlin
	Beginn der Niederschrift von *Der Untertan*
1913	*Madame Legros*, Drama
1914	*Der Untertan* als Fortsetzungsroman in ›Zeit im Bild‹
	13. August: Abbruch des Vorabdrucks nach Beginn des Ersten Weltkrieges. Weiterer Abdruck der russischen Übersetzung bis Oktober in Petersburg (›Sowremennij Mir‹)
	12. August: Heirat mit Maria (Mimi) Kanová. Wohnsitz in München
1915	Russische Buchausgabe des *Untertan*
	Konflikt mit dem Bruder. Abbruch der Beziehungen nach dem Erscheinen von Thomas Manns *Gedanken im Kriege*
	Zola, Essay; in ›Die Weißen Blätter‹, hg. von René Schickele
1916	*Der Untertan*, Privatdruck in etwas mehr als 10 Exemplaren
	Geburt der Tochter Henriette Maria Leonie
1917	*Die Armen*, Roman
	Brabach, Drama
	Madame Legros an den Münchener Kam-

1917	merspielen und am Lessing-Theater in Berlin uraufgeführt
	Grabrede auf Frank Wedekind
	Versuch einer Versöhnung mit Thomas Mann
1918	Ende des Ersten Weltkrieges. Novemberrevolution in Deutschland
	Mitarbeit Heinrich Manns im ›Politischen Rat geistiger Arbeiter‹ in München
	Der Untertan, Roman
	Beginn der Arbeit am Roman *Der Kopf*
1919	Ermordung Karl Liebknechts und Rosa Luxemburgs
	Macht und Mensch, Essays (Gewidmet *Der deutschen Republik*)
	Gedenkrede für Kurt Eisner, den ermordeten Ministerpräsidenten der bayerischen Räterepublik
	Der Weg zur Macht, Drama
1920	und in den folgenden Jahren wachsende publizistische Tätigkeit gegen den verstärkten Einfluß der Reaktion in der Weimarer Republik
	Die Ehrgeizige, Novelle
1921	*Die Tote und andere Novellen*
1922	Aussöhnung mit Thomas Mann
	Bekanntschaft mit dem französischen Germanisten Félix Bertaux
	Rapallo-Vertrag zwischen Deutschland und der UdSSR
1923	Ruhrbesetzung, Generalstreik. Putschversuch der Nationalsozialisten in München. Inflation und erster Nachkriegsbesuch Heinrich Manns in Frankreich. Teilnahme an den Entretiens de Pontigny

1923	Rede bei der Verfassungsfeier in der Staatsoper Dresden
	11. März: Tod der Mutter Julia (geb. 1851)
	Diktatur der Vernunft, Reden u. Aufsätze
1924	Reise in die Tschechoslowakei, Begegnung mit Thomas G. Masaryk auf Schloß Lana bei Prag
	Abrechnungen, Novellen
	Der Jüngling, Novellen
	Das gastliche Haus, Komödie
1925–1932	*Gesammelte Werke in 13 Bänden* im Paul Zsolnay Verlag, Wien
1925	Zweite Frankreichreise nach dem Krieg, erste Impulse für den *Henri Quatre* in den Pyrenäen und in Pau
	Der Kopf, Roman
	Kobes, Novelle
	Zusammenfassung der Romane *Der Untertan, Die Armen, Der Kopf* zur *Kaiserreich-Trilogie*, der *Romane der deutschen Gesellschaft im Zeitalter Wilhelms II.*
1926	Wahl zum Mitglied der Preußischen Akademie der Künste zu Berlin, Sektion Dichtkunst am 27. Oktober
	Liliane und Paul, Novelle
1927	Verstärktes Wirken für eine geistige Verständigung zwischen Deutschland und Frankreich. Rede im Trocadéro, Paris, zur Jahrhundertfeier für Victor Hugo
	Freitod der Schwester Julia (geb. 1877)
	Mutter Marie, Roman
1928	Trennung von Maria Mann, Übersiedlung nach Berlin
	Vorsitzender des Volksverbandes für Filmkunst

1929	*Eugénie oder Die Bürgerzeit*, Roman
	Bekanntschaft mit Nelly Kroeger, seiner späteren zweiten Frau
	Sie sind jung, Novellen
	Sieben Jahre. Chronik der Gedanken und Vorgänge (1921–1928), Essays
	Weltwirtschaftskrise
1930	Scheidung von Maria Mann
	›Der blaue Engel‹, Verfilmung des Romans *Professor Unrat*
	Die große Sache, Roman
1931	Wahl zum Präsidenten der Sektion Dichtkunst bei der Preußischen Akademie der Künste. Teilnahme an einem internationalen Schriftstellerkongreß in Paris. Gespräch mit Aristide Briand. Rede im Admiralspalast zur deutsch-französischen Verständigung
	Geist und Tat. Franzosen 1780/1930, Essays
1932	Wiederwahl Hindenburgs zum Reichspräsidenten
	Ein ernstes Leben, Roman
	Das öffentliche Leben, Essays
	Das Bekenntnis zum Übernationalen, Essay
	Beginn der Arbeit am *Henri Quatre*
1932/1933	Unterzeichnung von Aufrufen zur Aktionseinheit von KPD und SPD gegen die Nationalsozialisten, gemeinsam mit Käthe Kollwitz und Albert Einstein
1933	30. Januar: Machtergreifung der Nationalsozialisten
	15. Februar: Ausschluß mit Käthe Kollwitz aus der Akademie der Künste

1933	21.Februar: Flucht nach Frankreich über Frankfurt am Main und Kehl am Rhein
	25.August: Aberkennung der deutschen Staatsbürgerschaft
	Der Haß. Deutsche Zeitgeschichte, Essays
1933–1940	Wohnsitz in Sanary-sur-Mer, dann in Nizza. Reisen nach Prag, Genf und Zürich
	Leitartikel in der ›Dépêche de Toulouse‹
	Vorsitzender des Vorbereitenden Ausschusses der deutschen Volksfront, Ehrenpräsident des SDS. Antifaschistische Flug- und Tarnschriften
1934	10.Mai: Heinrich Mann Präsident der Deutschen Freiheitsbibliothek
	Der Sinn dieser Emigration, Essays
1935	Juni: Rede auf dem Internationalen Schriftstellerkongreß zur Verteidigung der Kultur in Paris
	Die Jugend des Königs Henri Quatre, Roman
1936	Heinrich Mann wird tschechoslowakischer Staatsbürger
	Beginn des spanischen Bürgerkriegs
	Es kommt der Tag. Deutsches Lesebuch, Essays
1937	10./11.April: Volksfrontkonferenz in Paris, Eröffnungsansprache Heinrich Manns
1938	Münchner Abkommen
	Die Vollendung des Königs Henri Quatre, Roman
1939	*Mut*, Essays
	9.September: Heirat mit Nelly (Emmy) Kroeger in Nizza
	Verschleppung Maria Manns ins KZ Theresienstadt

1940	Kapitulation Frankreichs vor den Hitlertruppen
	Flucht mit Hilfe von Lion Feuchtwanger über Spanien und Portugal in die USA. Aufenthalte in New York, Princeton, Hollywood, Wohnsitz in Los Angeles und Santa Monica bis zum Tod
1941	Beginn der Arbeit am Roman *Empfang bei der Welt* (postum erschienen)
1943	Ehrenpräsident des Lateinamerikanischen Komitees der Freien Deutschen
	Lidice, Roman
1944	17. Dezember: Freitod Nelly Manns (geb. 1898)
1945	Bedingungslose Kapitulation Deutschlands
	Ein Zeitalter wird besichtigt, Autobiographie
	Klaus Mann bringt die gesundheitlich schwergeschädigte Maria Mann aus dem KZ Theresienstadt nach Prag zurück
1947	Ehrendoktor der Humboldt-Universität Berlin
	Tod Maria Manns in Prag (geb. 1886)
1949	Nationalpreis I. Klasse für Kunst und Literatur der DDR
	Tod des Bruders Viktor (geb. 1890)
	Der Atem, Roman
1950	Berufung Heinrich Manns zum ersten Präsidenten der neugegründeten Akademie der Künste zu Berlin. Vorbereitung zur Rückkehr mit dem polnischen Dampfer ›Batory‹. 12. März: Tod Heinrich Manns in Santa Monica bei Los Angeles
1951	DEFA-Verfilmung von *Der Untertan*
1955	Thomas Mann stirbt am 12. August

1956	*Empfang bei der Welt*, Roman
1958	Übergabe großer Teile von Heinrich Manns in der Tschechoslowakei gerettetem Nachlaß an die Akademie der Künste zu Berlin
1958/1960	*Die traurige Geschichte von Friedrich dem Großen*, szenisches Romanfragment
1961	Überführung der Urne Heinrich Manns von Kalifornien nach Prag. 25. März: Überführung der Urne nach Berlin und Beisetzung auf dem Dorotheenstädtischen Friedhof

Herausgeber und Verlag danken dem Heinrich-Mann-Archiv der Akademie der Künste der DDR, Berlin, und dem Deutschen Literaturarchiv, Marbach am Neckar, für vielfältig gewährte Unterstützung durch Auskünfte und Bereitstellung von Abbildungsvorlagen; dem Aufbau-Verlag, Berlin und Weimar, und dem Claassen Verlag, Düsseldorf, für die gegebenen Abdruckgenehmigungen.

Max Horkheimer
Gesammelte Schriften

Herausgegeben von Alfred Schmidt
und Gunzelin Schmid Noerr

*Die Bände der ›Gesammelten Schriften‹ erscheinen gleichzeitig in
gebundener Ausgabe und als Taschenbuch.*

S. Fischer

Arnold Zweig

Das Beil von Wandsbek
Roman. Band 2069

Einsetzung eines Königs
Roman. Band 5913

Erziehung vor Verdun
Roman. Band 1523

Die Feuerpause
Roman. Band 5912

Junge Frau von 1914
Roman. Band 1335

Novellen um Claudia
Roman. Band 5877

Soldatenspiele
Drei dramatische Historien
Band 5914

Der Streit um den Sergeanten Grischa
Roman. Band 1275

Traum ist teuer
Roman. Band 5876

De Vriendt kehrt heim
Roman. Band 5785

Westlandsaga
Eine Chronik. Band 5835

Die Zeit ist reif
Roman. Band 5827

Fischer Taschenbuch Verlag

Arthur Schnitzler

Der Sekundant
und andere Erzählungen. Band 9100

»Wunderschön sparsam und durchsichtig« hat
Hugo von Hofmannsthal die Art und Weise genannt,
mit der Arthur Schnitzler »alles Äußerliche, das den
Fortgang der Handlung unterstützt«, in seinen Werken
schildert.

Spiel im Morgengrauen
Erzählung. Band 9101

»Spiel im Morgengrauen« ist ein für Arthur Schnitzlers
Erzählen sehr charakteristisches Beispiel: das Motiv des
Spiels – des Spiels der Akteure mit ihren Gedanken und
Gewohnheiten und des Spiels des Zufalls, des
Schicksals – kehrt bei ihm immer wieder.

Fräulein Else
und andere Erzählungen. Band 9102

»Schon das Gestern verschwimmt, und alles, was ein
paar Tage zurückliegt, bekommt den Charakter eines
unklaren Traumes.« Arthur Schnitzler erzählt vom
Fehlverhalten der Menschen, die, aus solchem
Lebensgefühl heraus, nicht davor zurückscheuen, die
anderen, die gewissenhaften, zu opfern, wenn sie selbst
sich allzusehr verstrickt haben.

Fischer Taschenbuch Verlag